풍산자 라이트유형

수학(하)

충실한 개념 정리와

차별화된 주제별 대표 유형 연습으로

실력을 올려주는

〈풍산자 라이트유형〉입니다.

이 세상의 이치는 수학 지식 없이 알아낼 수가 없다

- 로저 베이컨 -

대표 유형 중심의 실력을 높이는 **유형 연습서**

풍산자 라이트유형

교재 활용 로드맵

학습에 효과적으로 적용할 수 있는
기본에 충실한 개념

선수 과목 개념을 제시하여 이해력을 높이는
친절하고 명쾌한 풀이

유형을 점검하고 실전 문제 해결력을 기르는
실력을 높이는 연습 문제

출제 빈도 높은 문제로 유형을 꿰뚫는
서술형과 기출 문제

기본 유형 연습과 유형의 접근 방법을 제시한
기본을 다지는 유형

꼭 알아야 할 기본 유형과 발전 유형 제시	대표 유형과 그 풀이 및 접근 방법을 통해 유형에 대한 이해력 향상
최신 경향이 반영된 서술형과 기출 문제	내신과 학력평가를 완벽하게 대비할 수 있도록 엄선된 문제 구성
유형 학습을 마무리하는 실력 점검 문제	문제 적용력과 해결력을 기르는 문제로 유형 학습 마무리

풍산자
라이트 유형

수학(하)

구성과 특징

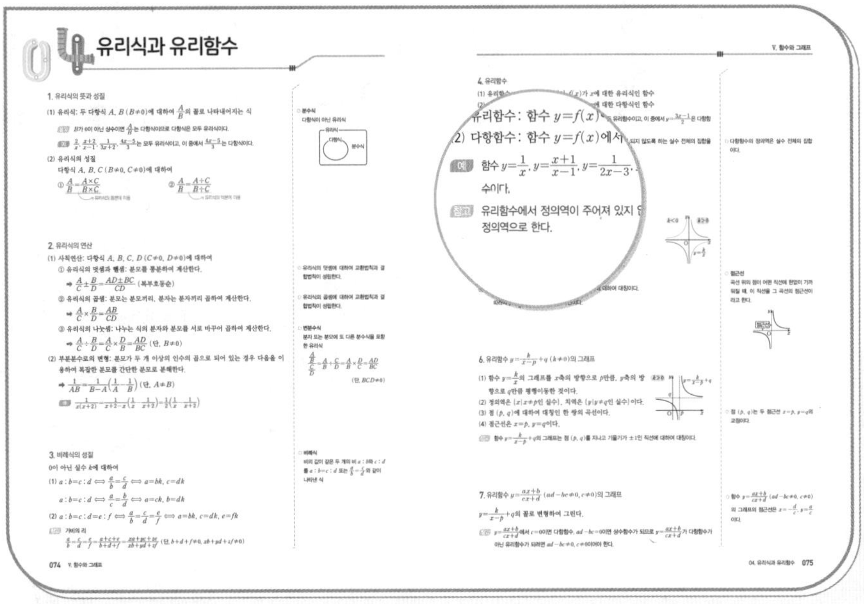

▶ 교과서와 기본에 충실한

개념 정리

- 간결하고 이해하기 쉽게 개념 정리
- 확실한 개념 이해를 위한 참고 와 예
- 배웠던 내용을 다시 보는 선수 과목 개념

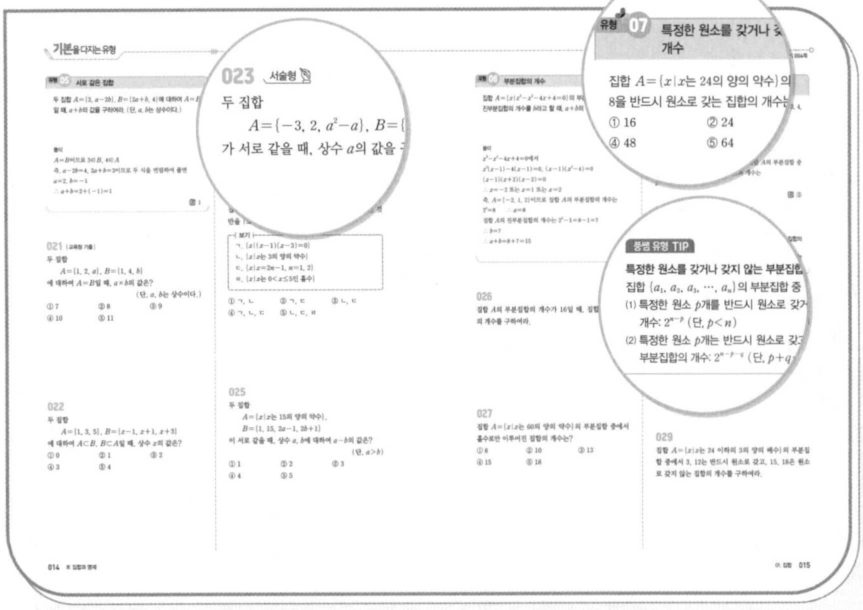

▶ 확실하게 점수를 올리는

유형 연습

- 반드시 알아야 할 기본 유형으로 구성
- 발전 유형의 접근 방법을 제시한 풍쌤 유형 TIP
- 실전에 대비할 수 있도록 철저하게 분석한 서술형 | 교육청 기출 |

실전 유형을 조금 더 쉽고 가볍게 익히자.
확실하게 개념을 잡고, 유형을 연습해서 실력을 올려요!

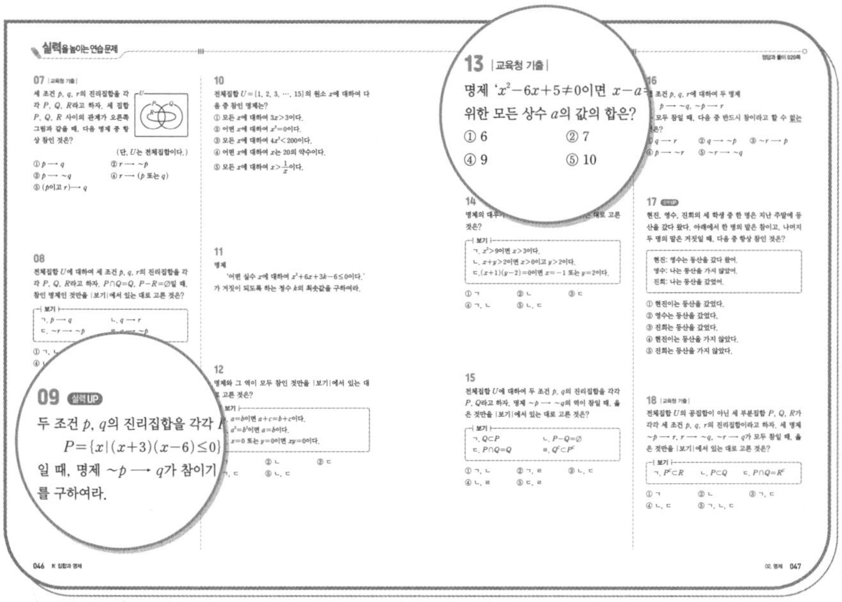

▶ 실력을 높이는
연습 문제

- 유형 학습에 맞는 엄선된 유형 점검 문제로 구성
- 기본 유형을 발전시킨 응용 문제 **실력UP**
- 실전 문제 해결력을 기르는 기출 문제

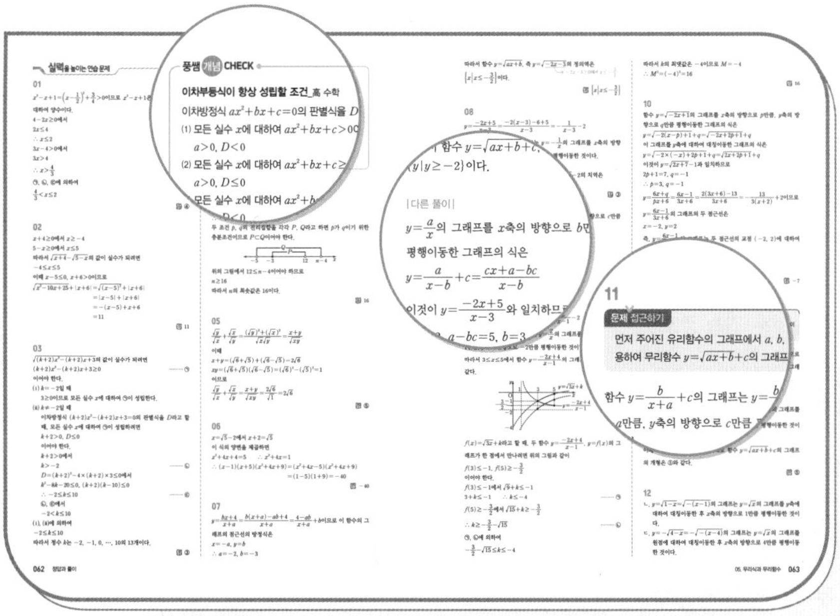

▶ 풀이 과정이 보이는 명쾌한
정답과 풀이

- 풍쌤 개념 CHECK로 자주 나오는 선수 개념 설명
- 문제의 해결력을 높이는 문제 접근하기
- 수학적 사고력을 키우는 |다른 풀이|

차례

Ⅳ. 집합과 명제

Ⅴ. 함수와 그래프

Ⅵ. 경우의 수

수학 (상) *수학(상)은 별도 판매합니다.

Ⅰ. 다항식 Ⅱ. 방정식과 부등식 Ⅲ. 도형의 방정식

기본 유형의 집중 학습

풍산자 라이트유형

1 실력을 다지는 유형 집중 학습에 적합한 구성

- 개념을 바로 적용할 수 있는 연산 문제 및 기출 문제의 기본 유형 제시
- 기본 유형을 충분히 연습할 수 있도록 일반 유형서의 유형을 세분화

2 최신 경향 분석으로 내신과 학력평가 대비

- 내신과 학력 평가 등 최신 경향을 분석하여 출제 빈도 높은 문제들로 구성
- 출제 빈도 높은 서술형 문제 제시로 서술형 평가 대비에 적합
- 최신 기출 문제 연습으로 실전 감각을 키우고 자신감을 높임

3 중상위권 도약을 위한 최적의 유형 연습용 교재

- 깔끔하지만 부족함이 없는 개념 설명과 유형 연습에 적합한 세분화된 유형 분류
- 문제 출제 원리에 부합한 유형과 문제해결 TIP으로 문제 적용력과 해결력 강화

매일 매순간 나아가는 사람이
진정한 승자가 된다.

IV

집합과 명제

01 집합

1. 집합과 원소

(1) 집합: 그 대상을 분명하게 알 수 있는 것들의 모임

예 ① 4의 양의 약수의 모임 ➡ 1, 2, 4 ➡ 집합이다.
② 4에 가까운 자연수의 모임 ➡ 대상을 분명하게 정할 수 없다. ➡ 집합이 아니다.

(2) 원소: 집합을 이루는 대상 하나하나

① a가 집합 A의 원소일 때 ➡ $a\in A$

② b가 집합 B의 원소가 아닐 때 ➡ $b\notin B$

예 10보다 작은 제곱수의 집합을 A라고 하면
① 1, 4, 9는 집합 A의 원소이므로 $1\in A$, $4\in A$, $9\in A$
② 2, 5는 집합 A의 원소가 아니므로 $2\notin A$, $5\notin A$

2. 집합의 표현

(1) 원소나열법: 집합에 속하는 모든 원소를 { } 안에 나열하여 나타내는 방법

(2) 조건제시법: 집합에 속하는 모든 원소들이 갖는 공통된 성질을 조건으로 제시하여 나타내는 방법

(3) 벤다이어그램: 집합을 나타낸 그림

예 6의 양의 약수의 집합 A를 나타내는 방법은
① 원소나열법: $A=\{1, 2, 3, 6\}$
② 조건제시법: $A=\{x\,|\,x$는 6의 양의 약수$\}$
③ 벤다이어그램:

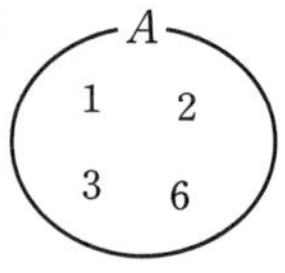

원소나열법으로 나타낼 때 주의할 점
(1) 원소를 나열하는 순서는 달리하여도 되지만, 같은 원소는 중복하여 쓰지 않는다.
(2) 원소의 수가 많고 원소 사이에 일정한 규칙이 있을 때는 '…'을 이용하여 원소 중 일부를 생략하여 나타내기도 한다.

3. 집합의 원소의 개수

(1) 원소의 개수에 따른 집합의 분류

① 유한집합: 원소가 유한개인 집합

② 무한집합: 원소가 무수히 많은 집합

③ 공집합($\varnothing$): 원소가 하나도 없는 집합

(2) 유한집합의 원소의 개수: 유한집합 A의 원소의 개수를 기호 $n(A)$로 나타낸다.

참고 $n(\varnothing)=0$

4. 집합 사이의 포함 관계

(1) 부분집합: 집합 A의 모든 원소가 집합 B에 속할 때, 집합 A를 집합 B의 부분집합이라고 한다. ➡ $A\subset B$

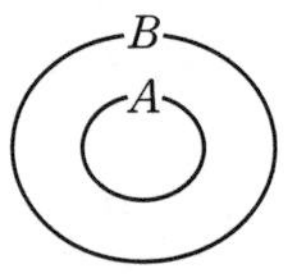

참고 집합 A가 집합 B의 부분집합이 아니다. ➡ $A\not\subset B$

(2) 서로 같은 집합: $A\subset B$이고 $B\subset A$일 때, 두 집합 A와 B는 서로 같다고 한다. ➡ $A=B$

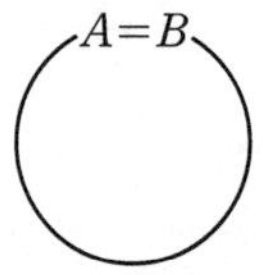

참고 두 집합 A, B가 서로 같지 않다. ➡ $A\neq B$

(3) 진부분집합: 두 집합 A, B에 대하여 $A\subset B$이고 $A\neq B$일 때, 집합 A를 집합 B의 진부분집합이라고 한다.

(4) 부분집합의 개수: 집합 $\{a_1, a_2, a_3, \cdots, a_n\}$에 대하여

① 부분집합의 개수: 2^n ② 진부분집합의 개수: 2^n-1

집합 A가 집합 B의 부분집합일 때, '집합 A는 집합 B에 포함된다.' 또는 '집합 B는 집합 A를 포함한다.'라고 한다.

부분집합의 성질
세 집합 A, B, C에 대하여
(1) 공집합은 모든 집합의 부분집합이다. ➡ $\varnothing\subset A$
(2) 모든 집합은 자기 자신의 부분집합이다. ➡ $A\subset A$
(3) $A\subset B$이고 $B\subset C$이면 $A\subset C$이다.

5. 합집합과 교집합

(1) A와 B의 합집합: 두 집합 A, B에 대하여 A에 속하거나 B에 속하는 모든 원소로 이루어진 집합
➡ $A \cup B = \{x \mid x \in A$ 또는 $x \in B\}$

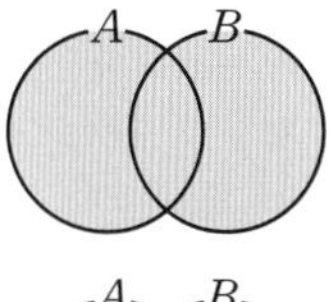

(2) A와 B의 교집합: 두 집합 A, B에 대하여 A에도 속하고 B에도 속하는 모든 원소로 이루어진 집합
➡ $A \cap B = \{x \mid x \in A$ 그리고 $x \in B\}$

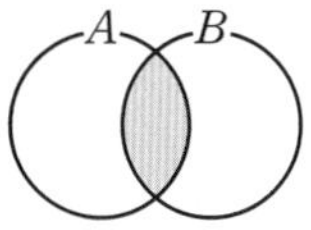

(3) 서로소: 두 집합 A, B에 대하여 $A \cap B = \varnothing$일 때, 두 집합 A, B는 서로소라고 한다.

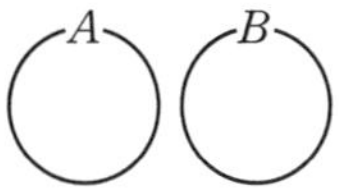

참고 공집합은 모든 집합과 서로소이다.

'~이거나', '~ 또는 ~' ➡ 합집합
'~이고', '~와' ➡ 교집합

집합의 연산 법칙
세 집합 A, B, C에 대하여
(1) 교환법칙
$A \cup B = B \cup A$, $A \cap B = B \cap A$
(2) 결합법칙
$(A \cup B) \cup C = A \cup (B \cup C)$,
$(A \cap B) \cap C = A \cap (B \cap C)$
(3) 분배법칙
$A \cap (B \cup C) = (A \cap B) \cup (A \cap C)$,
$A \cup (B \cap C) = (A \cup B) \cap (A \cup C)$

6. 여집합과 차집합

(1) 전체집합: 어떤 주어진 집합에 대하여 그 집합의 부분집합을 생각할 때, 처음에 주어진 집합을 전체집합이라고 하며 기호 U로 나타낸다.

(2) U에 대한 A의 여집합: 전체집합 U의 부분집합 A에 대하여 U의 원소 중에서 A에 속하지 않는 모든 원소로 이루어진 집합
➡ $A^C = \{x \mid x \in U$ 그리고 $x \notin A\}$

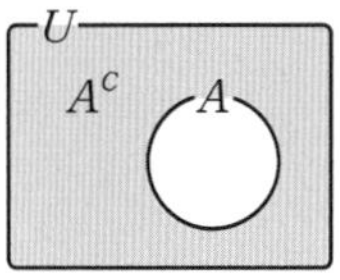

(3) A에 대한 B의 차집합: 두 집합 A, B에 대하여 A의 원소 중에서 B에 속하지 않는 모든 원소로 이루어진 집합
➡ $A - B = \{x \mid x \in A$ 그리고 $x \notin B\}$

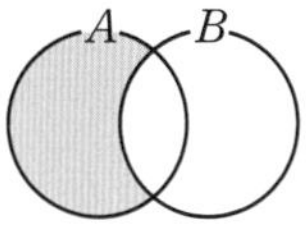

집합 A의 여집합 A^C는 전체집합 U에 대한 집합 A의 차집합으로 생각할 수 있다. ➡ $A^C = U - A$

7. 집합의 연산의 성질

전체집합 U의 두 부분집합 A, B에 대하여

(1) $A \cup A = A$, $A \cap A = A$
(2) $A \cup \varnothing = A$, $A \cap \varnothing = \varnothing$
(3) $A \cup U = U$, $A \cap U = A$
(4) $A \cup A^C = U$, $A \cap A^C = \varnothing$
(5) $\varnothing^C = U$, $U^C = \varnothing$
(6) $(A^C)^C = A$
(7) $A - B = A \cap B^C$

$A - B = A \cap B^C = A - (A \cap B)$
$= (A \cup B) - B$

$(A \cup B) - (A \cap B)$
$= (A - B) \cup (B - A)$

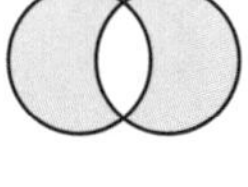

8. 드모르간의 법칙

전체집합 U의 두 부분집합 A, B에 대하여
$(A \cup B)^C = A^C \cap B^C$, $(A \cap B)^C = A^C \cup B^C$

9. 유한집합의 원소의 개수

전체집합 U의 두 부분집합 A, B에 대하여

(1) $n(A^C) = n(U) - n(A)$
(2) $n(A \cup B) = n(A) + n(B) - n(A \cap B)$
(3) $n(A - B) = n(A) - n(A \cap B) = n(A \cup B) - n(B)$

두 집합 A, B가 서로소이면
$n(A \cap B) = 0$이므로
$n(A \cup B) = n(A) + n(B)$

기본을 다지는 유형

유형 01 집합과 원소

8의 양의 약수의 집합을 A, 3의 양의 배수의 집합을 B라고 할 때, 다음 중 옳은 것은?

① $2\notin A$ ② $5\in A$ ③ $6\in A$
④ $3\in B$ ⑤ $9\notin B$

풀이

집합 A의 원소는 1, 2, 4, 8이고 집합 B의 원소는 3, 6, 9, …이므로

① $2\in A$ ② $5\notin A$ ③ $6\notin A$ ⑤ $9\in B$

답 ④

001

다음 중 집합인 것을 모두 찾고, 집합인 것은 그 원소를 모두 구하여라.

(1) 노래를 잘하는 사람의 모임
(2) 30 이하의 6의 배수인 자연수의 모임
(3) 64의 제곱근의 모임
(4) 100에 가까운 정수의 모임

002

다음 중 집합이 아닌 것은?

① 키가 150 cm 이상인 사람의 모임
② 우리 반에서 안경 쓴 사람의 모임
③ 현악기의 모임
④ 높은 건물의 모임
⑤ 소수의 모임

003

부등식 $x^2-x-2\leq 0$을 만족시키는 정수의 집합을 A라고 할 때, 옳은 것만을 |보기|에서 있는 대로 고른 것은?

| 보기 |

ㄱ. $-2\in A$ ㄴ. $-1\notin A$
ㄷ. $1\in A$ ㄹ. $2\in A$

① ㄱ, ㄴ ② ㄱ, ㄷ ③ ㄴ, ㄷ
④ ㄴ, ㄹ ⑤ ㄷ, ㄹ

004

정수 전체의 집합을 Z, 유리수 전체의 집합을 Q, 실수 전체의 집합을 R라고 할 때, 다음 중 옳지 않은 것은? (단, $i=\sqrt{-1}$)

① $\frac{1}{3}\notin Z$ ② $\sqrt{25}\in Q$ ③ $\frac{1}{\sqrt{3}}\in R$
④ $\sqrt{5}-1\notin Q$ ⑤ $i^2\notin R$

005

4로 나누었을 때 나머지가 3이 되는 자연수의 집합을 A라고 할 때, 다음 중 옳은 것은?

① $2000\in A$ ② $2023\in A$ ③ $2043\notin A$
④ $2069\in A$ ⑤ $2091\notin A$

유형 02 집합의 표현 방법

다음 중 오른쪽 그림과 같은 집합 A를 조건제시법으로 나타낸 것으로 옳은 것은?

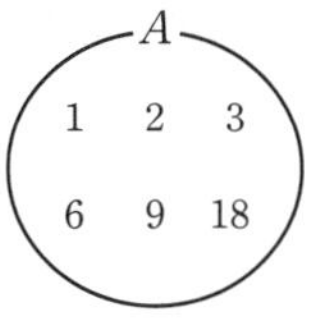

① $A=\{x|x$는 6의 양의 약수$\}$
② $A=\{x|x$는 9의 양의 약수$\}$
③ $A=\{x|x$는 18의 양의 약수$\}$
④ $A=\{x|x$는 20 이하의 2의 양의 배수$\}$
⑤ $A=\{x|x$는 20 이하의 3의 양의 배수$\}$

풀이
① $A=\{1, 2, 3, 6\}$
② $A=\{1, 3, 9\}$
④ $A=\{2, 4, 6, 8, 10, 12, 14, 16, 18, 20\}$
⑤ $A=\{3, 6, 9, 12, 15, 18\}$

답 ③

006

다음 중 원소나열법은 조건제시법으로, 조건제시법은 원소나열법으로 나타낸 것으로 옳지 않은 것은?
① $\{7, 14, 21, \cdots\}$ ➡ $\{x|x$는 7의 양의 배수$\}$
② $\{x|x$는 16보다 작은 홀수$\}$ ➡ $\{1, 3, 5, \cdots, 15\}$
③ $\{2, 3, 5, 7\}$ ➡ $\{x|x$는 10 이하의 소수$\}$
④ $\{x|x$는 25의 양의 약수$\}$ ➡ $\{1, 5, 25\}$
⑤ $\{21, 22, 23, \cdots\}$ ➡ $\{x|x$는 20 이상의 정수$\}$

007

집합 $A=\{2, 4, 8\}$을 조건제시법으로 나타낸 것으로 옳은 것만을 |보기|에서 있는 대로 골라라.

보기
ㄱ. $A=\{x|1$보다 큰 8의 양의 약수$\}$
ㄴ. $A=\{x|(x-2)(x-4)(x-8)=0\}$
ㄷ. $A=\{x|x$는 10보다 작은 짝수$\}$
ㄹ. $A=\{x|x=2k, k=1, 2, 3\}$

008

집합 $A=\{0, 1, 2\}$일 때, 다음 중 집합
$$X=\{a+b|a\in A, b\in A\}$$
를 원소나열법으로 바르게 나타낸 것은?
① $\{0, 2, 4\}$
② $\{1, 2, 3\}$
③ $\{0, 1, 2, 3, 4\}$
④ $\{1, 2, 3, 4, 5\}$
⑤ $\{0, 1, 2, 3, 4, 5\}$

009 서술형

집합 $A=\{1, 2\}$일 때, 집합
$$X=\{2^a\times 3^b|a\in A, b\in A\}$$
의 모든 원소의 합을 구하여라.

010 |교육청 기출|

집합 $A=\{z|z=i^n, n$은 자연수$\}$에 대하여 집합 $B=\{{z_1}^2+{z_2}^2|z_1\in A, z_2\in A\}$일 때, 집합 B의 원소의 개수를 구하여라. (단, $i=\sqrt{-1}$)

011

다음 중 공집합이 <u>아닌</u> 것은?

① $\{x|x$는 5보다 작은 7의 양의 배수$\}$

② $\{x|x$는 $-1<x<0$인 유리수$\}$

③ $\{x|x$는 1보다 작은 자연수$\}$

④ $\{x|x$는 $x^2-2x+5=0$의 실근$\}$

⑤ $\{x|x$는 2보다 크고 4보다 작은 짝수$\}$

012

두 집합 $A=\{x|x$는 15의 양의 약수$\}$,

$B=\{x|x$는 100 이하의 5의 양의 배수$\}$일 때,

$n(A)+n(B)$의 값은?

① 20　② 22　③ 24

④ 26　⑤ 28

013

옳은 것만을 |보기|에서 있는 대로 고른 것은?

보기
ㄱ. $n(\{0\})=0$
ㄴ. $n(\{3, 4\})-n(\{4\})=3$
ㄷ. $A=\{x|x$는 20의 소인수$\}$이면 $n(A)=2$

① ㄱ　② ㄴ　③ ㄷ

④ ㄱ, ㄴ　⑤ ㄴ, ㄷ

유형 03 집합의 포함 관계

두 집합 $A=\{2, 3\}$, $B=\{-1, 2, a^2+2a\}$에 대하여 $A\subset B$일 때, 양수 a의 값은?

① 1　② 2　③ 3

④ 4　⑤ 5

풀이

$A\subset B$이므로 $3\in B$

즉, $a^2+2a=3$이므로

$a^2+2a-3=0$, $(a+3)(a-1)=0$

$\therefore a=1$ ($\because a>0$)

답 ①

014

다음 중 세 집합 $A=\{x|x^2=9\}$,

$B=\{x||x|\le 3$인 정수$\}$, $C=\{x|x^3-9x=0\}$ 사이의 포함 관계를 바르게 나타낸 것은?

① $A\subset B\subset C$　② $A\subset C\subset B$

③ $B\subset A\subset C$　④ $B\subset C\subset A$

⑤ $C\subset A\subset B$

015 |교육청 기출|

두 집합

$$A=\{x|(x-5)(x-a)=0\},\ B=\{-3, 5\}$$

에 대하여 $A\subset B$를 만족시키는 양수 a의 값을 구하여라.

016 서술형

두 집합

$A=\{x|x$는 k의 양의 배수$\}$,

$B=\{x|x$는 5의 양의 배수$\}$

의 포함 관계가 오른쪽 그림과 같을 때, 이를 만족시키는 자연수 k의 값의 개수를 구하여라. (단, $5<k<50$)

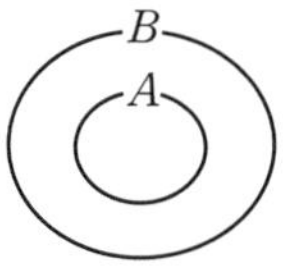

017

세 집합

$A=\{1, 5, a, b\}$, $B=\{1, 3, a\}$, $C=\{1, 6\}$

에 대하여 $C\subset B\subset A$가 성립할 때, $a-b$의 값은? (단, a, b는 상수이다.)

① -1 ② 0 ③ 1
④ 2 ⑤ 3

018

두 집합

$A=\{-1, a+3\}$, $B=\{a^2-1, 2a-3, 4\}$

에 대하여 $A\subset B$일 때, 상수 a의 값은?

① -2 ② -1 ③ 0
④ 1 ⑤ 2

유형 04 집합을 원소로 하는 집합

집합 $A=\{0, 1, \{0, 1\}, \varnothing\}$에 대하여 다음 중 옳지 않은 것은?

① $\varnothing\in A$ ② $\{\varnothing\}\subset A$ ③ $\{0, 1\}\in A$
④ $\{0, 1\}\subset A$ ⑤ $\{\varnothing, 1\}\in A$

풀이

①, ② $\varnothing$은 집합 A의 원소이므로 $\varnothing\in A$, $\{\varnothing\}\subset A$
③ $\{0, 1\}$은 집합 A의 원소이므로 $\{0, 1\}\in A$
④ 0, 1은 집합 A의 원소이므로 $\{0, 1\}\subset A$
⑤ $\varnothing$과 1은 집합 A의 원소이므로 $\{\varnothing, 1\}\subset A$

답 ⑤

019

집합 $A=\{\varnothing, 1, \{1\}, 3\}$에 대하여 다음 중 옳은 것은?

① $\{\varnothing\}\in A$ ② $\{1\}\subset A$ ③ $\{3\}\in A$
④ $\{1, 3\}\in A$ ⑤ $\{1, \{1\}\}\in A$

020

집합 $A=\{1, \{1\}, \{2\}, \{1, 2\}\}$에 대하여 옳은 것만을 |보기|에서 있는 대로 고른 것은?

보기	
ㄱ. $1\in A$	ㄴ. $\{2\}\subset A$
ㄷ. $\{1, 2\}\in A$	ㄹ. $\{2, \{1\}\}\subset A$

① ㄱ, ㄴ ② ㄱ, ㄷ ③ ㄴ, ㄷ
④ ㄴ, ㄹ ⑤ ㄷ, ㄹ

유형 05 서로 같은 집합

두 집합 $A=\{3, a-2b\}$, $B=\{2a+b, 4\}$에 대하여 $A=B$일 때, $a+b$의 값을 구하여라. (단, a, b는 상수이다.)

풀이

$A=B$이므로 $3\in B$, $4\in A$

즉, $a-2b=4$, $2a+b=3$이므로 두 식을 연립하여 풀면

$a=2$, $b=-1$

$\therefore a+b=2+(-1)=1$

답 1

021 |교육청 기출|

두 집합

$A=\{1, 2, a\}$, $B=\{1, 4, b\}$

에 대하여 $A=B$일 때, $a\times b$의 값은?

(단, a, b는 상수이다.)

① 7 ② 8 ③ 9
④ 10 ⑤ 11

022

두 집합

$A=\{1, 3, 5\}$, $B=\{x-1, x+1, x+3\}$

에 대하여 $A\subset B$, $B\subset A$일 때, 상수 x의 값은?

① 0 ② 1 ③ 2
④ 3 ⑤ 4

023 서술형

두 집합

$A=\{-3, 2, a^2-a\}$, $B=\{6, 2a+1, -a\}$

가 서로 같을 때, 상수 a의 값을 구하여라.

024

집합 $A=\{1, 3\}$일 때, 집합 A와 서로 같은 집합인 것만을 |보기|에서 있는 대로 고른 것은?

| 보기 |

ㄱ. $\{x|(x-1)(x-3)=0\}$
ㄴ. $\{x|x$는 3의 양의 약수$\}$
ㄷ. $\{x|x=2n-1, n=1, 2\}$
ㄹ. $\{x|x$는 $0<x\le 5$인 홀수$\}$

① ㄱ, ㄴ ② ㄱ, ㄷ ③ ㄴ, ㄷ
④ ㄱ, ㄴ, ㄷ ⑤ ㄴ, ㄷ, ㄹ

025

두 집합

$A=\{x|x$는 15의 양의 약수$\}$,

$B=\{1, 15, 2a-1, 2b+1\}$

이 서로 같을 때, 상수 a, b에 대하여 $a-b$의 값은?

(단, $a>b$)

① 1 ② 2 ③ 3
④ 4 ⑤ 5

유형 06 부분집합의 개수

집합 $A=\{x|x^3-x^2-4x+4=0\}$의 부분집합의 개수를 a, 진부분집합의 개수를 b라고 할 때, $a+b$의 값을 구하여라.

풀이

$x^3-x^2-4x+4=0$에서

$x^2(x-1)-4(x-1)=0$, $(x-1)(x^2-4)=0$

$(x-1)(x+2)(x-2)=0$

$\therefore x=-2$ 또는 $x=1$ 또는 $x=2$

즉, $A=\{-2, 1, 2\}$이므로 집합 A의 부분집합의 개수는

$2^3=8$ $\quad\therefore a=8$

집합 A의 진부분집합의 개수는 $2^3-1=8-1=7$

$\therefore b=7$

$\therefore a+b=8+7=15$

답 15

026

집합 A의 부분집합의 개수가 16일 때, 집합 A의 원소의 개수를 구하여라.

027

집합 $A=\{x|x$는 60의 양의 약수$\}$의 부분집합 중에서 홀수로만 이루어진 집합의 개수는?

① 8 ② 10 ③ 13
④ 15 ⑤ 18

유형 07 특정한 원소를 갖거나 갖지 않는 부분집합의 개수

집합 $A=\{x|x$는 24의 양의 약수$\}$의 부분집합 중에서 3, 4, 8을 반드시 원소로 갖는 집합의 개수는?

① 16 ② 24 ③ 32
④ 48 ⑤ 64

풀이

$A=\{1, 2, 3, 4, 6, 8, 12, 24\}$이므로 집합 A의 부분집합 중 3, 4, 8을 반드시 원소로 갖는 집합의 개수는

$2^{8-3}=2^5=32$

답 ③

풍쌤 유형 TIP

특정한 원소를 갖거나 갖지 않는 부분집합의 개수

집합 $\{a_1, a_2, a_3, \cdots, a_n\}$의 부분집합 중

(1) 특정한 원소 p개를 반드시 원소로 갖거나 갖지 않는 부분집합의 개수: 2^{n-p} (단, $p<n$)

(2) 특정한 원소 p개는 반드시 원소로 갖고, q개는 원소로 갖지 않는 부분집합의 개수: 2^{n-p-q} (단, $p+q<n$)

028

집합 $A=\{x|x$는 10 이하의 자연수$\}$의 부분집합 중에서 소수를 원소로 갖지 않는 집합의 개수는?

① 16 ② 26 ③ 32
④ 48 ⑤ 64

029

집합 $A=\{x|x$는 24 이하의 3의 양의 배수$\}$의 부분집합 중에서 3, 12는 반드시 원소로 갖고, 15, 18은 원소로 갖지 않는 집합의 개수를 구하여라.

030 | 교육청 기출 |

전체집합 $U=\{1, 2, 3, 4, 5\}$에 대하여 $\{1, 2\}\subset X$를 만족시키는 U의 모든 부분집합 X의 개수는?

① 2 ② 4 ③ 6
④ 8 ⑤ 10

031

집합 $A=\{x|-4\leq 3x-1<14,\ x는\ 정수\}$의 부분집합 중에서 1, 4를 반드시 원소로 갖는 집합의 개수를 a, 2를 원소로 갖지 않는 집합의 개수를 b라고 할 때, $a+b$의 값을 구하여라.

032 서술형

집합 $A=\{x|x는\ 15\ 이하의\ 소수\}$에 대하여

$2\notin X,\ 5\in X,\ 11\in X$

를 만족시키는 집합 A의 부분집합 X의 개수를 구하여라.

유형 08 $A\subset X\subset B$를 만족시키는 집합 X의 개수

두 집합

$A=\{x|x는\ 20의\ 양의\ 약수\}$,
$B=\{x|x는\ 4의\ 양의\ 약수\}$

에 대하여 $B\subset X\subset A$를 만족시키는 집합 X의 개수는?

① 4 ② 8 ③ 12
④ 16 ⑤ 20

풀이

$A=\{1, 2, 4, 5, 10, 20\}$, $B=\{1, 2, 4\}$이므로 집합 X는 1, 2, 4를 반드시 원소로 갖는 집합 A의 부분집합이다.
따라서 집합 X의 개수는
$2^{6-3}=2^3=8$

답 ②

풍쌤 유형 TIP

세 집합 A, B, X에 대하여 $A\subset X\subset B$를 만족시키는 집합 X의 개수
➡ 집합 B의 부분집합 중에서 집합 A의 모든 원소를 반드시 원소로 갖는 집합의 개수
➡ 집합 B에서 집합 A의 원소를 제외한 집합의 부분집합의 개수

033

오른쪽 그림과 같이 주어진 두 집합 A, B에 대하여

$A\subset X\subset B$

를 만족시키는 집합 X의 개수는?

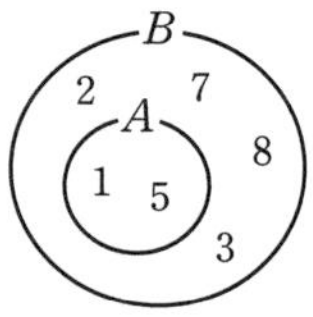

① 10 ② 12 ③ 14
④ 16 ⑤ 18

034 | 교육청 기출 |

두 집합

$A=\{1, 2, 3, 4, 5\}$, $B=\{1, 2\}$

에 대하여 $B\subset X\subset A$를 만족시키는 집합 X의 개수를 구하여라.

035

두 집합

$A=\{x|x^2-6x+8=0\}$,

$B=\{x|x$는 36의 양의 약수$\}$

에 대하여 $A\subset X\subset B$, $X\neq A$, $X\neq B$를 만족시키는 집합 X의 개수는?

① 14 ② 30 ③ 62
④ 126 ⑤ 254

036 서술형

두 집합

$A=\{x|x$는 8의 양의 약수$\}$,

$B=\{1, 2, 3, \cdots, n\}$

에 대하여 $A\subset X\subset B$를 만족시키는 집합 X의 개수가 32일 때, 자연수 n의 값을 구하여라.

유형 09 합집합과 교집합

세 집합

$A=\{1, 2, 5\}$, $B=\{2, 5, 6, 8\}$, $C=\{1, 6\}$

에 대하여 $(A\cap C)\cup B$를 구하여라.

풀이

$A\cap C=\{1\}$이므로

$(A\cap C)\cup B=\{1, 2, 5, 6, 8\}$

답 $\{1, 2, 5, 6, 8\}$

037

세 집합

$A=\{x|x$는 12의 양의 약수$\}$,

$B=\{x|x$는 10 이하의 짝수$\}$,

$C=\{x|x$는 15보다 작은 3의 양의 배수$\}$

에 대하여 다음을 구하여라.

(1) $A\cup B$ (2) $B\cap C$
(3) $(A\cup B)\cap C$ (4) $A\cup(B\cap C)$

038

세 집합

$A=\{1, 3, 5, 7, 9\}$, $B=\{1, 2, 3, 4, 5, 6\}$,

$C=\{x|x$는 4의 양의 약수$\}$

에 대하여 다음 중 옳지 않은 것은?

① $A\cap B=\{1, 3, 5\}$
② $B\cap C=\{1, 2, 4\}$
③ $(A\cap B)\cap C=\{1, 3\}$
④ $A\cap(B\cup C)=\{1, 3, 5\}$
⑤ $A\cup(B\cap C)=\{1, 2, 3, 4, 5, 7, 9\}$

039

두 집합

$A=\{x|x$는 8의 양의 약수$\}$,

$B=\{x|x$는 20의 양의 약수$\}$

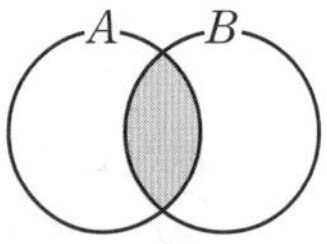

에 대하여 위의 그림의 색칠한 부분이 나타내는 집합은?

① $\{1, 2\}$ ② $\{1, 4\}$ ③ $\{1, 2, 4\}$

④ $\{1, 4, 8\}$ ⑤ $\{1, 2, 4, 8\}$

040

두 집합

$A=\{3, 6, 9, \cdots\}$, $B=\{5, 10, 15, \cdots\}$,

에 대하여 $A\cap B=\{x|x$는 a의 양의 배수$\}$일 때, 자연수 a의 값은?

① 10 ② 15 ③ 18

④ 20 ⑤ 24

041

두 집합 A, B에 대하여

$A=\{1, 2, 3, 4, 5\}$, $A\cap B=\{2, 4\}$,

$A\cup B=\{1, 2, 3, 4, 5, 6, 7\}$

일 때, 집합 B를 구하여라.

유형 10 차집합과 여집합

전체집합 $U=\{x|x$는 한 자리의 자연수$\}$의 부분집합 $A=\{1, 3, 7, 9\}$에 대하여 집합 A^C의 모든 원소의 합을 구하여라.

풀이

$U=\{1, 2, 3, 4, 5, 6, 7, 8, 9\}$이므로

$A^C=\{2, 4, 5, 6, 8\}$

따라서 집합 A^C의 모든 원소의 합은

$2+4+5+6+8=25$

답 25

042

전체집합 U의 두 부분집합 A, B에 대하여

$B=\{1, 3, 6, 12\}$, $B-A=\{3, 12\}$

일 때, 집합 $A\cap B$를 구하여라.

043

전체집합 $U=\{x|x$는 20 이하의 2의 양의 배수$\}$의 두 부분집합

$A=\{2, 4, 10, 12\}$, $B=\{4, 8, 12, 16, 20\}$

에 대하여 집합 $A\cup B^C$의 원소의 개수는?

① 3 ② 4 ③ 5

④ 6 ⑤ 7

044

세 집합

$A=\{a, b, c\}$, $B=\{c, d, e\}$, $C=\{e, f, g\}$

에 대하여 $n(A-(B-C))$의 값을 구하여라.

045 서술형

두 집합 A, B에 대하여

$A=\{1, 2, 4, 8\}$,

$(A-B)\cup(B-A)=\{1, 3, 4, 6, 10\}$

일 때, 집합 B의 모든 원소의 합을 구하여라.

046 | 교육청 기출 |

집합 $A=\{1, 2, 3, 4\}$에 대하여 집합 B가

$B-A=\{5, 6\}$

을 만족시킨다. 집합 B의 모든 원소의 합이 12일 때, 집합 $A-B$의 모든 원소의 합은?

① 5 ② 6 ③ 7
④ 8 ⑤ 9

유형 11 서로소인 집합

다음 중 집합 $\{-1, 0, 1\}$과 서로소가 아닌 집합은?

① $\varnothing$ ② $\{2, 4\}$
③ $\{-3, -2\}$ ④ $\{x|x^2-x=0\}$
⑤ $\{x|x^2-4=0\}$

풀이

④ $x^2-x=0$에서 $x(x-1)=0$

$\therefore x=0$ 또는 $x=1$

즉, $\{x|x^2-x=0\}=\{0, 1\}$에서

$\{x|x^2-x=0\}\cap\{-1, 0, 1\}=\{0, 1\}$

이므로 두 집합은 서로소가 아니다.

⑤ $x^2-4=0$에서 $(x+2)(x-2)=0$

$\therefore x=-2$ 또는 $x=2$

즉, $\{x|x^2-4=0\}=\{-2, 2\}$에서

$\{x|x^2-4=0\}\cap\{-1, 0, 1\}=\varnothing$

이므로 두 집합은 서로소이다.

답 ④

047

다음 중 두 집합 A, B가 서로소인 것은?

① $A=\{2, 4, 6\}$, $B=\{4, 8, 12\}$
② $A=\{x|x>1\}$, $B=\{x|x<2\}$
③ $A=\{x|x^2=1\}$, $B=\{x|x^2-3x+2=0\}$
④ $A=\{x|x$는 소수$\}$, $B=\{x|x$는 4의 양의 약수$\}$
⑤ $A=\{x|x$는 7의 양의 약수$\}$,
$B=\{x|x$는 2의 양의 배수$\}$

048

집합 $A=\{1, 5, 10, 15, 20\}$의 부분집합 중에서 집합 $B=\{10, 15\}$와 서로소인 집합의 개수를 구하여라.

049

두 집합 A, B에 대하여

$A=\{x|x$는 2의 양의 약수$\}$,

$A\cup B=\{x|x$는 16의 양의 약수$\}$

일 때, 집합 A와 서로소인 집합 B의 모든 원소의 합은?

① 14 ② 16 ③ 20
④ 24 ⑤ 28

050

집합 $A=\{x|x$는 28의 양의 약수$\}$의 부분집합 중에서 집합 B와 서로소인 집합의 개수가 16일 때, 집합 B의 원소의 개수는? (단, $B\subset A$)

① 1 ② 2 ③ 3
④ 4 ⑤ 5

051 서술형

두 집합

$A=\{x|-2<x\leq 1\}$, $B=\{x|x>a\}$

가 서로소일 때, 상수 a의 최솟값을 구하여라.

유형 12 집합의 연산을 이용하여 미지수 구하기

두 집합 $A=\{1, 3, a^2-3\}$, $B=\{6, a-2, 3a\}$에 대하여 $A\cap B=\{1, 6\}$일 때, 상수 a의 값을 구하여라.

풀이

$A\cap B=\{1, 6\}$이므로 $6\in A$

즉, $a^2-3=6$이므로 $a^2=9$ $\therefore a=-3$ 또는 $a=3$

(i) $a=-3$일 때

$A=\{1, 3, 6\}$, $B=\{-9, -5, 6\}$이므로

$A\cap B=\{6\}$

이것은 주어진 조건을 만족시키지 않는다.

(ii) $a=3$일 때

$A=\{1, 3, 6\}$, $B=\{1, 6, 9\}$이므로

$A\cap B=\{1, 6\}$

이것은 주어진 조건을 만족시킨다.

(i), (ii)에 의하여 $a=3$

답 3

052

두 집합 $A=\{0, 2, a\}$, $B=\{4, 7, b+2\}$에 대하여 $A\cap B=\{2, 4\}$일 때, $a+b$의 값을 구하여라.

(단, a, b는 상수이다.)

053

두 집합 $A=\{3, 5, 6, a-b\}$, $B=\{3, 8, 2a-1\}$에 대하여 $A-B=\{6\}$일 때, ab의 값은?

(단, a, b는 상수이다.)

① -20 ② -15 ③ -10
④ -5 ⑤ 0

054

두 집합 $A=\{1,\ 2,\ a-3\}$, $B=\{5,\ a\}$에 대하여 $A\cup B=\{1,\ 2,\ 5,\ 8\}$일 때, 집합 B의 모든 원소의 합을 구하여라.

055

두 집합

$A=\{x\,|\,x^2-3x+a=0\}$,

$B=\{x\,|\,x^2+bx+12=0\}$

에 대하여 $A\cap B=\{4\}$일 때, 옳은 것만을 |보기|에서 있는 대로 고른 것은?

보기

ㄱ. $A-B=\{3\}$

ㄴ. $B-A=\{-1\}$

ㄷ. $A\cup B=\{-1,\ 3,\ 4\}$

① ㄱ ② ㄴ ③ ㄷ

④ ㄱ, ㄴ ⑤ ㄱ, ㄴ, ㄷ

056

두 집합

$A=\{1,\ 4,\ a^2-2\}$, $B=\{2,\ a+2,\ 2a-1,\ 3a\}$

에 대하여 $(A-B)\cup(B-A)=\{1,\ 3,\ 6\}$일 때, 상수 a의 값은?

① -2 ② -1 ③ 0

④ 1 ⑤ 2

유형 13 집합의 연산의 성질

전체집합 U의 두 부분집합 A, B에 대하여 다음 중 항상 옳은 것은?

① $U-A=A$ ② $A\cap A^C=\varnothing$

③ $A\subset U^C$ ④ $A\cap B^C=B-A$

⑤ $A\cup(B\cap\varnothing)=\varnothing$

풀이

① $U-A=U\cap A^C=A^C$

③ $U^C=\varnothing$이므로 $A\not\subset U^C$

④ $A\cap B^C=A-B$

⑤ $A\cup(B\cap\varnothing)=A\cup\varnothing=A$

답 ②

057

전체집합 U의 두 부분집합 A, B에 대하여 다음 중 $B-A^C$과 항상 같은 집합은?

① B^C ② B ③ $A\cap B$

④ $A\cup B$ ⑤ $A-B$

058

전체집합 $U=\{x\,|\,x$는 50의 양의 약수$\}$의 두 부분집합 $A=\{1,\ 5,\ 25,\ 50\}$, $B=\{1,\ 2,\ 5,\ 10\}$에 대하여 $(A\cap U)-B^C$의 모든 원소의 합을 구하여라.

059

전체집합 U의 두 부분집합 A, B에 대하여 $A \subset B$일 때, 다음 중 나머지 넷과 다른 하나는?

① $A \cap B$　② $(A \cup B) \cap A$
③ $(A \cap B) \cup A$　④ $(A - B) \cup A$
⑤ $(A \cap B) \cup (A \cup B)$

060

전체집합 $U = \{x \mid x$는 자연수$\}$의 두 부분집합

$A = \{x \mid x$는 3의 배수$\}$, $B = \{x \mid x$는 9의 배수$\}$

에 대하여 다음 중 옳지 않은 것은?

① $B - A = \varnothing$　② $B \subset (A \cap B)$
③ $A \cup B^C = U$　④ $A^C \cap B^C = A^C$
⑤ $A^C \cup B = U$

061

전체집합 U의 두 부분집합 A, B에 대하여 $A - B = A$일 때, 다음 중 옳지 않은 것은?

① $A \cap B = \varnothing$　② $A \subset B$
③ $B - A = B$　④ $A \subset B^C$
⑤ $B \subset A^C$

유형 14 집합의 연산 법칙

전체집합 U의 공집합이 아닌 서로 다른 두 부분집합 A, B에 대하여 $A \subset B$일 때, 다음 중 $A^C \cap B^C$과 같은 집합은?

① $\varnothing$　② A　③ B
④ A^C　⑤ B^C

풀이

$A \subset B$이므로 $A \cap B = A$, $A \cup B = B$

$\therefore A^C \cap B^C = (A \cup B)^C = B^C$

답 ⑤

062 서술형

전체집합 $U = \{1, 2, 3, 4, \cdots, 10\}$의 두 부분집합 A, B에 대하여

$A = \{1, 3, 5, 6, 9, 10\}$, $A - B = \{3, 9, 10\}$

일 때, 집합 $A^C \cup B^C$을 구하여라.

063

전체집합 $U = \{x \mid x$는 자연수$\}$의 두 부분집합

$A = \{4, 8, 12, 16, 20\}$, $B = \{2, 6, 12, 18\}$

에 대하여 집합 $(A - B)^C \cap A$는?

① $\{8\}$　② $\{12\}$　③ $\{8, 12\}$
④ $\{4, 8, 12\}$　⑤ $\{8, 12, 20\}$

064

전체집합 U의 세 부분집합 A, B, C에 대하여 다음 중 $(A-B)-(A\cap C^C)$과 항상 같은 집합은?

① $(A\cup B)-C$　　② $(A\cap B)-C$
③ $(B\cup C)-A$　　④ $(A\cap C)-B$
⑤ $A-(B\cap C)$

065

전체집합 U의 두 부분집합 A, B에 대하여 다음 중 $(A-B)^C\cap B$를 벤다이어그램으로 바르게 나타낸 것은?

①
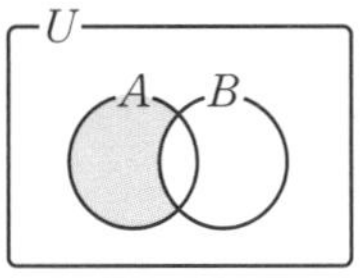

②
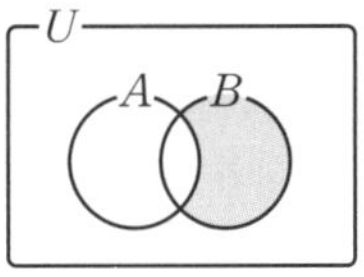

③
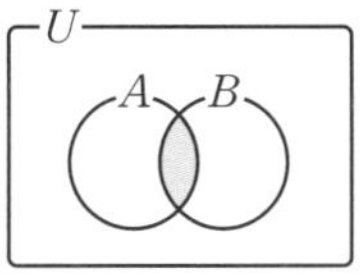

④
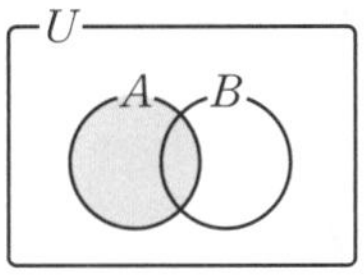

⑤
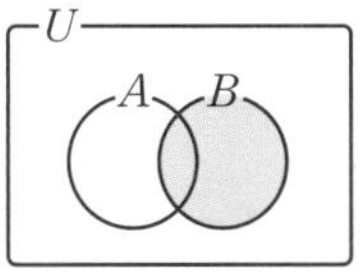

066

전체집합 U의 두 부분집합 A, B에 대하여

$$A\cap\{(B-A)\cup(A\cap B)\}=B$$

일 때, 다음 중 항상 성립하는 것은?

① $A\subset B$　　② $B\subset A$　　③ $A\cap B=\varnothing$
④ $A=B$　　⑤ $A\cup B=B$

유형 15 유한집합의 원소의 개수

전체집합 U의 두 부분집합 A, B에 대하여 $n(U)=40$, $n(A)=24$, $n(B)=16$, $n(A^C\cup B^C)=30$일 때, $n(A\cup B)$의 값을 구하여라.

풀이

$n(A^C\cup B^C)=n((A\cap B)^C)=n(U)-n(A\cap B)=30$에서

$40-n(A\cap B)=30$　　$\therefore n(A\cap B)=10$

$\therefore n(A\cup B)=n(A)+n(B)-n(A\cap B)$

$=24+16-10=30$

답 30

067

전체집합 U의 두 부분집합 A, B에 대하여

$n(U)=25$, $n(A)=16$, $n(B)=8$,
$n(A\cup B)=20$

일 때, 다음을 구하여라.

(1) $n(A\cap B)$　　(2) $n(A^C)$
(3) $n(B^C)$　　(4) $n(A-B)$
(5) $n((A\cup B)^C)$　　(6) $n((A\cap B)^C)$

068

전체집합 U의 두 부분집합 A, B에 대하여

$n(U)=60$, $n(B)=35$, $n(A-B)=15$

일 때, $n(A^C\cap B^C)$의 값은?

① 5　　② 8　　③ 10
④ 15　　⑤ 18

069

전체집합 U의 두 부분집합 A, B에 대하여

$n(A)=16$, $n(B)=12$, $n(B-A)=8$

일 때, $n(A\cap B^C)$의 값은?

① 8 ② 9 ③ 10 ④ 11 ⑤ 12

070 |교육청 기출|

전체집합 U의 두 부분집합 A, B에 대하여

$n(U)=50$, $n(A\cap B)=12$, $n(A^C\cap B^C)=5$

일 때, $n((A-B)\cup(B-A))$의 값은?

① 30 ② 31 ③ 32 ④ 33 ⑤ 34

071 서술형

전체집합 $U=\{x|x$는 30 이하의 자연수$\}$의 두 부분집합 A, B에 대하여

$n(A)=22$, $n(B)=15$

이다. $n(A\cap B)$의 최댓값을 M, 최솟값을 m이라고 할 때, $M+m$의 값을 구하여라.

유형 16 유한집합의 원소의 개수의 활용

영진이네 반 학생을 대상으로 인터넷 강의를 수강하는 학생을 조사하였더니 수학을 수강하는 학생은 20명, 국어를 수강하는 학생은 15명, 수학 또는 국어를 수강하는 학생은 30명이었다. 이때 수학과 국어를 모두 수강하는 학생은 몇 명인지 구하여라.

풀이

수학을 수강하는 학생의 집합을 A, 국어를 수강하는 학생의 집합을 B라고 하면

$n(A)=20$, $n(B)=15$, $n(A\cup B)=30$

따라서 수학과 국어를 모두 수강하는 학생 수는

$n(A\cap B)=n(A)+n(B)-n(A\cup B)$

$=20+15-30=5$

즉, 수학과 국어를 모두 수강하는 학생은 5명이다.

답 5명

풍쌤 유형 TIP

주어진 조건을 전체집합 U와 그 부분집합 A, B로 구분하여 나타낸 후 다음을 이용하여 구하려는 집합의 원소의 개수를 구한다.

(1) 둘 다 ~하는 ➡ $A\cap B$
(2) 둘 다 ~하지 않는 ➡ $(A\cup B)^C$
(3) ~만 ~하는 ➡ $A-B$ 또는 $B-A$
(4) 둘 중 하나만 ~하는 ➡ $(A-B)\cup(B-A)$

072

어느 여행 동우회의 회원 50명을 대상으로 제주도와 부산을 여행해 본 경험을 조사하였더니 제주도를 여행해 본 회원은 34명, 부산을 여행해 본 회원은 26명이었다. 동우회 회원들은 제주도와 부산 중 적어도 한 곳은 여행해 본 적이 있다고 할 때, 제주도만 여행해 본 회원의 수를 구하여라.

073

수현이네 반 학생 35명 중에서 A영화를 본 학생은 22명, B영화를 본 학생은 10명, A, B 두 영화를 모두 본 학생은 5명이었다. 이때 두 영화 A, B 중 어느 것도 보지 않은 학생 수를 구하여라.

실력을 높이는 연습 문제

정답과 풀이 009쪽

01

실수 전체의 집합을 R, 유리수 전체의 집합을 Q, 정수 전체의 집합을 Z라고 할 때, 다음 중 옳은 것은?

(단, $i=\sqrt{-1}$)

① $\sqrt{3}\notin R$　② $i^2\in R$　③ $\sqrt{2}\in Q$

④ $\frac{1}{2}\notin Q$　⑤ $-1\notin Z$

02

다음 중 집합 $\{2, 4, 6, 8\}$을 조건제시법으로 나타낸 것으로 옳지 않은 것은?

① $\{x|x$는 한 자리의 짝수$\}$

② $\{x|x$는 10보다 작은 2의 양의 배수$\}$

③ $\{x|x$는 10 이하의 짝수$\}$

④ $\{x|x=2n, n=1, 2, 3, 4\}$

⑤ $\{x|2\le x<10, x$는 짝수$\}$

03 실력 UP

집합 $A=\left\{x \middle| x=\frac{12}{8-n}, n\text{과 } x\text{는 자연수}\right\}$의 모든 원소의 합을 구하여라.

04 | 교육청 기출 |

두 집합 $A=\{1, 2, 3, 4, a\}$, $B=\{1, 3, 5\}$에 대하여 집합 $X=\{x+y|x\in A, y\in B\}$라고 할 때, $n(X)=10$이 되도록 하는 자연수 a의 최댓값을 구하여라.

05

자연수 전체의 집합의 두 부분집합

$A=\{1, 3a\}$, $B=\{x|x$는 27의 약수$\}$

에 대하여 $A\subset B$를 만족시키는 모든 자연수 a의 값의 합을 구하여라.

06

집합 $A=\{\varnothing, a, b, \{b, c\}\}$에 대하여 다음 중 옳은 것은?

① $\{\varnothing\}\subset A$　② $c\in A$　③ $\{a\}\in A$

④ $\{a, b\}\in A$　⑤ $\{b, c\}\subset A$

07

두 집합 $A=\{1, 24, a\}$, $B=\{1, 10, a+b\}$에 대하여 $A\subset B$이고 $B\subset A$일 때, b의 값은?

(단, a, b는 상수이다.)

① 11 ② 12 ③ 13
④ 14 ⑤ 15

08

집합 $A=\{1, 4, 8, 12, 16, 20\}$의 부분집합 중 원소 4, 8, 16을 반드시 포함하는 진부분집합의 개수를 구하여라.

09 실력 UP

집합 $A=\{3, 5, 7, 9\}$의 부분집합 중에서 원소의 합이 16 이상인 집합의 개수는?

① 3 ② 4 ③ 5
④ 6 ⑤ 7

10

두 집합 A, B를 벤다이어그램으로 나타내면 오른쪽 그림과 같다.
$B\subset X\subset A$를 만족시키는 집합 X 중에서 e를 반드시 원소로 갖는 부분집합의 개수를 구하여라.

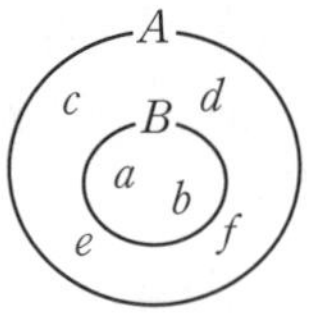

11 | 교육청 기출 |

전체집합 $U=\{1, 2, 3, 4, 5\}$의 부분집합 A에 대하여 $\{3, 4, 5\}\cap A=\varnothing$을 만족시키는 모든 집합 A의 개수는?

① 2 ② 4 ③ 8
④ 16 ⑤ 32

12

전체집합 $U=\{x|x$는 40의 양의 약수$\}$의 두 부분집합 $A=\{x|x$는 8의 약수$\}$, $B=\{4, 5, 10\}$에 대하여 다음 중 옳은 것은?

① $A\cap B=\{2, 4\}$
② $A^C=\{1, 2, 8, 20\}$
③ $B-A=\{5, 10\}$
④ $B^C-A=\{2, 20, 40\}$
⑤ $A\cup B=\{1, 2, 4, 5, 8, 10, 20, 40\}$

13

두 집합

$A=\{x|x^2-6x+5<0\}$, $B=\{x|x\le k\}$

에 대하여 $A\cap B$의 정수인 원소의 개수가 2일 때, 정수 k의 값은?

① 1 ② 2 ③ 3
④ 4 ⑤ 5

14

두 집합 $A=\{2, 3, x\}$, $B=\{-2, 2, x+2\}$에 대하여 $A-B=\{3, 5\}$일 때, $B-A$를 구하여라.

15

전체집합 U의 공집합이 아닌 두 부분집합 A, B가 서로소일 때, 옳은 것만을 |보기|에서 있는 대로 고른 것은?

보기	
ㄱ. $A\subset B^C$	ㄴ. $A\cap B^C=\varnothing$
ㄷ. $A\cup B=U$	ㄹ. $A\cup B^C=B^C$

① ㄱ, ㄴ ② ㄱ, ㄹ ③ ㄴ, ㄷ
④ ㄴ, ㄹ ⑤ ㄷ, ㄹ

16

두 집합 $A=\{1, a-1, a\}$, $B=\{1, 4, 2a-3\}$에 대하여 $A\cup B=\{1, 3, 4, 5\}$일 때, 집합 A의 모든 원소의 합은? (단, a는 상수이다.)

① 4 ② 5 ③ 6
④ 7 ⑤ 8

17 실력UP

전체집합 $U=\{x|x$는 자연수$\}$의 두 부분집합 $A=\{x|x$는 8의 약수$\}$, B에 대하여

$(A\cap B^C)\cup(A^C\cap B)=\varnothing$

일 때, $n(B)$의 값을 구하여라.

18

전체집합 $U=\{x||x|<4, x$는 정수$\}$의 세 부분집합 $A=\{-1, 0, 2\}$, $B=\{0, 1, 2\}$, X에 대하여

$(A-B)\cup X=X$, $B\cup X=X$

일 때, 집합 X의 개수는?

① 2 ② 4 ③ 8
④ 16 ⑤ 32

19

전체집합 $U=\{x|x$는 한 자리의 자연수$\}$의 세 부분집합 $A=\{3, 5, 7\}$, $B=\{1, 2, 3, 6, 8\}$, X에 대하여

$A\cup X=X$, $(B-A)\cap X=\{2\}$

일 때, 집합 X의 개수를 구하여라.

20

전체집합 U의 두 부분집합 A, B에 대하여 다음 중 $A\cap(A\cup B)$와 항상 같은 집합은?

① $(B-A)\cup B$
② $A\cap(A-B)^C$
③ $A-(B-A)$
④ $B-(A\cap B)$
⑤ $(A-B)\cup B$

21 |교육청 기출|

전체집합 $U=\{x|x$는 20 이하의 자연수$\}$의 두 부분집합

$A=\{x|x$는 4의 배수$\}$,

$B=\{x|x$는 20의 약수$\}$

에 대하여 집합 $(A^C\cup B)^C$의 모든 원소의 합을 구하여라.

22 실력 UP

두 집합 $A=\{x|x^2-4x-12\le 0\}$,

$B=\{x|x^2+ax+b<0\}$에 대하여

$A\cap B=\{x|1<x\le 6\}$,

$A\cup B=\{x|-2\le x<8\}$

일 때, $a+b$의 값은? (단, a, b는 상수이다.)

① -2
② -1
③ 0
④ 1
⑤ 2

23

전체집합 U의 두 부분집합 A, B에 대하여

$n(U)=40$, $n(A)=18$, $n(B)=22$,

$n(A-B)=14$

일 때, 다음 중 옳지 않은 것은?

① $n(A^C)=22$
② $n(A\cap B)=4$
③ $n(A\cup B)=36$
④ $n(B-A)=12$
⑤ $n(A\cup B^C)=22$

24

어느 축구팀에서 등 번호가 2의 배수 또는 3의 배수인 선수는 모두 30명이고, 등 번호가 2의 배수인 선수는 등 번호가 3의 배수인 선수보다 3명 더 많다. 등 번호가 6의 배수인 선수가 5명일 때, 이 축구팀에서 등 번호가 3의 배수인 선수의 수를 구하여라.

(단, 모든 선수는 각각 한 개의 등 번호를 갖는다.)

02 명제

1. 명제와 조건

(1) 명제: 참인지 거짓인지 명확하게 판별할 수 있는 문장이나 식

(2) 조건: 변수의 값에 따라 참, 거짓을 결정할 수 있는 문장이나 식

(3) 진리집합: 전체집합 U의 원소 중에서 조건 p가 참이 되도록 하는 모든 원소로 이루어진 집합을 조건 p의 진리집합이라고 한다.

(4) 명제와 조건의 부정: 명제 또는 조건 p에 대하여 'p가 아니다.'를 p의 부정이라고 하며 기호 $\sim p$로 나타낸다.

① 명제 p가 참이면 $\sim p$는 거짓이고, 명제 p가 거짓이면 $\sim p$는 참이다.

② 전체집합 U에서 정의된 조건 p의 진리집합을 P라고 하면 $\sim p$의 진리집합은 P^C이다.

조건 'p 또는 q'와 'p 그리고 q'

전체집합 U에서 정의된 두 조건 p, q의 진리집합을 각각 P, Q라고 하면

조건	진리집합	부정
p 또는 q	$P\cup Q$	$\sim p$ 그리고 $\sim q$
p 그리고 q	$P\cap Q$	$\sim p$ 또는 $\sim q$

$\sim p$의 부정은 p이다. ➡ $\sim(\sim p)=p$

2. 명제 $p \longrightarrow q$의 참, 거짓

(1) 가정과 결론: 두 조건 p, q에 대하여 명제 'p이면 q이다.'를 기호 $p \longrightarrow q$로 나타낸다. 이때 p를 이 명제의 가정, q를 이 명제의 결론이라고 한다.

$p \longrightarrow q$ (가정) (결론)

(2) 두 조건 p, q의 진리집합을 각각 P, Q라고 할 때

① $p \longrightarrow q$가 참이면 $P\subset Q$이다. 또, $P\subset Q$이면 $p \longrightarrow q$는 참이다.

② $p \longrightarrow q$가 거짓이면 $P\not\subset Q$이다. 또, $P\not\subset Q$이면 $p \longrightarrow q$는 거짓이다.

(3) 반례: 명제 $p \longrightarrow q$가 거짓임을 보이려면 가정 p는 만족시키지만 결론 q는 만족시키지 않는 예가 하나라도 있음을 보이면 된다. 이와 같은 예를 반례라고 한다.

조건 p, q의 진리집합을 각각 P, Q라고 할 때, 명제 $p \longrightarrow q$가 거짓임을 보이는 반례는 다음 그림의 색칠한 부분, 즉 $P-Q$에 속하는 원소 중에서 찾는다.

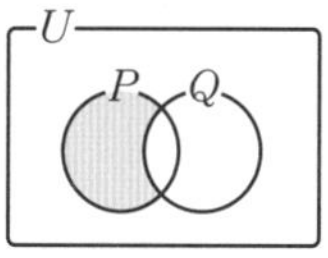

3. '모든' 또는 '어떤'을 포함하는 명제

(1) '모든' 또는 '어떤'을 포함하는 명제의 참, 거짓

전체집합 U에 대하여 조건 p의 진리집합을 P라고 할 때

① '모든 x에 대하여 p이다.' ➡ $P=U$이면 참, $P\neq U$이면 거짓이다.

② '어떤 x에 대하여 p이다.' ➡ $P\neq\varnothing$이면 참, $P=\varnothing$이면 거짓이다.

(2) '모든' 또는 '어떤'을 포함하는 명제의 부정

① '모든 x에 대하여 p이다.'의 부정 ➡ 어떤 x에 대하여 $\sim p$이다.

② '어떤 x에 대하여 p이다.'의 부정 ➡ 모든 x에 대하여 $\sim p$이다.

일반적으로 조건 p는 명제가 아니지만 전체집합 U가 주어졌을 때, 조건 p 앞에 '모든'이나 '어떤'이 붙으면 참, 거짓을 판별할 수 있으므로 명제가 된다.

4. 명제의 역과 대우

(1) 명제의 역과 대우: 명제 $p \longrightarrow q$에 대하여

① 역: 가정 p와 결론 q를 바꾸어 놓은 명제 ➡ $q \longrightarrow p$

② 대우: 가정 p와 결론 q를 각각 부정하여 서로 바꾸어 놓은 명제 ➡ $\sim q \longrightarrow \sim p$

(2) 명제와 그 대우의 참, 거짓: 명제가 참이면 그 대우도 참이고, 명제가 거짓이면 그 대우도 거짓이다. 즉, 명제와 그 대우의 참, 거짓은 항상 일치한다.

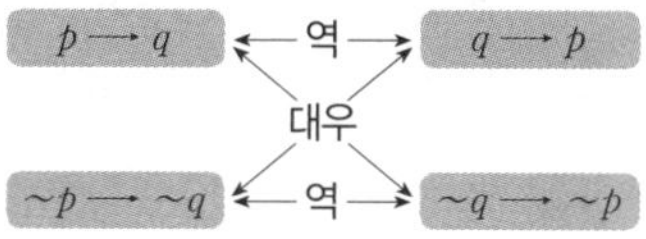

삼단논법

세 조건 p, q, r에 대하여

$p \longrightarrow q$, $q \longrightarrow r$가 모두 참

➡ $p \longrightarrow r$도 참

5. 충분조건과 필요조건

(1) 명제 $p \longrightarrow q$가 참일 때, 이것을 기호 $p \Longrightarrow q$로 나타낸다. 이때 p는 q이기 위한 충분조건, q는 p이기 위한 필요조건이라고 한다.

(2) 명제 $p \longrightarrow q$에 대하여 $p \Longrightarrow q$이고 $q \Longrightarrow p$일 때, 이것을 기호 $p \Longleftrightarrow q$로 나타낸다. 이때 p는 q이기 위한 필요충분조건이라고 한다.

참고 p가 q이기 위한 필요충분조건이면 q도 p이기 위한 필요충분조건이다.

q이기 위한 충분조건

$$p \Longrightarrow q$$

p이기 위한 필요조건

두 조건 p, q의 진리집합을 각각 P, Q라고 할 때
(1) $P \subset Q$이면 p는 q이기 위한 충분조건이고, q는 p이기 위한 필요조건이다.
(2) $P=Q$이면 p는 q이기 위한 필요충분조건이다.

6. 대우를 이용한 증명법과 귀류법

(1) 정의: 용어의 뜻을 명확하게 정한 문장

(2) 증명: 이미 알고 있는 사실을 이용하여 어떤 명제가 참임을 밝히는 과정

(3) 정리: 증명된 명제 중에서 기본이 되는 명제

예 마름모는 네 변의 길이가 같은 사각형이다. ➡ 정의
마름모의 두 대각선은 서로를 수직이등분한다. ➡ 정리

(4) 대우를 이용한 증명법과 귀류법

① 대우를 이용한 증명: 어떤 명제가 참임을 증명할 때, 그 대우가 참임을 증명하여 주어진 명제가 참임을 증명하는 방법

② 귀류법: 주어진 명제의 결론을 부정하여 가정 또는 이미 알려진 수학적 사실 등에 모순됨을 보여 주어진 명제가 참임을 증명하는 방법

대우를 이용한 증명과 귀류법은 어떤 명제가 참임을 직접 증명하는 것이 어려울 때 이용한다.

7. 절대부등식

(1) 절대부등식: 문자를 포함한 부등식에서 그 문자에 어떤 실수를 대입하여도 항상 성립하는 부등식

(2) 절대부등식의 증명에 자주 이용되는 실수의 성질: 실수 a, b에 대하여

① $a>b \Longleftrightarrow a-b>0$　　② $a^2 \geq 0$, $a^2+b^2 \geq 0$

③ $a^2+b^2=0 \Longleftrightarrow a=b=0$　　④ $|a|^2=a^2$

⑤ $a>0$, $b>0$일 때 $a>b \Longleftrightarrow a^2>b^2$

주어진 부등식이 절대부등식임을 증명할 때는 그 부등식이 주어진 집합의 모든 원소에 대하여 항상 성립함을 보여야 한다.

8. 여러 가지 절대부등식

(1) a, b, c가 실수일 때

① $a^2 \pm ab+b^2 \geq 0$ (단, 등호는 $a=b=0$일 때 성립한다.)

② $|a+b| \leq |a|+|b|$ (단, 등호는 $ab \geq 0$일 때 성립한다.)

③ $a^2+b^2+c^2 \geq ab+bc+ca$ (단, 등호는 $a=b=c$일 때 성립한다.)

(2) 산술평균과 기하평균의 관계

$a>0$, $b>0$일 때, $\frac{a+b}{2} \geq \sqrt{ab}$ (단, 등호는 $a=b$일 때 성립한다.)

(3) 코시-슈바르츠 부등식

a, b, x, y가 실수일 때, $(a^2+b^2)(x^2+y^2) \geq (ax+by)^2$

$\left(\text{단, 등호는 } \frac{x}{a}=\frac{y}{b}\text{일 때 성립한다.}\right)$

등호를 포함한 부등식을 증명할 때는 특별한 말이 없더라도 등호가 성립하는 조건을 찾는다.

두 양수 a, b에 대하여 $\frac{a+b}{2}$를 a, b의 산술평균, $\sqrt{ab}$를 a, b의 기하평균이라고 한다.

기본을 다지는 유형

정답과 풀이 012쪽

유형 01 명제와 조건의 뜻

다음 중 명제가 아닌 것은?

① 2는 소수이다.
② $x=3$이면 $x+4=10$이다.
③ $2x-3>x+5$
④ 2의 약수는 4의 약수이다.
⑤ 마름모는 평행사변형이다.

풀이

① 2는 소수이므로 참인 명제이다.
② $x=3$이면 $x+4=3+4=7\neq10$이므로 거짓인 명제이다.
③ x의 값에 따라 참, 거짓이 달라지므로 조건이다. 즉, 명제가 아니다.
④ 2의 약수는 모두 4의 약수이므로 참인 명제이다.
⑤ 마름모는 네 변의 길이가 같은 사각형이므로 두 쌍의 대변의 길이가 각각 같다. 따라서 마름모는 평행사변형이다. 즉, 참인 명제이다.

답 ③

001

명제인 것만을 |보기|에서 있는 대로 고른 것은?

| 보기 |

ㄱ. $x^2=4$　　ㄴ. $3+5=8$
ㄷ. $x^2-4=(x+2)(x-2)$
ㄹ. 소수는 홀수이다.　　ㅁ. 장미는 향이 좋다.

① ㄱ, ㄴ　② ㄱ, ㅁ　③ ㄴ, ㄷ
④ ㄴ, ㄷ, ㄹ　⑤ ㄷ, ㄹ, ㅁ

002

다음 중 조건이 아닌 것은?

① $4x<x+9$　② $x^2=x$
③ x는 10의 약수이다.　④ $x^2-4x+3=0$
⑤ 실수 x에 대하여 $x^2\geq0$

유형 02 명제와 조건의 부정

두 조건

p: $-2<x\leq3$, q: $x<-1$ 또는 $x>4$

에 대하여 조건 '$\sim p$ 또는 q'의 부정을 구하여라.

풀이

조건 '$\sim p$ 또는 q'의 부정은 'p 그리고 $\sim q$'

p: $-2<x\leq3$,

$\sim q$: $-1\leq x\leq4$

이므로

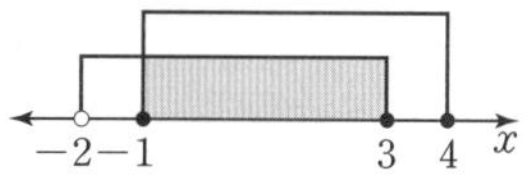

'p 그리고 $\sim q$'는 $-1\leq x\leq3$

따라서 조건 '$\sim p$ 또는 q'의 부정은 $-1\leq x\leq3$

답 $-1\leq x\leq3$

003

조건 '$x<2$ 그리고 $y\geq-1$'의 부정은?

① $x\geq2$ 그리고 $y<-1$
② $x<2$ 또는 $y\geq-1$
③ $x\geq2$ 또는 $y\geq-1$
④ $x<2$ 또는 $y<-1$
⑤ $x\geq2$ 또는 $y<-1$

004

다음 명제 중 그 부정이 참인 것은?

① 5는 소수이다.
② 정사각형은 직사각형이다.
③ 6은 24의 약수이다.
④ $3\in\{4, 5, 6\}$
⑤ 8의 배수는 4의 배수이다.

유형 03 진리집합

정수 전체의 집합에서 조건 p가

p: $x^2+3x-4\le 0$

일 때, 조건 p의 진리집합의 원소의 개수는?

① 2 ② 4 ③ 6

④ 8 ⑤ 10

풀이

$x^2+3x-4\le 0$에서 $(x+4)(x-1)\le 0$

$\therefore -4\le x\le 1$

따라서 조건 p의 진리집합은

$\{-4, -3, -2, -1, 0, 1\}$

이므로 구하는 원소의 개수는 6이다.

답 ③

005

전체집합 $U=\{x|x$는 한 자리의 자연수$\}$에 대하여 두 조건 p, q가

p: x는 짝수, q: $x^2-8x+12=0$

일 때, 다음 조건의 진리집합을 구하여라.

(1) $\sim p$ (2) $\sim q$

(3) p 그리고 q (4) $\sim p$ 또는 q

006

전체집합 $U=\{x|x$는 50 이하의 자연수$\}$에 대하여 두 조건 p, q가

p: x는 7의 배수, q: x는 3의 배수

일 때, 조건 'p 그리고 q'의 진리집합을 구하여라.

007

전체집합 $U=\{x|x$는 실수$\}$에 대하여 두 조건

p: $x>1$, q: $x\le -3$

의 진리집합을 각각 P, Q라고 할 때, 다음 중 조건 '$-3<x\le 1$'의 진리집합을 나타내는 것은?

① $P\cap Q$ ② $P\cup Q$ ③ $P^C\cap Q$

④ $P\cup Q^C$ ⑤ $P^C\cap Q^C$

008 |교육청 기출|

전체집합 $U=\{1, 2, 3, 4, 5, 6, 7, 8\}$에 대하여 조건 p가

p: x는 짝수 또는 6의 약수이다.

일 때, 조건 $\sim p$의 진리집합의 모든 원소의 합은?

① 11 ② 12 ③ 13

④ 14 ⑤ 15

009 서술형

전체집합 $U=\{x||x|\le 5, x$는 정수$\}$에 대하여 두 조건 p, q가

p: $x^3-4x=0$, q: $|x+3|>1$

일 때, 조건 'p 또는 $\sim q$'의 진리집합의 원소의 개수를 구하여라.

유형 04 명제 $p \longrightarrow q$

다음 명제 중 참인 것은?
① n이 짝수이면 n은 6의 배수이다.
② x가 무리수이면 x^2은 무리수이다.
③ $x=1$이면 $2x-1=3$이다.
④ $0<x\le 2$이면 $1<x<3$이다.
⑤ 정사각형이면 마름모이다.

풀이

① [반례] $n=2$이면 n은 짝수이지만 6의 배수는 아니다. (거짓)
② [반례] $x=\sqrt{2}$이면 x는 무리수이지만 x^2은 유리수이다. (거짓)
③ $x=1$이면 $2x-1=1\neq 3$이다. (거짓)
④ [반례] $x=\frac{1}{2}$이면 $0<x\le 2$이지만 $x<1$이다. (거짓)
⑤ 정사각형은 네 변의 길이가 모두 같으므로 마름모이다. (참)

답 ⑤

010

다음 명제 중 거짓인 것은?
① $x^2-2x+1=0$이면 $x=1$이다.
② a, b가 유리수이면 $a+b$는 유리수이다.
③ $x<1$, $y<2$이면 $x+y<3$이다.
④ 자연수 n이 소수이면 n은 홀수이다.
⑤ $x>1$이면 $x^2>1$이다.

011

실수 x, y, z에 대하여 참인 명제인 것만을 |보기|에서 있는 대로 골라라.

보기
ㄱ. $x^2+y^2=0$이면 $x+y=0$이다.
ㄴ. $xz=yz$이면 $x=y$이다.
ㄷ. x^2이 유리수이면 x는 유리수이다.
ㄹ. $x+y=0$이면 $x=0$이고 $y=0$이다.

유형 05 명제의 참, 거짓과 진리집합

전체집합 U에 대하여 두 조건 p, q의 진리집합이 각각 P, Q이고 명제 $\sim p \longrightarrow q$가 참일 때, 다음 중 항상 옳은 것은?
① $P\subset Q$ ② $Q\subset P$ ③ $P\subset Q^C$
④ $Q^C\subset P$ ⑤ $P\cap Q=\varnothing$

풀이

명제 $\sim p \longrightarrow q$가 참이므로
$P^C\subset Q$
따라서 오른쪽 그림과 같으므로 항상 옳은 것은 ④ $Q^C\subset P$이다.

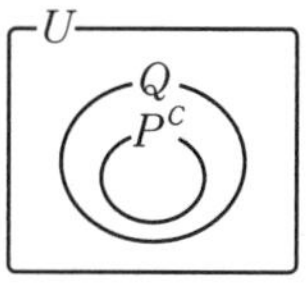

답 ④

참고 $P^C\subset Q$이면 $Q^C\subset P$이므로 $P\cup Q=U$이다.

012

전체집합 U에 대하여 두 조건 p, q의 진리집합을 각각 P, Q라고 하면 두 집합 P, Q는 오른쪽 그림과 같다. 이때 명제 $p \longrightarrow q$가 거짓임을 보이는 원소는?

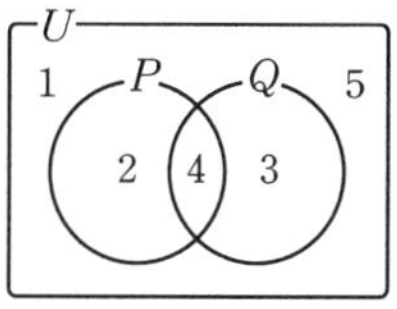

① 1 ② 2 ③ 3
④ 4 ⑤ 5

013

전체집합 U에 대하여 세 조건 p, q, r의 진리집합을 각각 P, Q, R라고 하자. 세 집합 P, Q, R가 오른쪽 그림과 같을 때, 다음 중 항상 참인 명제는?

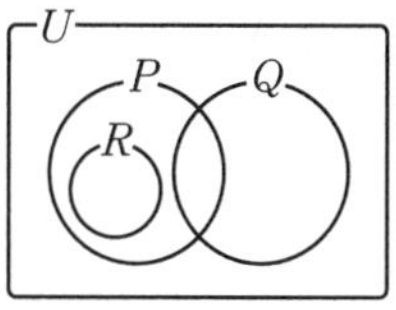

① $p \longrightarrow q$ ② $q \longrightarrow p$ ③ $r \longrightarrow q$
④ $\sim q \longrightarrow p$ ⑤ $q \longrightarrow \sim r$

014

전체집합 U에 대하여 두 조건 p, q의 진리집합을 각각 P, Q라고 하자. 명제 $p \longrightarrow \sim q$가 참일 때, 다음 중 옳지 않은 것은?

① $Q \subset P^C$ ② $P \cap Q = \varnothing$ ③ $P \cup Q = U$
④ $P - Q = P$ ⑤ $Q - P = Q$

015

전체집합 U에 대하여 세 조건 p, q, r의 진리집합을 각각 P, Q, R라고 하자. $P \subset (Q \cap R)$일 때, 항상 참인 명제인 것만을 |보기|에서 있는 대로 고른 것은?

보기	
ㄱ. $p \longrightarrow q$	ㄴ. $\sim q \longrightarrow \sim p$
ㄷ. $r \longrightarrow \sim q$	ㄹ. $\sim r \longrightarrow p$

① ㄱ, ㄴ ② ㄱ, ㄷ ③ ㄴ, ㄷ
④ ㄴ, ㄹ ⑤ ㄷ, ㄹ

016 |교육청 기출|

전체집합 $U = \{x | x$는 10 이하의 자연수$\}$에 대하여 두 조건 p, q의 진리집합을 각각 P, Q라고 하자.
조건 p가

p: x는 소수이다.

일 때, 명제 $\sim p \longrightarrow q$가 참이 되게 하는 집합 Q의 개수를 구하여라.

유형 06 명제가 참이 되게 하는 상수 구하기

두 조건

p: $k-1 < x \le k+3$, q: $-2 \le x < 5$

에 대하여 명제 $p \longrightarrow q$가 참이 되도록 하는 정수 k의 개수를 구하여라.

풀이

두 조건 p, q의 진리집합을 각각 P, Q라고 하면
$P = \{x | k-1 < x \le k+3\}$, $Q = \{x | -2 \le x < 5\}$
명제 $p \longrightarrow q$가 참이 되려면 $P \subset Q$이어야 하므로 오른쪽 그림에서

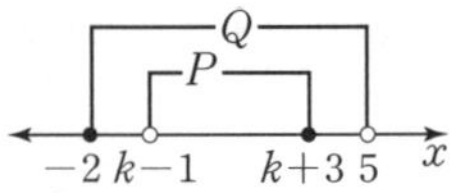

$k-1 \ge -2$, $k+3 < 5$
즉, $k \ge -1$, $k < 2$이므로 $-1 \le k < 2$
따라서 정수 k는 -1, 0, 1의 3개이다.

답 3

017

명제 '$x=-2$이면 $x^2=a$이다.'가 참이 되기 위한 상수 a의 값은?

① 1 ② 2 ③ 3
④ 4 ⑤ 5

018 서술형

명제 '$x=k$이면 $x^2-6x-16=0$이다.'가 참이 되기 위한 양수 k의 값을 구하여라.

019

세 조건 p, q, r의 진리집합이 각각 $P=\{3, 5\}$, $Q=\{5, a\}$, $R=\{3, 7, b\}$이고 명제 $p \longrightarrow q$는 거짓, 명제 $q \longrightarrow r$는 참일 때, $a-b$의 값은?

(단, $a \neq b$이고 a, b는 상수이다.)

① -2 ② -1 ③ 1
④ 2 ⑤ 3

020

명제 '$-1 \leq x \leq 4$이면 $a-4 < x < a+4$이다.'가 참이 되도록 하는 실수 a의 값의 범위를 구하여라.

021 | 교육청 기출 |

실수 x에 대하여 두 조건 p, q가

p: $|x-2|<2$, q: $5-k<x<k$

일 때, 명제 $p \longrightarrow q$가 참이 되도록 하는 실수 k의 최솟값은?

① 3 ② 5 ③ 7
④ 9 ⑤ 11

유형 07 '모든', '어떤'을 포함한 명제

참인 명제인 것만을 |보기|에서 있는 대로 고른 것은?

| 보기 |
ㄱ. 모든 실수 x에 대하여 $x^2>0$이다.
ㄴ. 어떤 짝수는 소수이다.
ㄷ. 모든 자연수 n에 대하여 $n^2 \geq 1$이다.

① ㄱ ② ㄴ ③ ㄷ
④ ㄱ, ㄴ ⑤ ㄴ, ㄷ

풀이

ㄱ. [반례] $x=0$이면 $x^2=0$이므로 거짓이다.
ㄴ. 짝수 2는 소수이므로 참이다.
ㄷ. $(\text{자연수})^2 \geq 1$이므로 참이다.
따라서 참인 명제는 ㄴ, ㄷ이다.

답 ⑤

022

전체집합 $U=\{1, 2, 3, 4, 5\}$의 원소 x에 대하여 다음 중 거짓인 명제는?

① 어떤 x에 대하여 $x^2-2x=0$이다.
② 모든 x에 대하여 $\sqrt{x}$는 무리수이다.
③ 어떤 x에 대하여 $x^2 \leq x$이다.
④ 모든 x에 대하여 $6x \leq 30$이다.
⑤ 어떤 x에 대하여 $x^2>20$이다.

023 서술형

명제 '어떤 실수 x에 대하여 $x^2-4x+9-k<0$이다.'의 부정이 참이 되도록 하는 실수 k의 최댓값을 구하여라.

유형 08 명제의 역, 대우

다음 중 그 역이 거짓인 명제는?
① $x^2=y^2$이면 $x=y$이다.
② $x+y>0$이면 $x>0$이고 $y>0$이다.
③ $|x|+|y|=0$이면 $x=0$이고 $y=0$이다.
④ x, y가 짝수이면 xy는 짝수이다.
⑤ 두 집합 A, B에 대하여 $A\subset B$이면 $A-B=\varnothing$이다.

풀이

각 명제의 역을 구하여 그 참, 거짓을 판별하면 다음과 같다.
① $x=y$이면 $x^2=y^2$이다. (참)
② $x>0$이고 $y>0$이면 $x+y>0$이다. (참)
③ $x=0$이고 $y=0$이면 $|x|+|y|=0$이다. (참)
④ xy가 짝수이면 x, y는 짝수이다. (거짓)
[반례] $x=2, y=3$이면 $xy=6$은 짝수이지만 y는 홀수이다.
⑤ 두 집합 A, B에 대하여 $A-B=\varnothing$이면 $A\subset B$이다. (참)

답 ④

024

명제 '$xy=0$이면 $x=0$ 또는 $y=0$이다.'의 대우는?
① $x=0$ 또는 $y=0$이면 $xy=0$이다.
② $x=0$이고 $y=0$이면 $xy=0$이다.
③ $x\neq0$ 또는 $y\neq0$이면 $xy\neq0$이다.
④ $x\neq0$이고 $y\neq0$이면 $xy\neq0$이다.
⑤ $xy\neq0$이면 $x\neq0$ 또는 $y\neq0$이다.

025 |교육청 기출|

명제 '$x^2-ax+9\neq0$이면 $x\neq3$이다.'가 참일 때, 상수 a의 값은?
① 5 ② 6 ③ 7
④ 8 ⑤ 9

026

명제의 역이 참인 것만을 |보기|에서 있는 대로 고른 것은? (단, x, y는 실수이다.)

| 보기 |
ㄱ. $x^3=8$이면 $x=2$이다.
ㄴ. $x=0, y=0$이면 $x^2+y^2=0$이다.
ㄷ. x가 무한소수이면 x는 무리수이다.
ㄹ. $x>2$이면 $x>0$이다.

① ㄱ, ㄴ ② ㄱ, ㄷ ③ ㄴ, ㄹ
④ ㄱ, ㄴ, ㄷ ⑤ ㄴ, ㄷ, ㄹ

027

두 실수 x, y에 대하여 명제
'$x+y>9$이면 $x>a$ 또는 $y>5$이다.'
가 참일 때, 실수 a의 최댓값을 구하여라.

028 서술형

명제 '$|x-k|\geq5$이면 $|x-2|\geq1$이다.'가 참이 되게 하는 정수 k의 개수를 구하여라.

유형 09 삼단논법

세 조건 p, q, r에 대하여 두 명제 $p \longrightarrow q$, $\sim p \longrightarrow r$가 모두 참일 때, 다음 중 반드시 참이라고 할 수 없는 것은?

① $\sim q \longrightarrow \sim p$ ② $\sim r \longrightarrow p$ ③ $\sim r \longrightarrow q$
④ $q \longrightarrow \sim r$ ⑤ $\sim q \longrightarrow r$

풀이

① 명제 $p \longrightarrow q$가 참이므로 그 대우 $\sim q \longrightarrow \sim p$도 참이다.
② 명제 $\sim p \longrightarrow r$가 참이므로 그 대우 $\sim r \longrightarrow p$도 참이다.
③ 두 명제 $\sim r \longrightarrow p$, $p \longrightarrow q$가 참이므로 $\sim r \longrightarrow q$도 참이다.
④ $q \longrightarrow \sim r$는 ③의 역이므로 반드시 참이라고 할 수 없다.
⑤ 명제 $\sim r \longrightarrow q$가 참이므로 그 대우 $\sim q \longrightarrow r$도 참이다.

답 ④

029

세 조건 p, q, r에 대하여 두 명제 $p \longrightarrow \sim r$, $q \longrightarrow r$가 모두 참일 때, 항상 참인 명제인 것만을 |보기|에서 있는 대로 골라라.

| 보기 |

ㄱ. $p \longrightarrow \sim q$ ㄴ. $r \longrightarrow p$
ㄷ. $q \longrightarrow \sim p$ ㄹ. $\sim q \longrightarrow \sim r$

030

세 조건 p, q, r에 대하여 다음이 성립한다.

> 두 명제 $p \longrightarrow \sim q$, [(가)]가 모두 참이면
> 명제 $p \longrightarrow \sim r$도 참이다.

다음 중 (가)에 들어갈 수 있는 명제는?

① $p \longrightarrow q$ ② $q \longrightarrow r$ ③ $p \longrightarrow r$
④ $r \longrightarrow q$ ⑤ $r \longrightarrow p$

031

아래의 두 명제 (가), (나)가 모두 참일 때, 다음 중 항상 참인 명제는?

> (가) 노래를 좋아하는 사람은 영화를 좋아한다.
> (나) 노래를 좋아하지 않는 사람은 자연을 좋아하지 않는다.

① 노래를 좋아하는 사람은 자연을 좋아한다.
② 영화를 좋아하는 사람은 자연을 좋아한다.
③ 자연을 좋아하는 사람은 영화를 좋아한다.
④ 노래를 좋아하지 않는 사람은 영화를 좋아하지 않는다.
⑤ 자연을 좋아하지 않는 사람은 노래를 좋아하지 않는다.

032 |교육청 기출|

어느 휴대폰 제조 회사에서 휴대폰 판매량과 사용자 선호도에 대한 시장 조사를 하여 다음과 같은 결과를 얻었다.

> (가) 10대, 20대에게 선호도가 높은 제품은 판매량이 많다.
> (나) 가격이 싼 제품은 판매량이 많다.
> (다) 기능이 많은 제품은 10대, 20대에게 선호도가 높다.

위의 결과로부터 추론한 내용으로 항상 옳은 것은?

① 기능이 많은 제품은 가격이 싸지 않다.
② 가격이 싸지 않은 제품은 판매량이 많지 않다.
③ 판매량이 많지 않은 제품은 기능이 많지 않다.
④ 10대, 20대에게 선호도가 높은 제품은 기능이 많다.
⑤ 10대, 20대에게 선호도가 높은 제품은 가격이 싸지 않다.

유형 10 충분조건, 필요조건, 필요충분조건

p가 q이기 위한 충분조건이지만 필요조건은 아닌 것만을 |보기|에서 있는 대로 고른 것은? (단, x, y는 실수이다.)

보기	
ㄱ. p: $x+y=4$	q: $x=1$, $y=3$
ㄴ. p: $x^2+y^2=0$	q: $xy=0$
ㄷ. p: $x=1$	q: $x^2-x=0$

① ㄱ ② ㄴ ③ ㄷ
④ ㄱ, ㄴ ⑤ ㄴ, ㄷ

풀이

ㄱ. $p \longrightarrow q$: [반례] $x=2$, $y=2$이면 $x+y=4$이지만 $x\neq1$, $y\neq3$ (거짓)
$q \longrightarrow p$: $x=1$, $y=3$이면 $x+y=4$ (참)
즉, p는 q이기 위한 필요조건이지만 충분조건은 아니다.

ㄴ. $p \longrightarrow q$: $x^2+y^2=0$이면 $x=0$, $y=0$이므로 $xy=0$ (참)
$q \longrightarrow p$: [반례] $x=-1$, $y=0$이면 $xy=0$이지만 $x^2+y^2\neq0$ (거짓)
즉, p는 q이기 위한 충분조건이지만 필요조건은 아니다.

ㄷ. $p \longrightarrow q$: $x=1$이면 $x^2-x=0$ (참)
$q \longrightarrow p$: [반례] $x=0$이면 $x^2-x=0$이지만 $x\neq1$ (거짓)
즉, p는 q이기 위한 충분조건이지만 필요조건은 아니다.

따라서 p가 q이기 위한 충분조건이지만 필요조건은 아닌 것은 ㄴ, ㄷ이다.

답 ⑤

033

두 조건 p, q가 다음과 같을 때, p는 q이기 위한 무슨 조건인지 말하여라. (단, x, y는 실수이다.)

(1) p: $|x|<1$ q: $x<1$
(2) p: $x^2>y^2$ q: $x>y>0$
(3) p: $x=y=0$ q: $|x|+|y|=0$

034

세 조건 p, q, r에 대하여 p는 q이기 위한 충분조건이고, q는 r이기 위한 충분조건이다. 세 조건 p, q, r의 진리집합을 각각 P, Q, R라고 할 때, 세 집합 사이의 포함 관계는?

① $P\subset Q\subset R$ ② $P\subset R\subset Q$ ③ $Q\subset P\subset R$
④ $Q\subset R\subset P$ ⑤ $R\subset P\subset Q$

035

전체집합 U에 대하여 두 조건 p, q의 진리집합을 각각 P, Q라고 하자. p가 q이기 위한 필요조건일 때, 다음 중 옳지 않은 것은?

① $P\cap Q=Q$ ② $P\cup Q=P$ ③ $P-Q=\varnothing$
④ $Q-P=\varnothing$ ⑤ $P^C-Q^C=\varnothing$

036

전체집합 U의 공집합이 아닌 두 부분집합 A, B에 대하여

$$A\cap(B-A)^C=A\cap B$$

가 성립하기 위한 필요충분조건인 것은?

① $A\subset B$ ② $B\subset A$ ③ $A\cap B=\varnothing$
④ $B=U$ ⑤ $A-B=A$

037

세 조건 p, q, r에 대하여 p는 $\sim q$이기 위한 충분조건이고 q는 r이기 위한 필요조건일 때, 옳은 것만을 |보기|에서 있는 대로 고른 것은?

보기

ㄱ. p는 $\sim r$이기 위한 충분조건이다.
ㄴ. r는 q이기 위한 충분조건이다.
ㄷ. $\sim p$는 $\sim q$이기 위한 필요조건이다.

① ㄱ ② ㄴ ③ ㄷ
④ ㄱ, ㄴ ⑤ ㄴ, ㄷ

038

세 조건 p, q, r에 대하여 p는 $\sim r$이기 위한 충분조건이고 q이기 위한 필요조건일 때, 참인 명제인 것만을 |보기|에서 있는 대로 고른 것은?

보기

ㄱ. $p \longrightarrow q$　ㄴ. $\sim p \longrightarrow \sim q$
ㄷ. $q \longrightarrow \sim r$　ㄹ. $\sim r \longrightarrow p$

① ㄱ, ㄴ ② ㄱ, ㄷ ③ ㄴ, ㄷ
④ ㄴ, ㄹ ⑤ ㄷ, ㄹ

039

세 조건 p, q, r에 대하여 p는 r이기 위한 필요조건이고 q는 r이기 위한 충분조건일 때, 참인 명제인 것만을 |보기|에서 있는 대로 고른 것은?

보기

ㄱ. $p \longrightarrow r$　ㄴ. $\sim r \longrightarrow \sim q$
ㄷ. $r \longrightarrow q$　ㄹ. $\sim p \longrightarrow \sim q$

① ㄱ, ㄴ ② ㄱ, ㄹ ③ ㄴ, ㄷ
④ ㄴ, ㄹ ⑤ ㄷ, ㄹ

유형 11 충분조건과 필요조건을 이용하여 미지수 구하기

실수 x에 대하여 $2 \le x \le 6$이 $|x-1| \le k$이기 위한 충분조건일 때, 양수 k의 최솟값을 구하여라.

풀이

두 조건 p, q를 p: $2 \le x \le 6$, q: $|x-1| \le k$로 놓고 두 조건 p, q의 진리집합을 각각 P, Q라고 하면 p가 q이기 위한 충분조건이므로
$P \subset Q$
$|x-1| \le k$에서 $-k \le x-1 \le k$
$\therefore 1-k \le x \le 1+k$
즉, $P=\{x|2 \le x \le 6\}$,
$Q=\{x|1-k \le x \le 1+k\}$이고
$P \subset Q$이므로 오른쪽 그림에서

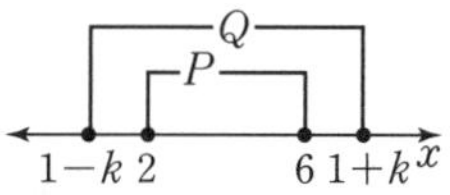

$1-k \le 2$, $1+k \ge 6$
$k \ge -1$, $k \ge 5$　$\therefore k \ge 5$
따라서 k의 최솟값은 5이다.

답 5

040

$x=-1$이 $x^2+ax+b=0$이기 위한 필요충분조건일 때, 상수 a, b에 대하여 ab의 값을 구하여라.

041

두 조건

p: $x^2-ax+4 \ne 0$, q: $x \ne -4$

에 대하여 p가 q이기 위한 충분조건일 때, 상수 a의 값은?

① -5 ② -4 ③ -3
④ -2 ⑤ -1

042 | 교육청 기출 |

실수 x에 대한 두 조건 p, q가 다음과 같다.

p: $k \le x \le k+2$, q: $6 < x < 12$

p가 q이기 위한 충분조건이 되도록 하는 모든 정수 k의 값의 합을 구하여라.

043

실수 x에 대한 두 조건 p, q가

p: $-1 \le x \le 2$ 또는 $x \ge 7$, q: $x \ge k$

일 때, p가 q이기 위한 필요조건이 되도록 하는 실수 k의 최솟값은?

① 1 ② 3 ③ 5
④ 7 ⑤ 9

044 서술형

실수 x에 대하여 세 조건 p, q, r가

p: $a \le x \le b$, q: $x+5 \ge 0$, r: $|x| < 3$

일 때, p는 q이기 위한 충분조건이고 r이기 위한 필요조건이다. 이때 a의 최댓값과 b의 최솟값의 합을 구하여라. (단, a, b는 실수이다.)

유형 12 대우를 이용한 증명법과 귀류법

다음은 자연수 n에 대하여 명제

'n^2이 홀수이면 n도 홀수이다.'

가 참임을 그 대우를 이용하여 증명하는 과정이다. (가), (나)에 알맞은 것을 써넣어라.

| 증명 |

주어진 명제의 대우는

'[(가)]'

이다.

n이 짝수이면 $n=2k$ (k는 자연수)로 나타낼 수 있으므로

$n^2=(2k)^2=2\times$ [(나)]

이때 [(나)]는 자연수이므로 n^2은 짝수이다.

따라서 주어진 명제의 대우가 참이므로 주어진 명제도 참이다.

풀이

주어진 명제의 대우는

'[(가) n이 짝수이면 n^2도 짝수이다.]'

이다.

n이 짝수이면 $n=2k$ (k는 자연수)로 나타낼 수 있으므로

$n^2=(2k)^2=4k^2=2\times$ [(나) $2k^2$]

이때 k가 자연수이므로 [(나) $2k^2$]은 자연수이고 n^2은 짝수이다.

따라서 주어진 명제의 대우가 참이므로 주어진 명제도 참이다.

답 (가): n이 짝수이면 n^2도 짝수이다. (나): $2k^2$

045

n이 자연수일 때, 명제

'n^2이 3의 배수이면 n도 3의 배수이다.'

에 대하여 다음 물음에 답하여라.

(1) 명제의 대우를 구하여라.

(2) (1)을 이용하여 주어진 명제가 참임을 증명하여라.

046

다음은 귀류법을 이용하여 $\sqrt{2}$가 무리수임을 증명하는 과정이다. (가), (나), (다)에 알맞은 것을 써넣어라.

증명

$\sqrt{2}$를 [(가)]라고 가정하면

$\sqrt{2}=\frac{n}{m}$ (m, n은 서로소인 자연수) ······ ㉠

으로 놓을 수 있다.

㉠의 양변을 제곱하여 정리하면

$n^2=2m^2$ ······ ㉡

이때 n^2이 [(나)]이므로 n도 [(나)]이다.

$n=2k$ (k는 자연수)로 놓고 ㉡에 대입하여 정리하면

$m^2=2k^2$

이때 m^2이 [(나)]이므로 m도 [(나)]이다.

즉, m, n이 모두 [(나)]이므로 m, n이 [(다)]라는 가정에 모순이다.

따라서 $\sqrt{2}$는 무리수이다.

047

다음은 a, b, c가 자연수일 때, 명제

'$a^2+b^2=c^2$이면 a, b, c 중 적어도 하나는 짝수이다.'

가 참임을 귀류법을 이용하여 증명하는 과정이다. (가), (나), (다)에 알맞은 것은?

증명

주어진 명제의 결론을 부정하여 a, b, c가 모두 [(가)]라고 가정하면 a^2, b^2, c^2도 모두 [(가)]이다.

이때 a^2+b^2은 [(나)]이고, c^2은 [(다)]이므로

$a^2+b^2\neq c^2$이 되어 모순이다.

따라서 $a^2+b^2=c^2$이면 a, b, c 중 적어도 하나는 짝수이다.

	(가)	(나)	(다)
①	홀수	홀수	홀수
②	홀수	홀수	짝수
③	홀수	짝수	홀수
④	짝수	짝수	홀수
⑤	짝수	홀수	짝수

유형 13 절대부등식과 그 증명

다음은 a, b가 실수일 때, 부등식 $a^2-ab+b^2\geq 0$이 성립함을 증명하는 과정이다. (가), (나)에 알맞은 것을 써넣어라.

증명

$a^2-ab+b^2=\left(\boxed{(가)}\right)^2+\frac{3}{4}b^2$

a, b가 실수이므로 $\left(\boxed{(가)}\right)^2\geq 0$, $\frac{3}{4}b^2\geq 0$에서

$a^2-ab+b^2\geq 0$

이때 등호는 [(나)]일 때 성립한다.

풀이

$a^2-ab+b^2=\left(a-\frac{b}{2}\right)^2+b^2-\frac{b^2}{4}=\left(\boxed{{}^{(가)}\ a-\frac{b}{2}}\right)^2+\frac{3}{4}b^2$

a, b가 실수이므로 $\left(\boxed{{}^{(가)}\ a-\frac{b}{2}}\right)^2\geq 0$, $\frac{3}{4}b^2\geq 0$에서

$a^2-ab+b^2\geq 0$

이때 등호는 $a-\frac{b}{2}=0$, $\frac{3}{4}b^2=0$, 즉 [(나) $a=b=0$]일 때 성립한다.

답 (가): $a-\frac{b}{2}$ (나): $a=b=0$

048

다음은 a, b, x, y가 실수일 때, 부등식

$(a^2+b^2)(x^2+y^2)\geq(ax+by)^2$

이 성립함을 증명하는 과정이다. (가), (나)에 알맞은 것을 써넣어라.

증명

$(a^2+b^2)(x^2+y^2)-(ax+by)^2$

$=a^2x^2+a^2y^2+b^2x^2+b^2y^2-(a^2x^2+2abxy+b^2y^2)$

$=\boxed{(가)}\geq 0$

$\therefore (a^2+b^2)(x^2+y^2)\geq(ax+by)^2$

이때 등호는 [(나)]일 때 성립한다.

049

다음은 a, b가 실수일 때, 부등식

$$|a|+|b| \geq |a-b|$$

가 성립함을 증명하는 과정이다. (가), (나), (다)에 알맞은 것을 써넣어라.

증명

$|a|+|b| \geq 0$, $|a-b| \geq 0$이므로

[(가)]

이 성립함을 증명하면 된다. 이때

$(|a|+|b|)^2-|a-b|^2=$ [(나)] ≥ 0

이므로 $(|a|+|b|)^2 \geq |a-b|^2$

$\therefore |a|+|b| \geq |a-b|$

이때 등호는 [(다)]일 때 성립한다.

050

다음은 실수 a, b, c에 대하여 부등식

$$a^2+b^2+c^2 \geq ab+bc+ca$$

가 성립함을 증명하는 과정이다. (가), (나), (다)에 알맞은 것을 써넣어라.

증명

$a^2+b^2+c^2-(ab+bc+ca)$

$=\frac{1}{2}(2a^2+2b^2+2c^2-2ab-2bc-2ca)$

$=\frac{1}{2}\{$ [(가)] $\}$

이때 $(a-b)^2 \geq 0$, ([(나)]$)^2 \geq 0$, $(c-a)^2 \geq 0$이므로

$a^2+b^2+c^2-(ab+bc+ca) \geq 0$

$\therefore a^2+b^2+c^2 \geq ab+bc+ca$

여기서 등호는 [(다)]일 때 성립한다.

유형 14 산술평균과 기하평균을 이용한 식의 최대·최소

$x>4$일 때, $x+\frac{1}{x-4}$의 최솟값은?

① 2 ② 4 ③ 6
④ 8 ⑤ 10

풀이

$x>4$이므로 $x-4>0$

따라서 산술평균과 기하평균의 관계에 의하여

$x+\frac{1}{x-4}=x-4+\frac{1}{x-4}+4$

$\geq 2\sqrt{(x-4)\times\frac{1}{x-4}}+4$ ······ (*)

$=2+4=6$ (단, 등호는 $x=5$일 때 성립한다.)

따라서 구하는 최솟값은 6이다.

답 ③

참고 (1) (*)에서 등호는 $x-4=\frac{1}{x-4}$일 때 성립하므로

$(x-4)^2=1$, $x-4=\pm 1$ $\therefore x=5$ ($\because x>4$)

따라서 등호는 $x=5$일 때 성립한다.

(2) 산술평균과 기하평균의 관계는 합이 일정한 두 양수의 곱의 최댓값을 구할 때 또는 곱이 일정한 두 양수의 합의 최솟값을 구할 때 이용된다.

051 | 교육청 기출 |

양수 x에 대하여 $x+\frac{9}{x}$의 최솟값은?

① 6 ② 7 ③ 8
④ 9 ⑤ 10

052

두 양수 a, b에 대하여 $ab=20$일 때, $4a+5b$의 최솟값을 구하여라.

053 서술형

$x>0$, $y>0$이고 $3x+2y=18$일 때, xy의 최댓값을 구하여라.

054

두 양수 x, y에 대하여 $2x+5y+\frac{2}{x}+\frac{5}{y}$의 최솟값은?

① 10 ② 11 ③ 12
④ 13 ⑤ 14

055

$a>0$, $b>0$일 때, $(2a+b)\left(\frac{2}{a}+\frac{1}{b}\right)$의 최솟값은?

① 7 ② 8 ③ 9
④ 10 ⑤ 11

056

$x>0$, $y>0$이고 $5x+3y=15$일 때, $\sqrt{5x}+\sqrt{3y}$의 최댓값은?

① 5 ② $2\sqrt{7}$ ③ $\sqrt{30}$
④ $4\sqrt{2}$ ⑤ 6

057

세 모서리의 길이가 각각 a, b, 4이고 부피가 96인 직육면체가 있다. 이때 이 직육면체의 대각선의 길이의 최솟값을 구하여라.

058 | 교육청 기출 |

양수 m에 대하여 직선 $y=mx+2m+3$이 x축, y축과 만나는 점을 각각 A, B라고 하자. 삼각형 OAB의 넓이의 최솟값은? (단, O는 원점이다.)

① 8 ② 9 ③ 10
④ 11 ⑤ 12

유형 15 코시-슈바르츠 부등식을 이용한 식의 최대·최소

실수 x, y에 대하여 $x^2+y^2=13$일 때, $2x+3y$의 최댓값과 최솟값의 합은?

① -26　　② -13　　③ 0
④ 13　　⑤ 26

풀이

x, y가 실수이므로 코시-슈바르츠 부등식에 의하여
$(2^2+3^2)(x^2+y^2)\geq(2x+3y)^2$

$\left(\text{단, 등호는 } \frac{x}{2}=\frac{y}{3}\text{일 때 성립한다.}\right)$

이때 $x^2+y^2=13$이므로
$(2x+3y)^2\leq(2^2+3^2)(x^2+y^2)=13^2$
$\therefore -13\leq 2x+3y\leq 13$
따라서 $2x+3y$의 최댓값은 13, 최솟값은 -13이므로 구하는 합은 0이다.

답 ③

풍쌤 유형 TIP

(1) 코시-슈바르츠 부등식은 일반적으로 제곱의 합이 일정할 때, 주어진 식의 최댓값 또는 최솟값을 구할 때 이용된다.
(2) 코시-슈바르츠 부등식의 확장
a, b, c, x, y, z가 실수일 때
$(a^2+b^2+c^2)(x^2+y^2+z^2)\geq(ax+by+cz)^2$

$\left(\text{단, 등호는 } \frac{x}{a}=\frac{y}{b}=\frac{z}{c}\text{일 때 성립한다.}\right)$

059

실수 x, y에 대하여 $x^2+y^2=4$일 때, x^2+4x+y^2+2y의 최댓값과 최솟값의 곱은?

① -80　　② -64　　③ -48
④ -36　　⑤ -24

060 서술형

$x^2+y^2=a$를 만족시키는 실수 x, y에 대하여 $x+2y$의 최댓값과 최솟값의 차가 10일 때, 양수 a의 값을 구하여라.

061

실수 x, y에 대하여 $4x+3y=10$일 때, x^2+y^2의 최솟값은?

① 1　　② 2　　③ 3
④ 4　　⑤ 5

062

실수 x, y, z에 대하여 $x^2+y^2+z^2=38$일 때, $2x+3y+5z$의 최댓값을 M, 최솟값을 m이라고 하자. 이때 $M-m$의 값은?

① 74　　② 75　　③ 76
④ 77　　⑤ 78

실력을 높이는 연습 문제

01

다음 중 명제가 <u>아닌</u> 것은?

① $x+5=2x-3$
② 오각형의 대각선의 개수는 5이다.
③ 소수는 홀수이다.
④ 직사각형은 평행사변형이다.
⑤ 두 대각선의 길이가 같은 사각형은 직사각형이다.

02

조건 '$x \in A$ 또는 $x \in B$'의 부정은?

① $x \in A$ 그리고 $x \in B$
② $x \notin A$ 또는 $x \in B$
③ $x \notin A$ 그리고 $x \notin B$
④ $x \notin A$ 또는 $x \notin B$
⑤ $x \in A$ 그리고 $x \notin B$

03 실력 UP

a, b, c가 실수일 때, 다음 조건의 부정을 구하여라.

$$(a-b)(b-c)(c-a)=0$$

04

전체집합 $U=\{x \mid x$는 10 이하의 자연수$\}$에 대하여 두 조건 p, q가

p: x는 12의 약수, q: x는 18의 약수

일 때, 조건 'p 그리고 q'의 진리집합을 구하여라.

05

전체집합 $U=\{x \mid x$는 20 이하의 자연수$\}$에서 정의된 두 조건 p, q가

p: $x>10$, q: x는 4의 배수

일 때, 조건 '$\sim(p$ 또는 $\sim q)$'의 진리집합의 모든 원소의 합은?

① 11 ② 12 ③ 13
④ 14 ⑤ 15

06

전체집합 U에 대하여 두 조건 p, q의 진리집합을 각각 P, Q라고 할 때, 명제 'p이면 $\sim q$이다.'가 거짓임을 보이는 원소가 속하는 집합은?

① $P \cap Q$ ② $P \cup Q$ ③ $Q-P$
④ $P^C \cap Q$ ⑤ $P \cap Q^C$

07 | 교육청 기출 |

세 조건 p, q, r의 진리집합을 각각 P, Q, R라고 하자. 세 집합 P, Q, R 사이의 관계가 오른쪽 그림과 같을 때, 다음 명제 중 항상 참인 것은?

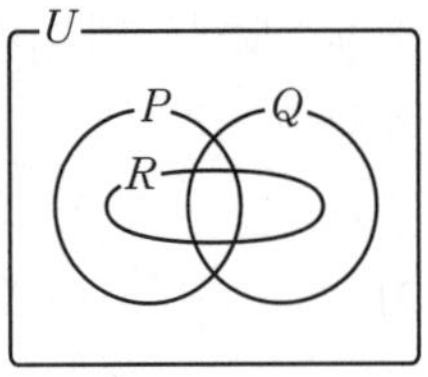

(단, U는 전체집합이다.)

① $p \longrightarrow q$　② $r \longrightarrow \sim p$
③ $p \longrightarrow \sim q$　④ $r \longrightarrow (p$ 또는 $q)$
⑤ $(p$이고 $r) \longrightarrow q$

08

전체집합 U에 대하여 세 조건 p, q, r의 진리집합을 각각 P, Q, R라고 하자. $P\cap Q=Q$, $P-R=\varnothing$일 때, 참인 명제인 것만을 |보기|에서 있는 대로 고른 것은?

| 보기 |

ㄱ. $p \longrightarrow q$　ㄴ. $q \longrightarrow r$
ㄷ. $\sim r \longrightarrow \sim p$　ㄹ. $q \longrightarrow \sim p$

① ㄱ, ㄴ　② ㄱ, ㄷ　③ ㄴ, ㄷ
④ ㄴ, ㄹ　⑤ ㄷ, ㄹ

09 실력UP

두 조건 p, q의 진리집합을 각각 P, Q라 하고

$P=\{x\,|\,(x+3)(x-6)\le 0\}$, $Q=\{x\,|\,|x|>k\}$

일 때, 명제 $\sim p \longrightarrow q$가 참이기 위한 자연수 k의 개수를 구하여라.

10

전체집합 $U=\{1, 2, 3, \cdots, 15\}$의 원소 x에 대하여 다음 중 참인 명제는?

① 모든 x에 대하여 $3x>3$이다.
② 어떤 x에 대하여 $x^2=0$이다.
③ 모든 x에 대하여 $4x^2<200$이다.
④ 어떤 x에 대하여 x는 20의 약수이다.
⑤ 모든 x에 대하여 $x>\frac{1}{x}$이다.

11

명제

'어떤 실수 x에 대하여 $x^2+6x+3k-6\le 0$이다.'

가 거짓이 되도록 하는 정수 k의 최솟값을 구하여라.

12

명제와 그 역이 모두 참인 것만을 |보기|에서 있는 대로 고른 것은?

| 보기 |

ㄱ. $a=b$이면 $a+c=b+c$이다.
ㄴ. $a^2=b^2$이면 $a=b$이다.
ㄷ. $x=0$ 또는 $y=0$이면 $xy=0$이다.

① ㄱ　② ㄴ　③ ㄷ
④ ㄱ, ㄷ　⑤ ㄴ, ㄷ

13 | 교육청 기출 |

명제 '$x^2-6x+5\neq0$이면 $x-a\neq0$이다.'가 참이 되기 위한 모든 상수 a의 값의 합은?

① 6 ② 7 ③ 8
④ 9 ⑤ 10

14

명제의 대우가 참인 것만을 |보기|에서 있는 대로 고른 것은?

| 보기 |

ㄱ. $x^2>9$이면 $x>3$이다.
ㄴ. $x+y>2$이면 $x>0$이고 $y>2$이다.
ㄷ. $(x+1)(y-2)=0$이면 $x=-1$ 또는 $y=2$이다.

① ㄱ ② ㄴ ③ ㄷ
④ ㄱ, ㄴ ⑤ ㄴ, ㄷ

15

전체집합 U에 대하여 두 조건 p, q의 진리집합을 각각 P, Q라고 하자. 명제 $\sim p \longrightarrow \sim q$의 역이 참일 때, 옳은 것만을 |보기|에서 있는 대로 고른 것은?

| 보기 |

ㄱ. $Q\subset P$ ㄴ. $P-Q=\varnothing$
ㄷ. $P\cap Q=Q$ ㄹ. $Q^C\subset P^C$

① ㄱ, ㄴ ② ㄱ, ㄹ ③ ㄴ, ㄷ
④ ㄴ, ㄹ ⑤ ㄷ, ㄹ

16

세 조건 p, q, r에 대하여 두 명제

$p \longrightarrow \sim q$, $\sim p \longrightarrow r$

가 모두 참일 때, 다음 중 반드시 참이라고 할 수 <u>없는</u> 것은?

① $q \longrightarrow r$ ② $q \longrightarrow \sim p$ ③ $\sim r \longrightarrow p$
④ $p \longrightarrow \sim r$ ⑤ $\sim r \longrightarrow \sim q$

17 실력 UP

현진, 영수, 진희의 세 학생 중 한 명은 지난 주말에 등산을 갔다 왔다. 아래에서 한 명의 말은 참이고, 나머지 두 명의 말은 거짓일 때, 다음 중 항상 참인 것은?

현진: 영수는 등산을 갔다 왔어.
영수: 나는 등산을 가지 않았어.
진희: 나는 등산을 갔었어.

① 현진이는 등산을 갔었다.
② 영수는 등산을 갔었다.
③ 진희는 등산을 갔었다.
④ 현진이는 등산을 가지 않았다.
⑤ 진희는 등산을 가지 않았다.

18 | 교육청 기출 |

전체집합 U의 공집합이 아닌 세 부분집합 P, Q, R가 각각 세 조건 p, q, r의 진리집합이라고 하자. 세 명제 $\sim p \longrightarrow r$, $r \longrightarrow \sim q$, $\sim r \longrightarrow q$가 모두 참일 때, 옳은 것만을 |보기|에서 있는 대로 고른 것은?

| 보기 |

ㄱ. $P^C\subset R$ ㄴ. $P\subset Q$ ㄷ. $P\cap Q=R^C$

① ㄱ ② ㄴ ③ ㄱ, ㄷ
④ ㄴ, ㄷ ⑤ ㄱ, ㄴ, ㄷ

19

두 조건 p, q에 대하여 다음 중 p가 q이기 위한 필요충분조건인 것은? (단, x, y, z는 실수이다.)

① p: $xy \neq 0$　　q: $x^2+y^2 \neq 0$
② p: $|x|=|y|$　　q: $x^2=y^2$
③ p: $x^2+y^2>0$　　q: $x>0$, $y>0$
④ p: $x^2+y^2=0$　　q: $x+y=0$
⑤ p: $x=y=0$　　q: $x^2-2xy+y^2=0$

20 실력 UP

세 조건 p, q, r가

p: $|x| \leq 7$, q: $x \geq -1$, r: $|x-a| \leq 3$

에 대하여 r는 'p이고 q'이기 위한 충분조건일 때, 실수 a의 최댓값과 최솟값의 합을 구하여라.

21

다음은 자연수 a, b에 대하여 명제

'ab가 짝수이면 a 또는 b가 짝수이다.'

가 참임을 대우를 이용하여 증명하는 과정이다. (가), (나), (다)에 알맞은 것을 써넣어라.

증명

주어진 명제의 대우는

'a, b가 모두 (가) 이면 ab는 (나) 이다.'

a, b가 모두 (가) 이므로

$a=2m-1$, $b=2n-1$ (m, n은 자연수)

로 나타낼 수 있다.

즉, $ab=2($ (다) $)+1$이므로 ab는 (나) 이다.

따라서 주어진 명제의 대우가 참이므로 주어진 명제도 참이다.

22

$a>b>0$일 때, $X=\sqrt{a-b}$, $Y=\sqrt{a}-\sqrt{b}$일 때, 두 수 X, Y의 대소 관계는?

① $X>Y$　② $X<Y$　③ $X=Y$
④ $X \geq Y$　⑤ $X \leq Y$

23 | 교육청 기출 |

$x>0$, $y>0$일 때, $\left(4x+\frac{1}{y}\right)\left(\frac{1}{x}+16y\right)$의 최솟값은?

① 34　② 36　③ 38
④ 40　⑤ 42

24

오른쪽 그림과 같이 반지름의 길이가 $4\sqrt{2}$인 반원에 직사각형이 내접하고 있다. 이 직사각형의 넓이가 최대일 때, 그 둘레의 길이를 구하여라.

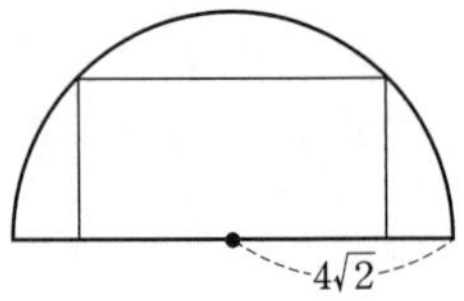

V

함수와 그래프

03 함수

1. 함수

(1) 대응: 공집합이 아닌 두 집합 X, Y에 대하여 집합 X의 원소에 집합 Y의 원소를 짝 지어주는 것을 집합 X에서 집합 Y로의 대응이라고 한다. 이때 집합 X의 원소 x에 집합 Y의 원소 y가 짝 지어지면 x에 y가 대응한다고 한다.

(2) 함수: 공집합이 아닌 두 집합 X, Y에 대하여 집합 X의 각 원소에 집합 Y의 원소가 오직 하나씩 대응할 때, 이 대응을 집합 X에서 집합 Y로의 함수라 하고 기호 $f: X \longrightarrow Y$로 나타낸다.

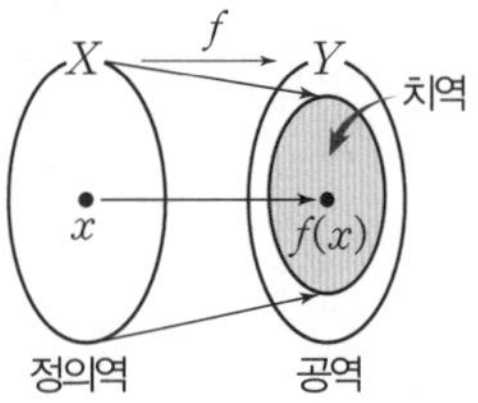

① 정의역: 집합 X

② 공역: 집합 Y

③ 치역: 함숫값 전체의 집합, 즉 집합 $\{f(x)|x\in X\}$

참고 함수 $y=f(x)$의 정의역이나 공역이 주어지지 않은 경우에는 함숫값 $f(x)$가 정의되는 실수 x의 값 전체의 집합을 정의역으로 하고, 실수 전체의 집합을 공역으로 한다.

☼ 함수가 아닌 경우
두 집합 X, Y에 대하여
(1) X의 원소 중에서 대응하지 않고 남아 있는 원소가 있는 경우
(2) X의 한 원소에 Y의 원소가 두 개 이상 대응하는 경우

☼ 함수의 치역은 공역의 부분집합이다.

2. 서로 같은 함수와 함수의 그래프

(1) 서로 같은 함수: 두 함수 f, g에 대하여 정의역과 공역이 각각 서로 같고 정의역의 모든 원소 x에 대하여 $f(x)=g(x)$일 때, 두 함수 f, g는 서로 같다고 한다.

➡ $f=g$

참고 두 함수 f, g가 서로 같지 않다. ➡ $f\neq g$

(2) 함수의 그래프: 함수 $f: X \longrightarrow Y$에서 정의역 X의 각 원소 x와 이에 대응하는 함숫값 $f(x)$의 순서쌍 $(x, f(x))$를 원소로 갖는 집합

$\{(x, f(x))|x\in X\}$

를 함수 f의 그래프라고 한다.

특히, 함수 $y=f(x)$의 정의역과 공역의 원소가 모두 실수일 때, 함수의 그래프는 순서쌍 $(x, f(x))$를 좌표로 하는 점을 좌표평면 위에 나타내어 그릴 수 있다.

☼ 함수의 그래프는 정의역의 각 원소 a에 대하여 y축에 평행한 직선 $x=a$와 오직 한 점에서 만난다.

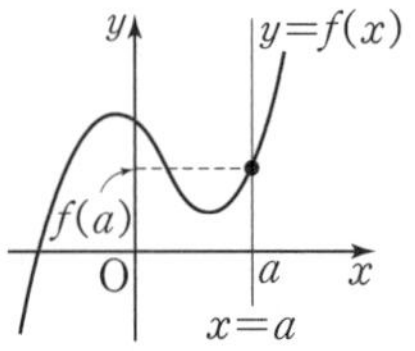

3. 여러 가지 함수

(1) 일대일함수: 함수 $f: X \longrightarrow Y$에서 정의역 X의 임의의 두 원소 x_1, x_2에 대하여

$x_1\neq x_2$이면 $f(x_1)\neq f(x_2)$

가 성립하는 함수

(2) 일대일대응: 일대일함수이고 치역과 공역이 같은 함수

주의 일대일대응이면 일대일함수이지만 일대일함수라고 해서 모두 일대일대응인 것은 아니다.

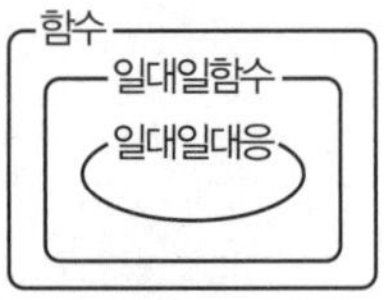

☼ 함수 f가 일대일함수임을 보이려면
$x_1\neq x_2$이면 $f(x_1)\neq f(x_2)$
를 보이거나 그 대우
$f(x_1)=f(x_2)$이면 $x_1=x_2$
를 보이면 된다.

(3) 항등함수: 함수 $f: X \longrightarrow X$에서 정의역 X의 임의의 원소 x에 대하여

$f(x)=x$

가 성립하는 함수

참고 항등함수는 일대일대응이다.

(4) 상수함수: 함수 $f: X \longrightarrow Y$에서 정의역 X의 모든 원소 x에 대하여 공역 Y의 단 하나의 원소 c가 대응하는 함수, 즉 $f(x)=c$ (c는 상수)

☼ 상수함수의 치역의 원소의 개수는 1이다.

4. 합성함수

(1) 합성함수: 두 함수 $f: X \longrightarrow Y$, $g: Y \longrightarrow Z$가 주어졌을 때, 집합 X의 임의의 원소 x에 집합 Z의 원소 $g(f(x))$를 대응시키는 함수를 f와 g의 합성함수라고 한다.

➡ $g \circ f: X \longrightarrow Z$, $(g \circ f)(x)=g(f(x))$

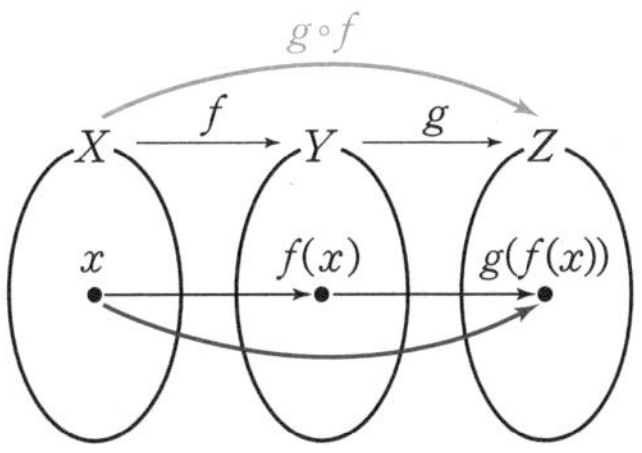

(2) 합성함수의 성질

세 함수 f, g, h에 대하여

① $f \circ g \neq g \circ f$ ← 교환법칙이 성립하지 않는다.

② $(f \circ g) \circ h = f \circ (g \circ h)$ ← 결합법칙이 성립한다.

③ $f: X \longrightarrow X$일 때,

$f \circ I = I \circ f = f$ (단, I는 X에서의 항등함수이다.)

두 함수 f, g에 대하여 f의 치역이 g의 정의역의 부분집합일 때, 합성함수 $g \circ f$가 정의된다.

5. 역함수

(1) 역함수: 함수 $f: X \longrightarrow Y$가 일대일대응일 때, 집합 Y의 각 원소 y에 대하여 $f(x)=y$인 집합 X의 원소 x를 대응시키는 함수

➡ $f^{-1}: Y \longrightarrow X$, $x=f^{-1}(y)$

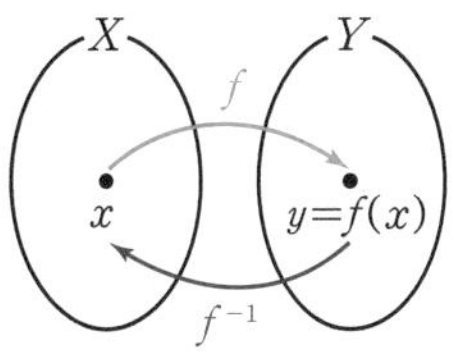

참고 함수 $y=f(x)$의 역함수 $x=f^{-1}(y)$에서 x와 y를 서로 바꾸어 $y=f^{-1}(x)$와 같이 나타낸다.

(2) 역함수의 성질: 두 함수 $f: X \longrightarrow Y$, $g: Y \longrightarrow Z$가 일대일대응일 때, 그 각각의 역함수 $f^{-1}: Y \longrightarrow X$, $g^{-1}: Z \longrightarrow Y$가 존재하므로

① $y=f(x) \Longleftrightarrow x=f^{-1}(y)$

② $(f^{-1} \circ f)(x)=x$ $(x \in X)$, $(f \circ f^{-1})(y)=y$ $(y \in Y)$

③ $(f^{-1})^{-1}=f$ ← 함수 f의 역함수의 역함수는 f이다.

④ $(g \circ f)^{-1}=f^{-1} \circ g^{-1}$

(3) 역함수 구하기

① 주어진 함수 $y=f(x)$가 일대일대응인지 확인한다.

② $y=f(x)$에서 x를 y에 대한 식으로 나타낸다. 즉, $x=f^{-1}(y)$의 꼴로 나타낸다.

③ $x=f^{-1}(y)$에서 x와 y를 서로 바꾸어 $y=f^{-1}(x)$의 꼴로 나타낸다.

④ 주어진 함수 $y=f(x)$의 치역을 역함수 $y=f^{-1}(x)$의 정의역으로 한다.

(4) 역함수의 그래프: 함수 $y=f(x)$의 그래프와 그 역함수 $y=f^{-1}(x)$의 그래프는 직선 $y=x$에 대하여 대칭이다.

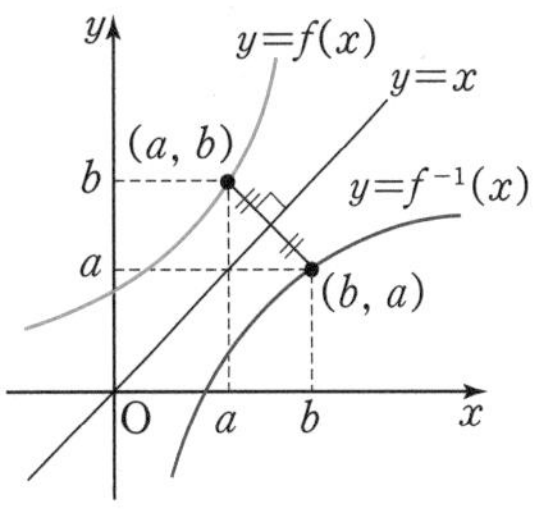

참고 함수 $y=f(x)$에 대하여 그 역함수 $y=f^{-1}(x)$가 존재할 때, 함수 $y=f(x)$의 그래프와 직선 $y=x$의 교점이 존재하면 그 교점은 두 함수 $y=f(x)$, $y=f^{-1}(x)$의 그래프의 교점과 같다.

함수 f의 역함수가 존재하기 위한 필요충분조건은 함수 f가 일대일대응인 것이다.

함수 f의 정의역은 역함수 f^{-1}의 치역이 되고, f의 치역은 f^{-1}의 정의역이 된다.

$f^{-1} \circ f$는 정의역이 X인 항등함수이고, $f \circ f^{-1}$는 정의역이 Y인 항등함수이므로 일반적으로 $f^{-1} \circ f \neq f \circ f^{-1}$이다.

$y=f(x)$에서 x와 y를 서로 바꾸어 $x=f(y)$로 나타낸 후 $x=f(y)$에서 y를 x에 대한 식 $y=f^{-1}(x)$의 꼴로 나타내어 역함수를 구할 수도 있다.

함수 $y=f(x)$의 그래프가 점 (a, b)를 지나면 그 역함수 $y=f^{-1}(x)$의 그래프는 점 (b, a)를 지난다.

유형 01 함수의 뜻

두 집합 $X=\{1, 2, 3\}$, $Y=\{-2, -1, 0, 1, 2\}$에 대하여 다음 중 X에서 Y로의 함수가 아닌 것은?

① $f(x)=x-1$　② $f(x)=-x+2$
③ $f(x)=2|x-2|$　④ $f(x)=(x-1)^2-2$
⑤ $f(x)=x^2-3$

풀이

각 대응을 그림으로 나타내면 다음과 같다.

①
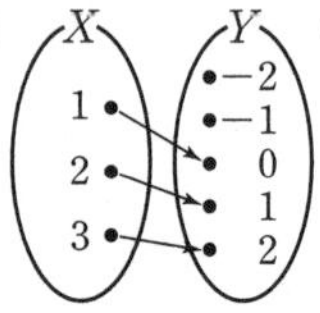

②
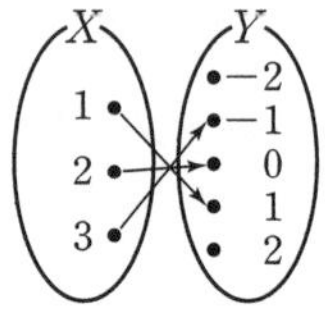

③
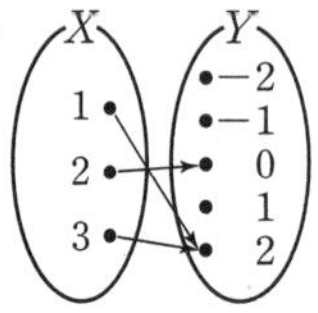

④
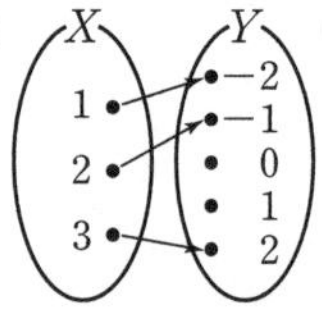

⑤
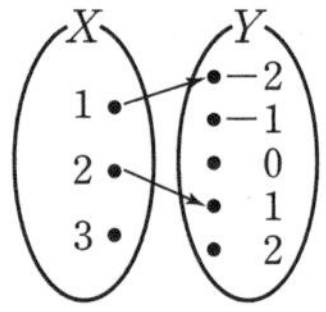

따라서 함수가 아닌 것은 ⑤이다.

답 ⑤

001

함수인 것만을 |보기|에서 있는 대로 고른 것은?

보기

ㄱ.
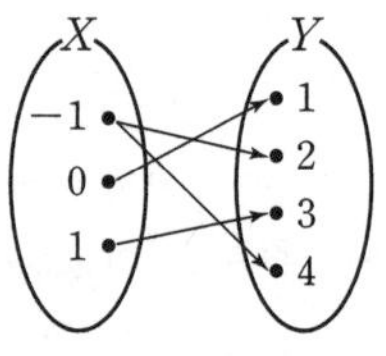

ㄴ.
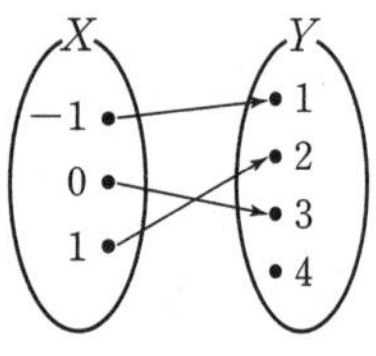

ㄷ.
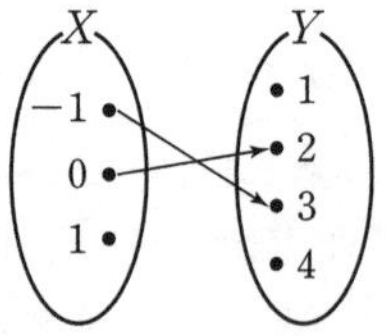

ㄹ.
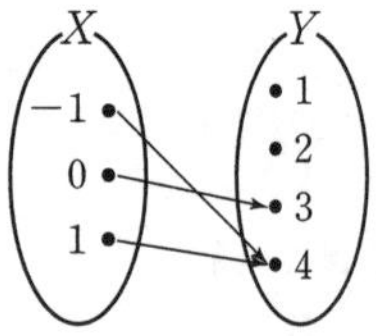

① ㄱ, ㄴ　② ㄱ, ㄷ　③ ㄴ, ㄷ
④ ㄴ, ㄹ　⑤ ㄷ, ㄹ

002

다음 중 실수 전체의 집합 R에서 R로의 함수의 그래프가 아닌 것은?

①
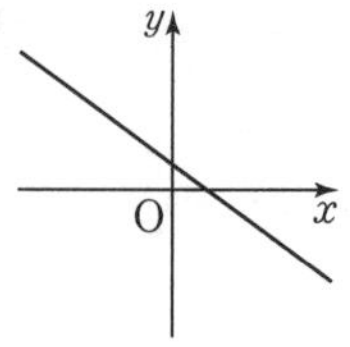

②
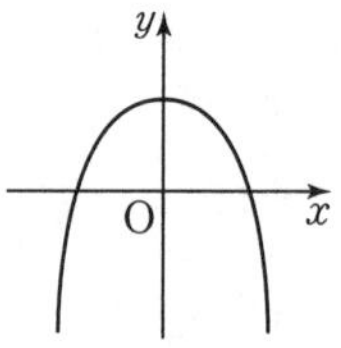

③
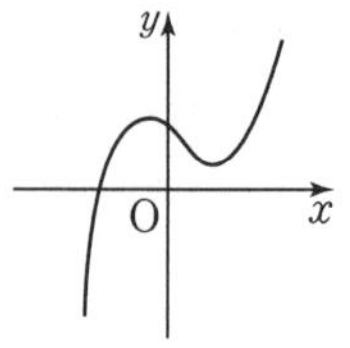

④
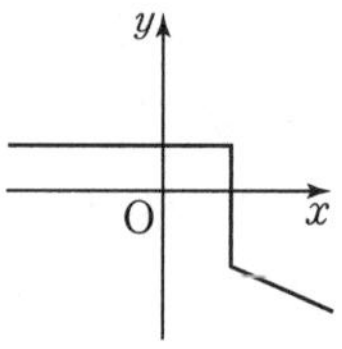

⑤
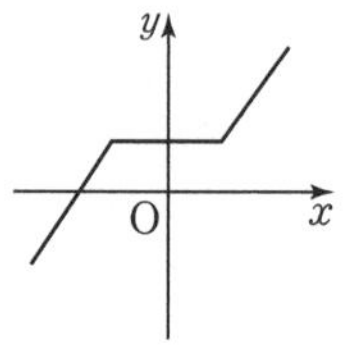

003

두 집합 $X=\{x|-1\le x\le 2\}$, $Y=\{y|-3\le y\le 3\}$에 대하여 다음 중 X에서 Y로의 함수인 것은?

① $y=x+2$　② $y=-x^2+3$
③ $y=|x-1|+4$　④ $y=(x-2)^2-5$
⑤ $y=x^3-2$

유형 02 함숫값

실수 전체의 집합에서 함수 f를

$$f(x)=\begin{cases} 3x & (x<1) \\ x-2 & (x\geq1) \end{cases}$$

로 정의할 때, $f(-2)+f(3)$의 값은?

① -10　② -7　③ -5
④ -2　⑤ 1

풀이

$-2<1$이므로 $f(-2)=3\times(-2)=-6$
$3>1$이므로 $f(3)=3-2=1$
$\therefore f(-2)+f(3)=-6+1=-5$

답 ③

유형 03 함수의 정의역, 공역, 치역

정의역이 $\{x|-3\leq x\leq1\}$인 함수 $f(x)=\frac{x+1}{4}$의 치역이 $\{y|a\leq y\leq b\}$일 때, 상수 a, b에 대하여 $a-b$의 값을 구하여라.

풀이

$-3\leq x\leq1$에서
$-2\leq x+1\leq2$　$\therefore -\frac{1}{2}\leq\frac{x+1}{4}\leq\frac{1}{2}$
따라서 함수 $f(x)=\frac{x+1}{4}$의 치역이 $\left\{y\middle|-\frac{1}{2}\leq y\leq\frac{1}{2}\right\}$이므로
$a=-\frac{1}{2}$, $b=\frac{1}{2}$
$\therefore a-b=-\frac{1}{2}-\frac{1}{2}=-1$

답 -1

004

함수 $f(x)=-3x+k$에 대하여 $f(-2)=2$일 때, $f(2)$의 값은? (단, k는 상수이다.)

① -10　② -5　③ 0
④ 5　⑤ 10

005 서술형

$f\left(\frac{3-x}{2}\right)=4x-3$일 때, $f(-3)$의 값을 구하여라.

006 | 교육청 기출 |

두 집합 $X=\{1, 2, 3\}$, $Y=\{4, 5, 6\}$에 대하여 함수 $f: X\longrightarrow Y$가 오른쪽 그림과 같을 때, 함수 f의 치역의 모든 원소의 합을 구하여라.

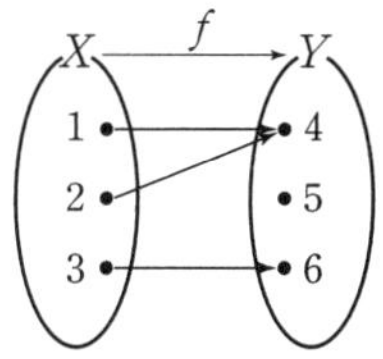

007

함수 $y=3x-2$의 치역이 $\{-5, 1, 4\}$일 때, 정의역을 구하면?

① $\{-2, 0, 2\}$　② $\{1, 2, 3\}$
③ $\{-1, 1, 2\}$　④ $\{1, 3, 5\}$
⑤ $\{0, 2, 4\}$

008

정의역이 $X=\{x|x$는 10 이하의 자연수$\}$인 함수 f가

$$f(x)=\begin{cases} \frac{x}{2}-1 & (x\text{는 짝수}) \\ 6-x & (x\text{는 홀수}) \end{cases}$$

로 정의될 때, 함수 f의 치역을 구하여라.

009

정의역이 $\{-2, 0, 2, a, b\}$인 함수 $y=-\frac{1}{2}x^2+2x$의 치역이 $\{-6, 0, 2\}$일 때, 상수 a, b에 대하여 $b-a$의 값은? (단, $a<b$)

① 1　② 2　③ 3
④ 4　⑤ 5

010 서술형

함수 $f(x)=ax+b$의 정의역과 치역이 각각 $\{x|1\le x\le 4\}$, $\{y|-3\le y\le 6\}$일 때, 상수 a, b에 대하여 ab의 값을 구하여라. (단, $a<0$)

유형 04 서로 같은 함수

정의역이 $\{1, 2\}$인 두 함수

$f(x)=ax+b$, $g(x)=x^2-1$

에 대하여 $f=g$일 때, $a-b$의 값은?

① 0　② 2　③ 4
④ 6　⑤ 8

풀이

$f(1)=g(1)$에서 $a+b=0$ ········· ㉠

$f(2)=g(2)$에서 $2a+b=3$ ········· ㉡

㉠, ㉡을 연립하여 풀면 $a=3$, $b=-3$

$\therefore a-b=3-(-3)=6$

답 ④

011

집합 $\{-1, 0, 1\}$을 정의역으로 하는 두 함수 f, g에 대하여 $f=g$인 것만을 |보기|에서 있는 대로 고른 것은?

보기

ㄱ. $f(x)=1-|x|$, $g(x)=1-x^2$

ㄴ. $f(x)=x$, $g(x)=x^3$

ㄷ. $f(x)=2x-1$, $g(x)=1-2|x-1|$

① ㄱ　② ㄷ　③ ㄱ, ㄴ
④ ㄴ, ㄷ　⑤ ㄱ, ㄴ, ㄷ

012

정의역이 $\{-1, 1\}$인 두 함수

$f(x)=x^2+ax+2$, $g(x)=x+b$

에 대하여 $f=g$일 때, 함수 f의 치역을 구하여라.

(단, a, b는 상수이다.)

유형 05 일대일함수와 일대일대응

집합 $X=\{x|-1\le x\le 2\}$에 대하여 X에서 X로의 함수 $f(x)=ax+b\ (a>0)$가 일대일대응일 때, $a-2b$의 값은?
(단, a, b는 상수이다.)

① -2　② -1　③ 0
④ 1　⑤ 2

풀이

$a>0$이므로 함수 f가 일대일대응이려면
$f(-1)=-1$, $f(2)=2$
이어야 한다.
$f(-1)=-1$에서 $-a+b=-1$ ······ ㉠
$f(2)=2$에서 $2a+b=2$ ······ ㉡
㉠, ㉡을 연립하여 풀면 $a=1$, $b=0$
$\therefore a-2b=1-2\times 0=1$

답 ④

013

실수 전체의 집합에서 정의된 함수 f가

$$f(x)=\begin{cases} ax-1 & (x\ge 0) \\ 3x-1 & (x<0) \end{cases}$$

일 때, 함수 f가 일대일함수가 되도록 하는 실수 a의 값의 범위를 구하여라.

014

집합 $\{1,\ 2,\ 3\}$에서 집합 $\{0,\ 1,\ 2,\ 3\}$으로의 함수 f가 일대일함수이고 $f(1)=1$일 때, $f(2)+f(3)$의 최솟값은?

① 1　② 2　③ 3
④ 4　⑤ 5

015

일대일대응을 나타내는 그래프인 것만을 |보기|에서 있는 대로 고른 것은?

보기

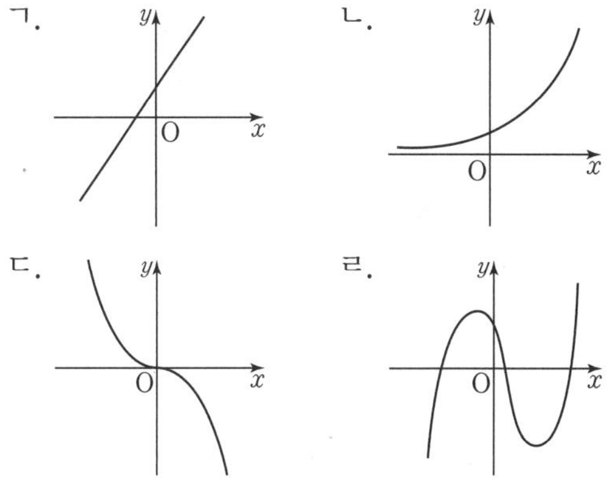

① ㄱ　② ㄷ　③ ㄱ, ㄴ
④ ㄱ, ㄷ　⑤ ㄴ, ㄷ

016 서술형

두 집합 $X=\{x|x\ge 1\}$, $Y=\{y|y\ge 2\}$에 대하여 X에서 Y로의 함수 $f(x)=x^2-2x+k$가 일대일대응일 때, 상수 k의 값을 구하여라.

017 |교육청 기출|

두 집합 $X=\{1,\ 2,\ 3,\ 4\}$, $Y=\{5,\ 6,\ 7,\ 8\}$에 대하여 함수 f는 X에서 Y로의 일대일대응이다.
$f(1)=7$, $f(2)-f(3)=3$일 때, $f(3)+f(4)$의 값은?

① 11　② 12　③ 13
④ 14　⑤ 15

유형 06 항등함수와 상수함수

집합 $X=\{-1, 0, 1\}$에 대하여 X에서 X로의 항등함수인 것만을 |보기|에서 있는 대로 고른 것은?

보기

ㄱ. $f(x)=x$　　ㄴ. $f(x)=|x|$
ㄷ. $f(x)=x^2$　　ㄹ. $f(x)=x^3$

① ㄱ, ㄴ　② ㄱ, ㄹ　③ ㄴ, ㄷ
④ ㄴ, ㄹ　⑤ ㄷ, ㄹ

풀이

ㄱ. $f(-1)=-1$, $f(0)=0$, $f(1)=1$이므로 항등함수이다.
ㄴ. $f(-1)=1$, $f(0)=0$, $f(1)=1$이므로 항등함수가 아니다.
ㄷ. $f(-1)=1$, $f(0)=0$, $f(1)=1$이므로 항등함수가 아니다.
ㄹ. $f(-1)=-1$, $f(0)=0$, $f(1)=1$이므로 항등함수이다.
따라서 항등함수인 것은 ㄱ, ㄹ이다.

답 ②

018

자연수 전체의 집합에서 정의된 함수 f가 상수함수이고 $f(10)=2$일 때, $f(1)+f(3)+f(5)+\cdots+f(11)$의 값을 구하여라.

019

자연수 전체의 집합에서 정의된 두 함수 f, g에 대하여 f는 항등함수, g는 상수함수이다.
$f(2)=g(2)$일 때, $f(5)+g(7)$의 값은?

① 3　② 5　③ 7
④ 9　⑤ 11

020 |교육청 기출|

집합 $X=\{-3, 1\}$에 대하여 X에서 X로의 함수

$$f(x)=\begin{cases} x^2-2x+b & (x\geq 0) \\ 2x+a & (x<0) \end{cases}$$

가 항등함수일 때, ab의 값은? (단, a, b는 상수이다.)

① 4　② 6　③ 8
④ 10　⑤ 12

021 서술형

집합 $X=\{1, 2, 3, 6\}$에 대하여 X에서 X로의 세 함수 f, g, h는 각각 일대일대응, 항등함수, 상수함수이다. $f(3)=g(2)=h(6)$, $f(2)f(3)=f(6)$일 때, $f(1)+g(3)+h(2)$의 값을 구하여라.

022

집합 X를 정의역으로 하는 함수 $f(x)=x^3-3x$가 항등함수가 되도록 하는 집합 X의 개수는? (단, $X\neq\varnothing$)

① 1　② 3　③ 5
④ 7　⑤ 9

유형 07 함수의 개수

두 집합 $X=\{1, 2, 3\}$, $Y=\{1, 2, 3, 4\}$에 대하여 X에서 Y로의 함수의 개수를 a, 일대일함수의 개수를 b라고 할 때, $a-b$의 값을 구하여라.

풀이

X에서 Y로의 함수의 개수는 $4^3=64$

X에서 Y로의 일대일함수의 개수는 $4\times3\times2=24$

따라서 $a=64$, $b=24$이므로

$a-b=64-24=40$

답 40

풍쌤 유형 TIP

$f: X \longrightarrow Y$, $n(X)=p$, $n(Y)=q$일 때

(1) 함수 f의 개수: q^p

(2) 일대일함수 f의 개수: $q(q-1)(q-2)\times\cdots\times(q-p+1)$ (단, $q\geq p$)

(3) 일대일대응 f의 개수: $q(q-1)(q-2)\times\cdots\times2\times1$ (단, $p=q$)

(4) 상수함수 f의 개수: q

023

집합 $X=\{2, 4, 6\}$에 대하여 X에서 X로의 함수의 개수를 p, 일대일대응의 개수를 q, 상수함수의 개수를 r라고 할 때, $p+q-r$의 값은?

① 24 ② 26 ③ 28
④ 30 ⑤ 32

024

두 집합 $X=\{a, b, c\}$, $Y=\{-2, -1, 0, 1, 2\}$에 대하여 다음 조건을 만족시키는 함수 $f: X \longrightarrow Y$의 개수를 구하여라.

> $x_1\neq x_2$이면 $f(x_1)\neq f(x_2)$

025

두 집합 $X=\{1, 2, 4, 8\}$, $Y=\{a, b, c, d\}$에 대하여 X에서 X로의 일대일대응 중에서

$f(2)=c$

를 만족시키는 함수 f의 개수는?

① 1 ② 2 ③ 4
④ 6 ⑤ 8

026

집합 $X=\{-2, 0, 2\}$에 대하여 X에서 X로의 함수 f가

$f(0)f(2)\neq0$

을 만족시킬 때, 함수 f의 개수를 구하여라.

027

집합 $X=\{-2, -1, 0, 1, 2\}$에 대하여 X에서 X로의 함수 f가

$f(x)=f(-x)$

를 만족시킬 때, 함수 f의 개수는?

① 25 ② 50 ③ 75
④ 100 ⑤ 125

028 서술형

두 집합 $X=\{1,\ 2,\ 3\}$, $Y=\{y\,|\,|y|\le 4$인 정수$\}$에 대하여 X에서 Y로의 함수 f가 다음 두 조건을 만족시킬 때, 함수 f의 개수를 구하여라.

(가) $x_1\ne x_2$이면 $f(x_1)\ne f(x_2)$
(나) $-3\le f(x)\le 1$

029

두 집합 $X=\{a,\ b,\ c\}$, Y에 대하여 X에서 Y로의 일대일함수 f의 개수가 120일 때, 집합 Y의 원소의 개수는?

① 3 ② 4 ③ 5
④ 6 ⑤ 7

030 | 교육청 기출 |

집합 $X=\{1,\ 2,\ 3,\ 4\}$일 때 함수 $f: X\longrightarrow X$ 중에서 집합 X의 모든 원소 x에 대하여

$$x+f(x)\ge 4$$

를 만족시키는 함수 f의 개수를 구하여라.

유형 08 합성함수의 함숫값

함수 $f: X\longrightarrow X$가 오른쪽 그림과 같을 때,

$$(f\circ f)(3)+(f\circ f)(4)$$

의 값은?

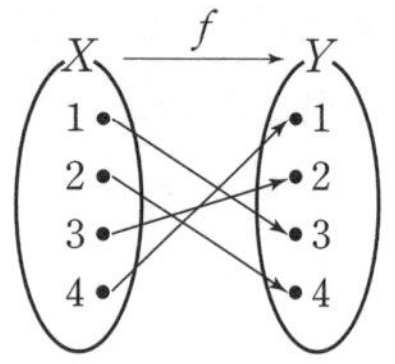

① 4 ② 5 ③ 6
④ 7 ⑤ 8

풀이

$(f\circ f)(3)=f(f(3))=f(2)=4$

$(f\circ f)(4)=f(f(4))=f(1)=3$

$\therefore\ (f\circ f)(3)+(f\circ f)(4)=4+3=7$

답 ④

031

두 함수 f, g가 다음 그림과 같을 때, $(g\circ f)(1)+(f\circ g)(3)$의 값을 구하여라.

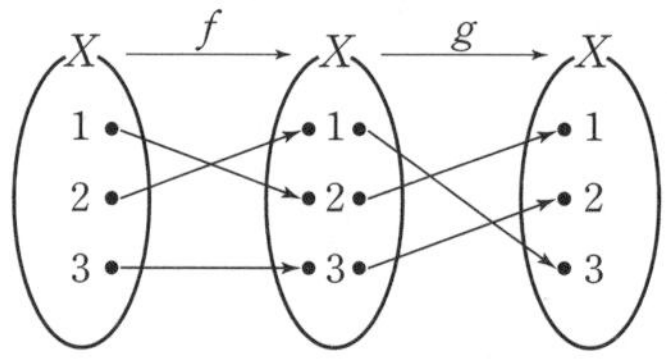

032

두 함수 $f(x)=3x-2$, $g(x)=x^2-3$에 대하여 $(f\circ g)(-1)+(g\circ f)(2)$의 값은?

① 1 ② 2 ③ 3
④ 4 ⑤ 5

033

실수 전체의 집합에서 정의된 함수

$$f(x)=\begin{cases} 4x & (x\text{는 유리수}) \\ x^2-1 & (x\text{는 무리수}) \end{cases}$$

에 대하여 $(f\circ f)(1)-(f\circ f)(\sqrt{3})$의 값은?

① 4 ② 5 ③ 6
④ 7 ⑤ 8

034

세 함수 f, g, h에 대하여

$$f(x)=5x-3,\ (h\circ g)(x)=6x+5$$

일 때, $(h\circ(g\circ f))\left(\frac{2}{3}\right)$의 값은?

① 3 ② 5 ③ 7
④ 9 ⑤ 11

035 서술형

집합 $X=\{1, 2, 3\}$에 대하여 X에서 X로의 일대일대응인 두 함수 f, g가

$$f(1)=g(3)=2,\ (g\circ f)(1)=(f\circ g)(3)=3$$

을 만족시킬 때, $f(3)+g(1)$의 값을 구하여라.

유형 09 합성함수에서 미정계수 구하기

두 함수 $f(x)=2x-3$, $g(x)=ax-2$에 대하여

$$f\circ g=g\circ f$$

가 성립할 때, 상수 a의 값을 구하여라.

풀이

$(f\circ g)(x)=f(g(x))=f(ax-2)$
$=2(ax-2)-3=2ax-7$
$(g\circ f)(x)=g(f(x))=g(2x-3)$
$=a(2x-3)-2=2ax-3a-2$
이때 $f\circ g=g\circ f$이므로
$2ax-7=2ax-3a-2$
$7=3a+2,\ 3a=5 \quad \therefore a=\frac{5}{3}$

답 $\frac{5}{3}$

036

두 함수 $f(x)=4x-1$, $g(x)=ax+2$에 대하여 $(g\circ f)(1)=8$일 때, $g(5)$의 값은?

① 3 ② 6 ③ 9
④ 12 ⑤ 15

037

함수 $f(x)=2x+1$에 대하여

$$(f\circ f\circ f)(k)=47$$

을 만족시키는 상수 k의 값을 구하여라.

038

세 함수 f, g, h에 대하여

$(f \circ g)(x)=3x-1$, $h(x)=-2x+1$

일 때, $(f \circ (g \circ h))(a)=14$를 만족시키는 상수 a의 값은?

① -2　② -1　③ 0

④ 1　⑤ 2

039 |교육청 기출|

두 함수

$$f(x)=ax-6,\ g(x)=\frac{1}{2}x+b$$

가 모든 실수 x에 대하여 $(f \circ g)(x)=x$를 만족시킬 때, $100(a+b)$의 값을 구하여라. (단, a, b는 상수이다.)

040

두 함수 $f(x)=ax-2$, $g(x)=bx+3$에 대하여

$f(3)=7$, $(f \circ g)(x)=(g \circ f)(x)$

가 성립한다. 상수 a, b에 대하여 $a-b$의 값은?

① 1　② 2　③ 3

④ 4　⑤ 5

041

함수 $f(x)=ax+b$ $(a>0)$에 대하여

$(f \circ f)(x)=9x+8$

일 때, $f(-2)$의 값을 구하여라.

042

함수 $f(x)=2x+a$에 대하여 $(f \circ f)(x)$가 $x-3$으로 나누어떨어질 때, $f(1)+(f \circ f)(2)$의 값은?

① -8　② -7　③ -6

④ -5　⑤ -4

043

두 함수 $f(x)=x^2-6x+a$, $g(x)=x-3$이 모든 실수 x에 대하여 $(f \circ g)(x) \geq 0$을 만족시킬 때, 실수 a의 최솟값을 구하여라.

유형 10 합성함수의 추정

함수 $f(x)=x+1$에 대하여

$f^1(x)=f(x)$, $f^{n+1}(x)=f(f^n(x))$ (n은 자연수)

로 정의할 때, $f^{2020}(2)$의 값을 구하여라.

풀이

$f(2)=2+1=(1+1)+1$

$f^2(2)=f(f(2))=f(3)=3+1=(2+1)+1$

$f^3(2)=f(f^2(2))=f(4)=4+1=(3+1)+1$

⋮

이므로

$f^{2020}(2)=(2020+1)+1=2022$

답 2022

풍쌤 유형 TIP

$f^n(a)$를 구할 때

[방법 1] f, f^2, f^3, …을 직접 구하여 $f^n(x)$를 추정한 후 $f^n(a)$의 값을 구한다.

[방법 2] $f(a)$, $f^2(a)$, $f^3(a)$, …에서 규칙을 찾아 $f^n(a)$의 값을 추정한다.

044

함수 $f(x)=-x+2$에 대하여

$f^1=f$, $f^{n+1}=f\circ f^n$ ($n=1, 2, 3, \cdots$)

일 때, $f^{20}(3)+f^{21}(5)$의 값은?

① -2 ② -1 ③ 0 ④ 1 ⑤ 2

045 서술형

함수 $f(x)=2x$에 대하여

$f^1=f$, $f^{n+1}=f\circ f^n$ ($n=1, 2, 3, \cdots$)

일 때, $f^{10}(a)=2048$을 만족시키는 상수 a의 값을 구하여라.

유형 11 그래프에서 합성함수의 함숫값 구하기

$0\le x\le 5$에서 정의된 함수 $y=f(x)$의 그래프가 오른쪽 그림과 같을 때, $(f\circ f)(a)=3$을 만족시키는 상수 a의 값은?

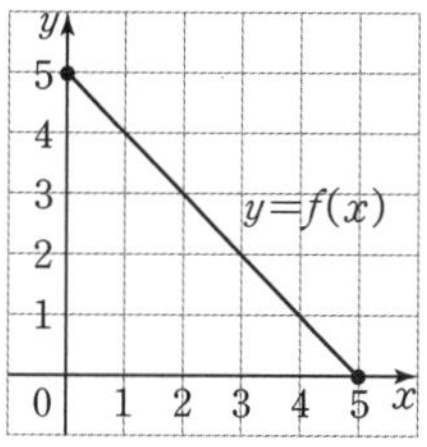

① 1 ② 2 ③ 3 ④ 4 ⑤ 5

풀이

$f(a)=k$라고 하면 $(f\circ f)(a)=3$에서

$f(k)=3$

주어진 그래프에서 $f(2)=3$이므로 $k=2$

$\therefore f(a)=2$

주어진 그래프에서 $f(3)=2$이므로

$a=3$

답 ③

풍쌤 유형 TIP

함수 $y=f(x)$의 그래프가 두 점 (a, b), (b, c)를 지나면

$(f\circ f)(a)=f(f(a))=f(b)=c$

046

함수 $y=f(x)$의 그래프가 다음 그림과 같을 때, $(f\circ f)(0)$의 값은?

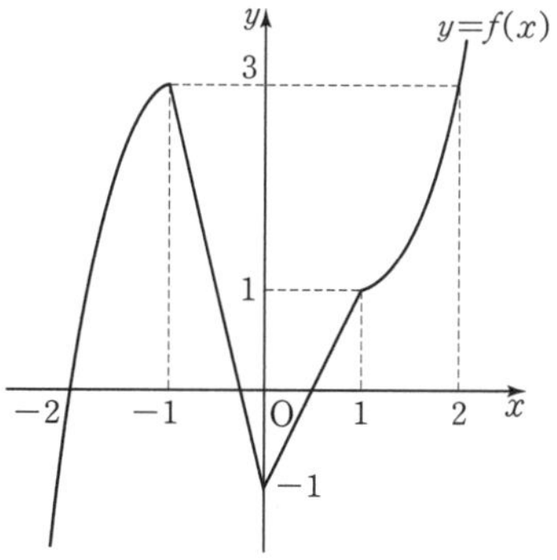

① -1 ② 0 ③ 1 ④ 2 ⑤ 3

047

다음 그림은 함수 $y=f(x)$의 그래프와 직선 $y=x$를 나타낸 것이다. 이때 $(f \circ f \circ f)(b)$의 값은?

(단, 모든 점선은 x축 또는 y축에 평행하다.)

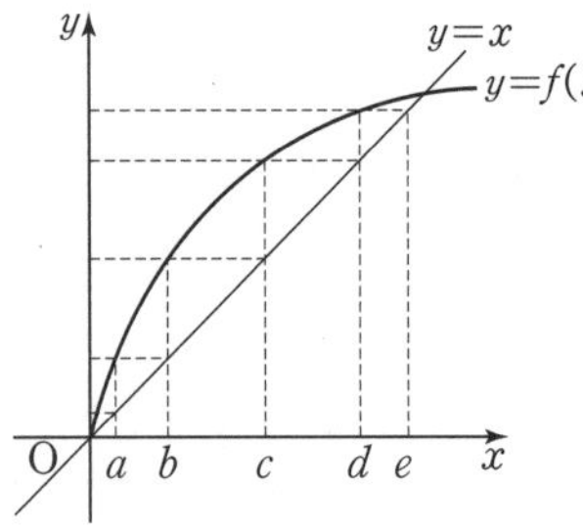

① a ② b ③ c
④ d ⑤ e

048

$1 \le x \le 6$에서 정의된 함수 $y=f(x)$의 그래프가 다음 그림과 같을 때, $(f \circ f)(a)=6$을 만족시키는 상수 a의 값은?

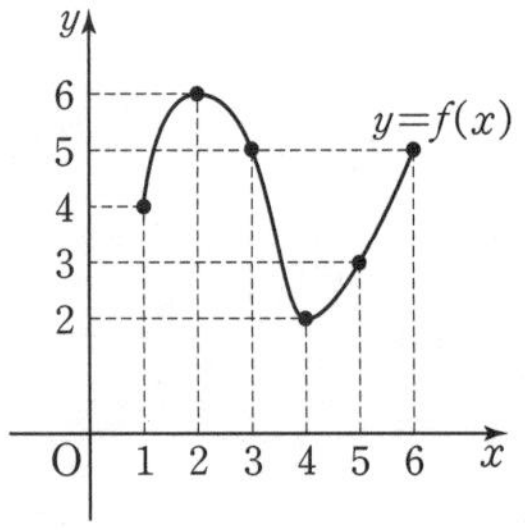

① 1 ② 2 ③ 3
④ 4 ⑤ 5

유형 12 역함수

함수 $f(x)=ax+b$에 대하여

$f^{-1}(-4)=3$, $f^{-1}(8)=-1$

일 때, 상수 a, b에 대하여 $a+b$의 값은?

① -2 ② -1 ③ 0
④ 1 ⑤ 2

풀이

$f^{-1}(-4)=3$이므로 $f(3)=-4$

$\therefore 3a+b=-4$ ······ ㉠

$f^{-1}(8)=-1$이므로 $f(-1)=8$

$\therefore -a+b=8$ ······ ㉡

㉠, ㉡을 연립하여 풀면 $a=-3$, $b=5$

$\therefore a+b=-3+5=2$

답 ⑤

049 | 교육청 기출 |

오른쪽 그림은 함수 $f: X \longrightarrow X$를 나타낸 것이다. $f(6)+f^{-1}(8)$의 값은?

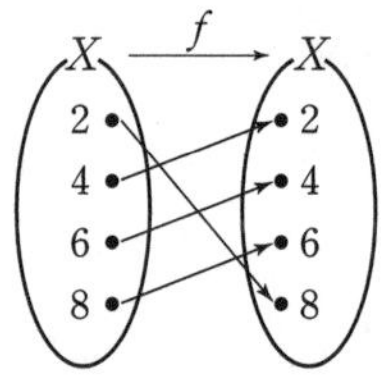

① 6 ② 8 ③ 10
④ 12 ⑤ 14

050

함수 $f(x)=5x+a$에 대하여 $f^{-1}(7)=2$일 때, $f(5)$의 값은? (단, a는 상수이다.)

① 18 ② 20 ③ 22
④ 24 ⑤ 26

051

두 함수 $f(x)=kx-3$, $g(x)=4x+k$에 대하여 $g^{-1}(3)=-1$일 때, $f^{-1}(4)+g(-2)$의 값을 구하여라.

052

실수 전체의 집합에서 정의된 함수 f가

$$f\left(\frac{3x-1}{4}\right)=12x-3$$

을 만족시킬 때, $f^{-1}(33)$의 값은?

① -2 ② -1 ③ 0
④ 1 ⑤ 2

053 서술형

함수 $f(x)=\begin{cases} -2x+1 & (x\geq 0) \\ x^2+1 & (x<0) \end{cases}$에 대하여 $f^{-1}(10)+f^{-1}(-3)$의 값을 구하여라.

유형 13 역함수가 존재할 조건

두 집합 $X=\{x\,|\,-2\leq x\leq 1\}$, $Y=\{y\,|\,a\leq y\leq b\}$에 대하여 X에서 Y로의 함수 $f(x)=-3x+1$의 역함수가 존재할 때, $a+b$의 값은?

① 1 ② 2 ③ 3
④ 4 ⑤ 5

풀이

함수 f의 역함수가 존재하면 f는 일대일대응이므로 치역과 공역이 같아야 한다.
이때 $y=f(x)$의 그래프의 기울기가 음수이므로
$a=f(1)=-3+1=-2$, $b=f(-2)=6+1=7$
$\therefore a+b=-2+7=5$

답 ⑤

054

역함수가 존재하는 함수인 것만을 |보기|에서 있는 대로 고른 것은?

보기
ㄱ. $y=-3$ ㄴ. $y=2x-3$
ㄷ. $y=-x^2+1$ ㄹ. $y=|x-2|$

① ㄱ ② ㄴ ③ ㄱ, ㄷ
④ ㄴ, ㄹ ⑤ ㄷ, ㄹ

055

집합 $X=\{x\,|\,x\geq a\}$에 대하여 X에서 X로의 함수 $f(x)=x^2-4x+4$의 역함수가 존재할 때, 상수 a의 값을 구하여라.

유형 14 역함수 구하기

함수 $f(x)=4x+a$의 역함수가 $f^{-1}(x)=bx+2$일 때, 상수 a, b에 대하여 ab의 값을 구하여라.

풀이

$y=4x+a$로 놓으면

$4x=y-a \qquad \therefore x=\frac{y}{4}-\frac{a}{4}$

x와 y를 서로 바꾸면

$y-\frac{x}{4}-\frac{a}{4}$

따라서 $f^{-1}(x)=\frac{x}{4}-\frac{a}{4}$이므로

$\frac{1}{4}=b$, $-\frac{a}{4}=2$

$\therefore a=-8$, $b=\frac{1}{4}$

$\therefore ab=-8\times\frac{1}{4}=-2$

답 -2

056

다음 함수의 역함수를 구하여라.

(1) $y=-2x+5$

(2) $y=\frac{1}{3}x-4$

(3) $y=x+2\ (x\geq1)$

(4) $y=-x-3\ (x\leq2)$

057

일차함수 $f(x)=ax+b$의 역함수가 $f^{-1}(x)=\frac{2}{3}x-1$일 때, 상수 a, b에 대하여 ab의 값은?

① $\frac{7}{4}$ ② 2 ③ $\frac{9}{4}$

④ $\frac{5}{2}$ ⑤ $\frac{11}{4}$

058 서술형

함수 $f(x)=-3x+6$의 역함수 $f^{-1}(x)$에 대하여 $y=f^{-1}(x)$의 그래프의 x절편을 a, y절편을 b라고 하자. 이때 $a+b$의 값을 구하여라.

059

두 함수 $f(x)=2x+1$, $g(x)=-3x+2$에 대하여 함수 $h(x)=(g\circ f)(x)$의 역함수 $h^{-1}(x)$를 구하면?

① $h^{-1}(x)=\frac{1}{6}x-\frac{1}{6}$ ② $h^{-1}(x)=\frac{1}{3}x-\frac{1}{2}$

③ $h^{-1}(x)=-\frac{1}{6}x-\frac{1}{6}$ ④ $h^{-1}(x)=-\frac{1}{3}x-\frac{1}{2}$

⑤ $h^{-1}(x)=-\frac{1}{6}x+\frac{1}{6}$

060

$f=f^{-1}$를 만족시키는 함수인 것만을 |보기|에서 있는 대로 고른 것은?

| 보기 |

ㄱ. $f(x)=x-2$　　ㄴ. $f(x)=-x+5$
ㄷ. $f(x)=2x$　　ㄹ. $f(x)=\frac{1}{x}$

① ㄱ, ㄴ　② ㄱ, ㄹ　③ ㄴ, ㄷ
④ ㄴ, ㄹ　⑤ ㄷ, ㄹ

061

실수 전체의 집합에서 정의된 함수 f가 다음 두 조건을 만족시킬 때, 상수 a, b에 대하여 $3ab$의 값을 구하여라.

(가) $f(2x+5)=6x+3$
(나) $f(x)$의 역함수는 $f^{-1}(x)=ax+b$이다.

062

실수 전체의 집합에서 정의된 두 함수 $f(x)=\frac{1}{2}x+1$, $g(x)$에 대하여

$(g \circ f^{-1})(x)=4x+3$

일 때, 함수 $g(x)$를 구하여라.

유형 15 합성함수와 역함수

두 함수 $f(x)=4x+1$, $g(x)=-2x+3$에 대하여 $(f \circ g^{-1})(k)=9$를 만족시키는 상수 k의 값을 구하여라.

풀이

$g^{-1}(k)=a$라고 하면 $(f \circ g^{-1})(k)=9$에서
$f(a)=9$, $4a+1=9$, $4a=8$　$\therefore a=2$
즉, $g^{-1}(k)=2$이므로 $g(2)=k$
$\therefore k=g(2)=-4+3=-1$

답 -1

063 |교육청 기출|

다음 그림은 두 함수 $f: X \longrightarrow Y$, $g: Y \longrightarrow Y$를 나타낸 것이다.

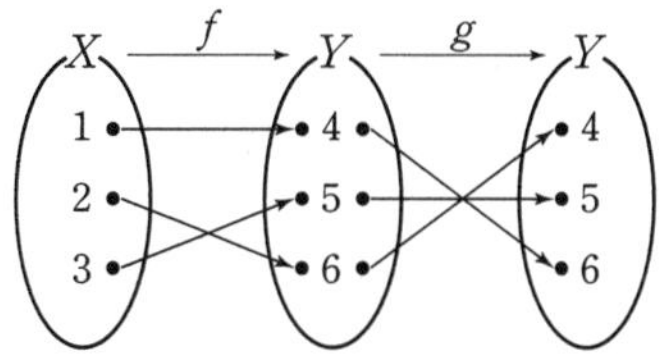

$(f^{-1} \circ g)(4)$의 값은?

① 1　② 2　③ 3
④ 4　⑤ 5

064

두 함수 $f(x)=2x-3$, $g(x)=x+2$에 대하여 $(f^{-1} \circ g)(-4)$의 값을 구하여라.

065

두 함수 $f(x)=8x+a$, $g(x)=\frac{1}{4}x-1$에 대하여 $(f\circ g)(x)=2x+3$일 때, $(g\circ f^{-1})(-5)$의 값은?

(단, a는 상수이다.)

① -2　② $-\frac{3}{2}$　③ -1

④ $-\frac{1}{2}$　⑤ 0

066

두 함수 $f(x)=ax+1$, $g(x)=bx+3$에 대하여

$f^{-1}(4)=1$, $(g\circ f)(x)=3x+c$

일 때, $g^{-1}(f(-2))$의 값은?

(단, a, b, c는 상수이다.)

① -10　② -8　③ -6

④ -4　⑤ -2

067 서술형

실수 전체의 집합에서 정의된 두 함수

$$f(x)=4x+16,\ g(x)=\begin{cases} 2x+20 & (x\ge 20) \\ 3x & (x<20) \end{cases}$$

에 대하여 $f(g^{-1}(48))+f^{-1}(g(48))$의 값을 구하여라.

유형 16 역함수의 성질

두 함수 $f(x)=-2x+3$, $g(x)=5x+2$에 대하여 $(f\circ(g\circ f)^{-1})(7)$의 값을 구하여라.

풀이

$(f\circ(g\circ f)^{-1})(7)=(f\circ f^{-1}\circ g^{-1})(7)$

$=g^{-1}(7)$

$g^{-1}(7)=k$라고 하면 $g(k)=7$

즉, $5k+2=7$이므로 $5k=5$　$\therefore k=1$

$\therefore (f\circ(g\circ f)^{-1})(7)=1$

답 1

068 | 교육청 기출 |

함수 $f(x)=x^3+1$에 대하여 $(f^{-1}\circ f\circ f^{-1})(a)=3$을 만족시키는 실수 a의 값을 구하여라.

069

두 함수 $f(x)=x+4$, $g(x)=3x+5$에 대하여 $(f\circ(f\circ g)^{-1}\circ f)(14)$의 값은?

① 3　② 5　③ 7

④ 9　⑤ 11

070

두 함수 $f(x)=4x-1$, $g(x)=8x+4$에 대하여 $(f \circ g^{-1})(x)$의 역함수 $h(x)$는?

① $h(x)=x+6$　② $h(x)=2x+6$
③ $h(x)=3x-5$　④ $h(x)=4x-7$
⑤ $h(x)=5x+3$

071

두 함수 $f(x)=\begin{cases} x^2+1 & (x\geq 0) \\ x+1 & (x<0) \end{cases}$, $g(x)=x-2$에 대하여 $(f \circ (f \circ g)^{-1} \circ f)(-3)$의 값을 구하여라.

072

두 함수 $f(x)=5x+1$, $g(x)$가 임의의 함수 $h(x)$에 대하여 $(h \circ f \circ g)(x)=h(x)$를 만족시킬 때, $g(6)$의 값은?

① -2　② -1　③ 0
④ 1　⑤ 2

유형 17 역함수의 그래프의 성질

함수 $f(x)=\frac{1}{4}x-1$의 그래프와 그 역함수 $y=f^{-1}(x)$의 그래프의 교점의 좌표가 (a, b)일 때, $9ab$의 값은?

① 10　② 12　③ 14
④ 16　⑤ 18

풀이

함수 $y=f(x)$의 그래프와 그 역함수 $y=f^{-1}(x)$의 그래프는 직선 $y=x$에 대하여 대칭이므로 두 그래프의 교점의 좌표는 함수 $y=f(x)$의 그래프와 직선 $y=x$의 교점의 좌표와 같다.

$\frac{1}{4}x-1=x$에서 $\frac{3}{4}x=-1$　$\therefore x=-\frac{4}{3}$

따라서 교점의 좌표는 $\left(-\frac{4}{3}, -\frac{4}{3}\right)$이므로

$a=-\frac{4}{3}$, $b=-\frac{4}{3}$

$\therefore 9ab=9\times\left(-\frac{4}{3}\right)\times\left(-\frac{4}{3}\right)=16$

답 ④

073

함수 $f(x)=4x+k$의 그래프와 그 역함수 $y=f^{-1}(x)$의 그래프의 교점의 x좌표가 -2일 때, 상수 k의 값을 구하여라.

074

함수 $f(x)=ax+b$의 그래프와 그 역함수 $y=f^{-1}(x)$의 그래프가 모두 점 $(3, -6)$을 지날 때, $f(-1)$의 값은? (단, a, b는 상수이다.)

① -1　② -2　③ -3
④ -4　⑤ -5

075

함수 $f(x)=ax+b$의 그래프가 점 $(-2,\ 3)$을 지나고 그 역함수 $y=f^{-1}(x)$의 그래프가 점 $(4,\ -1)$을 지날 때, 상수 a, b에 대하여 $a+b$의 값은?

① 2　　② 4　　③ 6
④ 8　　⑤ 10

076 | 교육청 기출 |

함수 $f(x)=x^2-6x\ (x\geq3)$의 그래프와 그 역함수 $y=f^{-1}(x)$의 그래프의 교점이 점 $(a,\ b)$일 때, $10ab$의 값을 구하여라.

077

함수 $f(x)=2x-6$의 그래프와 그 역함수 $y=f^{-1}(x)$의 그래프의 교점을 P라 하고 점 P에서 x축에 내린 수선의 발을 H라고 할 때, 삼각형 OPH의 넓이는?

(단, O는 원점이다.)

① 12　　② 15　　③ 18
④ 21　　⑤ 24

078

일차함수 $y=f(x)$에 대하여 $f(2)=6$, $f^{-1}(4)=1$일 때, $y=f(x)$의 그래프와 x축, y축으로 둘러싸인 부분의 넓이를 구하여라.

079 서술형

점 $(-1,\ 3)$을 지나는 일차함수 $y=f(x)$의 그래프와 그 역함수 $y=f^{-1}(x)$의 그래프가 일치할 때, $f(5)$의 값을 구하여라.

080

함수 $f(x)=x^2+4x+2\ (x\geq-2)$와 그 역함수 $f^{-1}(x)$에 대하여 두 함수 $y=f(x)$, $y=f^{-1}(x)$의 그래프가 서로 다른 두 점 P, Q에서 만날 때, 선분 PQ의 길이는?

① 1　　② $\sqrt{2}$　　③ $\sqrt{3}$
④ 2　　⑤ $\sqrt{5}$

유형 18 그래프에서 역함수의 함숫값 구하기

함수 $y=f(x)$의 그래프와 직선 $y=x$가 오른쪽 그림과 같을 때, $(f\circ f)^{-1}(c)$의 값은? (단, 모든 점선은 x축 또는 y축에 평행하다.)

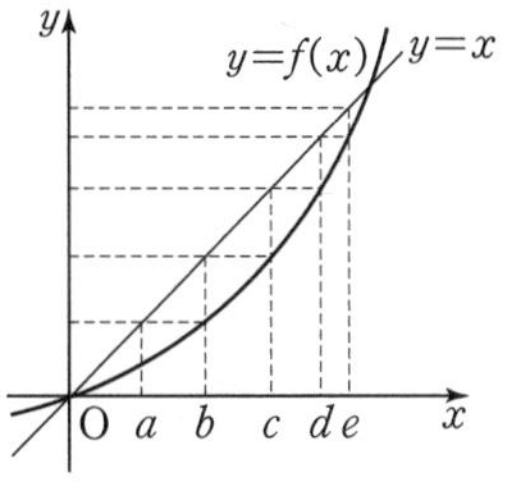

① a ② b
③ c ④ d
⑤ e

풀이

직선 $y=x$를 이용하여 y축과 점선이 만나는 점의 y좌표를 나타내면 오른쪽 그림과 같다.

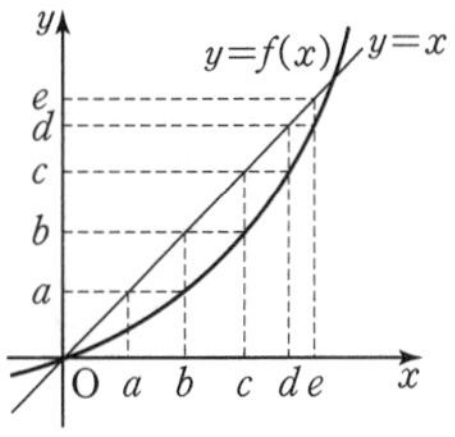

$(f\circ f)^{-1}(c)=(f^{-1}\circ f^{-1})(c)$
$=f^{-1}(f^{-1}(c))$

이므로 $f^{-1}(c)=p$라고 하면

$f(p)=c$

위의 그래프에서 $f(d)=c$이므로

$p=d$

$\therefore f^{-1}(c)=d$

또, $f^{-1}(d)=q$라고 하면

$f(q)=d$

위의 그래프에서 $f(e)=d$이므로

$q=e$

$\therefore f^{-1}(d)=e$

$\therefore (f\circ f)^{-1}(c)=f^{-1}(f^{-1}(c))=f^{-1}(d)=e$

답 ⑤

풍쌤 유형 TIP

함수 $y=f(x)$의 그래프와 직선 $y=x$가 주어지면 다음을 이용하여 역함수의 함숫값을 구한다.

(1) 직선 $y=x$ 위의 점은 x좌표와 y좌표가 같음을 이용하여 그래프 위의 점의 y좌표를 구한다.

(2) 함수 $y=f(x)$의 그래프가 점 (a, b)를 지나면 그 역함수 $y=f^{-1}(x)$의 그래프는 점 (b, a)를 지난다.

081

함수 $y=f(x)$의 그래프와 직선 $y=x$가 다음 그림과 같을 때, $f^{-1}(8)+(f^{-1}\circ f^{-1})(10)$의 값은?

(단, 모든 점선은 x축 또는 y축에 평행하다.)

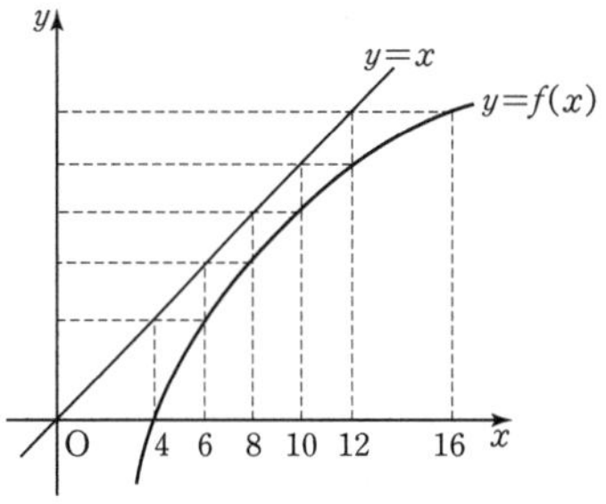

① 18 ② 20 ③ 22
④ 24 ⑤ 26

082 |교육청 기출|

다음 그림은 $x\geq0$에서 정의된 두 함수 $y=f(x)$, $y=g(x)$의 그래프와 직선 $y=x$를 나타낸 것이다. $g^{-1}(f(c))$의 값은?

(단, g는 역함수가 존재하는 함수이다.)

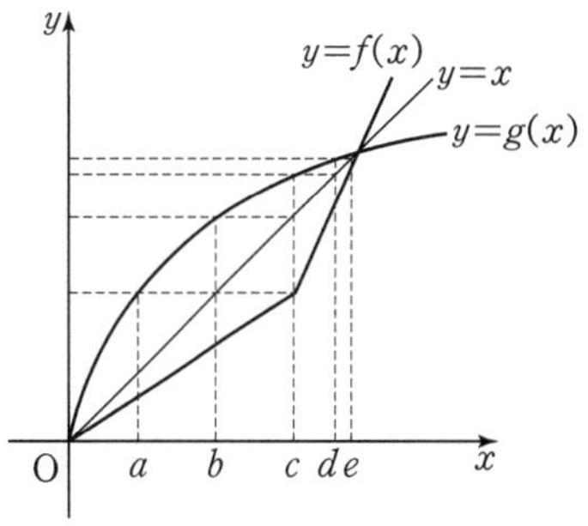

① a ② b ③ c
④ d ⑤ e

실력을 높이는 연습 문제

01

두 집합 $X=\{1, 2, 3, 4\}$, $Y=\{1, 2, 3\}$에 대하여 다음 중 X에서 Y로의 함수인 것은?

① $f(x)=|x-1|$ ② $f(x)=\begin{cases} 1 & (x\geq 2) \\ 3 & (x<2) \end{cases}$

③ $f(x)=\frac{1}{2}x$ ④ $f(x)=x^2-8$

⑤ $f(x)=\frac{x+2}{3}$

02

임의의 자연수 n에 대하여 함수 f가

$$f(2n-1)=\frac{n+1}{2},\ f(2n)=f(n)$$

을 만족시킬 때, $f(2021)+f(2024)$의 값을 구하여라.

03 실력 UP

일차함수 $f(x)=ax+1$의 정의역이 $\{x|1\leq x\leq 3\}$이고 공역이 $\{y|2\leq y\leq 5\}$일 때, 실수 a의 값의 범위는?

① $\frac{1}{3}\leq a\leq 2$ ② $1\leq a\leq \frac{4}{3}$

③ $1\leq a\leq 4$ ④ $\frac{4}{3}\leq a\leq 4$

⑤ $2\leq a\leq 4$

04

임의의 실수 x, y에 대하여 함수 f가

$$f(x+y)=f(x)f(y)$$

를 만족시키고 $f(1)=3$일 때, $f(6)$의 값을 구하여라.

05 | 교육청 기출 | 실력 UP

집합 $X=\{1, 2, 3, 4, 5, 6, 7, 8\}$에 대하여 함수 $f: X \longrightarrow X$가 다음 세 조건을 만족시킨다.

> (가) 함수 f의 치역의 원소의 개수는 7이다.
> (나) $f(1)+f(2)+f(3)+f(4)+f(5)+f(6)+f(7)+f(8)=42$
> (다) 함수 f의 치역의 원소 중 최댓값과 최솟값의 차는 6이다.

집합 X의 어떤 두 원소 a, b에 대하여 $f(a)=f(b)=n$을 만족시키는 자연수 n의 값을 구하여라. (단, $a\neq b$)

06

집합 $X=\{1, 2, 3\}$에 대하여 X에서 X로의 두 함수 $f(x)=a|x-2|+b$, $g(x)=x^2-4x+5$가 서로 같은 함수일 때, $4a-b$의 값을 구하여라.

07 실력 UP

실수 전체의 집합 R에 대하여 함수 $f: R \longrightarrow R$가

$$f(x)=a|x+3|-6x$$

로 정의될 때, 이 함수가 일대일대응이 되도록 하는 정수 a의 개수는?

① 11　② 12　③ 13　④ 14　⑤ 15

08 | 교육청 기출 |

집합 $X=\{3, 4, 5, 6, 7\}$에 대하여 함수 $f: X \longrightarrow X$는 일대일대응이다. $3 \le n \le 5$인 모든 자연수 n에 대하여 $f(n)f(n+2)$의 값이 짝수일 때, $f(3)+f(7)$의 최댓값을 구하여라.

09

집합 $X=\{-2, -1, 1, 2\}$에 대하여 X에서 X로의 함수

$$f(x)=\begin{cases} x & (x \ge 1) \\ ax^2+bx+2 & (x<1) \end{cases}$$

가 항등함수이다. 두 상수 a, b에 대하여 $a+b$의 값은?

① 3　② 4　③ 5　④ 6　⑤ 7

10

집합 $X=\{x|x$는 15의 양의 약수$\}$에 대하여 X에서 X로의 함수 중 일대일대응의 개수를 a, 항등함수의 개수를 b, 상수함수의 개수를 c라고 할 때, $a+b+c$의 값은?

① 26　② 27　③ 28　④ 29　⑤ 30

11

실수 전체의 집합에서 정의된 함수 $f(x)$가

$$f(x)=\begin{cases} -x^2+6x-4 & (1 \le x \le 3) \\ -2x+11 & (3 \le x \le 5) \end{cases}$$

이고 $f(x+4)=f(x)$를 만족시킬 때, $(f \circ f)(18)$의 값은?

① 1　② 2　③ 3　④ 4　⑤ 5

12

두 함수 $f(x)=x^2+1$, $g(x)=3x-4$에 대하여 $(f \circ g)(a)=65$일 때, 양수 a의 값을 구하여라.

13

두 함수 $f(x)=2x+5$, $g(x)=ax+b$가

$f\circ g=g\circ f$

를 만족시킬 때, 함수 $y=g(x)$의 그래프는 a의 값에 관계없이 한 점을 지난다. 이 점의 좌표는?

(단, a, b는 상수이다.)

① $(-1, -1)$　② $(-2, -2)$　③ $(-3, -3)$
④ $(-4, -4)$　⑤ $(-5, -5)$

14

자연수 전체의 집합에서 정의된 함수 $f(x)$가

$$f(x)=\begin{cases}\dfrac{x+3}{2} & (x\text{는 홀수})\\ \dfrac{x}{2} & (x\text{는 짝수})\end{cases}$$

이고 $f^1=f$, $f^{n+1}=f\circ f^n$으로 정의할 때, $f^n(160)=1$을 만족시키는 자연수 n의 최솟값을 구하여라.

15 | 교육청 기출 |

다음 그림은 두 함수 $f: X \longrightarrow Y$, $g: Y \longrightarrow Z$를 나타낸 것이다. $g^{-1}(3)+(g\circ f)(4)$의 값은?

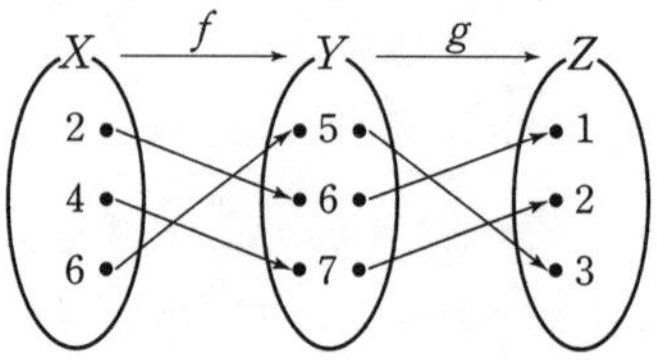

① 6　② 7　③ 8
④ 9　⑤ 10

16

일차함수 $f(x)=ax+b$에 대하여 $f(-2)=4$, $f^{-1}(14)=3$이 성립할 때, $a+b$의 값을 구하여라.

(단, a, b는 상수이다.)

17

두 함수 $f(x)=5x-4$, $g(x)=-3x+4$에 대하여 $(f\circ g^{-1})(a)=6$을 만족시키는 상수 a의 값은?

① -2　② -1　③ 0
④ 1　⑤ 2

18

실수 전체의 집합에서 정의된 함수

$$f(x)=\begin{cases}x+7 & (x\geq 5)\\ 3x-a & (x<5)\end{cases}$$

의 역함수가 존재할 때, $(f\circ f)^{-1}(16)$의 값을 구하여라. (단, a는 상수이다.)

19 | 교육청 기출 |

두 정수 a, b에 대하여 함수

$$f(x)=\begin{cases} -2x+10 & (x\geq 2) \\ a(x-2)^2+b & (x<2) \end{cases}$$

는 실수 전체의 집합에서 정의된 역함수를 갖는다. $a+b$의 최솟값은?

① 1　② 3　③ 5　④ 7　⑤ 9

20

집합 $X=\{1, 2, 3, 4, 5\}$에 대하여 집합 X에서 X로의 두 함수 f, g가 있다. 두 함수 $y=f(x)$, $y=(f\circ g)(x)$의 그래프가 다음 그림과 같을 때, $g(3)+(g\circ f)^{-1}(2)$의 값을 구하여라.

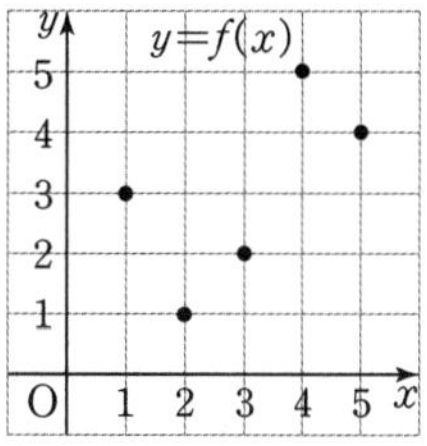

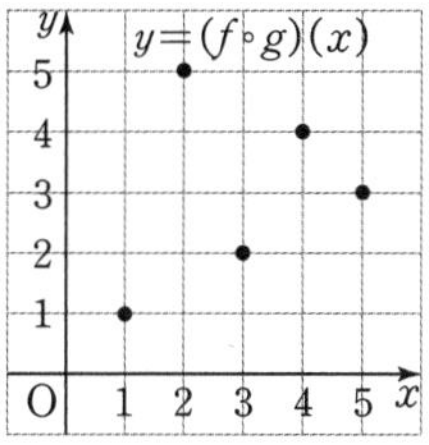

21

일차함수 $y=f(x)$에 대하여

$f(4)=9$, $f^{-1}(7)=2$

일 때, $y=f(x)$의 그래프와 x축, y축으로 둘러싸인 부분의 넓이는?

① 12　② $\frac{25}{2}$　③ 13　④ $\frac{27}{2}$　⑤ 14

22

함수 $f(x)=\begin{cases} \frac{1}{2}x+2 & (x\geq 2) \\ \frac{3}{2}x & (x<2) \end{cases}$ 의 역함수를 $g(x)$라고 할 때, 두 함수 $y=f(x)$와 $y=g(x)$의 그래프로 둘러싸인 부분의 넓이를 구하여라.

23 실력 UP

함수 $f(x)$의 역함수를 $g(x)$라고 할 때, 함수 $g(2x)$의 역함수는?

① $2f(x)$　② $f(2x)$　③ $f\left(\frac{x}{2}\right)$　④ $\frac{1}{2}f\left(\frac{x}{4}\right)$　⑤ $\frac{1}{2}f(x)$

24

두 함수 $y=f(x)$, $y=g(x)$의 그래프와 직선 $y=x$가 다음 그림과 같을 때, $(f\circ g^{-1}\circ f^{-1})(d)$의 값을 구하여라. (단, 모든 점선은 x축 또는 y축에 평행하다.)

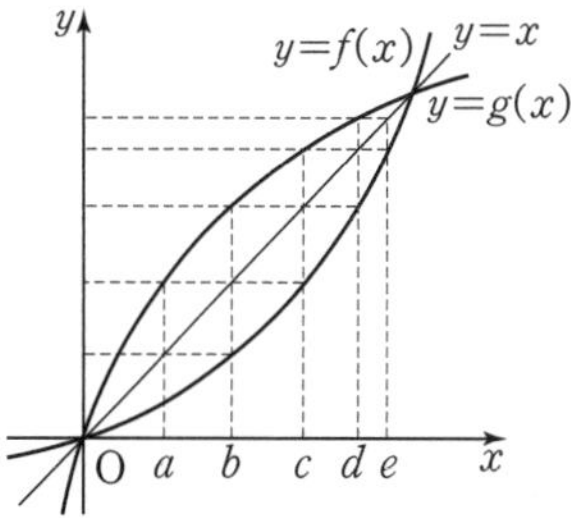

04 유리식과 유리함수

1. 유리식의 뜻과 성질

(1) 유리식: 두 다항식 A, B $(B\neq0)$에 대하여 $\dfrac{A}{B}$의 꼴로 나타내어지는 식

참고 B가 0이 아닌 상수이면 $\dfrac{A}{B}$는 다항식이므로 다항식은 모두 유리식이다.

예 $\dfrac{2}{x}$, $\dfrac{x+2}{x-1}$, $\dfrac{1}{3x+2}$, $\dfrac{4x-5}{3}$는 모두 유리식이고, 이 중에서 $\dfrac{4x-5}{3}$는 다항식이다.

(2) 유리식의 성질

다항식 A, B, C $(B\neq0,\ C\neq0)$에 대하여

① $\dfrac{A}{B}=\dfrac{A\times C}{B\times C}$ → 유리식의 통분에 이용

② $\dfrac{A}{B}=\dfrac{A\div C}{B\div C}$ → 유리식의 약분에 이용

○ **분수식**
다항식이 아닌 유리식

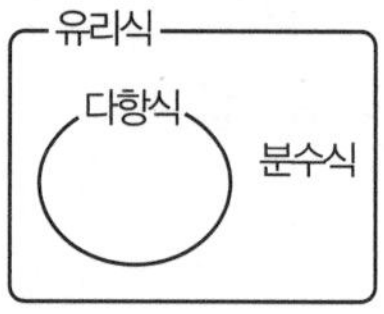

2. 유리식의 연산

(1) 사칙연산: 다항식 A, B, C, D $(C\neq0,\ D\neq0)$에 대하여

① 유리식의 덧셈과 뺄셈: 분모를 통분하여 계산한다.

➡ $\dfrac{A}{C}\pm\dfrac{B}{D}=\dfrac{AD\pm BC}{CD}$ (복부호동순)

② 유리식의 곱셈: 분모는 분모끼리, 분자는 분자끼리 곱하여 계산한다.

➡ $\dfrac{A}{C}\times\dfrac{B}{D}=\dfrac{AB}{CD}$

③ 유리식의 나눗셈: 나누는 식의 분자와 분모를 서로 바꾸어 곱하여 계산한다.

➡ $\dfrac{A}{C}\div\dfrac{B}{D}=\dfrac{A}{C}\times\dfrac{D}{B}=\dfrac{AD}{BC}$ (단, $B\neq0$)

(2) 부분분수로의 변형: 분모가 두 개 이상의 인수의 곱으로 되어 있는 경우 다음을 이용하여 복잡한 분모를 간단한 분모로 분해한다.

➡ $\dfrac{1}{AB}=\dfrac{1}{B-A}\left(\dfrac{1}{A}-\dfrac{1}{B}\right)$ (단, $A\neq B$)

예 $\dfrac{1}{x(x+2)}=\dfrac{1}{x+2-x}\left(\dfrac{1}{x}-\dfrac{1}{x+2}\right)=\dfrac{1}{2}\left(\dfrac{1}{x}-\dfrac{1}{x+2}\right)$

○ 유리식의 덧셈에 대하여 교환법칙과 결합법칙이 성립한다.

○ 유리식의 곱셈에 대하여 교환법칙과 결합법칙이 성립한다.

○ **번분수식**
분자 또는 분모에 또 다른 분수식을 포함한 유리식

$\dfrac{\frac{A}{B}}{\frac{C}{D}}=\dfrac{A}{B}\div\dfrac{C}{D}=\dfrac{A}{B}\times\dfrac{D}{C}=\dfrac{AD}{BC}$

(단, $BCD\neq0$)

3. 비례식의 성질

0이 아닌 실수 k에 대하여

(1) $a:b=c:d \iff \dfrac{a}{b}=\dfrac{c}{d} \iff a=bk,\ c=dk$

$a:b=c:d \iff \dfrac{a}{c}=\dfrac{b}{d} \iff a=ck,\ b=dk$

(2) $a:b=c:d=e:f \iff \dfrac{a}{b}=\dfrac{c}{d}=\dfrac{e}{f} \iff a=bk,\ c=dk,\ e=fk$

참고 가비의 리

$\dfrac{a}{b}=\dfrac{c}{d}=\dfrac{e}{f}=\dfrac{a+c+e}{b+d+f}=\dfrac{xa+yc+ze}{xb+yd+zf}$ (단, $b+d+f\neq0$, $xb+yd+zf\neq0$)

○ **비례식**
비의 값이 같은 두 개의 비 $a:b$와 $c:d$를 $a:b=c:d$ 또는 $\dfrac{a}{b}=\dfrac{c}{d}$와 같이 나타낸 식

4. 유리함수

(1) 유리함수 : 함수 $y=f(x)$에서 $f(x)$가 x에 대한 유리식인 함수

(2) 다항함수 : 함수 $y=f(x)$에서 $f(x)$가 x에 대한 다항식인 함수

예 함수 $y=\frac{1}{x}$, $y=\frac{x+1}{x-1}$, $y=\frac{1}{2x-3}$, $y=\frac{3x-1}{2}$은 모두 유리함수이고, 이 중에서 $y=\frac{3x-1}{2}$은 다항함수이다.

참고 유리함수에서 정의역이 주어져 있지 않은 경우에는 분모가 0이 되지 않도록 하는 실수 전체의 집합을 정의역으로 한다.

다항함수의 정의역은 실수 전체의 집합이다.

5. 유리함수 $y=\frac{k}{x}$ $(k\neq0)$의 그래프

(1) 정의역과 치역은 모두 0을 제외한 실수 전체의 집합이다.

(2) 원점에 대하여 대칭인 한 쌍의 곡선이다.

(3) $|k|$의 값이 커질수록 원점에서 멀어진다.

(4) $k>0$이면 그래프는 제1사분면, 제3사분면에 있고,
$k<0$이면 그래프는 제2사분면, 제4사분면에 있다.

(5) 점근선은 x축과 y축이다.

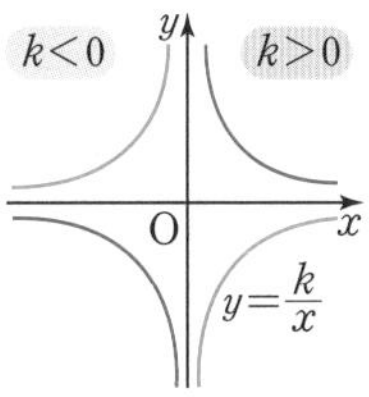

참고 함수 $y=\frac{k}{x}$의 그래프는 두 직선 $y=x$, $y=-x$에 대하여 대칭이다.

따라서 $y=\frac{k}{x}$의 역함수는 자기 자신이다.

점근선

곡선 위의 점이 어떤 직선에 한없이 가까워질 때, 이 직선을 그 곡선의 점근선이라고 한다.

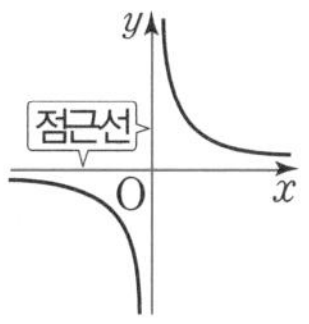

6. 유리함수 $y=\frac{k}{x-p}+q$ $(k\neq0)$의 그래프

(1) 함수 $y=\frac{k}{x}$의 그래프를 x축의 방향으로 p만큼, y축의 방향으로 q만큼 평행이동한 것이다.

(2) 정의역은 $\{x|x\neq p$인 실수$\}$, 치역은 $\{y|y\neq q$인 실수$\}$이다.

(3) 점 (p, q)에 대하여 대칭인 한 쌍의 곡선이다.

(4) 점근선은 $x=p$, $y=q$이다.

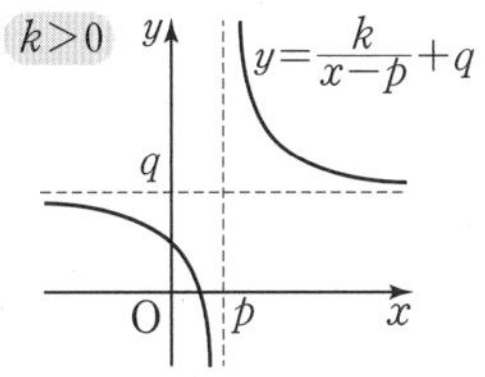

점 (p, q)는 두 점근선 $x=p$, $y=q$의 교점이다.

참고 함수 $y=\frac{k}{x-p}+q$의 그래프는 점 (p, q)를 지나고 기울기가 ±1인 직선에 대하여 대칭이다.

7. 유리함수 $y=\frac{ax+b}{cx+d}$ $(ad-bc\neq0,\ c\neq0)$의 그래프

$y=\frac{k}{x-p}+q$의 꼴로 변형하여 그린다.

참고 $y=\frac{ax+b}{cx+d}$에서 $c=0$이면 다항함수, $ad-bc=0$이면 상수함수가 되므로 $y=\frac{ax+b}{cx+d}$가 다항함수가 아닌 유리함수가 되려면 $ad-bc\neq0$, $c\neq0$이어야 한다.

함수 $y=\frac{ax+b}{cx+d}$ $(ad-bc\neq0,\ c\neq0)$의 그래프의 점근선은 $x=-\frac{d}{c}$, $y=\frac{a}{c}$이다.

기본을 다지는 유형

유형 01 유리식의 사칙연산

등식

$$\frac{1}{x+3}-\frac{1}{x-2}-\frac{1}{x-1}=\frac{f(x)}{(x-1)(x-2)(x+3)}$$

를 만족시키는 다항식 $f(x)$에 대하여 $f(-2)$의 값을 구하여라.

풀이

주어진 등식의 좌변을 계산하면

$$\frac{1}{x+3}-\frac{1}{x-2}-\frac{1}{x-1}$$
$$=\frac{(x-1)(x-2)-(x-1)(x+3)-(x-2)(x+3)}{(x-1)(x-2)(x+3)}$$
$$=\frac{x^2-3x+2-(x^2+2x-3)-(x^2+x-6)}{(x-1)(x-2)(x+3)}$$
$$=\frac{x^2-3x+2-x^2-2x+3-x^2-x+6}{(x-1)(x-2)(x+3)}$$
$$=\frac{-x^2-6x+11}{(x-1)(x-2)(x+3)}$$

따라서 $f(x)=-x^2-6x+11$이므로

$f(-2)=-4+12+11=19$

답 19

001

다음 식을 계산하여라.

(1) $\frac{3}{x+1}+\frac{2}{x-4}$

(2) $\frac{x-1}{x+3}-\frac{x^2-2x}{x^2+2x-3}$

(3) $\frac{3x-6}{x^2+x}\times\frac{x+1}{x^2-4}$

(4) $\frac{x+4}{x^2-5x+4}\div\frac{x^2+2x-8}{x-4}$

002

$$\frac{1}{(x-y)(x-z)}+\frac{1}{(y-z)(y-x)}+\frac{1}{(z-x)(z-y)}$$

을 간단히 하면?

① -2 ② -1 ③ 0

④ 1 ⑤ 2

003 서술형

$\frac{1}{x+1}+\frac{1}{x+2}-\frac{1}{x-1}-\frac{1}{x-2}$을 간단히 하면

$\frac{ax^2+b}{(x+1)(x+2)(x-1)(x-2)}$라고 한다. 상수 a, b에 대하여 $a+b$의 값을 구하여라.

004

$\frac{3x^2-5x-2}{x^2-1}\times\frac{x^2+2x-3}{3x^2+x}\div\frac{x^2+x-6}{2x^2+2x}$을 간단히 하면?

① 1 ② 2 ③ 3

④ 4 ⑤ 5

유형 02 유리식과 항등식

$x\neq-2$, $x\neq3$인 모든 실수 x에 대하여 등식

$$\frac{a}{x+2}+\frac{b}{x-3}=\frac{8x+6}{x^2-x-6}$$

이 성립할 때, $a-b$의 값은? (단, a, b는 상수이다.)

① -4　② -2　③ 0　④ 2　⑤ 4

풀이

주어진 등식의 좌변을 계산하면

$$\frac{a}{x+2}+\frac{b}{x-3}=\frac{a(x-3)+b(x+2)}{(x+2)(x-3)}=\frac{(a+b)x-3a+2b}{x^2-x-6}$$

즉, $\frac{(a+b)x-3a+2b}{x^2-x-6}=\frac{8x+6}{x^2-x-6}$이 x에 대한 항등식이므로 $a+b=8$, $-3a+2b=6$

위의 두 식을 연립하여 풀면 $a=2$, $b=6$

$\therefore a-b=2-6=-4$

답 ①

유형 03 부분분수로의 변형

다음 식의 분모를 0으로 만들지 않는 모든 실수 x에 대하여

$$\frac{4}{x(x+4)}+\frac{5}{(x+4)(x+9)}+\frac{6}{(x+9)(x+15)}=\frac{b}{x(x+a)}$$

가 성립할 때, $a+b$의 값을 구하여라. (단, a, b는 상수이다.)

풀이

주어진 등식의 좌변을 계산하면

$$\frac{4}{x(x+4)}+\frac{5}{(x+4)(x+9)}+\frac{6}{(x+9)(x+15)}$$

$$=\left(\frac{1}{x}-\frac{1}{x+4}\right)+\left(\frac{1}{x+4}-\frac{1}{x+9}\right)+\left(\frac{1}{x+9}-\frac{1}{x+15}\right)$$

$$=\frac{1}{x}-\frac{1}{x+15}=\frac{15}{x(x+15)}$$

따라서 $\frac{15}{x(x+15)}=\frac{b}{x(x+a)}$가 x에 대한 항등식이므로

$a=15$, $b=15$

$\therefore a+b=30$

답 30

005

다음 식의 분모를 0으로 만들지 않는 모든 실수 x에 대하여

$$\frac{5x^2+4}{x^3+1}=\frac{a}{x+1}+\frac{bx+1}{x^2-x+1}$$

이 성립할 때, a^2-2b의 값은? (단, a, b는 상수이다.)

① 1　② 3　③ 5　④ 7　⑤ 9

006

$x\neq0$, $x\neq1$인 모든 실수 x에 대하여

$$\frac{x+4}{x(x-1)^2}=\frac{a}{x}+\frac{b}{x-1}+\frac{c}{(x-1)^2}$$

가 성립할 때, $ab+c$의 값을 구하여라.

007

다음 식을 계산하여라.

(1) $\frac{1}{x(x+1)}+\frac{1}{(x+1)(x+2)}+\frac{1}{(x+2)(x+3)}$

(2) $\frac{2}{(x-1)(x+1)}+\frac{1}{(x+1)(x+2)}+\frac{3}{(x+2)(x+5)}$

(3) $\frac{1}{x(x+2)}+\frac{1}{(x+2)(x+4)}+\frac{1}{(x+4)(x+6)}$

008

다음 식의 분모를 0으로 만들지 않는 모든 실수 x에 대하여

$$\frac{1}{x^2-4}+\frac{1}{x^2+8x+12}+\frac{1}{x^2+16x+60}$$
$$=\frac{b}{(x-2)(x+a)}$$

가 성립할 때, ab의 값은? (단, a, b는 상수이다.)

① 18　② 24　③ 30
④ 36　⑤ 42

009

$\frac{1}{2\times4}+\frac{1}{4\times6}+\frac{1}{6\times8}+\cdots+\frac{1}{24\times26}$의 값을 구하여라.

010 서술형

다항식 $f(n)$이 자연수 n에 대하여 $f(n)=n^2+n$일 때,

$$\frac{1}{f(1)}+\frac{1}{f(2)}+\frac{1}{f(3)}+\cdots+\frac{1}{f(20)}=\frac{b}{a}$$

이다. $a+b$의 값을 구하여라.

(단, a, b는 서로소인 자연수이다.)

유형 04 유리식의 값 － $x^n\pm\frac{1}{x^n}$이 주어질 때

$x^2-3x-1=0$일 때, $x^4+\frac{1}{x^4}$의 값은?

① 100　② 104　③ 109
④ 114　⑤ 119

풀이

$x\neq0$이므로 $x^2-3x-1=0$의 양변을 x로 나누면

$x-3-\frac{1}{x}=0$　$\therefore x-\frac{1}{x}=3$

위의 식의 양변을 제곱하면

$x^2-2+\frac{1}{x^2}=9$　$\therefore x^2+\frac{1}{x^2}=11$

위의 식의 양변을 제곱하면

$x^4+2+\frac{1}{x^4}=121$　$\therefore x^4+\frac{1}{x^4}=119$

답 ⑤

참고 $x^2-3x-1=0$에 $x=0$을 대입하면 $-1\neq0$이므로 $x\neq0$

011

$x+\frac{1}{x}=3$일 때, 다음 식의 값을 구하여라.

(1) $x^2+\frac{1}{x^2}$

(2) $x^3+\frac{1}{x^3}$

(3) $x^4+\frac{1}{x^4}$

(4) $x^5+\frac{1}{x^5}$

012

$x-\frac{1}{x}=\frac{3}{2}$, $x^2-\frac{1}{x^2}=\frac{15}{4}$일 때, $x^3+\frac{1}{x^3}$의 값은?

① $\frac{61}{8}$　② $\frac{31}{4}$　③ $\frac{63}{8}$
④ 8　⑤ $\frac{65}{8}$

013

$x^2-2x-1=0$일 때, $2x^2+3x-1-\frac{3}{x}+\frac{2}{x^2}$의 값은?

① 15　② 16　③ 17
④ 18　⑤ 19

014

$x^2+\frac{1}{x^2}=7$일 때, $x^3+\frac{1}{x^3}$의 값을 구하여라.

(단, $x>0$)

유형 05 유리식의 값 – $a+b+c=0$이 주어질 때

$a+b+c=0$일 때, $a\left(\frac{2}{b}+\frac{1}{c}\right)+b\left(\frac{1}{c}-\frac{1}{a}\right)-c\left(\frac{1}{a}-\frac{2}{b}\right)$의 값을 구하여라. (단, $abc\neq0$)

풀이

$a+b+c=0$이므로 $b+c=-a$, $c+a=-b$, $a+b=-c$

$\therefore a\left(\frac{2}{b}+\frac{1}{c}\right)+b\left(\frac{1}{c}-\frac{1}{a}\right)-c\left(\frac{1}{a}-\frac{2}{b}\right)$

$=\frac{2a}{b}+\frac{a}{c}+\frac{b}{c}-\frac{b}{a}-\frac{c}{a}+\frac{2c}{b}$

$=-\frac{b+c}{a}+\frac{2(c+a)}{b}+\frac{a+b}{c}$

$=-\frac{-a}{a}+\frac{2\times(-b)}{b}+\frac{-c}{c}$

$=1-2-1=-2$

답 -2

015 서술형

$a+b+c=0$을 만족시키는 세 실수 a, b, c에 대하여 $\frac{a}{2}\left(\frac{1}{b}+\frac{1}{c}\right)+\frac{b}{2}\left(\frac{1}{c}+\frac{1}{a}\right)+\frac{c}{2}\left(\frac{1}{a}+\frac{1}{b}\right)$의 값을 구하여라. (단, $abc\neq0$)

016

$\frac{1}{x}+\frac{1}{y}+\frac{1}{z}=0$을 만족시키는 0이 아닌 세 실수 x, y, z에 대하여

$$\frac{2x}{(x+y)(x+z)}+\frac{2y}{(y+z)(y+x)}+\frac{2z}{(z+x)(z+y)}$$

의 값을 구하여라.

유형 06 유리식의 값 — 비례식이 주어질 때

0이 아닌 세 실수 x, y, z에 대하여 $\frac{x+y}{2}=\frac{y+z}{3}=\frac{z+x}{4}$ 일 때, $\frac{xyz}{x^3+y^3+z^3}$의 값은?

① $\frac{1}{51}$ ② $\frac{2}{51}$ ③ $\frac{1}{17}$

④ $\frac{4}{51}$ ⑤ $\frac{5}{51}$

풀이

$\frac{x+y}{2}=\frac{y+z}{3}=\frac{z+x}{4}=k\ (k\neq 0)$로 놓으면

$x+y=2k,\ y+z=3k,\ z+x=4k$ ········· ㉠

위의 세 식을 변끼리 더하면

$2(x+y+z)=9k \quad \therefore x+y+z=\frac{9}{2}k$ ········· ㉡

㉠, ㉡에서

$x=\frac{3}{2}k,\ y=\frac{1}{2}k,\ z=\frac{5}{2}k$

$$\therefore \frac{xyz}{x^3+y^3+z^3}=\frac{\frac{3}{2}k\times\frac{1}{2}k\times\frac{5}{2}k}{\left(\frac{3}{2}k\right)^3+\left(\frac{1}{2}k\right)^3+\left(\frac{5}{2}k\right)^3}$$

$$=\frac{\frac{15}{8}k^3}{\frac{153}{8}k^3}=\frac{5}{51}$$

답 ⑤

017

0이 아닌 세 실수 a, b, c에 대하여

$a:b:c=2:3:4$

일 때, $\frac{-3a+2b-c}{a-b+c}$의 값은?

① $-\frac{5}{3}$ ② $-\frac{4}{3}$ ③ -1

④ $-\frac{2}{3}$ ⑤ $-\frac{1}{3}$

018

$\frac{x+2y}{4x+5y}=\frac{1}{3}$일 때, $\frac{x^2-3xy+3y^2}{x^2+y^2}$의 값은? (단, $xy\neq 0$)

① $\frac{1}{6}$ ② $\frac{1}{3}$ ③ $\frac{1}{2}$

④ $\frac{2}{3}$ ⑤ $\frac{5}{6}$

019

0이 아닌 세 실수 a, b, c에 대하여

$3a=2b,\ 3b=4c$

일 때, $\frac{2a-b-2c}{a+b+c}$의 값을 구하여라.

020 서술형

$(x+y):(y+z):(z+x)=4:3:5$일 때, $\frac{xy-yz+zx}{x^2+y^2+z^2}$의 값을 구하여라. (단, $xyz\neq 0$)

021

$3x+y-2z=0$, $x-2y+z=0$일 때, $\frac{x+y}{x+z}$의 값은? (단, $xyz\neq0$)

① $\frac{1}{5}$ ② $\frac{2}{5}$ ③ $\frac{3}{5}$
④ $\frac{4}{5}$ ⑤ 1

022

$x+2y-z=0$, $2x+y-3z=0$일 때, $\frac{x^2+y^2+z^2}{xy+yz+zx}$의 값을 구하여라. (단, $xyz\neq0$)

023 | 교육청 기출 |

$\frac{x+y}{2z}=\frac{y+2z}{x}=\frac{2z+x}{y}$일 때, $\frac{x^3+y^3+z^3}{xyz}$의 값은? (단, $x+y+2z\neq0$)

① $\frac{17}{4}$ ② $\frac{9}{2}$ ③ $\frac{19}{4}$
④ 5 ⑤ $\frac{21}{4}$

유형 07 가비의 리

$\frac{2a-b}{3}=\frac{3b-c}{4}=\frac{4c+a}{2}=\frac{4a+2b+7c}{k}$일 때, 상수 k의 값은? (단, $abc\neq0$, $k\neq0$)

① 9 ② 10 ③ 11
④ 12 ⑤ 13

풀이

가비의 리에 의하여

$$\frac{2a-b}{3}=\frac{3b-c}{4}=\frac{4c+a}{2}$$
$$=\frac{(2a-b)+(3b-c)+2(4c+a)}{3+4+2\times2}$$
$$=\frac{4a+2b+7c}{11}$$

$\therefore k=11$

답 ③

024

다음 식을 만족시키는 상수 k의 값을 구하여라. (단, $xyz\neq0$, $k\neq0$)

(1) $\frac{x}{3}=\frac{y}{4}=\frac{z}{5}=\frac{x+y+z}{k}$

(2) $\frac{x}{4}=\frac{y}{2}=\frac{z}{3}=\frac{3x-2y+z}{k}$

(3) $\frac{x}{2}=\frac{y}{5}=\frac{z}{4}=\frac{2x+y-3z}{k}$

(4) $\frac{x+y}{3}=\frac{y+z}{2}=\frac{z-x}{4}=\frac{x+3y+2z}{k}$

025

$\frac{3a}{4}=\frac{b+2c}{3}=\frac{3c}{2}=\frac{6a+3b}{k}$일 때, 상수 k의 값은?

(단, $abc\neq0$, $k\neq0$)

① 9 ② 10 ③ 11
④ 12 ⑤ 13

026

$\frac{5x-y}{2}=\frac{2y-z}{3}=\frac{3z-x}{5}=\frac{9x+4y}{a}$일 때, 상수 a의 값은? (단, $xyz\neq0$, $a\neq0$)

① 12 ② 14 ③ 16
④ 18 ⑤ 20

027 서술형

0이 아닌 네 실수 a, b, c, k에 대하여

$$\frac{b+2c}{3a}=\frac{3a+2c}{b}=\frac{3a+b}{2c}=k$$

를 만족시키는 모든 k의 값의 합을 구하여라.

유형 08 번분수식의 계산

$1-\cfrac{1}{1-\cfrac{1}{1-\cfrac{1}{x}}}$을 간단히 하면?

① x ② $\frac{1}{x}$ ③ $\frac{x-1}{x}$
④ $-\frac{1}{x}$ ⑤ $-x$

풀이

$$1-\cfrac{1}{1-\cfrac{1}{1-\cfrac{1}{x}}}=1-\cfrac{1}{1-\cfrac{1}{\cfrac{x-1}{x}}}=1-\cfrac{1}{1-\cfrac{x}{x-1}}$$

$$=1-\cfrac{1}{\cfrac{x-1-x}{x-1}}=1+x-1=x$$

답 ①

028

$\cfrac{\frac{1}{x-2}-\frac{1}{x+2}}{\frac{1}{x-2}+\frac{1}{x+2}}$을 간단히 하여라.

029

$x=2020$일 때, $\cfrac{1+\frac{2}{x}}{1-\frac{4}{x^2}}$의 값은?

① $\frac{1010}{1009}$ ② $\frac{1009}{1010}$ ③ $\frac{506}{505}$
④ $\frac{1010}{1011}$ ⑤ $\frac{1012}{1011}$

030

$$\frac{1+\cfrac{1}{1+\cfrac{1}{x-1}}}{1-\cfrac{1}{1-\cfrac{1}{x+1}}}$$을 간단히 하면?

① $-2x$　　② $1-2x$　　③ 1

④ $2x-1$　　⑤ $2x$

031

$\frac{47}{21}=a+\cfrac{1}{b+\cfrac{1}{c}}$을 만족시키는 자연수 a, b, c에 대하여 $a+b+c$의 값은?

① 8　　② 9　　③ 10

④ 11　　⑤ 12

032 서술형

$\frac{50}{23}=a+\cfrac{1}{b+\cfrac{1}{c+\cfrac{1}{d}}}$을 만족시키는 자연수 a, b, c, d에 대하여 $ab-cd$의 값을 구하여라.

유형 09 유리함수의 뜻

다음 중 유리함수가 아닌 것은?

① $y=\frac{x^2}{2}$　　② $y=\frac{1}{3x-1}$　　③ $y=\frac{\sqrt{x-2}}{3}$

④ $y=5x^2-3$　　⑤ $y=4-\frac{1}{3x}$

풀이

① $\frac{x^2}{2}$은 다항식이고 유리식이므로 $y=\frac{x^2}{2}$은 유리함수이다.

② $\frac{1}{3x-1}$은 유리식이므로 $y=\frac{1}{3x-1}$은 유리함수이다.

③ $\frac{\sqrt{x-2}}{3}$는 유리식이 아니므로 $y=\frac{\sqrt{x-2}}{3}$는 유리함수가 아니다.

④ $5x^2-3$은 다항식이고 유리식이므로 $y=5x^2-3$은 유리함수이다.

⑤ $4-\frac{1}{3x}$은 유리식이므로 $y=4-\frac{1}{3x}$은 유리함수이다.

답 ③

033

다음 함수를 |보기|에서 있는 대로 골라라.

| 보기 |

ㄱ. $y=\frac{2x+1}{5}$　　ㄴ. $y=\frac{1}{3x+5}$

ㄷ. $y=3x^2-1$　　ㄹ. $y=\frac{x-1}{x^2-1}$

(1) 다항함수

(2) 다항함수가 아닌 유리함수

034

다음 함수의 정의역을 구하여라.

(1) $y=\frac{x+1}{3x-2}$　　(2) $y=\frac{2}{x^2-1}$　　(3) $y=\frac{x-2}{x^2+3}$

유형 10 유리함수의 그래프

함수 $y=\dfrac{3x-8}{x-3}$의 치역이 $\{y|3<y\le4\}$일 때, 정의역은?

① $\{x|x<3\}$　② $\{x|-1<x<3\}$
③ $\{x|3<x\le4\}$　④ $\{x|x\ge4\}$
⑤ $\{x|-1<x<3$ 또는 $3<x\le4\}$

풀이

$y=\dfrac{3x-8}{x-3}=\dfrac{3(x-3)+1}{x-3}=\dfrac{1}{x-3}+3$이므로 함수 $y=\dfrac{3x-8}{x-3}$의 그래프는 $y=\dfrac{1}{x}$의 그래프를 x축의 방향으로 3만큼, y축의 방향으로 3만큼 평행이동한 것이다.

따라서 $\{y|3<y\le4\}$에서 함수 $y=\dfrac{3x-8}{x-3}$의 그래프는 오른쪽 그림과 같으므로 구하는 정의역은 $\{x|x\ge4\}$

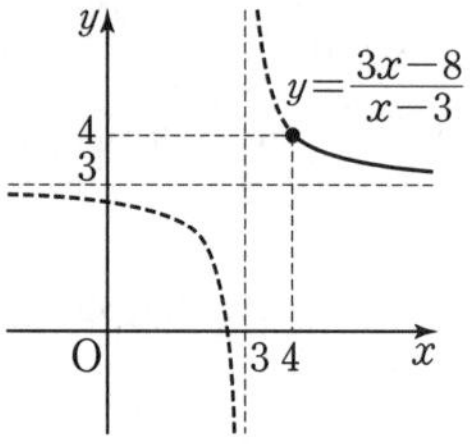

답 ④

035

다음 함수의 그래프를 그리고, 정의역, 치역, 점근선의 방정식을 각각 구하여라.

(1) $y=-\dfrac{1}{x}$

(2) $y=\dfrac{2}{x-2}+1$

(3) $y=-\dfrac{3}{x-1}-2$

036

다음 함수의 그래프를 그리고, 점근선의 방정식을 구하여라.

(1) $y=\dfrac{3x+4}{x+1}$　(2) $y=\dfrac{4-2x}{x-4}$

037

함수 $y=\dfrac{-3x+2}{x-1}$의 정의역이 $\{x|0\le x<1$ 또는 $1<x\le2\}$일 때, 치역은?

① $\{y|-4<y<-2\}$
② $\{y|-4\le y<-2\}$
③ $\{y|-4<y\le-2\}$
④ $\{y|y<-4$ 또는 $y>-2\}$
⑤ $\{y|y\le-4$ 또는 $y\ge-2\}$

038 | 교육청 기출 |

두 상수 a, b에 대하여 정의역이 $\{x|2\le x\le a\}$인 함수 $y=\dfrac{3}{x-1}-2$의 치역이 $\{y|-1\le y\le b\}$일 때, $a+b$의 값은? (단, $a>2$, $b>-1$)

① 5　② 6　③ 7
④ 8　⑤ 9

유형 11 유리함수의 그래프의 평행이동

함수 $y=\frac{-2x+3}{x-2}$의 그래프는 함수 $y=\frac{k}{x}$의 그래프를 x축의 방향으로 m만큼, y축의 방향으로 n만큼 평행이동한 것이다. 이때 kmn의 값을 구하여라. (단, k는 상수이다.)

풀이

$y=\frac{-2x+3}{x-2}=\frac{-2(x-2)-1}{x-2}=-\frac{1}{x-2}-2$

따라서 $y=\frac{-2x+3}{x-2}$의 그래프는 $y=-\frac{1}{x}$의 그래프를 x축의 방향으로 2만큼, y축의 방향으로 -2만큼 평행이동한 것이다.

즉, $k=-1$, $m=2$, $n=-2$이므로

$kmn=-1\times2\times(-2)=4$

답 4

039 | 교육청 기출 |

함수 $y=\frac{2}{x}$의 그래프를 x축의 방향으로 a만큼, y축의 방향으로 b만큼 평행이동하였더니 함수 $y=\frac{3x-1}{x-1}$의 그래프와 일치하였다. 두 상수 a, b에 대하여 $a+b$의 값은?

① 2 ② 4 ③ 6
④ 8 ⑤ 10

040

함수 $y=\frac{k}{x}$의 그래프를 x축의 방향으로 -1만큼, y축의 방향으로 4만큼 평행이동한 그래프가 점 $(-2, 6)$을 지날 때, 상수 k의 값을 구하여라.

041

다음 함수 중 평행이동에 의하여 함수 $y=\frac{3}{x}$의 그래프와 겹쳐지는 것은?

① $y=\frac{3x-5}{x-1}$ ② $y=\frac{5-x}{x-2}$
③ $y=\frac{10-3x}{x-3}$ ④ $y=\frac{x+6}{x+4}$
⑤ $y=-\frac{x+4}{x+5}$

042

유리함수 $y=\frac{5}{x+2}-1$의 그래프를 x축의 방향으로 a만큼, y축의 방향으로 b만큼 평행이동하면 $y=\frac{5x-25}{x-6}$의 그래프와 일치한다. $a+b$의 값을 구하여라.

043

함수 $y=\frac{bx+3}{x+a}$의 그래프를 x축의 방향으로 5만큼, y축의 방향으로 -2만큼 평행이동하면 $y=-\frac{7}{x}$의 그래프와 일치한다. 상수 a, b에 대하여 $a+b$의 값은?

① 3 ② 5 ③ 7
④ 9 ⑤ 11

유형 12 유리함수의 그래프의 점근선

함수 $y=\frac{ax+3}{x+b}$의 그래프의 점근선의 방정식이 $x=-2$, $y=2$일 때, 상수 a, b에 대하여 $a+b$의 값을 구하여라.

풀이

$y=\frac{ax+3}{x+b}=\frac{a(x+b)-ab+3}{x+b}=\frac{3-ab}{x+b}+a$

이므로 함수 $y=\frac{ax+3}{x+b}$의 그래프의 점근선의 방정식은

$x=-b$, $y=a$

따라서 $-b=-2$, $a=2$이므로 $a=2$, $b=2$

$\therefore a+b=2+2=4$

답 4

044

함수 $y=\frac{1}{2x-6}+m$의 그래프의 점근선의 방정식이 $x=n$, $y=-4$일 때, 상수 m, n에 대하여 mn의 값은?

① -8 ② -10 ③ -12
④ -14 ⑤ -16

045 서술형

유리함수 $y=\frac{x+b}{x-a}$의 그래프가 점 $(3,\ 5)$를 지나고, 직선 $x=4$를 한 점근선으로 가질 때, $a+b$의 값을 구하여라. (단, a, b는 상수이다.)

046

유리함수 $f(x)=\frac{ax-1}{x+b}$의 그래프의 점근선의 방정식이 $x=1$, $y=3$일 때, $f(3)$의 값을 구하여라.

(단, a, b는 상수이다.)

047 | 교육청 기출 |

함수 $y=\frac{ax}{2x-1}$ $(a\neq0)$의 그래프의 두 점근선이 만나는 점의 좌표가 $\left(b,\ \frac{1}{2}\right)$일 때, $a+b$의 값은?

① $\frac{1}{2}$ ② 1 ③ $\frac{3}{2}$
④ 2 ⑤ $\frac{5}{2}$

048

직선 $y=x$가 유리함수 $f(x)=\frac{3}{x-2a}+a+2$의 그래프의 두 점근선의 교점을 지날 때, 상수 a의 값은?

① -2 ② -1 ③ 0
④ 1 ⑤ 2

049

두 함수 $y=\frac{6-3x}{x+3}$, $y=\frac{bx-2}{3x+a}$의 그래프의 점근선이 서로 같을 때, 상수 a, b에 대하여 $a-b$의 값을 구하여라.

050

함수 $y=\frac{bx+c}{x+a}$의 그래프가 점 $(1, -3)$을 지나고 점근선의 방정식이 $x=4$, $y=-2$일 때, 상수 a, b, c에 대하여 $a+b+c$의 값은?

① 1　② 2　③ 3　④ 4　⑤ 5

051

함수 $y=\frac{x+c}{ax+b}$의 그래프가 점 $(0, -2)$를 지나고 점근선의 방정식이 $x=\frac{3}{2}$, $y=\frac{1}{2}$일 때, 상수 a, b, c에 대하여 $a+b+c$의 값을 구하여라.

유형 13 유리함수의 대칭성

함수 $y=\frac{4+2x}{x+m}$의 그래프가 점 $(-2, n)$에 대하여 대칭일 때, mn의 값은? (단, m은 상수이다.)

① 2　② 4　③ 6　④ 8　⑤ 10

풀이

유리함수의 그래프는 두 점근선의 교점에 대하여 대칭이므로 점 $(-2, n)$은 함수 $y=\frac{4+2x}{x+m}$의 그래프의 두 점근선의 교점이다. 즉, 함수 $y=\frac{4+2x}{x+m}$의 그래프의 점근선의 방정식은 $x=-2$, $y=n$이다.

$y=\frac{4+2x}{x+m}=\frac{2(x+m)-2m+4}{x+m}=\frac{4-2m}{x+m}+2$

이므로 점근선의 방정식은

$x=-m$, $y=2$

따라서 $-m=-2$, $2=n$이므로 $m=2$, $n=2$

$\therefore mn=2\times2=4$

답 ②

052

함수 $y=\frac{3x-2}{-x+2}$의 그래프가 점 (a, b)에 대하여 대칭일 때, ab의 값을 구하여라.

053

함수 $y=\frac{4x+3}{x-1}$의 그래프가 직선 $y=x+k$에 대하여 대칭일 때, 상수 k의 값은?

① 1　② 2　③ 3　④ 4　⑤ 5

054 서술형

함수 $y=\frac{bx+c}{x+a}$의 그래프가 점 $(1, 3)$에 대하여 대칭이고 점 $(0, -1)$을 지날 때, $a+b+c$의 값을 구하여라.
(단, a, b, c는 상수이다.)

055

함수 $y=\frac{bx+3}{x-a}$의 그래프가 두 직선 $y=x+3$, $y=-x-1$에 대하여 대칭일 때, $a+b$의 값은?
(단, a, b는 상수이다.)

① -2 ② -1 ③ 0
④ 1 ⑤ 2

056 | 교육청 기출 |

함수 $y=f(x)$의 그래프는 곡선 $y=-\frac{2}{x}$를 평행이동한 것이고 직선 $y=x$에 대하여 대칭이다. 함수 $f(x)$의 정의역이 $\{x|x\neq-2$인 모든 실수$\}$일 때, $f(4)$의 값은?

① -3 ② $-\frac{7}{3}$ ③ $-\frac{5}{3}$
④ -1 ⑤ $-\frac{1}{3}$

유형 14 그래프를 이용하여 유리함수의 식 구하기

함수 $y=\frac{ax+b}{x+c}$의 그래프가 오른쪽 그림과 같을 때, 상수 a, b, c에 대하여 $a+b+c$의 값은?

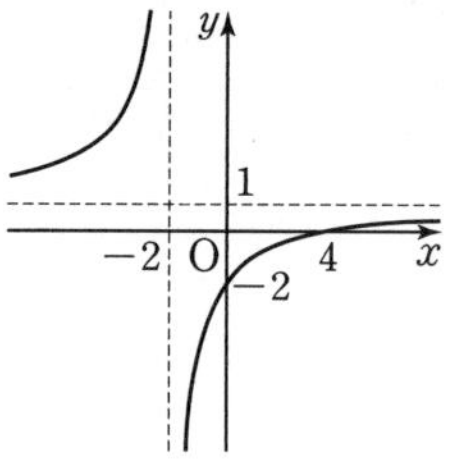

① -2 ② -1 ③ 0
④ 1 ⑤ 2

풀이

주어진 그래프에서 점근선의 방정식이 $x=-2$, $y=1$이므로 함수의 식을

$y=\frac{k}{x+2}+1$ (k는 상수)

로 놓을 수 있다. 이 함수의 그래프가 점 $(4, 0)$을 지나므로

$0=\frac{k}{4+2}+1$, $\frac{k}{6}=-1$ $\therefore k=-6$

따라서 함수의 식은

$y=\frac{-6}{x+2}+1=\frac{-6+x+2}{x+2}=\frac{x-4}{x+2}$

이므로

$a=1$, $b=-4$, $c=2$

$\therefore a+b+c=1+(-4)+2=-1$

답 ②

057

함수 $y=\frac{k}{x+a}+b$의 그래프가 오른쪽 그림과 같을 때, 상수 a, b, k에 대하여 $ab+k$의 값은?

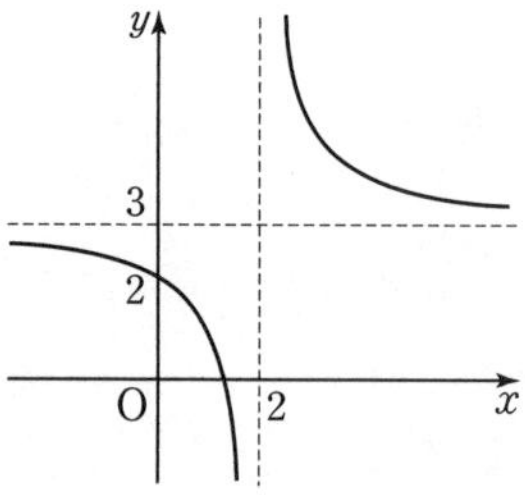

① -5 ② -4
③ -3 ④ -2
⑤ -1

058 서술형

함수 $y=f(x)$의 그래프가 오른쪽 그림과 같을 때, $f(x)$를 구하시오. (단, $f(x)$는 분모, 분자가 일차식인 유리식이다.)

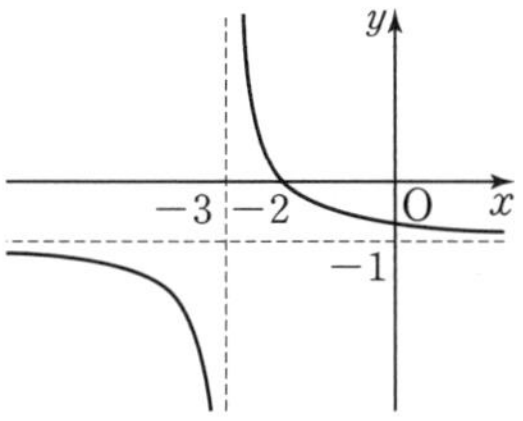

059

함수 $y=\dfrac{bx-c}{x-a}$의 그래프가 오른쪽 그림과 같을 때, 상수 a, b, c에 대하여 $a+b+c$의 값은?

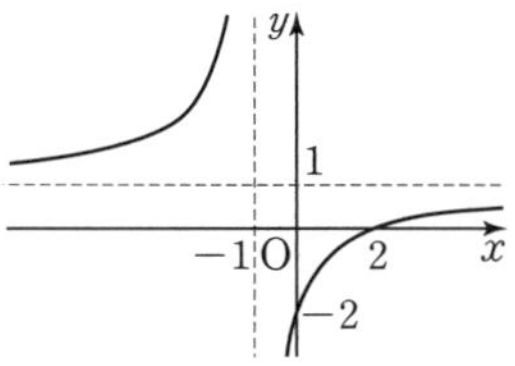

① -2 ② -1 ③ 0
④ 1 ⑤ 2

060

함수 $y=\dfrac{bx+c}{x+a}$의 그래프가 오른쪽 그림과 같을 때, 다음 중 a, b, c의 부호로 옳은 것은?

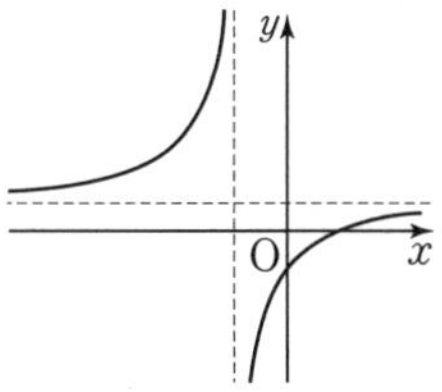

① $a>0$, $b>0$, $c>0$
② $a>0$, $b<0$, $c>0$
③ $a>0$, $b>0$, $c<0$
④ $a<0$, $b>0$, $c>0$
⑤ $a<0$, $b>0$, $c<0$

유형 15 유리함수의 그래프의 성질

다음 중 함수 $y=\dfrac{3x+4}{x-2}$에 대한 설명으로 옳지 <u>않은</u> 것은?

① 그래프는 점 $(2, 3)$에 대하여 대칭이다.
② 그래프는 모든 사분면을 지난다.
③ 정의역은 $\{x\,|\,x\neq2$인 실수$\}$이다.
④ 그래프와 y축의 교점의 좌표는 $(0, -2)$이다.
⑤ 그래프는 함수 $y=\dfrac{4}{x}$의 그래프를 평행이동한 것이다.

풀이

⑤ $y=\dfrac{3x+4}{x-2}=\dfrac{3(x-2)+10}{x-2}=\dfrac{10}{x-2}+3$

따라서 함수 $y=\dfrac{3x+4}{x-2}$의 그래프는 함수 $y=\dfrac{10}{x}$의 그래프를 x축의 방향으로 2만큼, y축의 방향으로 3만큼 평행이동한 것이다.

답 ⑤

참고 함수 $y=\dfrac{3x+4}{x-2}$의 그래프는 오른쪽 그림과 같다.

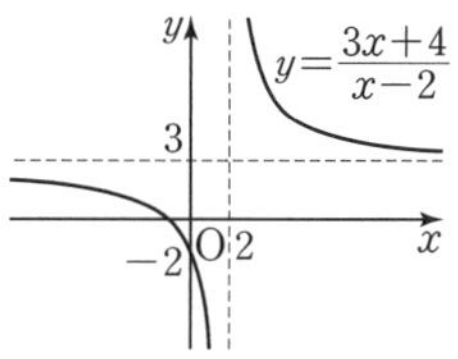

061

|보기|의 함수 중 그 그래프가 제1사분면, 제3사분면을 지나는 것만을 있는 대로 고른 것은?

| 보기 |

ㄱ. $y=-\dfrac{1}{x}$ ㄴ. $y=\dfrac{3}{x}$
ㄷ. $y=-\dfrac{2}{5x}$ ㄹ. $y=\dfrac{8}{x}$

① ㄱ, ㄴ ② ㄱ, ㄹ ③ ㄴ, ㄷ
④ ㄴ, ㄹ ⑤ ㄷ, ㄹ

062

함수 $y=\frac{k}{x}\ (k\neq0)$에 대한 다음 설명 중 옳지 않은 것은?

① 그래프는 원점에 대하여 대칭이다.
② 정의역과 치역은 실수 전체의 집합이다.
③ $k<0$이면 그래프는 제2사분면과 제4사분면을 지난다.
④ 그래프의 점근선은 x축과 y축이다.
⑤ 직선 $y=x$, $y=-x$에 대하여 대칭이다.

063

함수 $y=\frac{2x-8}{x-2}$의 그래프가 지나지 않는 사분면을 모두 말하여라.

064

함수 $y=\frac{k}{x-1}+3$의 그래프가 모든 사분면을 지나기 위한 실수 k의 값의 범위는?

① $k<-3$　② $k<0$　③ $k>0$
④ $k>2$　⑤ $k>3$

065

함수 $y=\frac{2}{x-1}-2$의 그래프에 대한 설명으로 옳은 것만을 |보기|에서 있는 대로 고른 것은?

| 보기 |
ㄱ. 제1, 3, 4사분면을 지난다.
ㄴ. 직선 $y=x-3$에 대하여 대칭이다.
ㄷ. 정의역은 $\{x|x\neq-2$인 실수$\}$이다.
ㄹ. 함수 $y=\frac{2}{x}$의 그래프를 x축의 방향으로 1만큼, y축의 방향으로 2만큼 평행이동한 것이다.

① ㄱ, ㄴ　② ㄱ, ㄹ　③ ㄴ, ㄷ
④ ㄴ, ㄹ　⑤ ㄷ, ㄹ

066

함수 $y=\frac{bx+4}{x+a}$의 정의역이 $\{x|x\neq3$인 실수$\}$, 치역이 $\{y|y\neq-5$인 실수$\}$일 때, 상수 a, b에 대하여 ab의 값을 구하여라.

067

다음 그림은 네 함수 $y=\frac{a}{x}$, $y=\frac{b}{x}$, $y=\frac{c}{x}$, $y=\frac{d}{x}$의 그래프의 일부이다. 상수 a, b, c, d의 대소 관계를 부등호를 사용하여 나타내어라.

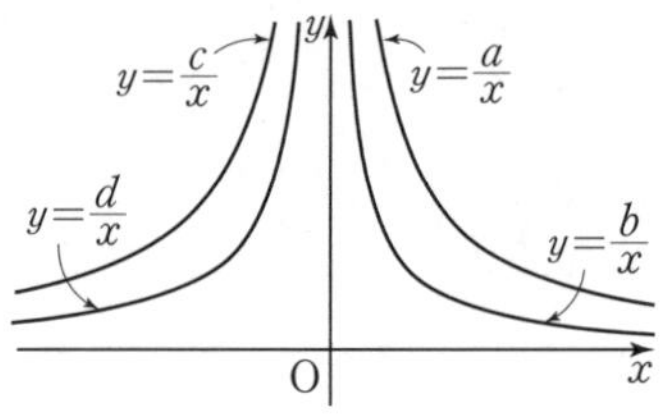

유형 16 유리함수의 최대·최소

$-2\le x\le\frac{1}{2}$에서 함수 $y=\frac{5x-2}{x-1}$의 최댓값을 M, 최솟값을 m이라고 할 때, $M+m$의 값은?

① 1 ② 2 ③ 3
④ 4 ⑤ 5

풀이

$y=\frac{5x-2}{x-1}=\frac{5(x-1)+3}{x-1}=\frac{3}{x-1}+5$

따라서 함수 $y=\frac{5x-2}{x-1}$의 그래프는 함수 $y=\frac{3}{x}$의 그래프를 x축의 방향으로 1만큼, y축의 방향으로 5만큼 평행이동한 것이다.

$-2\le x\le\frac{1}{2}$에서 함수 $y=\frac{5x-2}{x-1}$의 그래프는 오른쪽 그림과 같으므로

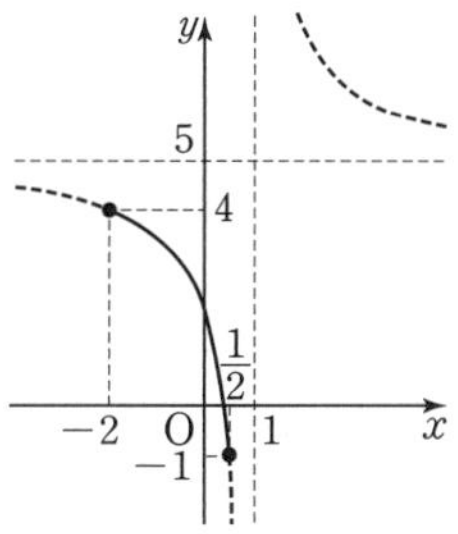

$x=-2$일 때 최댓값 4,
$x=\frac{1}{2}$일 때 최솟값 -1
을 갖는다.
즉, $M=4$, $m=-1$이므로
$M+m=4+(-1)=3$

답 ③

068

$-3\le x\le -1$에서 함수 $y=-\frac{4}{3x}$의 최댓값을 M, 최솟값을 m이라고 할 때, $\frac{M}{m}$의 값은?

① $\frac{7}{3}$ ② $\frac{8}{3}$ ③ 3
④ $\frac{10}{3}$ ⑤ $\frac{11}{3}$

069

$\frac{1}{2}\le x\le a$에서 함수 $y=\frac{3}{2x}$의 최댓값이 b, 최솟값이 $\frac{1}{2}$일 때, $a+b$의 값은? (단, a, b는 상수이다.)

① 2 ② 4 ③ 6
④ 8 ⑤ 10

070 서술형

$-1\le x\le 3$에서 함수 $y=\frac{3}{x-4}+k$가 최댓값 $\frac{7}{5}$을 가질 때, 상수 k의 값과 최솟값을 구하여라.

071

정의역이 $\{x\,|\,-2\le x\le a\}$일 때, 함수 $y=\frac{-x+1}{x+3}$의 최댓값은 b, 최솟값은 $-\frac{3}{5}$이다. 상수 a, b에 대하여 $a-b$의 값은?

① 1 ② 2 ③ 3
④ 4 ⑤ 5

유형 17 유리함수의 역함수

함수 $f(x)=\frac{-3x+2}{x+a}$의 역함수가 $f^{-1}(x)=\frac{-3x+c}{bx+3}$일 때, 상수 a, b, c에 대하여 $a+b+c$의 값을 구하여라.

$\left(\text{단, } a\neq-\frac{2}{3}\right)$

풀이

$y=\frac{-3x+2}{x+a}$로 놓으면

$y(x+a)=-3x+2$, $(y+3)x=-ay+2$

$\therefore x=\frac{-ay+2}{y+3}$

x와 y를 서로 바꾸면 $y=\frac{-ax+2}{x+3}$

$\therefore f^{-1}(x)=\frac{-ax+2}{x+3}$

따라서 $\frac{-ax+2}{x+3}=\frac{-3x+c}{bx+3}$이므로

$a=3$, $b=1$, $c=2$

$\therefore a+b+c=3+1+2=6$

답 6

풍쌤 유형 TIP

함수 $y=\frac{ax+b}{cx+d}$ $(ad-bc\neq0,\ c\neq0)$의 역함수는 다음과 같은 순서로 구한다.

① x를 y에 대한 식으로 나타낸다. ➡ $x=\frac{dy-b}{-cy+a}$

② x와 y를 서로 바꾼다. ➡ $y=\frac{dx-b}{-cx+a}$

072

다음 함수의 역함수를 구하여라.

(1) $y=\frac{x-1}{x+2}$

(2) $y=\frac{2x+3}{x-3}$

073 서술형

함수 $f(x)=\frac{ax-1}{2x+1}$과 그 역함수 $f^{-1}(x)$에 대하여 $f=f^{-1}$일 때, 상수 a의 값을 구하여라.

074

함수 $f(x)=\frac{ax+b}{x+4}$의 그래프와 그 역함수의 그래프가 모두 점 $(-1,\ 3)$을 지날 때, 상수 a, b에 대하여 $a+b$의 값은?

① -2 ② -1 ③ 0
④ 1 ⑤ 2

075 |교육청 기출|

유리함수 $f(x)=\frac{2x+5}{x+3}$의 역함수 $y=f^{-1}(x)$의 그래프는 점 $(p,\ q)$에 대하여 대칭이다. $p-q$의 값은?

① 1 ② 2 ③ 3
④ 4 ⑤ 5

실력을 높이는 연습 문제

정답과 풀이 049쪽

01

$\dfrac{a^2-9b^2}{a^2-6ab+9b^2}\times\dfrac{a-3b}{a^2+3ab}$를 계산하여라.

02

$x\neq-2$인 모든 실수 x에 대하여

$$\frac{x^{10}+1}{(x+2)^{11}}=\frac{a_1}{x+2}+\frac{a_2}{(x+2)^2}+\cdots+\frac{a_{10}}{(x+2)^{10}}$$

이 성립할 때, $a_1+a_2+\cdots+a_{10}$의 값은?

(단, a_1, a_2, $\cdots$, a_{10}은 상수이다.)

① 1 ② 2 ③ 3
④ 4 ⑤ 5

03

$\dfrac{1}{3}+\dfrac{1}{15}+\dfrac{1}{35}+\cdots+\dfrac{1}{483}$의 값은?

① $\dfrac{9}{23}$ ② $\dfrac{10}{23}$ ③ $\dfrac{11}{23}$
④ $\dfrac{12}{23}$ ⑤ $\dfrac{13}{23}$

04 실력 UP

$\dfrac{x-1}{x-2}-\dfrac{x}{x-1}-\dfrac{x+1}{x}+\dfrac{x+2}{x+1}$를 계산하면 $\dfrac{ax+b}{x(x-1)(x-2)(x+1)}$일 때, 상수 a, b에 대하여 $a+b$의 값은?

① 2 ② 4 ③ 6
④ 8 ⑤ 10

05

$x^2+4x+1=0$일 때, $x^4-\dfrac{1}{x^4}$의 값을 구하여라.

(단, $-1<x<0$)

06

$a+\dfrac{1}{b}=1$, $b+\dfrac{1}{3c}=1$일 때, $c+\dfrac{1}{3a}$의 값을 구하여라.

07

$\frac{4}{a}+\frac{3}{b}+\frac{5}{c}=0$을 만족시키는 세 실수 a, b, c에 대하여

$$\frac{2a}{(a+b)(a+c)}+\frac{3b}{(b+c)(b+a)}+\frac{c}{(c+a)(c+b)}$$

의 값을 구하여라. (단, $abc\neq0$)

08

세 실수 a, b, c에 대하여

$$\frac{a-b-2c}{2a}=\frac{b-c-2a}{2b}=\frac{c-a-2b}{2c}$$

가 성립할 때, $\frac{a}{b+2c}+\frac{b}{c+2a}+\frac{c}{a+2b}$의 값은?

(단, $abc\neq0$, $a+b+c\neq0$)

① $-\frac{2}{3}$　② $-\frac{1}{3}$　③ $\frac{1}{3}$
④ $\frac{2}{3}$　⑤ 1

09

$\dfrac{\frac{1}{n+1}-\frac{1}{n+3}}{\frac{1}{n+3}-\frac{1}{n+5}}$이 자연수가 되도록 하는 정수 n의 개수를 구하여라.

10

정의역이 실수 전체의 집합인 함수인 것만을 |보기|에서 있는 대로 고른 것은?

보기	
ㄱ. $y=\frac{1}{3x+2}$	ㄴ. $y=\frac{x+1}{x^2-x+1}$
ㄷ. $y=\frac{3}{x^2-9}$	ㄹ. $y=\frac{x-2}{x^2+1}$

① ㄱ, ㄴ　② ㄱ, ㄹ　③ ㄴ, ㄷ
④ ㄴ, ㄹ　⑤ ㄷ, ㄹ

11

함수 $y=\frac{5}{x}$의 그래프를 x축의 방향으로 3만큼, y축의 방향으로 2만큼 평행이동한 그래프가 점 $(a, 3)$을 지날 때, a의 값은?

① 4　② 5　③ 6
④ 7　⑤ 8

12 |교육청 기출|

자연수 n에 대하여 함수 $f(x)$가 다음과 같다.

$$f(x)=\frac{x+2n^2+n}{x-n}$$

$n=3$일 때, 곡선 $y=f(x)$의 점근선의 방정식이 $x=p$, $y=q$이다. $p+q$의 값은?

① 1　② 2　③ 3
④ 4　⑤ 5

13

두 함수 $y=-\dfrac{kx}{x+2}$, $y=\dfrac{x+3}{x-k}$의 그래프의 점근선으로 둘러싸인 도형의 넓이가 12일 때, 양수 k의 값은?

① 1 ② $\dfrac{3}{2}$ ③ 2
④ $\dfrac{5}{2}$ ⑤ 3

14 | 교육청 기출 |

유리함수 $f(x)=\dfrac{3x+k}{x+4}$의 그래프를 x축의 방향으로 -2만큼, y축의 방향으로 3만큼 평행이동한 곡선을 $y=g(x)$라고 하자. 곡선 $y=g(x)$의 두 점근선의 교점이 곡선 $y=f(x)$ 위의 점일 때, 상수 k의 값은?

① -6 ② -3 ③ 0
④ 3 ⑤ 6

15

함수 $f(x)=\dfrac{a}{x+3}+b$에 대하여 함수 $y=\left|f(x-a)+\dfrac{a}{3}\right|$의 그래프가 y축에 대하여 대칭일 때, $f(b)$의 값을 구하여라.

(단, a, b는 상수이고, $a\neq0$이다.)

16

함수 $y=\dfrac{bx+c}{x+a}$의 그래프가 오른쪽 그림과 같을 때, 상수 a, b, c에 대하여 $a+b+c$의 값을 구하여라.

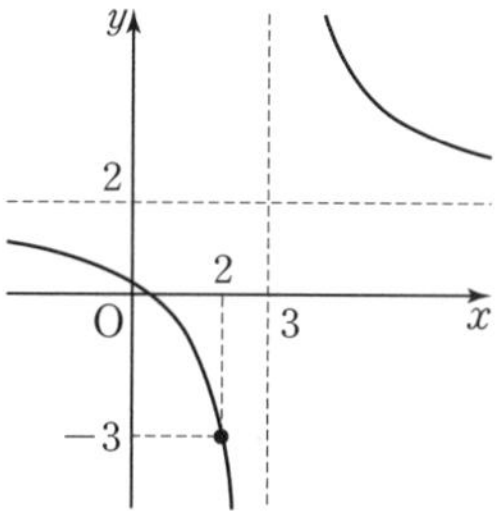

17

함수 $y=\dfrac{a}{x-b}+c$의 그래프가 오른쪽 그림과 같을 때, 다음 중 옳지 <u>않은</u> 것은?

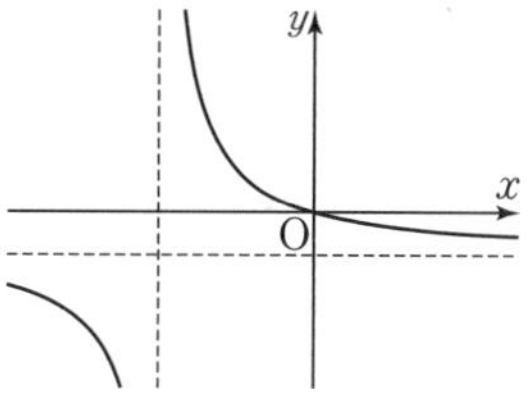

① $a>0$ ② $b<0$
③ $c<0$ ④ $a-b<0$
⑤ $a=bc$

18 실력 UP

함수 $y=\dfrac{2x+n-8}{x+2}$의 그래프가 제4사분면을 지나도록 하는 모든 자연수 n의 값의 합을 구하여라.

19

함수 $f(x)=\frac{x+c}{ax+b}$의 그래프는 점 $(-1, 1)$에 대하여 대칭이고 점 $(0, 2)$를 지난다. $1\le x\le 3$에서 함수 $f(x)$의 최댓값과 최솟값의 합을 구하여라.

(단, a, b, c는 0이 아닌 상수이다.)

20

함수 $y=\frac{x-2}{x+2}$의 그래프와 직선 $y=mx+1$이 한 점에서 만날 때, 양수 m의 값은?

① 1 ② 2 ③ 3
④ 4 ⑤ 5

21

함수 $y=\frac{2x}{x+3}$의 그래프와 직선 $y=mx+2$가 만나지 않도록 하는 실수 m의 값의 범위는?

① $0<m<\frac{8}{3}$ ② $0\le m<\frac{8}{3}$
③ $0<m\le\frac{8}{3}$ ④ $-\frac{8}{3}<m\le 0$
⑤ $-\frac{8}{3}\le m<0$

22 실력 UP

함수 $f(x)=\frac{x-1}{x}$에 대하여

$f^1=f$, $f^{n+1}=f\circ f^n$ (n은 자연수)

으로 정의할 때, $f^{2021}(5)$의 값은?

① -1 ② $-\frac{1}{4}$ ③ $\frac{4}{5}$
④ 1 ⑤ 5

23

유리함수 $f(x)=\frac{x+b}{x-2a}$가 다음 조건을 만족시킨다.

> (가) 함수 $y=f(x)$의 그래프를 x축의 방향으로 -2만큼, y축의 방향으로 2만큼 평행이동하면 역함수 $y=f^{-1}(x)$의 그래프와 일치한다.
> (나) 함수 $y=f(x)$의 그래프를 평행이동하면 함수 $y=\frac{2}{x}$의 그래프와 일치한다.

$2a-b$의 값은? (단, a, b는 상수이다.)

① 1 ② 2 ③ 3
④ 4 ⑤ 5

24

두 함수 $f(x)=\frac{x}{x+2}$, $g(x)=\frac{3x-2}{x}$에 대하여 $(f\circ g^{-1})^{-1}(4)$의 값을 구하여라.

05 무리식과 무리함수

1. 무리식

(1) 무리식: 근호 안에 문자가 포함된 식 중에서 유리식으로 나타낼 수 없는 식

참고 근호 안의 다항식을 완전제곱식으로 나타낼 수 있는 경우는 무리식이 아니다.

예 $\sqrt{x}$, $\sqrt{2x+1}$, $\dfrac{2}{\sqrt{x}-1}$

(2) 무리식의 값이 실수가 될 조건

무리식의 값이 실수가 되려면 근호 안의 식의 값이 양수 또는 0이어야 하므로 무리식을 계산할 때는

(근호 안의 식의 값)≥ 0, (분모의 값)$\neq 0$

인 범위에서만 생각한다.

○ 식 { 유리식 { 다항식, 분수식 }, 무리식 }

○ $\sqrt{f(x)}$가 실수 ➡ $f(x)\geq 0$

$\dfrac{1}{\sqrt{f(x)}}$이 실수 ➡ $f(x)>0$

2. 무리식의 계산

무리식의 계산은 무리수와 같은 방법으로 한다. 이때 다음의 제곱근의 성질과 분모의 유리화 등이 이용된다.

(1) 제곱근의 성질: 두 실수 a, b에 대하여

① $(\sqrt{a})^2=a\ (a\geq 0)$

② $\sqrt{a^2}=|a|=\begin{cases} a & (a\geq 0) \\ -a & (a<0) \end{cases}$

③ $\sqrt{a}\sqrt{b}=\sqrt{ab}\ (a>0,\ b>0)$

④ $\dfrac{\sqrt{b}}{\sqrt{a}}=\sqrt{\dfrac{b}{a}}\ (a>0,\ b>0)$

참고 무리식을 간단히 하는 문제에서 a, b의 부호 대신 $\sqrt{a}\sqrt{b}=-\sqrt{ab}$, $\dfrac{\sqrt{a}}{\sqrt{b}}=-\sqrt{\dfrac{a}{b}}$의 꼴이 주어지면 다음을 이용하여 무리식을 간단히 한다.

(1) $\sqrt{a}\sqrt{b}=-\sqrt{ab}$ ➡ $a\leq 0,\ b\leq 0$

(2) $\dfrac{\sqrt{a}}{\sqrt{b}}=-\sqrt{\dfrac{a}{b}}$ ➡ $a\geq 0,\ b<0$

○ **음수의 제곱근의 성질**

(1) $a<0,\ b<0$ ➡ $\sqrt{a}\sqrt{b}=-\sqrt{ab}$

(2) $a>0,\ b<0$ ➡ $\dfrac{\sqrt{a}}{\sqrt{b}}=-\sqrt{\dfrac{a}{b}}$

(2) 분모의 유리화: 세 실수 a, b, c에 대하여

① $\dfrac{b}{\sqrt{a}}=\dfrac{b\sqrt{a}}{\sqrt{a}\sqrt{a}}=\dfrac{b\sqrt{a}}{a}\ (a>0)$

② $\dfrac{c}{\sqrt{a}+\sqrt{b}}=\dfrac{c(\sqrt{a}-\sqrt{b})}{(\sqrt{a}+\sqrt{b})(\sqrt{a}-\sqrt{b})}=\dfrac{c(\sqrt{a}-\sqrt{b})}{a-b}\ (a>0,\ b>0,\ a\neq b)$

○ **분모의 유리화**

분모에 근호가 포함된 식의 분자, 분모에 적당한 수 또는 식을 곱하여 분모에 근호가 포함되지 않도록 변형하는 것을 분모의 유리화라고 한다.

3. 무리함수

$y=f(x)$에서 $f(x)$가 x에 대한 무리식인 함수

예 $y=\sqrt{x}$, $y=\sqrt{3x+1}$, $y=\dfrac{3}{\sqrt{x}+1}$

참고 무리함수의 정의역이 주어지지 않은 경우에는 근호 안의 식의 값이 0 이상이 되도록 하는 실수 전체의 집합을 정의역으로 한다.

4. 무리함수 $y=\pm\sqrt{ax}$ $(a\neq0)$의 그래프

(1) 무리함수 $y=\sqrt{ax}$ $(a\neq0)$의 그래프

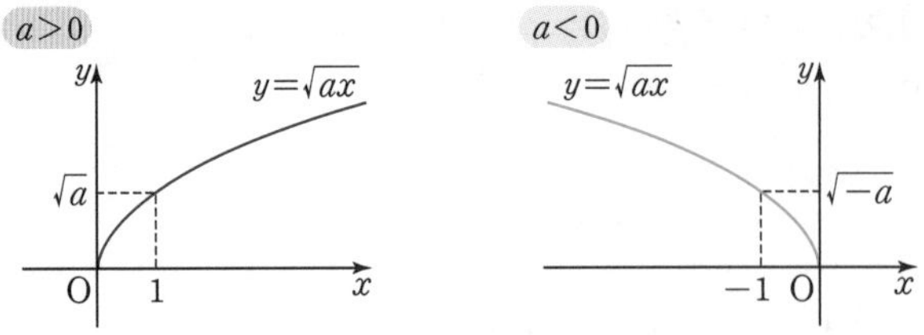

① $a>0$이면 정의역은 $\{x|x\geq0\}$, 치역은 $\{y|y\geq0\}$이고,
$a<0$이면 정의역은 $\{x|x\leq0\}$, 치역은 $\{y|y\geq0\}$이다.

② 함수 $y=\dfrac{x^2}{a}$ $(x\geq0)$의 그래프와 직선 $y=x$에 대하여 대칭이다.

(2) 무리함수 $y=-\sqrt{ax}$ $(a\neq0)$의 그래프

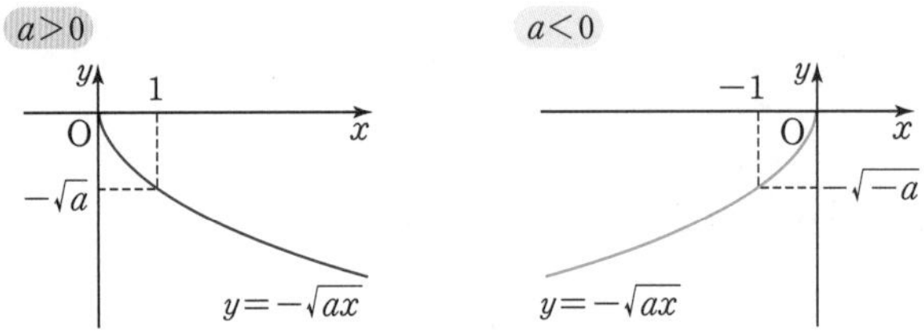

① $a>0$이면 정의역은 $\{x|x\geq0\}$, 치역은 $\{y|y\leq0\}$이고,
$a<0$이면 정의역은 $\{x|x\leq0\}$, 치역은 $\{y|y\leq0\}$이다.

② 함수 $y=\sqrt{ax}$ $(a\neq0)$의 그래프와 x축에 대하여 대칭이다.

참고 함수 $y=-\sqrt{ax}$, $y=\sqrt{-ax}$, $y=-\sqrt{-ax}$의 그래프는 함수 $y=\sqrt{ax}$의 그래프를 각각 x축, y축, 원점에 대하여 대칭이동하여 그릴 수 있다.

○ 함수 $y=\pm\sqrt{ax}$ $(a\neq0)$의 그래프는 $|a|$의 값이 커질수록 x축에서 멀어진다.

○ 함수 $y=\sqrt{ax}$ $(a\neq0)$의 역함수는 $y=\dfrac{x^2}{a}$ $(x\geq0)$이다.

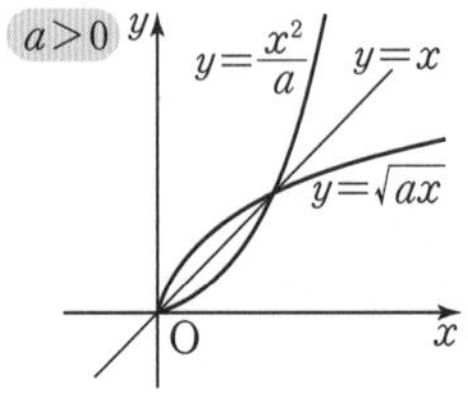

5. 무리함수 $y=\sqrt{a(x-p)}+q$ $(a\neq0)$의 그래프

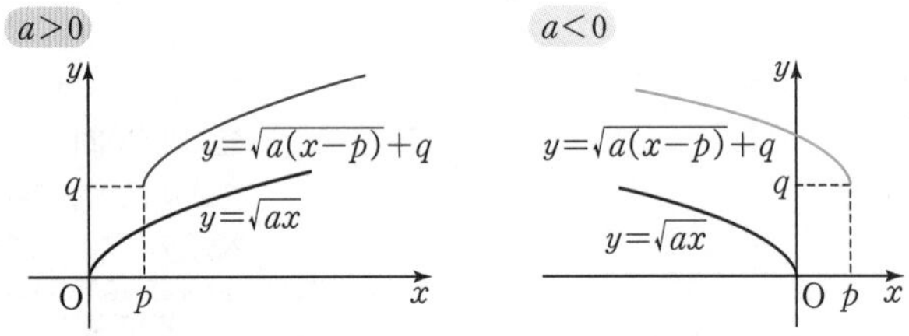

(1) 함수 $y=\sqrt{ax}$의 그래프를 x축의 방향으로 p만큼, y축의 방향으로 q만큼 평행이동한 것이다.

(2) $a>0$이면 정의역은 $\{x|x\geq p\}$, 치역은 $\{y|y\geq q\}$이고,
$a<0$이면 정의역은 $\{x|x\leq p\}$, 치역은 $\{y|y\geq q\}$이다.

○ **무리함수 $y=-\sqrt{a(x-p)}+q$ $(a\neq0)$의 그래프**

(1) 함수 $y=-\sqrt{ax}$의 그래프를 x축의 방향으로 p만큼, y축의 방향으로 q만큼 평행이동한 것이다.

(2) $a>0$이면
정의역: $\{x|x\geq p\}$, 치역: $\{y|y\leq q\}$
$a<0$이면
정의역: $\{x|x\leq p\}$, 치역: $\{y|y\leq q\}$

6. 무리함수 $y=\sqrt{ax+b}+c$ $(a\neq0)$의 그래프

$y=\sqrt{a(x-p)}+q$의 꼴로 변형하여 그린다.

○ $y=\sqrt{ax+b}+c=\sqrt{a\left(x+\dfrac{b}{a}\right)}+c$
이므로 $y=\sqrt{ax+b}+c$의 그래프는 $y=\sqrt{ax}$의 그래프를 x축의 방향으로 $-\dfrac{b}{a}$만큼, y축의 방향으로 c만큼 평행이동한 것이다.

유형 01 무리식의 값이 실수가 되기 위한 조건

$\sqrt{2x^2-5x+2}$의 값이 실수가 되도록 하는 10보다 작은 자연수 x의 개수는?

① 4 ② 5 ③ 6
④ 7 ⑤ 8

풀이

$2x^2-5x+2\geq0$에서

$(2x-1)(x-2)\geq0$

$\therefore x\leq\frac{1}{2}$ 또는 $x\geq2$

따라서 10보다 작은 자연수 x는 2, 3, 4, $\cdots$, 9의 8개이다.

답 ⑤

001

다음 무리식의 값이 실수가 되도록 하는 실수 x의 값의 범위를 구하여라.

(1) $2x+\sqrt{x+5}$

(2) $\sqrt{x-3}+\sqrt{x+2}$

(3) $\sqrt{6+3x}-\sqrt{4-x}$

(4) $\frac{\sqrt{x+3}}{\sqrt{6-x}}$

002

$\sqrt{3-x}+\frac{3}{\sqrt{3x+7}}$의 값이 실수가 되도록 하는 모든 정수 x의 값의 합을 구하여라.

003

$\frac{\sqrt{8-2x}}{x-3}$의 값이 실수가 되도록 하는 자연수 x의 개수는?

① 1 ② 2 ③ 3
④ 4 ⑤ 5

004 서술형

무리식 $\sqrt{x+2}-\sqrt{1-x}$의 값이 실수가 되도록 하는 실수 x에 대하여 $|x-3|+|x+4|$를 간단히 하여라.

유형 02 무리식의 계산

$\frac{x}{\sqrt{x+1}-1}+\frac{x}{\sqrt{x+1}+1}$를 간단히 하면?

① $-2\sqrt{x+1}$ ② $-2x$ ③ 1
④ $2x$ ⑤ $2\sqrt{x+1}$

풀이

$\frac{x}{\sqrt{x+1}-1}+\frac{x}{\sqrt{x+1}+1}$
$=\frac{x(\sqrt{x+1}+1)}{(\sqrt{x+1}-1)(\sqrt{x+1}+1)}+\frac{x(\sqrt{x+1}-1)}{(\sqrt{x+1}+1)(\sqrt{x+1}-1)}$
$=(\sqrt{x+1}+1)+(\sqrt{x+1}-1)$
$=2\sqrt{x+1}$

답 ⑤

005

다음 식을 계산하여라.

(1) $(\sqrt{2x+1}-1)(\sqrt{2x+1}+1)$
(2) $(\sqrt{x+3}+\sqrt{x-3})(\sqrt{x+3}-\sqrt{x-3})$

006

다음 식의 분모를 유리화하여라.

(1) $\frac{\sqrt{x}-\sqrt{y}}{\sqrt{x}+\sqrt{y}}$
(2) $\frac{\sqrt{x+2}+\sqrt{x}}{\sqrt{x+2}-\sqrt{x}}$

007

$-2<a<1$일 때, $\sqrt{a^2+4a+4}+\sqrt{a^2-2a+1}$을 간단히 하면?

① $-2a$ ② -3 ③ 1
④ 3 ⑤ $2a$

008 서술형

$a>1$이고 $x=a+\frac{1}{a}$일 때, $\sqrt{x^2-4}-x$를 a에 대한 식으로 나타내어라.

009 |교육청 기출|

임의의 양수 a, b에 대하여 $\frac{1}{a+\sqrt{ab}}+\frac{1}{b+\sqrt{ab}}$을 간단히 하면?

① $\sqrt{a}-\sqrt{b}$ ② $\sqrt{a}+\sqrt{b}$ ③ $\sqrt{ab}$
④ $\frac{1}{\sqrt{ab}}$ ⑤ $\frac{1}{\sqrt{a}+\sqrt{b}}$

010

$\sqrt{x+1}\sqrt{4-y}=-\sqrt{(x+1)(4-y)}$를 만족시키는 실수 x, y에 대하여

$$\sqrt{(x+1)^2}+|4-y|-\sqrt{(x-y)^2}$$

을 간단히 하여라. (단, $x\neq-1$, $y\neq4$)

011

$\frac{\sqrt{a-3}}{\sqrt{a-7}}=-\sqrt{\frac{a-3}{a-7}}$을 만족시키는 실수 a에 대하여 $\sqrt{(a-3)^2}+\sqrt{(a-7)^2}$을 간단히 하면?

① -10　② 4　③ 10
④ $10-2a$　⑤ $2a+4$

012

$\frac{\sqrt{2+x}-\sqrt{2-x}}{\sqrt{2+x}+\sqrt{2-x}}+\frac{\sqrt{2+x}+\sqrt{2-x}}{\sqrt{2+x}-\sqrt{2-x}}=\frac{k}{x}$일 때, 상수 k의 값은?

① -4　② -2　③ 1
④ 2　⑤ 4

유형 03 무리식의 값

$x=\sqrt{7}$일 때, $\frac{\sqrt{4+x}-\sqrt{4-x}}{\sqrt{4+x}+\sqrt{4-x}}$의 값을 구하여라.

풀이

$$\frac{\sqrt{4+x}-\sqrt{4-x}}{\sqrt{4+x}+\sqrt{4-x}}$$
$$=\frac{(\sqrt{4+x}-\sqrt{4-x})^2}{(\sqrt{4+x}+\sqrt{4-x})(\sqrt{4+x}-\sqrt{4-x})}$$
$$=\frac{(4+x)+(4-x)-2\sqrt{16-x^2}}{(4+x)-(4-x)}$$
$$=\frac{8-2\sqrt{16-x^2}}{2x}=\frac{4-\sqrt{16-x^2}}{x}$$
$$=\frac{4-\sqrt{16-(\sqrt{7})^2}}{\sqrt{7}}=\frac{4-\sqrt{9}}{\sqrt{7}}$$
$$=\frac{4-3}{\sqrt{7}}=\frac{1}{\sqrt{7}}=\frac{\sqrt{7}}{7}$$

답 $\frac{\sqrt{7}}{7}$

013

$x=\sqrt{5}$일 때, $\frac{1}{\sqrt{x}-1}-\frac{1}{\sqrt{x}+1}$의 값을 구하여라.

014 | 교육청 기출 |

$x=8$일 때, $\frac{1}{\sqrt{x+1}+\sqrt{x}}+\frac{1}{\sqrt{x+1}-\sqrt{x}}$의 값은?

① 5　② 6　③ 7
④ 8　⑤ 9

015 서술형

자연수 x에 대하여 $f(x)=\dfrac{1}{\sqrt{x+2}+\sqrt{x+1}}$일 때,

$$f(1)+f(2)+f(3)+\cdots+f(398)=a+b\sqrt{2}$$

이다. 유리수 a, b에 대하여 $a+b$의 값을 구하여라.

016

$x=\dfrac{1}{\sqrt{5}-2}$일 때, $\dfrac{\sqrt{x}+1}{\sqrt{x}-1}+\dfrac{\sqrt{x}-1}{\sqrt{x}+1}$의 값은?

① $1-\sqrt{5}$ ② $2-\sqrt{5}$ ③ $\sqrt{5}-1$
④ $1+\sqrt{5}$ ⑤ $2+\sqrt{5}$

017

$x=\dfrac{2-\sqrt{3}}{2+\sqrt{3}}$, $y=\dfrac{2+\sqrt{3}}{2-\sqrt{3}}$일 때, $\dfrac{\sqrt{x}}{\sqrt{x}-\sqrt{y}}-\dfrac{\sqrt{y}}{\sqrt{x}+\sqrt{y}}$의 값은?

① $-\dfrac{7\sqrt{3}}{12}$ ② $-\dfrac{\sqrt{3}}{2}$ ③ $-\dfrac{5\sqrt{3}}{12}$
④ $-\dfrac{\sqrt{3}}{3}$ ⑤ $-\dfrac{\sqrt{3}}{4}$

유형 04 무리함수의 뜻

무리함수가 아닌 것만을 |보기|에서 있는 대로 고른 것은?

|보기|
ㄱ. $y=\sqrt{5x}$ ㄴ. $y=\sqrt{3}-x$
ㄷ. $y=\sqrt{1-x^2}$ ㄹ. $y=\sqrt{x^2-4x+4}$

① ㄱ, ㄴ ② ㄱ, ㄹ ③ ㄴ, ㄷ
④ ㄴ, ㄹ ⑤ ㄷ, ㄹ

풀이
ㄴ. $y=\sqrt{3}-x$는 다항함수이다.
ㄹ. $y=\sqrt{x^2-4x+4}=\sqrt{(x-2)^2}=|x-2|$이므로 무리함수가 아니다.
따라서 무리함수가 아닌 것은 ㄴ, ㄹ이다.

답 ④

018

무리함수인 것만을 |보기|에서 있는 대로 고른 것은?

|보기|
ㄱ. $y=-\sqrt{6x}$ ㄴ. $y=\sqrt{4-x}$
ㄷ. $y=\sqrt{2}x-1$ ㄹ. $y=\dfrac{x+1}{\sqrt{x}-1}$

① ㄱ ② ㄱ, ㄷ ③ ㄴ, ㄷ
④ ㄱ, ㄴ, ㄹ ⑤ ㄴ, ㄷ, ㄹ

019

다음 함수의 정의역을 구하여라.

(1) $y=\sqrt{x+3}$ (2) $y=\sqrt{5-2x}$
(3) $y=-\sqrt{4x-3}$ (4) $y=\sqrt{-3x+6}+1$

유형 05 무리함수의 그래프

함수 $y=\sqrt{-3x+2}+a$의 정의역이 $\{x|x\le b\}$이고 치역이 $\{y|y\ge -3\}$일 때, ab의 값을 구하여라.
(단, a, b는 상수이다.)

풀이

$-3x+2\ge 0$에서 $x\le \frac{2}{3}$

따라서 주어진 함수의 정의역이 $\left\{x\middle|x\le\frac{2}{3}\right\}$, 치역이 $\{y|y\ge a\}$

이므로 $a=-3$, $b=\frac{2}{3}$

$\therefore ab=-3\times\frac{2}{3}=-2$

답 -2

020

다음 함수의 그래프를 그리고, 정의역과 치역을 각각 구하여라.

(1) $y=\sqrt{-4x}$

(2) $y=\sqrt{2(x-1)}+1$

(3) $y=-\sqrt{3(x+1)}+2$

021

다음 함수의 그래프를 그리고, 정의역과 치역을 각각 구하여라.

(1) $y=\sqrt{-x+2}-1$

(2) $y=-\sqrt{4x+8}+2$

022

함수 $y=\sqrt{3x+9}-1$의 정의역이 $\{x|x\ge p\}$, 치역이 $\{y|y\ge q\}$일 때, $\frac{p}{q}$의 값은?

① 1 ② 3 ③ 5
④ 7 ⑤ 9

023 | 교육청 기출 |

무리함수 $y=\sqrt{x+1}+k$의 그래프가 점 $(3, 7)$을 지날 때, 상수 k의 값은?

① 1 ② 2 ③ 3
④ 4 ⑤ 5

024 서술형

함수 $y=-\sqrt{mx+12}+n$의 그래프가 점 $(-2, 3)$을 지나고 정의역이 $\{x|x\ge -3\}$일 때, 이 함수의 치역을 구하여라.

유형 06 무리함수의 그래프의 평행이동과 대칭이동

함수 $y=\sqrt{8-4x}$의 그래프를 x축의 방향으로 p만큼, y축의 방향으로 q만큼 평행이동하면 함수 $y=\sqrt{12-4x}+3$의 그래프와 겹쳐진다. 상수 p, q에 대하여 $p+q$의 값을 구하여라.

풀이

함수 $y=\sqrt{8-4x}$의 그래프를 x축의 방향으로 p만큼, y축의 방향으로 q만큼 평행이동한 그래프의 식은

$y=\sqrt{8-4(x-p)}+q=\sqrt{8+4p-4x}+q$

이것이 $y=\sqrt{12-4x}+3$과 일치하므로

$8+4p=12$, $q=3$

$\therefore p=1$, $q=3$

$\therefore p+q=1+3=4$

답 4

025 | 교육청 기출 |

함수 $y=\sqrt{2x}$의 그래프를 x축의 방향으로 1만큼, y축의 방향으로 3만큼 평행이동한 그래프가 점 $(9, a)$를 지날 때, a의 값은?

① 5 ② 6 ③ 7
④ 8 ⑤ 9

026

함수 $y=\sqrt{a-3x}-2$의 그래프를 x축의 방향으로 -2만큼, y축의 방향으로 1만큼 평행이동한 그래프가 점 $(-1, 2)$를 지날 때, 상수 a의 값을 구하여라.

027

함수 $y=-\sqrt{2x-3}+1$의 그래프를 원점에 대하여 대칭이동한 그래프가 점 $(-2, a)$를 지날 때, a의 값은?

① -2 ② -1 ③ 0
④ 1 ⑤ 2

028

함수 $y=\sqrt{3-x}-2$의 그래프를 x축의 방향으로 k만큼 평행이동한 그래프가 y축과 $y>0$에서 만날 때, 실수 k의 값의 범위를 구하여라.

029

함수 $y=\sqrt{a(x+2)}-3$의 그래프를 x축의 방향으로 b만큼, y축의 방향으로 c만큼 평행이동한 그래프가 함수 $y=\sqrt{18-6x}+5$의 그래프와 일치할 때, $a+b+c$의 값은?

① 3 ② 7 ③ 10
④ 13 ⑤ 18

030

함수 $y=-\sqrt{2x+1}$의 그래프를 x축에 대하여 대칭이동한 후 x축의 방향으로 3만큼, y축의 방향으로 -2만큼 평행이동한 그래프의 식을 구하여라.

031

다음 함수 중 그 그래프가 평행이동 또는 대칭이동에 의하여 함수 $y=\sqrt{-2x}$의 그래프와 겹쳐지지 않는 것은?

① $y=\sqrt{2x-1}$
② $y=\sqrt{-2x}+3$
③ $y=-\sqrt{4-2x}+1$
④ $y=\sqrt{4x-8}+2$
⑤ $y=\sqrt{2x-6}-5$

032 서술형

함수 $y=\sqrt{-x+3}$의 그래프를 x축의 방향으로 -1만큼, y축의 방향으로 3만큼 평행이동한 후 y축에 대하여 대칭이동하면 함수 $y=\sqrt{ax+b}+c$의 그래프와 일치한다. 상수 a, b, c에 대하여 $a+b+c$의 값을 구하여라.

유형 07 그래프를 이용하여 무리함수의 식 구하기

함수 $y=\sqrt{ax+b}+c$의 그래프가 오른쪽 그림과 같을 때, 상수 a, b, c에 대하여 $a+b+c$의 값을 구하여라.

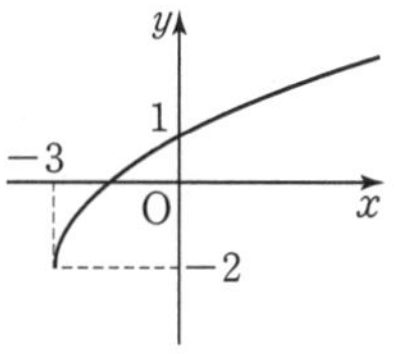

풀이

주어진 그래프는 함수 $y=\sqrt{ax}$ $(a>0)$의 그래프를 x축의 방향으로 -3만큼, y축의 방향으로 -2만큼 평행이동한 것이므로

$y=\sqrt{a(x+3)}-2$ $(a>0)$

로 놓을 수 있다.

이 함수의 그래프가 점 $(0, 1)$을 지나므로

$1=\sqrt{3a}-2$, $\sqrt{3a}=3$, $3a=9$ $\quad\therefore a=3$

따라서 주어진 함수의 식은

$y=\sqrt{3(x+3)}-2=\sqrt{3x+9}-2$

이므로 $a=3$, $b=9$, $c=-2$

$\therefore a+b+c=3+9+(-2)=10$

답 10

033 | 교육청 기출 |

무리함수 $f(x)=\sqrt{x+a}+b$의 그래프가 오른쪽 그림과 같을 때, $f(7)$의 값은? (단, a, b는 상수이다.)

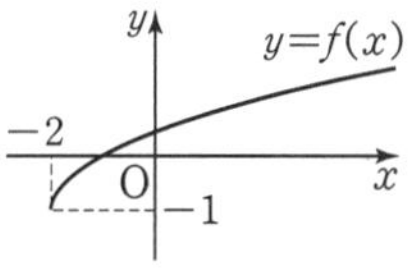

① $\frac{3}{2}$ ② 2 ③ $\frac{5}{2}$
④ 3 ⑤ $\frac{7}{2}$

034

함수 $y=a\sqrt{-x+b}+c$의 그래프가 오른쪽 그림과 같을 때, 상수 a, b, c에 대하여 $a+b+c$의 값을 구하여라.

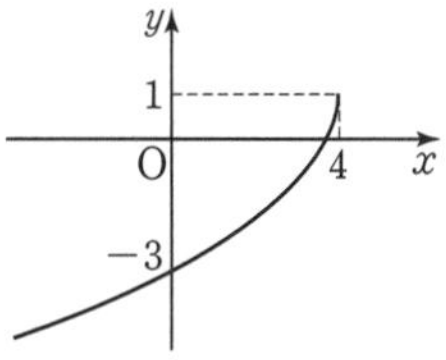

035

함수 $y=\sqrt{b(x+a)}+c$의 그래프가 오른쪽 그림과 같을 때, 상수 a, b, c에 대하여 $(a+b)c$의 값을 구하여라.

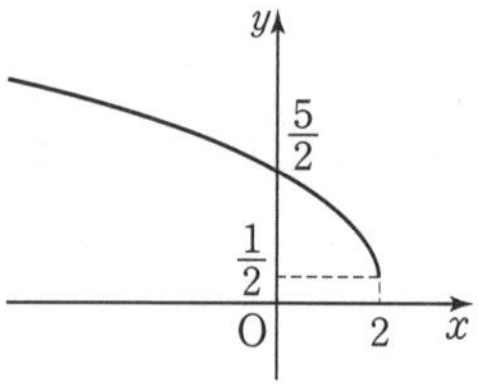

036

함수 $f(x)=a\sqrt{x+b}+c$의 그래프가 오른쪽 그림과 같을 때, $f(k)=-3$을 만족시키는 k의 값을 구하여라.

(단, a, b, c는 상수이다.)

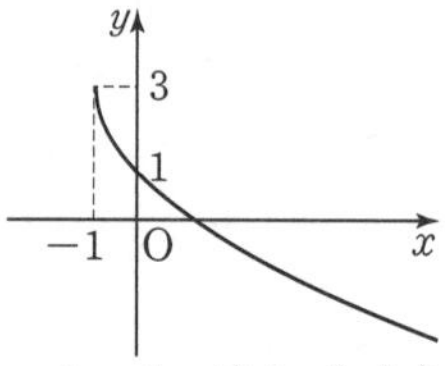

037

함수 $y=\sqrt{ax+b}+c$의 그래프가 오른쪽 그림과 같을 때, 상수 a, b, c의 부호는?

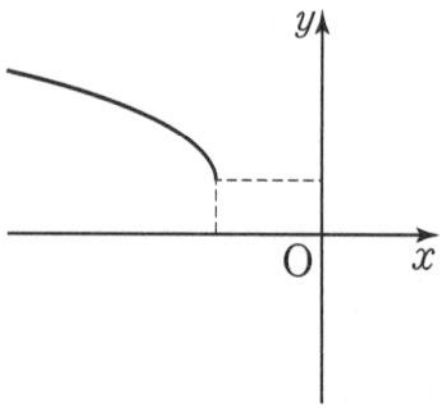

① $a>0$, $b>0$, $c>0$
② $a>0$, $b<0$, $c>0$
③ $a>0$, $b>0$, $c<0$
④ $a<0$, $b>0$, $c>0$
⑤ $a<0$, $b<0$, $c>0$

유형 08 무리함수의 그래프의 성질

다음 중 함수 $y=\sqrt{-2x+6}-2$와 그 그래프에 대한 설명으로 옳지 않은 것은?

① 점 $(1, 0)$을 지난다.
② 정의역은 $\{x|x\le 3\}$이다.
③ 치역은 $\{y|y\ge -2\}$이다.
④ 제3사분면을 지나지 않는다.
⑤ 그래프는 $y=\sqrt{2x}$의 그래프를 평행이동한 것이다.

풀이

⑤ $y=\sqrt{-2x+6}-2=\sqrt{-2(x-3)}-2$
따라서 함수 $y=\sqrt{-2x+6}-2$의 그래프는 $y=\sqrt{-2x}$의 그래프를 x축의 방향으로 3만큼, y축의 방향으로 -2만큼 평행이동한 것이다.

답 ⑤

참고 $y=\sqrt{-2x+6}-2$의 그래프는 오른쪽 그림과 같다.

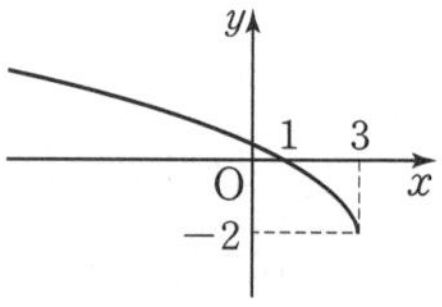

038

함수 $y=a\sqrt{-x}\ (a\ne 0)$에 대한 설명으로 옳은 것만을 |보기|에서 있는 대로 고른 것은?

| 보기 |
ㄱ. $a>0$이면 그래프는 제2사분면을 지난다.
ㄴ. 정의역은 $\{x|x\le 0\}$이다.
ㄷ. $a<0$이면 치역은 $\{y|y\ge 0\}$이다.
ㄹ. 그래프는 함수 $y=a\sqrt{x}$의 그래프와 원점에 대하여 대칭이다.

① ㄱ, ㄴ ② ㄱ, ㄷ ③ ㄱ, ㄹ
④ ㄴ, ㄷ ⑤ ㄷ, ㄹ

039

함수 $y=\sqrt{4x+2}-1$의 그래프가 지나는 사분면을 모두 구하여라.

040

다음 중 그 그래프가 제2사분면을 지나지 않는 것은?

① $y=\sqrt{x+4}+2$
② $y=\sqrt{2-x}-1$
③ $y=-\sqrt{x+3}+3$
④ $y=-\sqrt{5-2x}+1$
⑤ $y=-\sqrt{3x+4}+2$

041 서술형

함수 $y=\sqrt{-2x+6}+k$의 그래프가 제3사분면을 지나도록 하는 정수 k의 최댓값을 구하여라.

042

직선 $y=ax+b$가 오른쪽 그림과 같을 때, 함수 $y=\sqrt{x+a}+b$의 그래프가 지나는 사분면을 모두 구하여라.

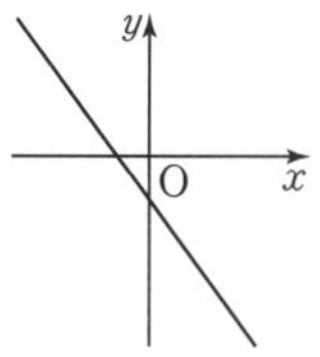

043

다음 그림은 네 함수 $y=\sqrt{ax}$, $y=\sqrt{bx}$, $y=\sqrt{cx}$, $y=\sqrt{dx}$의 그래프이다. 상수 a, b, c, d의 대소 관계로 옳은 것은?

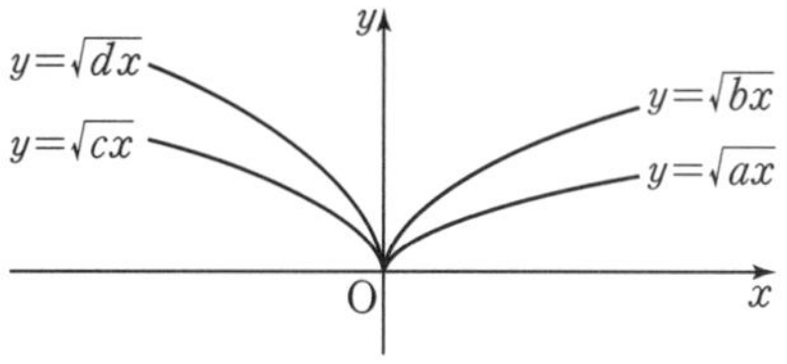

① $a<b<c<d$
② $b<c<a<d$
③ $b<d<c<a$
④ $c<d<a<b$
⑤ $d<c<a<b$

044

함수 $y=\dfrac{k}{x-4}+5$의 그래프가 모든 사분면을 지나고, 함수 $y=-\sqrt{3x+k}+6$의 그래프가 제1사분면, 제2사분면, 제4사분면을 지나도록 하는 정수 k의 개수를 구하여라.

유형 09 무리함수의 최대·최소

$-3\le x\le 4$에서 함수 $y=\sqrt{3x+k}+2$의 최솟값이 4일 때, 최댓값을 구하여라. (단, k는 상수이다.)

풀이

$y=\sqrt{3x+k}+2=\sqrt{3\left(x+\frac{k}{3}\right)}+2$

$y=\sqrt{3x+k}+2$의 그래프는 $y=\sqrt{3x}$의 그래프를 x축의 방향으로 $-\frac{k}{3}$만큼, y축의 방향으로 2만큼 평행이동한 것이다.

$-3\le x\le 4$에서 $y=\sqrt{3x+k}+2$의 그래프는 오른쪽 그림과 같으므로 $x=-3$에서 최솟값 4를 갖는다.

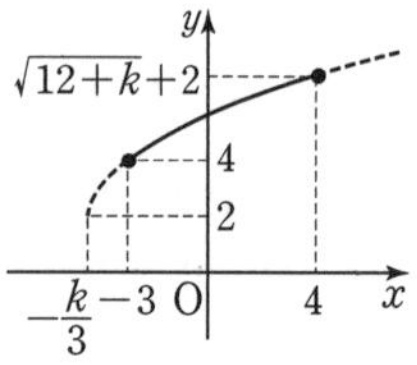

즉, $\sqrt{-9+k}+2=4$이므로

$\sqrt{-9+k}=2$, $-9+k=4$

$\therefore k=13$

따라서 주어진 함수는 $y=\sqrt{3x+13}+2$이고 $x=4$에서 최댓값을 가지므로 구하는 최댓값은

$\sqrt{3\times4+13}+2=5+2=7$

답 7

045

함수 $y=\sqrt{-8-4x}+a$가 $x=b$에서 최솟값 -3을 가질 때, $a-b$의 값은? (단, a는 상수이다.)

① -2 ② -1 ③ 0
④ 1 ⑤ 2

046

함수 $f(x)=-\sqrt{2x+a}+5$는 $x=-3$일 때 최댓값 b를 갖는다. $a+b$의 값을 구하여라. (단, a는 상수이다.)

047 | 교육청 기출 |

정의역이 $\{x\mid -3\le x\le 5\}$인 무리함수 $y=\sqrt{x+4}+5$의 최솟값은?

① 5 ② 6 ③ 7
④ 8 ⑤ 9

048

$-4\le x\le a$에서 함수 $y=\sqrt{1-2x}+3$의 최댓값이 b, 최솟값이 4일 때, $a+b$의 값은?

① 2 ② 4 ③ 6
④ 8 ⑤ 10

049 서술형

$-2\le x\le 5$에서 정의된 함수 $f(x)=\sqrt{k-x}-3$의 최댓값이 1일 때, 최솟값을 구하여라. (단, k는 상수이다.)

유형 10 무리함수의 역함수

함수 $y=\sqrt{x-3}+1$의 역함수가 $y=x^2+ax+b\ (x\geq c)$일 때, 상수 a, b, c에 대하여 $a+b+c$의 값은?

① 1 ② 2 ③ 3
④ 4 ⑤ 5

풀이

함수 $y=\sqrt{x-3}+1$의 치역은 $\{y|y\geq 1\}$이므로 역함수의 정의역은 $\{x|x\geq 1\}$이다.

$y=\sqrt{x-3}+1$에서 $y-1=\sqrt{x-3}$

$x-3=(y-1)^2 \qquad \therefore x=(y-1)^2+3$

x와 y를 서로 바꾸면 주어진 함수의 역함수는

$y=(x-1)^2+3=x^2-2x+4\ (x\geq 1)$

따라서 $a=-2$, $b=4$, $c=1$이므로

$a+b+c=-2+4+1=3$

답 ③

풍쌤 유형 TIP

무리함수 $y=\sqrt{ax+b}+c\ (a\neq 0)$의 역함수는 다음과 같은 순서로 구한다.

① x를 y에 대한 식으로 나타낸다. ➡ $x=\frac{1}{a}\{(y-c)^2-b\}$

② x와 y를 서로 바꾼다. ➡ $y=\frac{1}{a}\{(x-c)^2-b\}$

③ $y=\sqrt{ax+b}+c$의 치역이 $\{y|y\geq c\}$이므로 역함수의 정의역은 $\{x|x\geq c\}$이다.

050

다음 함수의 역함수를 구하여라.

(1) $y=\sqrt{x+1}$

(2) $y=-\sqrt{x-4}+3$

051 |교육청 기출|

함수 $f(x)=\sqrt{2x-4}+3$에 대하여 $f^{-1}(5)$의 값은?

① $\frac{5}{2}$ ② 3 ③ $\frac{7}{2}$
④ 4 ⑤ $\frac{9}{2}$

052 서술형

함수 $y=\sqrt{ax+b}$의 그래프와 그 역함수의 그래프가 모두 점 $(3, 2)$를 지날 때, 상수 a, b에 대하여 $a+b$의 값을 구하여라.

053

함수 $f(x)=\sqrt{x+6}$과 그 역함수 $y=f^{-1}(x)$의 그래프의 교점의 좌표를 (a, b)라고 할 때, ab의 값은?

① 1 ② 4 ③ 9
④ 16 ⑤ 25

실력을 높이는 연습 문제

01

$\frac{\sqrt{x^2-x+1}+\sqrt{4-2x}}{\sqrt{3x-4}}$의 값이 실수가 되도록 하는 실수 x의 값의 범위는?

① $x\leq 2$　② $x>\frac{4}{3}$　③ $0<x<\frac{4}{3}$
④ $\frac{4}{3}<x\leq 2$　⑤ $\frac{4}{3}\leq x\leq 2$

02

$\sqrt{x+4}-\sqrt{5-x}$의 값이 실수가 되도록 하는 실수 x에 대하여 $\sqrt{x^2-10x+25}+|x+6|$을 간단히 하여라.

03

모든 실수 x에 대하여 $\sqrt{(k+2)x^2-(k+2)x+3}$의 값이 실수가 되게 하는 정수 k의 개수는?

① 11　② 12　③ 13
④ 14　⑤ 15

04 | 교육청 기출 |

실수 x에 대한 두 조건

p: $\frac{\sqrt{x+3}}{\sqrt{x-12}}=-\sqrt{\frac{x+3}{x-12}}$

q: $-5<x<n-4$

에 대하여 p는 q이기 위한 충분조건일 때, 상수 n의 최솟값을 구하여라.

05

$x=\sqrt{6}+\sqrt{5}$, $y=\sqrt{6}-\sqrt{5}$일 때, $\frac{\sqrt{y}}{\sqrt{x}}+\frac{\sqrt{x}}{\sqrt{y}}$의 값은?

① $-2\sqrt{6}$　② $-2\sqrt{5}$　③ $\frac{\sqrt{6}}{2}$
④ $2\sqrt{5}$　⑤ $2\sqrt{6}$

06

$x=\sqrt{5}-2$일 때, $(x-1)(x+5)(x^2+4x+9)$의 값을 구하여라.

07

함수 $y=\frac{bx+4}{x+a}$의 그래프의 점근선의 방정식이 $x=2$, $y=-3$일 때, 함수 $y=\sqrt{ax+b}$의 정의역을 구하여라.

(단, a, b는 상수이다.)

08

함수 $y=\frac{-2x+5}{x-3}$의 그래프는 $y=\frac{a}{x}$의 그래프를 x축의 방향으로 b만큼, y축의 방향으로 c만큼 평행이동한 것이다. 함수 $y=\sqrt{ax+b}+c$의 치역은?

(단, a, b, c는 상수이다.)

① $\{y|y\leq -2\}$
② $\{y|y\leq 2\}$
③ $\{y|y\geq -2\}$
④ $\{y|y\geq 2\}$
⑤ $\{y|y\geq -1\}$

09 | 교육청 기출 |

$3\leq x\leq 5$에서 정의된 두 함수 $y=\frac{-2x+4}{x-1}$와 $y=\sqrt{3x}+k$의 그래프가 한 점에서 만나도록 하는 실수 k의 최댓값을 M이라고 할 때, M^2의 값을 구하여라.

10

함수 $y=\sqrt{2x+7}-1$의 그래프는 함수 $y=\sqrt{-2x+1}$의 그래프를 x축의 방향으로 p만큼, y축의 방향으로 q만큼 평행이동한 후 y축에 대하여 대칭이동한 것이라고 할 때, 함수 $y=\frac{6x+q}{px+6}$의 그래프가 점 (a, b)에 대하여 대칭이라고 한다. 이때 $pq+ab$의 값을 구하여라.

11 실력UP

유리함수 $y=\frac{b}{x+a}+c$의 그래프가 오른쪽 그림과 같을 때, 무리함수 $y=\sqrt{ax+b}+c$의 그래프의 개형은? (단, a, b, c는 상수이다.)

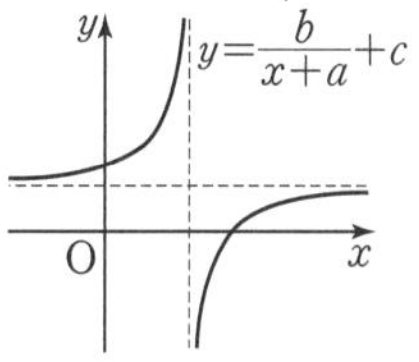

①
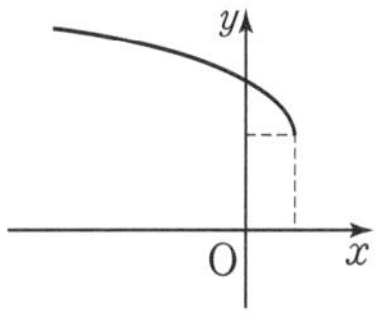

②
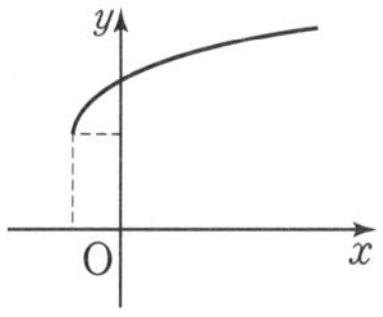

③
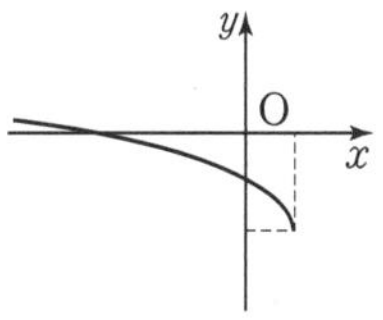

④
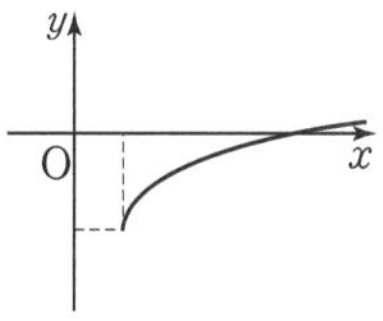

⑤
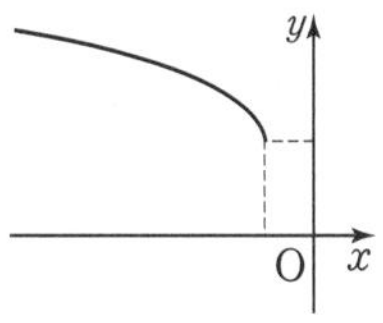

12

그래프가 평행이동 또는 대칭이동에 의하여 함수 $y=\sqrt{x}$의 그래프와 겹쳐지는 것만을 |보기|에서 있는 대로 고른 것은?

| 보기 |

ㄱ. $y=\sqrt{3x+1}$　　ㄴ. $y=\sqrt{1-x}$

ㄷ. $y=-\sqrt{4-x}$　　ㄹ. $y=\sqrt{2x+1}-1$

① ㄱ, ㄴ　② ㄱ, ㄹ　③ ㄴ, ㄷ
④ ㄴ, ㄹ　⑤ ㄷ, ㄹ

13 |교육청 기출| 실력 UP

좌표평면 위의 두 곡선

$$y=-\sqrt{kx+2k}+4,\ y=\sqrt{-kx+2k}-4$$

에 대하여 |보기|에서 옳은 것만을 있는 대로 고른 것은?

| 보기 |

ㄱ. 두 곡선은 서로 원점에 대하여 대칭이다.
ㄴ. $k<0$이면 두 곡선은 한 점에서 만난다.
ㄷ. 두 곡선이 서로 다른 두 점에서 만나도록 하는 k의 최댓값은 16이다.

① ㄱ　② ㄴ　③ ㄱ, ㄴ
④ ㄱ, ㄷ　⑤ ㄱ, ㄴ, ㄷ

14

$-\frac{9}{2}\leq x\leq 3$에서 무리함수 $f(x)=a\sqrt{7-2x}+b$의 최댓값이 11, 최솟값이 5일 때, 상수 a, b에 대하여 $a-b$의 최솟값을 구하여라.

15

함수 $y=\sqrt{ax}\ (a\neq 0)$의 그래프를 x축의 방향으로 2만큼, y축의 방향으로 -3만큼 평행이동한 그래프가 직선 $y=x-6$에 접할 때, 실수 a의 값을 구하여라.

16 실력 UP

함수 $f(x)=\sqrt{2x-a}+1$의 그래프와 그 역함수 $y=f^{-1}(x)$의 그래프의 두 교점 사이의 거리가 $2\sqrt{2}$일 때, 상수 a의 값은?

① 1　② 2　③ 3
④ 4　⑤ 5

17

정의역이 $\{x|x>2\}$인 두 함수 $f(x)=\frac{x+2}{x-2}$, $g(x)=\sqrt{4x-2}$에 대하여 $(f\circ(g\circ f)^{-1}\circ f)(4)$의 값은?

① 2　② $\frac{9}{4}$　③ $\frac{5}{2}$
④ $\frac{11}{4}$　⑤ 3

Ⅵ

경우의 수

06 순열

1. 경우의 수

(1) 합의 법칙: 두 사건 A, B가 동시에 일어나지 않을 때, 사건 A, B가 일어나는 경우의 수가 각각 m, n이면
(사건 A 또는 사건 B가 일어나는 경우의 수)$=m+n$

참고 합의 법칙은 어느 두 사건도 동시에 일어나지 않는 셋 이상의 사건에 대해서도 성립한다.

(2) 곱의 법칙: 두 사건 A, B에 대하여 사건 A가 일어나는 경우의 수가 m이고 그 각각에 대하여 사건 B가 일어나는 경우의 수가 n일 때,
(두 사건 A, B가 잇달아 일어나는 경우의 수)$=m\times n$

참고 곱의 법칙은 잇달아 일어나는 셋 이상의 사건에 대해서도 성립한다.

☼ 사건
실험이나 관찰에 의하여 일어나는 결과를 사건이라고 한다.

☼ 두 사건 A, B가 일어나는 경우의 수가 각각 m, n이고 두 사건 A, B가 동시에 일어나는 경우의 수가 l이면 사건 A 또는 B가 일어나는 경우의 수는
$m+n-l$

☼ '또는', '~이거나' ➡ 합의 법칙
'이고', '동시에' ➡ 곱의 법칙

2. 순열

(1) 순열: 서로 다른 n개에서 r $(0<r\le n)$개를 택하여 일렬로 나열하는 것을 n개에서 r개를 택하는 순열이라 하고, 이 순열의 수를 기호 ${}_nP_r$로 나타낸다.

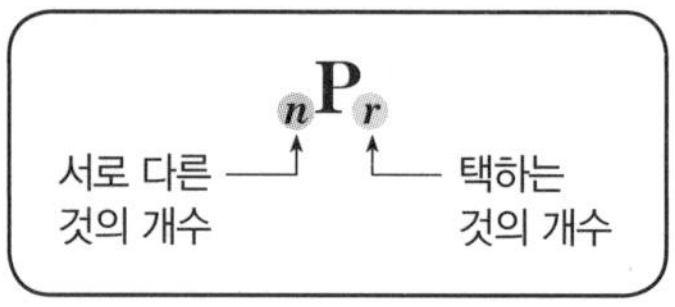

(2) 계승: 1부터 n까지의 자연수를 차례로 곱한 것을 n의 계승이라 하고, 기호 $n!$로 나타낸다.
➡ $n!=n(n-1)(n-2)\times\cdots\times3\times2\times1$

(3) 순열의 수
① ${}_nP_r=\underbrace{n(n-1)(n-2)\cdots(n-r+1)}_{r\text{개}}$ (단, $0<r\le n$)
② ${}_nP_n=n!$, $0!=1$, ${}_nP_0=1$
③ ${}_nP_r=\dfrac{n!}{(n-r)!}$ (단, $0\le r\le n$)

참고 서로 다른 n개에서 r $(0<r\le n)$개를 택하는 순열에서 첫 번째, 두 번째, 세 번째, $\cdots$, r번째 자리에 올 수 있는 것은 각각 n, $n-1$, $n-2$, $\cdots$, $n-r+1$가지이므로 곱의 법칙에 의하여 ${}_nP_r=n(n-1)(n-2)\cdots(n-r+1)$

☼ ${}_nP_r$의 P는 Permutation(순열)의 첫 글자이다.

☼ $n!$에서 '!'은 팩토리얼(factorial)이라고 읽는다.

3. 여러 가지 순열의 수

(1) 이웃하는 경우의 순열의 수
① 이웃하는 것을 한 묶음으로 생각하여 일렬로 나열하는 경우의 수를 구한다.
② 묶음 안에서 이웃하는 것끼리 자리를 바꾸는 경우의 수를 구한다.
③ ①, ②에서 구한 경우의 수를 곱한다.

(2) 이웃하지 않는 경우의 순열의 수
① 이웃해도 상관없는 것을 일렬로 나열하는 경우의 수를 구한다.
② ①에서 나열한 것 사이사이와 양 끝에 이웃하지 않는 것을 나열하는 경우의 수를 구한다.
③ ①, ②에서 구한 경우의 수를 곱한다.

(3) '적어도~'의 조건이 있는 경우의 순열의 수
사건 A가 적어도 한 번 일어나는 경우의 수는
(모든 경우의 수)$-$(사건 A가 일어나지 않는 경우의 수)

☼ 일렬로 나열하는 경우의 수나 순서를 생각하여 뽑는 경우의 수는 순열의 수를 이용하여 구한다.

☼ 특정한 자리에 대한 조건이 있는 경우의 순열의 수는 조건이 정해진 것을 먼저 나열한 후 나머지를 나열하여 구한다.

유형 01 경우의 수

4개의 문자 A, B, B, C를 일렬로 나열하는 경우의 수는?

① 10 ② 12 ③ 14
④ 16 ⑤ 18

풀이

A, B, B, C를 일렬로 나열하는 경우를 수형도로 나타내면 다음과 같다.

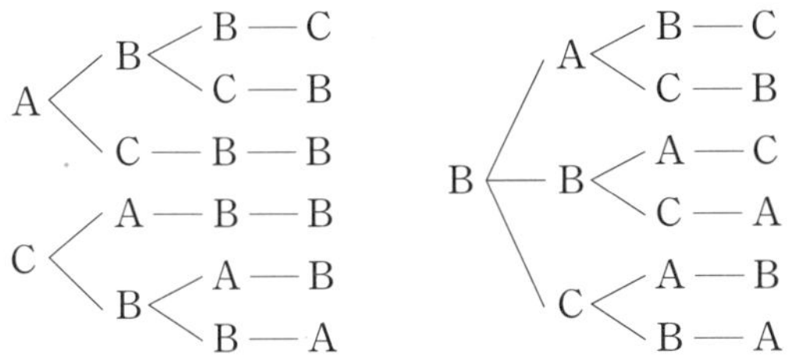

따라서 구하는 경우의 수는 12이다.

답 ②

001

다음을 구하여라.

(1) 한 개의 주사위를 던질 때, 6의 약수의 눈이 나오는 경우의 수

(2) 1부터 15까지의 자연수가 각각 하나씩 적힌 15장의 카드 중에서 한 장을 택할 때, 소수가 나오는 경우의 수

(3) 서로 다른 세 개의 동전을 던질 때, 앞면이 두 개 나오는 경우의 수

002

3개의 숫자 1, 1, 2를 일렬로 나열하여 만들 수 있는 세 자리의 자연수의 개수를 구하여라.

003

네 명의 학생 A, B, C, D가 자기 우산이 아닌 우산을 들고 나오는 경우의 수는?

① 6 ② 9 ③ 12
④ 15 ⑤ 18

004 | 교육청 기출 |

다음 두 조건을 만족시키는 5자리 자연수의 개수를 구하여라.

> (가) 각 자리의 숫자는 1 또는 2이다.
> (나) 같은 숫자가 연속해서 3번 이상 나올 수 없다.

유형 02 합의 법칙

서로 다른 두 개의 주사위를 동시에 던질 때, 나오는 눈의 수의 합이 10의 약수가 되는 경우의 수를 구하여라.

풀이

두 주사위에서 나오는 눈의 수를 순서쌍으로 나타내면 다음과 같다.

(ⅰ) 눈의 수의 합이 2가 되는 경우는
(1, 1)
의 1가지이다.

(ⅱ) 눈의 수의 합이 5가 되는 경우는
(1, 4), (2, 3), (3, 2), (4, 1)
의 4가지이다.

(ⅲ) 눈의 수의 합이 10이 되는 경우는
(4, 6), (5, 5), (6, 4)
의 3가지이다.

(ⅰ)~(ⅲ)에 의하여 구하는 경우의 수는
$1+4+3=8$

답 8

005

1부터 20까지의 자연수가 각각 하나씩 적힌 20개의 공이 들어 있는 주머니에서 한 개의 공을 꺼낼 때, 다음을 구하여라.

(1) 5의 배수 또는 6의 배수가 적힌 공이 나오는 경우의 수

(2) 4의 배수 또는 7의 배수가 적힌 공이 나오는 경우의 수

(3) 12의 약수 또는 20의 약수가 적힌 공이 나오는 경우의 수

006

서로 다른 두 개의 주사위를 동시에 던질 때, 나오는 눈의 수의 합이 6 또는 9가 되는 경우의 수는?

① 5　② 6　③ 7　④ 8　⑤ 9

007

두 자리 자연수 중에서 각 자리의 숫자의 합이 4 또는 9인 자연수의 개수는?

① 5　② 7　③ 9　④ 11　⑤ 13

008 서술형

1부터 100까지의 자연수 중에서 2 또는 7로 나누어떨어지는 자연수의 개수를 구하여라.

유형 03 방정식과 부등식의 해의 개수

부등식 $x+4y\leq 9$를 만족시키는 자연수 x, y의 순서쌍 (x, y)의 개수는?

① 3 ② 4 ③ 5
④ 6 ⑤ 7

풀이

(i) $y=1$일 때
$x+4\leq 9$이므로 $x\leq 5$
따라서 순서쌍 (x, y)는
$(1, 1)$, $(2, 1)$, $(3, 1)$, $(4, 1)$, $(5, 1)$
의 5개이다.

(ii) $y=2$일 때
$x+8\leq 9$이므로 $x\leq 1$
따라서 순서쌍 (x, y)는
$(1, 2)$
의 1개이다.

(i), (ii)에 의하여 구하는 순서쌍 (x, y)의 개수는
$5+1=6$

답 ④

풍쌤 유형 TIP

(1) 방정식 $ax+by+cz=d$ (a, b, c, d는 상수)를 만족시키는 자연수 x, y, z의 순서쌍 (x, y, z)의 개수
➡ x, y, z 중 계수의 절댓값이 큰 것부터 1, 2, 3, …을 대입하여 구한다.

(2) 부등식 $ax+by\leq c$ (a, b, c는 자연수)를 만족시키는 자연수 x, y의 순서쌍 (x, y)의 개수
➡ x, y 중 계수의 절댓값이 큰 것부터 1, 2, 3, …을 대입하여 구한다.

009

방정식 $3x+y+z=10$을 만족시키는 자연수 x, y, z의 순서쌍 (x, y, z)의 개수는?

① 6 ② 7 ③ 8
④ 9 ⑤ 10

010

부등식 $3x+y<8$을 만족시키는 자연수 x, y의 순서쌍 (x, y)의 개수는?

① 3 ② 4 ③ 5
④ 6 ⑤ 7

011 서술형

한 개의 가격이 각각 100원, 200원, 500원인 세 종류의 스티커를 1600원어치 사는 방법의 수를 구하여라.

012

집합 $A=\{0, 1, 2, 3, 4, 5\}$에 대하여 $a\in A$, $b\in A$일 때, 이차방정식 $x^2+ax+b=0$이 실근을 갖도록 하는 a, b의 순서쌍 (a, b)의 개수는?

① 15 ② 16 ③ 17
④ 18 ⑤ 19

유형 04 곱의 법칙

백의 자리의 숫자가 4의 배수인 세 자리 자연수 중에서 홀수의 개수를 구하여라.

풀이

백의 자리의 숫자가 될 수 있는 것은
4, 8의 2개
십의 자리의 숫자가 될 수 있는 것은
0, 1, 2, ⋯, 9의 10개
일의 자리의 숫자가 될 수 있는 것은
1, 3, 5, 7, 9의 5개
따라서 구하는 수의 개수는
$2\times10\times5=100$

답 100

013

다음을 구하여라.

(1) 한 개의 주사위를 두 번 던질 때, 첫 번째에는 6의 약수의 눈이, 두 번째에는 소수의 눈이 나오는 경우의 수

(2) 남학생 6명, 여학생 5명 중에서 남학생 한 명, 여학생 한 명을 뽑는 경우의 수

(3) 서로 다른 티셔츠 4종류, 반바지 3종류, 양말 5종류 중에서 티셔츠, 반바지, 양말을 각각 하나씩 택하여 입는 경우의 수

(4) 세 지점 A, B, C를 연결하는 도로망이 오른쪽 그림과 같을 때, A 지점에서 C 지점으로 가는 방법의 수

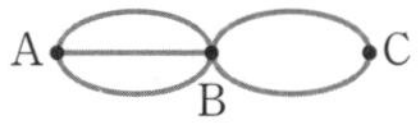

(단, 한 번 지나간 지점은 다시 지나가지 않는다.)

014 | 교육청 기출 |

다음 두 조건을 만족시키는 두 자리의 자연수의 개수는?

> (가) 2의 배수이다.
> (나) 십의 자리의 수는 6의 약수이다.

① 16 ② 20 ③ 24
④ 28 ⑤ 32

015

서로 다른 두 개의 주사위를 동시에 던질 때, 나오는 눈의 수의 곱이 홀수가 되는 경우의 수를 구하여라.

016

두 집합 $X=\{0, 1, 2\}$, $Y=\{-1, 0, 1, 2\}$에 대하여 X에서 Y로의 함수의 개수는?

① 60 ② 62 ③ 64
④ 66 ⑤ 68

유형 05 항 또는 약수의 개수

$(x+y)(a-b)^2$을 전개할 때 나타나는 서로 다른 항의 개수는?

① 3 ② 4 ③ 5
④ 6 ⑤ 7

풀이

$(x+y)(a-b)^2=(x+y)(a^2-2ab+b^2)$에서 x, y에 곱해지는 항이 각각 a^2, $-2ab$, b^2의 3개이므로 구하는 항의 개수는
$2\times3=6$

답 ④

017

다음 전개식의 항의 개수를 구하여라.

(1) $(x+y+z)(a+b+c)$

(2) $(a+b)(x+y+z)(p+q)$

018

다음 수의 양의 약수의 개수를 구하여라.

(1) 48 (2) 240

019

다항식 $(a+b)(x+y)-(a+b)(p+q+r)$를 전개할 때 나타나는 항의 개수는?

① 8 ② 9 ③ 10
④ 11 ⑤ 12

020 서술형

50의 양의 약수의 개수를 a, 150의 양의 약수의 개수를 b라고 할 때, $a+b$의 값을 구하여라.

021

$2^2\times3^4\times5^a$의 양의 약수의 개수가 60일 때, 자연수 a의 값은?

① 1 ② 2 ③ 3
④ 4 ⑤ 5

유형 06 색칠하는 방법의 수

오른쪽 그림의 4개의 영역을 서로 다른 4가지 색으로 칠하려고 한다. A, B, C, D의 영역에 같은 색을 중복하여 이용해도 좋으나 인접한 영역은 서로 다른 색으로 칠할 때, 칠하는 방법의 수를 구하여라.

(단, 한 영역에는 한 가지 색만 칠한다.)

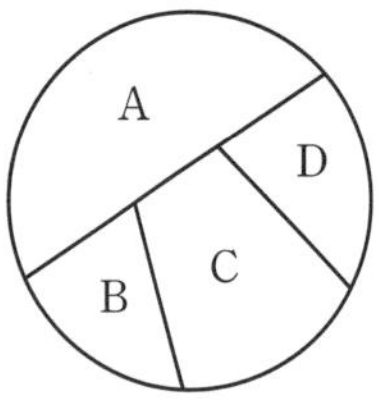

풀이

A에 칠할 수 있는 색은 4가지, B에 칠할 수 있는 색은 A에 칠한 색을 제외한 3가지, C에 칠할 수 있는 색은 A와 B에 칠한 색을 제외한 2가지, D에 칠할 수 있는 색은 A와 C에 칠한 색을 제외한 2가지이다.

따라서 구하는 방법의 수는

$4\times3\times2\times2=48$

답 48

022

오른쪽 그림의 4개의 영역을 서로 다른 4가지 색으로 칠하려고 한다. A, B, C, D의 영역에 같은 색을 중복하여 이용해도 좋으나 인접한 영역은 서로 다른 색으로 칠할 때, 칠하는 방법의 수를 구하여라. (단, 한 영역에는 한 가지 색만 칠한다.)

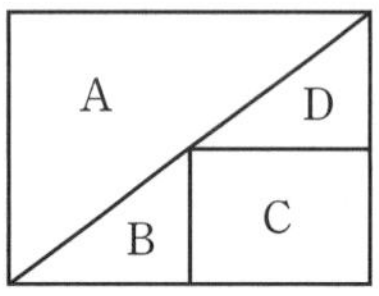

023

오른쪽 그림의 5개의 영역을 서로 다른 4가지 색으로 칠하려고 한다. A, B, C, D, E의 영역에 같은 색을 중복하여 이용해도 좋으나 인접한 영역은 서로 다른 색으로 칠할 때, 칠하는 방법의 수를 구하여라.

(단, 한 영역에는 한 가지 색만 칠한다.)

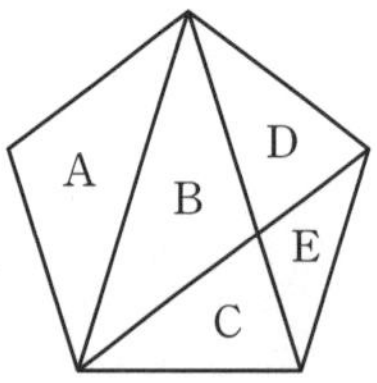

유형 07 ${}_{n}\mathrm{P}_{r}$의 계산

등식 ${}_{n}\mathrm{P}_{5}=42\times{}_{n}\mathrm{P}_{3}$을 만족시키는 자연수 n의 값은?

① 6 ② 7 ③ 8 ④ 9 ⑤ 10

풀이

${}_{n}\mathrm{P}_{5}=42\times{}_{n}\mathrm{P}_{3}$에서

$n(n-1)(n-2)(n-3)(n-4)=42n(n-1)(n-2)$

이때 $n\geq5$이므로 양변을 $n(n-1)(n-2)$로 나누면

$(n-3)(n-4)=42$, $n^2-7n-30=0$

$(n+3)(n-10)=0$ $\therefore n=10$ ($\because n\geq5$)

답 ⑤

024

다음 값을 구하여라.

(1) ${}_{5}\mathrm{P}_{2}$ (2) ${}_{7}\mathrm{P}_{0}$

(3) ${}_{4}\mathrm{P}_{4}$ (4) $5!$

025

다음 등식을 만족시키는 자연수 n 또는 r의 값을 구하여라.

(1) ${}_{n}\mathrm{P}_{3}=210$ (2) ${}_{n}\mathrm{P}_{n}=120$

(3) ${}_{6}\mathrm{P}_{r}=30$ (4) ${}_{8}\mathrm{P}_{r}=\dfrac{8!}{5!}$

026

등식 ${}_{2n}\mathrm{P}_3=132\times{}_n\mathrm{P}_2$를 만족시키는 자연수 n의 값은?

① 16　② 17　③ 18
④ 19　⑤ 20

027

${}_n\mathrm{P}_3 : {}_{n+1}\mathrm{P}_2=2:1$을 만족시키는 자연수 n의 값은?

① 1　② 2　③ 3
④ 4　⑤ 5

028 서술형

등식 ${}_n\mathrm{P}_2+10\times{}_{n-2}\mathrm{P}_1=92$를 만족시키는 자연수 n의 값을 구하여라.

유형 08 순열의 수

12명의 학생 중에서 회장, 부회장, 서기를 한 명씩 뽑는 경우의 수는?

① 1300　② 1310　③ 1320
④ 1330　⑤ 1340

풀이

서로 다른 12개에서 3개를 택하는 순열의 수와 같으므로
${}_{12}\mathrm{P}_3=12\times11\times10=1320$

답 ③

029

다음을 구하여라.

(1) 4명의 학생을 한 줄로 세우는 경우의 수
(2) 6명의 학생 중에서 4명을 뽑아 한 줄로 세우는 경우의 수

030

어떤 동아리의 회원 수는 n이다. 이 n명 중에서 대표 1명과 부대표 1명을 뽑는 경우의 수가 210일 때, n의 값은?

① 11　② 12　③ 13
④ 14　⑤ 15

유형 09 이웃하거나 이웃하지 않는 순열의 수

남학생 3명과 여학생 4명을 일렬로 세울 때, 남학생끼리 이웃하여 서는 경우의 수를 구하여라.

풀이

남학생 3명을 한 명으로 생각하여 5명을 일렬로 세우는 경우의 수는

$5!=5\times4\times3\times2\times1=120$

남학생 3명이 서로 자리를 바꾸는 경우의 수는

$3!=3\times2\times1=6$

따라서 구하는 경우의 수는

$120\times6=720$

답 720

031

A, B, C, D, E의 5개의 문자를 일렬로 배열할 때, 다음을 구하여라.

(1) A, D를 이웃하게 배열하는 경우의 수

(2) B, C를 이웃하지 않게 배열하는 경우의 수

032 |교육청 기출|

여학생 2명과 남학생 4명이 순서를 정하여 차례로 뜀틀넘기를 할 때, 여학생 2명이 연이어 뜀틀넘기를 하게 되는 경우의 수는?

① 120　② 180　③ 240　④ 300　⑤ 360

033

angel에 있는 5개의 문자를 일렬로 나열할 때, 모음끼리 이웃하게 나열하는 경우의 수는?

① 36　② 40　③ 44　④ 48　⑤ 52

034

진영이는 서로 다른 소설책 3권, 시집 5권, 사진집 2권을 가지고 있다. 진영이가 이 10권의 책을 책꽂이에 꽂을 때, 소설책은 소설책끼리, 시집은 시집끼리, 사진집은 사진집끼리 이웃하게 꽂는 경우의 수는?

① 8610　② 8620　③ 8630　④ 8640　⑤ 8650

035 서술형

어느 박물관에 어린이 4명과 어른 3명이 한 줄로 서서 입장하려고 한다. 어른끼리 이웃하지 않게 서는 경우의 수를 구하여라.

유형 10 조건이 있는 순열의 수

sociable에 있는 8개의 문자를 일렬로 나열할 때, 자음과 모음을 번갈아 나열하는 경우의 수는?

① 1100 ② 1123 ③ 1136
④ 1149 ⑤ 1152

풀이

자음은 s, c, b, l의 4개, 모음은 o, i, a, e의 4개이므로 다음의 두 가지로 나누어 생각할 수 있다.

(i) 자음, 모음의 순서로 번갈아 나열하는 경우의 수는
$4!\times4!=24\times24=576$

(ii) 모음, 자음의 순서로 번갈아 나열하는 경우의 수는
$4!\times4!=24\times24=576$

(i), (ii)에 의하여 구하는 경우의 수는
$576+576=1152$

답 ⑤

036

A, B, C, D, E의 5개의 문자를 일렬로 배열할 때, 다음을 구하여라.

(1) B가 맨 앞에 오는 경우의 수
(2) E가 두 번째, D가 네 번째에 오는 경우의 수
(3) A와 E가 양 끝에 오는 경우의 수

037

남학생 2명과 여학생 3명을 일렬로 세울 때, 남학생과 여학생을 번갈아 세우는 경우의 수를 구하여라.

038 | 교육청 기출 |

남자 3명과 여자 4명이 한 줄로 서서 등산을 할 때, 남자가 양 끝에 서는 경우의 수는?

① 360 ② 480 ③ 600
④ 720 ⑤ 1440

039

연수와 시연이를 포함한 6명의 학생이 일렬로 줄을 서려고 한다. 연수와 시연이 사이에 2명의 학생이 서는 경우의 수는?

① 100 ② 124 ③ 144
④ 162 ⑤ 186

040 서술형

빨간색 깃발 3개, 노란색 깃발 2개, 파란색 깃발 2개를 일렬로 배열할 때, 적어도 한쪽 끝에는 노란색 깃발이 오도록 배열하는 경우의 수를 구하여라.

(단, 같은 색 깃발은 서로 구분할 수 있다.)

유형 11 순열의 수를 이용한 자연수의 개수

1, 2, 3, 4의 4개의 숫자를 모두 이용하여 만들 수 있는 네 자리의 자연수 중 홀수의 개수는?

① 10　② 11　③ 12　④ 13　⑤ 14

풀이

홀수가 되려면 일의 자리에는 1과 3의 2개의 숫자가 올 수 있고 나머지 세 자리에는 일의 자리에 온 숫자를 제외한 3개의 숫자를 나열하면 되므로 구하는 자연수의 개수는

$2\times3!=2\times6=12$

답 ③

041

0, 1, 2, 3, 4, 5의 6개의 숫자 중에서 서로 다른 3개의 숫자를 이용하여 세 자리 자연수를 만들 때, 다음을 구하여라.

(1) 세 자리 자연수의 개수

(2) 짝수의 개수

042 |교육청 기출|

1, 2, 3, 4, 5, 6을 한 번씩만 사용하여 만들 수 있는 여섯 자리 자연수 중에서 일의 자리의 수와 백의 자리의 수가 모두 3의 배수인 자연수의 개수를 구하여라.

유형 12 사전식으로 배열하는 순열의 수

ㄱ, ㄴ, ㄷ, ㄹ, ㅁ, ㅂ의 6개의 문자를 모두 사용하여 사전식으로 배열할 때, ㄷㄱㅁㄴㄹㅂ은 몇 번째에 오는지 구하여라.

풀이

ㄱ으로 시작하는 것의 개수는 $5!=120$

ㄴ으로 시작하는 것의 개수는 $5!=120$

ㄷㄱㄴ으로 시작하는 것의 개수는 $3!=6$

ㄷㄱㄹ로 시작하는 것의 개수는 $3!=6$

따라서 ㄱ으로 시작하는 것에서 ㄷㄱㄹ로 시작하는 것까지의 개수는

$120+120+6+6=252$

이때 ㄷㄱㅁㄴㄹㅂ은 ㄷㄱㅁ으로 시작하는 것 중 제일 처음이므로 ㄷㄱㅁㄴㄹㅂ은 253번째에 온다.

답 253번째

043

a, b, c, d의 4개의 문자를 모두 사용하여 사전식으로 배열할 때, 다음 물음에 답하여라.

(1) cbda는 몇 번째에 오는지 구하여라.

(2) 20번째에 오는 문자열을 구하여라.

044 서술형

0, 1, 2, 3, 4의 5개의 숫자를 모두 이용하여 만들 수 있는 다섯 자리의 자연수를 작은 수부터 차례로 나열할 때, 50번째에 오는 수를 구하여라.

01

1부터 35까지의 숫자가 각각 하나씩 적힌 35개의 공이 들어 있는 주머니에서 한 개의 공을 꺼낼 때, 3의 배수 또는 8의 배수가 적힌 공이 나오는 경우의 수는?

① 10　② 11　③ 12
④ 13　⑤ 14

02 | 교육청 기출 |

오른쪽 그림과 같이 세 면이 막혀 있는 주차장에 A, B, C, D 네 대의 차량이 주차되어 있다. 주차된 네 대의 차량이 한 번에 한 대씩 빠져나오려고 할 때, 차량이 모두 빠져 나오는 순서를 정하는 경우의 수는? (단, 모든 차량은 주차 구역 내에서 직진만 하도록 한다.)

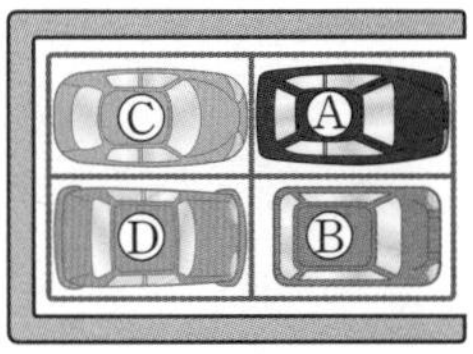

① 4　② 6　③ 8
④ 10　⑤ 12

03 실력 UP

한 개의 주사위를 두 번 던져서 나오는 눈의 수를 각각 a, b라고 할 때, $|2a-b|\le 1$을 만족시키는 순서쌍 (a, b)의 개수를 구하여라.

04

A조는 남학생 3명, 여학생 3명으로 구성되어 있고, B조는 남학생 2명, 여학생 4명으로 구성되어 있다. 각 조에서 대표를 한 명씩 뽑을 때, 남학생 한 명과 여학생 한 명을 뽑는 방법의 수를 구하여라.

05

360의 양의 약수 중 짝수의 개수는?

① 15　② 18　③ 21
④ 24　⑤ 27

06

오른쪽 그림의 6개의 영역을 서로 다른 5가지의 색으로 칠하려고 한다. A와 F에는 항상 같은 색을 칠하고 A, B, C, D, E, F의 영역에 같은 색을 중복하여 이용해도 좋으나 인접한 영역에는 서로 다른 색을 칠한다고 할 때, 칠하는 방법의 수를 구하여라. (단, 한 영역에는 한 가지 색만 칠한다.)

A	B	C
D	E	F

07

다음은 $1\le r<n$일 때, ${}_{n-1}\mathrm{P}_r+r\times{}_{n-1}\mathrm{P}_{r-1}=$ (가) 가 성립함을 증명하는 과정이다.

증명

$$\begin{aligned}{}_{n-1}\mathrm{P}_r+r\times{}_{n-1}\mathrm{P}_{r-1}&=\frac{\boxed{(나)}}{(n-1-r)!}+r\times\frac{\boxed{(나)}}{(n-r)!}\\&=\frac{(n-1)!}{(n-r)!}\times\boxed{(다)}\\&=\frac{n!}{(n-r)!}=\boxed{(가)}\end{aligned}$$

$\therefore\ {}_{n-1}\mathrm{P}_r+r\times{}_{n-1}\mathrm{P}_{r-1}=\boxed{(가)}$

위의 과정에서 (가), (나), (다)에 알맞은 것을 써넣어라.

08

어떤 영업사원이 n개의 영업소를 방문해야 한다. n개의 영업소 중 첫 방문지와 마지막 방문지를 선택하는 방법의 수가 56일 때, n의 값을 구하여라.

09

다음 그림과 같이 모양과 크기가 같은 의자 7개가 일렬로 놓여 있다. 이 의자에 학생 3명이 앉을 때, 어느 두 사람도 서로 이웃하지 않게 앉는 경우의 수는?

① 56 ② 60 ③ 68 ④ 74 ⑤ 80

10 | 평가원 기출 | 실력 UP

오른쪽 그림과 같이 경계가 구분된 6개 지역의 인구조사를 조사원 5명이 담당하려고 한다. 5명 중에서 1명은 서로 이웃한 2개 지역을, 나머지 4명은 남은 4개 지역을 각각 1개씩 담당한다. 이 조사원 5명의 담당 지역을 정하는 경우의 수는? (단, 경계가 일부라도 닿은 두 지역은 서로 이웃한 지역으로 본다.)

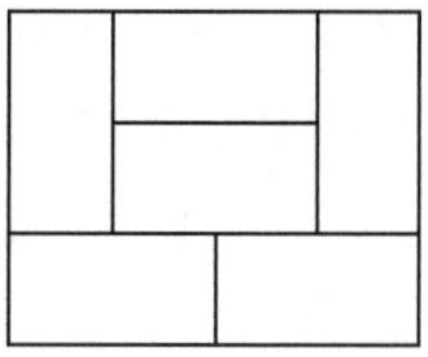

① 720 ② 840 ③ 960 ④ 1080 ⑤ 1200

11

5개의 숫자 1, 2, 3, 4, 5가 각각 하나씩 적힌 5장의 카드 중에서 3장을 뽑아 만들 수 있는 세 자리 자연수 중에서 4의 배수의 개수를 a, 5의 배수의 개수를 b라고 할 때, $a+b$의 값은?

① 20 ② 21 ③ 22 ④ 23 ⑤ 24

12

다섯 개의 숫자 1, 2, 3, 4, 5를 모두 한 번씩 이용하여 만든 다섯 자리의 자연수 중 25000보다 큰 자연수의 개수를 구하여라.

07 조합

1. 조합

(1) 조합: 서로 다른 n개에서 순서를 생각하지 않고 r $(0<r\le n)$개를 택하는 것을 n개에서 r개를 택하는 조합이라 하고, 이 조합의 수를 기호 ${}_n\mathrm{C}_r$로 나타낸다.

${}_n\mathrm{C}_r$

서로 다른 것의 개수 (n) / 택하는 것의 개수 (r)

(2) 조합의 수

① ${}_n\mathrm{C}_r=\dfrac{{}_n\mathrm{P}_r}{r!}=\dfrac{n!}{r!(n-r)!}$ (단, $0\le r\le n$)

② ${}_n\mathrm{C}_0=1$, ${}_n\mathrm{C}_n=1$

③ ${}_n\mathrm{C}_r={}_n\mathrm{C}_{n-r}$ (단, $0\le r\le n$)

참고 서로 다른 n개에서 r개를 택하는 조합의 수는 n개에서 뽑히지 않은 $(n-r)$개를 택하는 조합의 수와 같다.

④ ${}_n\mathrm{C}_r={}_{n-1}\mathrm{C}_r+{}_{n-1}\mathrm{C}_{r-1}$ (단, $1\le r<n$)

참고 서로 다른 n개에서 r개를 택하는 조합의 수는 특정한 한 개를 제외한 나머지 $(n-1)$개에서 r개를 택하는 조합의 수와 특정한 한 개를 미리 택한 후 $(n-1)$개에서 $(r-1)$개를 택하는 조합의 수의 합과 같다.

2. 여러 가지 조합의 수

(1) 특정한 것을 포함하거나 포함하지 않는 조합의 수

서로 다른 n개에서 r개를 택할 때

① 특정한 k개를 포함하는 방법의 수

➡ 특정한 k개를 이미 택했다고 생각하고 나머지 $(n-k)$개에서 $(r-k)$개를 택하는 방법의 수와 같으므로

${}_{n-k}\mathrm{C}_{r-k}$

② 특정한 k개를 제외하는 방법의 수

➡ 특정한 k개를 제외한 나머지 $(n-k)$개에서 r개를 택하는 방법의 수와 같으므로

${}_{n-k}\mathrm{C}_r$

(2) 도형의 개수

① 어느 세 점도 한 직선 위에 있지 않은 서로 다른 n개의 점 중에서

2개의 점을 택해 만들 수 있는 직선의 개수 ➡ ${}_n\mathrm{C}_2$

3개의 점을 택해 만들 수 있는 삼각형의 개수 ➡ ${}_n\mathrm{C}_3$

4개의 점을 택해 만들 수 있는 사각형의 개수 ➡ ${}_n\mathrm{C}_4$

② n각형의 대각선의 개수

➡ n개의 꼭짓점 중에서 2개를 택하여 만들 수 있는 선분의 개수에서 변의 개수 n을 뺀 것과 같으므로

${}_n\mathrm{C}_2-n$

③ m개의 평행선과 n개의 평행선이 서로 만날 때 생기는 평행사변형의 개수

➡ m개의 평행선 중에서 2개를 택하고 n개의 평행선 중에서 2개를 택하면 한 개의 평행사변형이 만들어지므로

${}_m\mathrm{C}_2\times{}_n\mathrm{C}_2$

○ ${}_n\mathrm{C}_r$의 C는 Combination(조합)의 첫 글자이다.

○ 서로 다른 n개에서 r개를 택하는 조합의 수는 ${}_n\mathrm{C}_r$이고, 그 각각에 대하여 r개를 한 줄로 나열하는 방법의 수는 $r!$이다. 이때 서로 다른 n개에서 r개를 택하는 순열의 수가 ${}_n\mathrm{P}_r$이므로

${}_n\mathrm{C}_r\times r!={}_n\mathrm{P}_r$ ➡ ${}_n\mathrm{C}_r=\dfrac{{}_n\mathrm{P}_r}{r!}$

○ 서로 다른 것 중에서 순서를 생각하지 않고 택하는 것은 조합을 이용하고, 순서를 생각하여 택하는 것은 순열을 이용한다.

○ 일직선 위에 있는 서로 다른 n개의 점으로 만들 수 있는 서로 다른 직선은 1개이다.

○ 일직선 위에 있는 서로 다른 n개의 점으로 만들 수 있는 다각형은 없다.

기본을 다지는 유형

유형 01 ${}_{n}C_{r}$의 계산

등식 ${}_{n}C_{2}+5\times{}_{n}P_{2}=9{}_{n+1}C_{2}$를 만족시키는 자연수 n의 값은?

① 7 ② 8 ③ 9
④ 10 ⑤ 11

풀이

${}_{n}C_{2}+5\times{}_{n}P_{2}=9{}_{n+1}C_{2}$에서

$\frac{n(n-1)}{2\times1}+5n(n-1)=9\times\frac{n(n+1)}{2\times1}$

$n(n-1)+10n(n-1)=9n(n+1)$

$2n^2-20n=0$, $2n(n-10)=0$

이때 $n\geq2$이므로 $n=10$

답 ④

001

다음 값을 구하여라.

(1) ${}_{5}C_{2}$ (2) ${}_{7}C_{4}$
(3) ${}_{12}C_{0}$ (4) ${}_{8}C_{1}$

002

다음 등식을 만족시키는 자연수 n 또는 r의 값을 구하여라.

(1) ${}_{n}C_{2}=21$ (2) ${}_{7}C_{r}=35$
(3) ${}_{n}C_{4}={}_{n}C_{6}$ (4) ${}_{n+3}C_{n}=120$

003

등식 ${}_{10}C_{r}={}_{10}C_{r-6}$을 만족시키는 자연수 r의 값은?

① 5 ② 6 ③ 7
④ 8 ⑤ 9

004 서술형

${}_{n}P_{r}=60$, ${}_{n}C_{r}=10$일 때, 자연수 n, r에 대하여 $n+r$의 값을 구하여라.

005 |교육청 기출|

등식 $2\times{}_{n}C_{3}=3\times{}_{n}P_{2}$를 만족시키는 자연수 n의 값을 구하여라.

유형 02 조합의 수

1부터 30까지의 자연수가 각각 하나씩 적힌 30개의 공이 들어 있는 주머니에서 동시에 3개의 공을 꺼낼 때, 공에 적힌 세 수의 곱이 홀수가 되는 경우의 수를 구하여라.

풀이

세 수의 곱이 홀수가 되려면 세 수가 모두 홀수이어야 한다.
홀수가 적힌 공은 1, 3, 5, ⋯, 29의 15개이므로 구하는 경우의 수는

$${}_{15}C_3=\frac{15\times14\times13}{3\times2\times1}=455$$

답 455

006

다음을 구하여라.

(1) 6명의 학생 중에서 대표 2명을 뽑는 경우의 수

(2) 서로 다른 10개의 사탕 중에서 7개를 고르는 경우의 수

(3) 집합 $A=\{-1, 0, 1, 2, 3\}$의 부분집합 중에서 원소의 개수가 4인 부분집합의 개수

007 | 교육청 기출 |

어느 학교 동아리 회원은 1학년이 6명, 2학년이 4명이다. 이 동아리에서 7명을 뽑을 때, 1학년에서 4명, 2학년에서 3명을 뽑는 경우의 수를 구하여라.

008

탁구 대회에 참가한 10명의 선수가 각각 다른 선수와 서로 한 번씩 겨루는 리그전 방식으로 경기를 할 때, 이 대회의 전체 경기 수는?

① 36　② 40　③ 45　④ 50　⑤ 54

009 서술형

소방관 5명과 구급 요원 4명 중에서 3명을 뽑을 때, 3명의 직업이 모두 같은 경우의 수를 구하여라.

010

장미 n송이와 카네이션 8송이 중에서 장미 3송이, 카네이션 5송이를 택하는 경우의 수가 6720일 때, n의 값은?

① 8　② 9　③ 10　④ 11　⑤ 12

유형 03 특정한 것을 포함하거나 포함하지 않는 조합의 수

현진이와 민수를 포함한 10명의 학생 중에서 3명의 대표를 뽑을 때, 현진이와 민수가 모두 뽑히지 않는 경우의 수를 구하여라.

풀이

구하는 경우의 수는 현진이와 민수를 제외한 8명의 학생 중에서 3명을 뽑는 경우의 수와 같으므로

$_{8}C_{3}=\frac{8\times7\times6}{3\times2\times1}=56$

답 56

011

A, B, C, D, E, F의 6개의 문자 중에서 3개의 문자를 택하려고 한다. 다음을 구하여라.

(1) A, C를 반드시 포함하는 경우의 수

(2) C, D를 포함하지 않는 경우의 수

(3) B는 반드시 포함하고, D, E는 포함하지 않는 경우의 수

012

집합 $A=\{0, 1, 2, 3, 4, 5, 6\}$의 부분집합 중에서 원소의 개수가 5인 부분집합의 개수를 구하려고 한다. 다음을 구하여라.

(1) 2를 반드시 원소로 갖는 집합의 개수

(2) 2, 3을 반드시 원소로 갖고 0은 원소로 갖지 않는 집합의 개수

013

A, B를 포함한 8명의 학생 중에서 4명의 대표를 뽑을 때, A, B 중 한 명만 뽑는 경우의 수는?

① 32 ② 36 ③ 40
④ 44 ⑤ 48

014 서술형

집합 $A=\{x|x$는 48의 양의 약수$\}$의 부분집합 중에서 원소의 개수가 4이고 가장 큰 원소가 16인 집합의 개수를 구하여라.

015

서로 다른 7켤레의 장갑 14짝 중에서 4짝을 택할 때, 한 켤레만 짝이 맞도록 택하는 경우의 수는?

① 400 ② 410 ③ 420
④ 430 ⑤ 440

유형 04 조건이 있는 조합의 수

여학생 5명, 남학생 6명으로 구성된 동아리에서 대표 4명을 뽑을 때, 여학생과 남학생이 적어도 한 명씩 포함되도록 뽑는 경우의 수는?

① 260 ② 286 ③ 310
④ 335 ⑤ 350

풀이

구하는 경우의 수는 모든 경우의 수에서 여학생만 뽑는 경우의 수와 남학생만 뽑는 경우의 수를 빼면 된다.

11명 중에서 4명을 뽑는 경우의 수는

$_{11}C_4=\frac{11\times10\times9\times8}{4\times3\times2\times1}=330$

여학생 5명 중에서 4명을 뽑는 경우의 수는

$_5C_4={}_5C_{5-4}={}_5C_1=5$

남학생 6명 중에서 4명을 뽑는 경우의 수는

$_6C_4={}_6C_{6-4}={}_6C_2=\frac{6\times5}{2\times1}=15$

따라서 구하는 경우의 수는

$330-(5+15)=310$

답 ③

016

남자 6명, 여자 4명으로 구성된 합창단에서 4명의 중창단원을 뽑으려고 한다. 다음을 구하여라.

(1) 적어도 여자 1명이 포함되는 경우의 수

(2) 적어도 남자 2명이 포함되는 경우의 수

017

여학생 4명과 남학생 5명 중에서 여학생 2명과 남학생 2명을 뽑아 일렬로 세우는 경우의 수를 구하여라.

018

1부터 15까지의 자연수가 각각 하나씩 적힌 15장의 카드 중에서 3장을 뽑을 때, 15의 약수가 적힌 카드가 적어도 한 장 포함되도록 뽑는 경우의 수는?

① 250 ② 265 ③ 278
④ 282 ⑤ 290

019

1, 2, 3, 4, 5, 6, 7의 7개의 숫자 중에서 서로 다른 4개의 숫자를 택하여 네 자리의 자연수를 만들 때, 2, 6은 포함하고 5는 포함하지 않는 자연수의 개수를 구하여라.

020 | 교육청 기출 |

지수는 다음 규칙에 따라 월요일부터 금요일까지 5일 동안 하루에 한 가지씩 운동을 하는 계획을 세우려고 한다.

> (가) 5일 중 3일을 선택하여 요가를 한다.
> (나) 요가를 하지 않는 2일 중 하루를 선택하여 수영, 줄넘기 중 한 가지를 하고, 남은 하루는 농구, 축구 중 한 가지를 한다.

지수가 세울 수 있는 계획의 가짓수는?

① 50 ② 60 ③ 70
④ 80 ⑤ 90

유형 05 직선의 개수

오른쪽 그림과 같이 정육각형의 각 꼭짓점에 6개의 점이 있을 때, 주어진 점을 이어서 만들 수 있는 서로 다른 직선의 개수는?
(단, 정육각형의 변도 직선의 개수에 포함된다.)

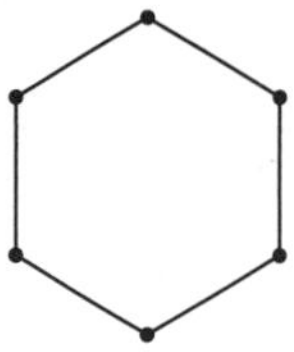

① 11 ② 12 ③ 13
④ 14 ⑤ 15

풀이
정육각형의 6개의 꼭짓점은 어느 세 점도 한 직선 위에 있지 않으므로 구하는 직선의 개수는

$_6C_2=\frac{6\times5}{2\times1}=15$

답 ⑤

021
한 평면 위에 있는 7개의 점 중에서 어느 세 점도 한 직선 위에 있지 않을 때, 주어진 점을 이어서 만들 수 있는 서로 다른 직선의 개수를 구하여라.

022
오른쪽 그림과 같이 평행한 두 직선 위에 9개의 점이 있을 때, 주어진 점을 이어서 만들 수 있는 서로 다른 직선의 개수는?

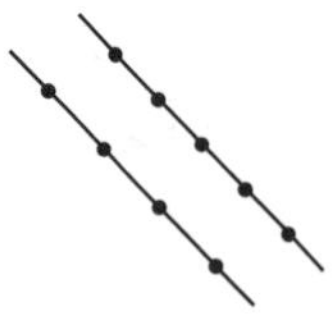

① 20 ② 21 ③ 22
④ 23 ⑤ 24

023 서술형
오른쪽 그림과 같이 반원 위에 10개의 점이 있을 때, 주어진 점을 이어서 만들 수 있는 서로 다른 직선의 개수를 구하여라.

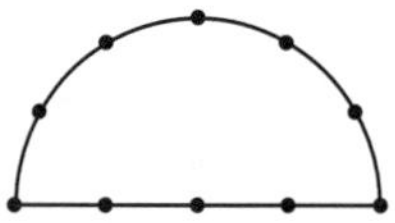

024 | 교육청 기출 |
오른쪽 그림과 같이 삼각형 위에 7개의 점이 있다. 이 중 두 점을 연결하여 만들 수 있는 직선의 개수는?

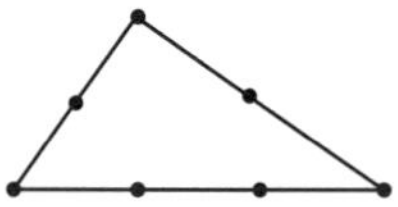

① 12 ② 13 ③ 14
④ 15 ⑤ 16

025
오른쪽 그림과 같이 직사각형의 변 위에 12개의 점이 있다. 이 중 두 점을 연결하여 만들 수 있는 직선의 개수는?

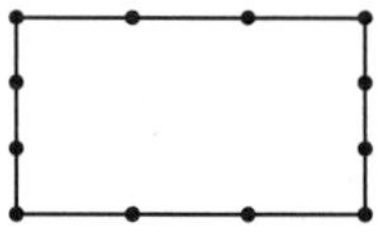

① 43 ② 44 ③ 45
④ 46 ⑤ 47

유형 06 다각형의 개수

오른쪽 그림과 같이 반원 위에 8개의 점이 있을 때, 이 중에서 3개의 점을 꼭짓점으로 하는 삼각형의 개수는?

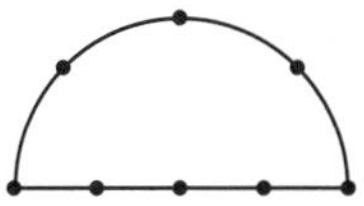

① 40　② 42　③ 44
④ 46　⑤ 48

풀이

8개의 점 중에서 3개를 택하는 경우의 수는

$_8C_3=\frac{8\times7\times6}{3\times2\times1}=56$

한 직선 위에 있는 5개의 점 중에서 3개를 택하는 경우의 수는

$_5C_3={}_5C_{5-3}={}_5C_2=\frac{5\times4}{2\times1}=10$

그런데 한 직선 위에 있는 3개의 점으로는 삼각형을 만들 수 없으므로 구하는 삼각형의 개수는

$56-10=46$

답 ④

026

오른쪽 그림과 같이 정육각형의 각 변 위에 놓인 12개의 점 중에서 3개의 점을 꼭짓점으로 하는 삼각형의 개수는?

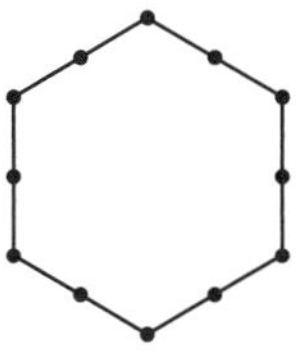

① 200　② 208
③ 214　④ 222
⑤ 230

027

오른쪽 그림과 같이 평행한 두 직선 위에 7개의 점이 놓여 있다. 이 중 세 점을 연결하여 만들 수 있는 삼각형의 개수를 구하여라.

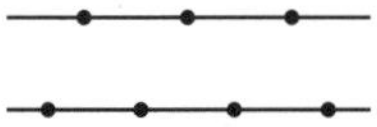

028

오른쪽 그림과 같이 3개의 평행선과 4개의 평행선이 서로 만날 때, 이 평행선으로 만들 수 있는 평행사변형의 개수를 구하여라.

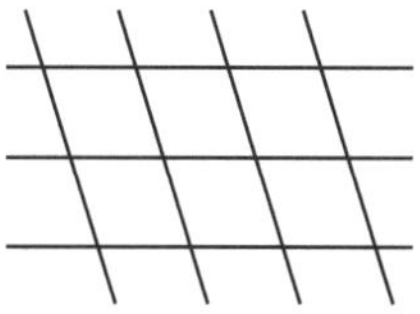

029 서술형

오른쪽 그림은 가로, 세로의 길이가 각각 4, 3인 직사각형에서 각 변을 가로는 4등분, 세로는 3등분하여 얻은 도형이다. 이 도형의 선들로 만들 수 있는 사각형 중에서 다음을 구하여라.

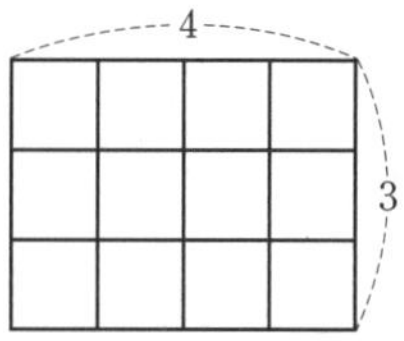

(1) 직사각형의 개수
(2) 정사각형의 개수
(3) 정사각형이 아닌 직사각형의 개수

030 | 교육청 기출 |

오른쪽 그림은 평행사변형의 각 변을 4등분하여 얻은 도형이다. 이 도형의 선들로 만들 수 있는 평행사변형 중에서 색칠한 부분을 포함하는 평행사변형의 개수는?

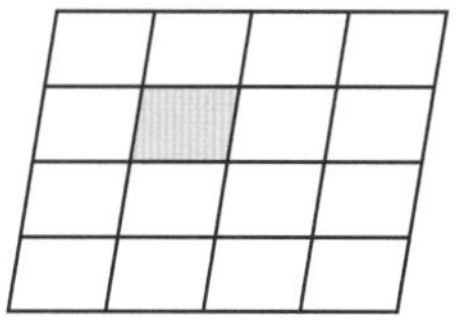

① 24　② 30　③ 36
④ 42　⑤ 48

유형 07 함수의 개수

두 집합 $X=\{1, 2, 3, 4\}$, $Y=\{1, 2, 3, 4, 5, 6\}$에 대하여 함수 $f: X \longrightarrow Y$가 다음 조건을 만족시킬 때, 함수 f의 개수는?

> $x_1 \in X$, $x_2 \in X$일 때, $x_1 < x_2$이면 $f(x_1) < f(x_2)$

① 11 ② 13 ③ 15
④ 17 ⑤ 19

풀이

주어진 조건을 만족시키려면 집합 Y의 6개의 원소 중에서 4개를 택하여 작은 수부터 차례로 정의역의 원소 1, 2, 3, 4에 대응시키면 된다.
따라서 구하는 함수 f의 개수는

$${}_6C_4 = {}_6C_{6-4} = {}_6C_2 = \frac{6\times5}{2\times1} = 15$$

답 ③

풍쌤 유형 TIP

두 집합 X, Y의 원소의 개수가 각각 m, n $(m \le n)$일 때, 함수 $f: X \longrightarrow Y$ 중에서 $a<b$이면 $f(a)<f(b)$를 만족시키는 함수 f의 개수는 ${}_nC_m$이다.

031

두 집합 $X=\{-2, -1, 0, 1, 2\}$,
$Y=\{y \mid y$는 10 이하의 자연수$\}$에 대하여 다음 조건을 만족시키는 함수 $f: X \longrightarrow Y$의 개수를 구하여라.

(1) 집합 X의 임의의 원소 x_1, x_2에 대하여 $x_1 < x_2$이면 $f(x_1) < f(x_2)$이다.

(2) $f(1)=6$이고, 집합 X의 임의의 원소 x_1, x_2에 대하여 $x_1 < x_2$이면 $f(x_1) < f(x_2)$이다.

032

두 집합 $X=\{1, 2, 4, 8\}$, $Y=\{1, 2, 4, 8, 16\}$에 대하여 다음 두 조건을 만족시키는 함수 $f: X \longrightarrow Y$의 개수는?

> (가) $f(1) < f(8)$ (나) $f(2) < f(4)$

① 80 ② 90 ③ 100
④ 110 ⑤ 120

033

두 집합 $X=\{-1, 0, 1\}$, $Y=\{1, 2\}$에 대하여 치역과 공역이 일치하는 X에서 Y로의 함수의 개수를 구하여라.

034 서술형

두 집합 $A=\{2, 3, 5, 7\}$, $B=\{1, 2, 3, 4, 5, 6, 7, 8\}$에 대하여 다음 두 조건을 만족시키는 함수 $f: A \longrightarrow B$의 개수를 구하여라.

> (가) 집합 A의 임의의 원소 a, b에 대하여 $a<b$이면 $f(a)>f(b)$이다.
> (나) $f(2)+f(3)+f(5)+f(7)$은 짝수이다.

실력을 높이는 연습 문제

정답과 풀이 079쪽

01

x에 대한 이차방정식 ${}_nC_2\,x^2-3\times{}_nC_4\,x+{}_nC_3=0$의 두 근의 합이 14일 때, 두 근의 곱은? (단, n은 자연수이다.)

① 2　② $\frac{7}{3}$　③ $\frac{8}{3}$
④ 3　⑤ $\frac{10}{3}$

02

다음은 $1\le r<n$일 때,

$${}_nC_r={}_{n-1}C_{r-1}+{}_{n-1}C_r$$

가 성립함을 증명하는 과정이다.

증명

$${}_{n-1}C_{r-1}+{}_{n-1}C_r$$
$$=\frac{(n-1)!}{(r-1)!(n-r)!}+\frac{(n-1)!}{r!(n-r-1)!}$$
$$=\frac{(n-1)!}{(r-1)!(\boxed{\text{(가)}})!}\left(\frac{1}{n-r}+\frac{1}{r}\right)$$
$$=\frac{(n-1)!}{(r-1)!(\boxed{\text{(가)}})!}\times\frac{\boxed{\text{(나)}}}{(n-r)r}$$
$$=\frac{n!}{r!(\boxed{\text{(다)}})!}$$
$$={}_nC_r$$

위의 증명에서 (가), (나), (다)에 알맞은 것을 써넣어라.

03 실력 UP

1부터 9까지의 자연수 중에서 서로 다른 세 수를 택할 때, 택한 세 수의 합이 홀수가 되는 경우의 수는?

① 36　② 37　③ 38
④ 39　⑤ 40

04

영신이를 포함한 6명의 학생 중에서 4명의 학생을 뽑을 때, 영신이를 항상 포함하는 경우의 수를 a, 포함하지 않는 경우의 수를 b라고 하자. 이때 $a-b$의 값은?

① 2　② 3　③ 4
④ 5　⑤ 6

05

농구 선수 3명, 축구 선수 4명, 탁구 선수 5명 중에서 3명의 대표를 뽑으려고 한다. 이때 탁구 선수가 적어도 2명이 포함되도록 뽑는 경우의 수를 구하여라.

06

1, 2부로 나누어 진행되는 어떤 장기 자랑 대회가 있다. 노래 3팀, 댄스 3팀, 개그 2팀이 참석하여 모두 공연할 때, 다음 두 조건에 따라 8팀의 공연 순서를 정하려고 한다.

(가) 1부에는 노래, 댄스, 개그, 노래 순으로 4팀이 공연한다.
(나) 2부에는 노래, 개그, 댄스, 댄스 순으로 4팀이 공연한다.

이 장기 자랑 대회의 공연 순서를 정하는 경우의 수는?

① 70 ② 71 ③ 72
④ 73 ⑤ 74

07

서로 다른 사과 4개, 복숭아 2개, 멜론 3개 중에서 사과 2개, 복숭아 1개, 멜론 1개를 골라서 4명의 학생에게 각각 하나씩 나누어주는 경우의 수를 구하여라.

08

$a<b<c<10$인 세 자연수 a, b, c에 대하여 백의 자리의 수, 십의 자리의 수, 일의 자리의 수가 각각 a, b, c인 세 자리의 자연수 중 200보다 크고 500보다 작은 모든 자연수의 개수를 구하여라.

09

오른쪽 그림과 같이 반원 위에 14개의 점이 있을 때, 주어진 점을 이어서 만들 수 있는 서로 다른 직선의 개수를 구하여라.

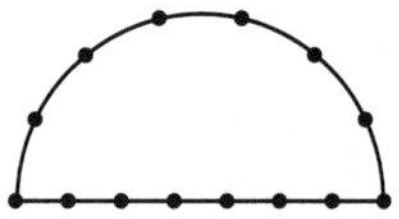

10 |교육청 기출|

삼각형 ABC에서 꼭짓점 A와 선분 BC 위의 네 점을 연결하는 4개의 선분을 그리고, 선분 AB 위의 세 점과 선분 AC 위의 세 점을 연결하는 3개의 선분을 그려 오른쪽 그림과 같은 도형을 만들었다. 이 도형의 선들로 만들 수 있는 삼각형의 개수는?

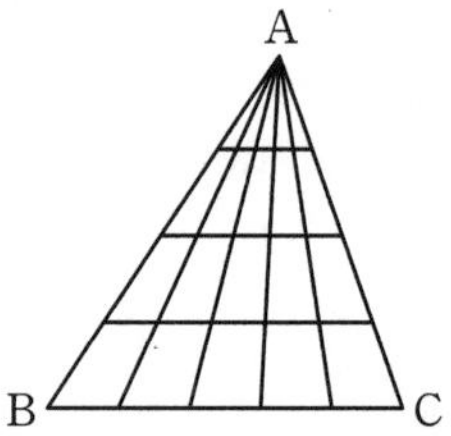

① 30 ② 40 ③ 50
④ 60 ⑤ 70

11 실력 UP

두 집합 $X=\{1, 2, 3, 4\}$,
$Y=\{x|x$는 10보다 작은 자연수$\}$에 대하여 다음 두 조건을 만족시키는 함수 $f: X \longrightarrow Y$의 개수를 구하여라.

(가) 집합 X의 임의의 원소 x_1, x_2에 대하여 $x_1 \neq x_2$이면 $f(x_1) \neq f(x_2)$이다.
(나) $x \in X$일 때, $f(x)$의 최댓값은 8, 최솟값은 2이다.

01 집합

기본을 다지는 유형

001 (2) 6, 12, 18, 24, 30 (3) -8, 8 **002** ④ **003** ⑤
004 ⑤ **005** ② **006** ⑤ **007** ㄱ, ㄴ **008** ③
009 72 **010** 3 **011** ② **012** ③ **013** ③
014 ② **015** 5 **016** 8 **017** ⑤ **018** ④
019 ② **020** ② **021** ② **022** ③ **023** -2
024 ④ **025** ② **026** 4 **027** ④ **028** ⑤
029 16 **030** ④ **031** 48 **032** 8 **033** ④
034 8 **035** ④ **036** 9 **037** 풀이 참조
038 ③ **039** ③ **040** ② **041** $\{2, 4, 6, 7\}$
042 $\{1, 6\}$ **043** ⑤ **044** 2 **045** 29 **046** ⑤
047 ⑤ **048** 8 **049** ⑤ **050** ② **051** 1
052 4 **053** ② **054** 13 **055** ③ **056** ⑤
057 ③ **058** 6 **059** ⑤ **060** ⑤ **061** ②
062 $\{2, 3, 4, 7, 8, 9, 10\}$ **063** ② **064** ④ **065** ⑤
066 ② **067** (1) 4 (2) 9 (3) 17 (4) 12 (5) 5 (6) 21 **068** ③
069 ⑤ **070** ④ **071** 22 **072** 24 **073** 8

실력을 높이는 연습 문제

01 ② **02** ③ **03** 27 **04** 8 **05** 13
06 ① **07** ④ **08** 7 **09** ③ **10** 8
11 ② **12** ③ **13** ③ **14** $\{-2, 7\}$ **15** ②
16 ⑤ **17** 4 **18** ③ **19** 4 **20** ③
21 36 **22** ② **23** ④ **24** 16

02 명제

기본을 다지는 유형

001 ④ **002** ⑤ **003** ⑤ **004** ④
005 (1) $\{1, 3, 5, 7, 9\}$ (2) $\{1, 3, 4, 5, 7, 8, 9\}$ (3) $\{2, 6\}$
(4) $\{1, 2, 3, 5, 6, 7, 9\}$ **006** $\{21, 42\}$ **007** ⑤
008 ② **009** 5 **010** ④ **011** ㄱ **012** ②
013 ⑤ **014** ③ **015** ① **016** 16 **017** ④
018 8 **019** ④ **020** $0<a<3$ **021** ② **022** ②
023 5 **024** ④ **025** ② **026** ④ **027** 4
028 9 **029** ㄱ, ㄷ **030** ④ **031** ③ **032** ③
033 (1) 충분조건 (2) 필요조건 (3) 필요충분조건 **034** ①
035 ③ **036** ① **037** ④ **038** ③ **039** ④
040 2 **041** ① **042** 24 **043** ④ **044** 0
045 풀이 참조 **046** (가): 유리수 (나): 짝수 (다): 서로소
047 ③ **048** (가): $(ay-bx)^2$ (나): $ay=bx$
049 (가): $(|a|+|b|)^2 \geq |a-b|^2$ (나): $2(|ab|+ab)$ (다): $ab \leq 0$
050 (가): $(a-b)^2+(b-c)^2+(c-a)^2$ (나): $b-c$ (다): $a=b=c$
051 ① **052** 40 **053** $\frac{27}{2}$ **054** ⑤ **055** ③
056 ③ **057** 8 **058** ⑤ **059** ② **060** 5
061 ④ **062** ③

실력을 높이는 연습 문제

01 ① **02** ③ **03** $a \neq b$이고 $b \neq c$이고 $c \neq a$
04 $\{1, 2, 3, 6\}$ **05** ② **06** ① **07** ④
08 ③ **09** 3 **10** ④ **11** 6 **12** ④
13 ① **14** ③ **15** ④ **16** ④ **17** ⑤
18 ③ **19** ② **20** 6 **21** (가): 홀수 (나): 홀수
(다): $2mn-m-n$ **22** ① **23** ② **24** 24

03 함수

기본을 다지는 유형

001 ④ **002** ④ **003** ② **004** ① **005** 33
006 10 **007** ③ **008** $\{-3, -1, 0, 1, 2, 3, 4, 5\}$
009 ② **010** -27 **011** ⑤ **012** $\{2, 4\}$ **013** $a>0$
014 ② **015** ④ **016** 3 **017** ① **018** 12
019 ③ **020** ② **021** 6 **022** ④ **023** ④
024 60 **025** ④ **026** 12 **027** ⑤ **028** 60
029 ④ **030** 96 **031** 2 **032** ⑤ **033** ⑤
034 ③ **035** 2 **036** ④ **037** 5 **038** ①
039 500 **040** ⑤ **041** -4 **042** ③ **043** 9
044 ③ **045** 2 **046** ⑤ **047** ⑤ **048** ④
049 ① **050** ③ **051** 0 **052** ⑤ **053** -1
054 ② **055** 4 **056** (1) $y=-\frac{1}{2}x+\frac{5}{2}$ (2) $y=3x+12$
(3) $y=x-2\ (x \geq 3)$ (4) $y=-x-3\ (x \geq -5)$ **057** ③
058 8 **059** ③ **060** ④ **061** 4
062 $g(x)=2x+7$ **063** ② **064** $\frac{1}{2}$ **065** ②
066 ② **067** 105 **068** 28 **069** ③ **070** ②
071 0 **072** ④ **073** 6 **074** ② **075** ③
076 490 **077** ③ **078** 1 **079** -3 **080** ②
081 ⑤ **082** ①

실력을 높이는 연습 문제

01 ② **02** 570 **03** ② **04** 729 **05** 7
06 3 **07** ① **08** 12 **09** ③ **10** ④
11 ③ **12** 4 **13** ⑤ **14** 8 **15** ②
16 10 **17** ① **18** 4 **19** ④ **20** 5
21 ② **22** 4 **23** ⑤ **24** c

04 유리식과 유리함수

기본을 다지는 유형

001 (1) $\frac{5x-10}{(x+1)(x-4)}$ (2) $\frac{1}{(x-1)(x+3)}$ (3) $\frac{3}{x(x+2)}$ (4) $\frac{1}{(x-1)(x-2)}$ **002** ③ **003** 6 **004** ②
005 ③ **006** -11 **007** (1) $\frac{3}{x(x+3)}$ (2) $\frac{6}{(x-1)(x+5)}$ (3) $\frac{3}{x(x+6)}$ **008** ③ **009** $\frac{3}{13}$ **010** 41
011 (1) 7 (2) 18 (3) 47 (4) 123 **012** ⑤ **013** ③
014 18 **015** $-\frac{3}{2}$ **016** 0 **017** ② **018** ③
019 $-\frac{14}{29}$ **020** $\frac{1}{2}$ **021** ④ **022** 5 **023** ①
024 (1) 12 (2) 11 (3) -3 (4) 12 **025** ⑤ **026** ④
027 1 **028** $\frac{2}{x}$ **029** ① **030** ② **031** ④
032 7 **033** (1) ㄱ, ㄷ (2) ㄴ, ㄹ
034 (1) $\left\{x \middle| x\neq\frac{2}{3}\text{인 실수}\right\}$ (2) $\{x|x\neq\pm1\text{인 실수}\}$ (3) $\{x|x\text{는 실수}\}$
035 풀이 참조 **036** 풀이 참조 **037** ⑤
038 ① **039** ② **040** -2 **041** ② **042** 14
043 ③ **044** ③ **045** -4 **046** 4 **047** ③
048 ⑤ **049** 18 **050** ⑤ **051** 5 **052** -6
053 ③ **054** 3 **055** ② **056** ② **057** ②
058 $f(x)=-\frac{x+2}{x+3}$ **059** ⑤ **060** ③ **061** ④
062 ② **063** 제3사분면 **064** ⑤ **065** ①
066 15 **067** $c<d<b<a$ **068** ③ **069** ③
070 $k=2$, 최솟값: -1 **071** ④ **072** (1) $y=\frac{-2x-1}{x-1}$ (2) $y=\frac{3x+3}{x-2}$ **073** -1 **074** ④ **075** ⑤

실력을 높이는 연습 문제

01 $\frac{1}{a}$ **02** ② **03** ③ **04** ① **05** $-112\sqrt{3}$
06 $\frac{1}{3}$ **07** 0 **08** ⑤ **09** 3 **10** ④
11 ⑤ **12** ④ **13** ③ **14** ⑤ **15** $\frac{1}{2}$
16 -2 **17** ④ **18** 28 **19** $\frac{11}{4}$ **20** ④
21 ② **22** ② **23** ④ **24** $\frac{15}{4}$

05 무리식과 무리함수

기본을 다지는 유형

001 (1) $x\geq-5$ (2) $x\geq3$ (3) $-2\leq x\leq4$ (4) $-3\leq x<6$
002 3 **003** ③ **004** 7 **005** (1) $2x$ (2) 6
006 (1) $\frac{x+y-2\sqrt{xy}}{x-y}$ (2) $x+1+\sqrt{x^2+2x}$ **007** ④
008 $-\frac{2}{a}$ **009** ④ **010** -5 **011** ② **012** ⑤
013 $\frac{\sqrt{5}+1}{2}$ **014** ② **015** 19 **016** ④ **017** ①
018 ④ **019** (1) $\{x|x\geq-3\}$ (2) $\left\{x \middle| x\leq\frac{5}{2}\right\}$ (3) $\left\{x \middle| x\geq\frac{3}{4}\right\}$ (4) $\{x|x\leq2\}$ **020** 풀이 참조
021 풀이 참조 **022** ② **023** ⑤
024 $\{y|y\leq5\}$ **025** ③ **026** 12 **027** ③
028 $k>1$ **029** ② **030** $y=\sqrt{2x-5}-2$ **031** ④
032 6 **033** ② **034** 3 **035** -2 **036** 8
037 ⑤ **038** ① **039** 제1사분면, 제2사분면, 제3사분면
040 ④ **041** -3 **042** 제1사분면, 제4사분면
043 ⑤ **044** 15 **045** ② **046** 11 **047** ②
048 ③ **049** 0 **050** (1) $y=x^2-1\ (x\geq0)$ (2) $y=x^2-6x+13\ (x\leq3)$ **051** ④ **052** 14
053 ③

실력을 높이는 연습 문제

01 ④ **02** 11 **03** ③ **04** 16 **05** ⑤
06 -40 **07** $\left\{x \middle| x\leq-\frac{3}{2}\right\}$ **08** ③ **09** 16
10 -7 **11** ⑤ **12** ③ **13** ④ **14** -15
15 -4 **16** ② **17** ④

06 순열

기본을 다지는 유형

001 (1) 4 (2) 6 (3) 3 **002** 3 **003** ② **004** 16
005 (1) 7 (2) 7 (3) 9 **006** ⑤ **007** ⑤ **008** 57
009 ④ **010** ③ **011** 7 **012** ④
013 (1) 12 (2) 30 (3) 60 (4) 6 **014** ② **015** 9
016 ③ **017** (1) 9 (2) 12 **018** (1) 10 (2) 20
019 ③ **020** 18 **021** ③ **022** 84 **023** 252
024 (1) 20 (2) 1 (3) 24 (4) 120 **025** (1) 7 (2) 5 (3) 2 (4) 3
026 ② **027** ⑤ **028** 7 **029** (1) 24 (2) 360
030 ⑤ **031** (1) 48 (2) 72 **032** ③ **033** ④
034 ④ **035** 1440 **036** (1) 24 (2) 6 (3) 12 **037** 12
038 ④ **039** ③ **040** 2640 **041** (1) 100 (2) 52
042 48 **043** (1) 16번째 (2) dacb **044** 30142

실력을 높이는 연습 문제

01 ⑤ **02** ② **03** 8 **04** 18 **05** ②
06 540 **07** (가): ${}_n\mathrm{P}_r$ (나): $(n-1)!$ (다): n **08** 8
09 ② **10** ⑤ **11** ⑤ **12** 78

07 조합

기본을 다지는 유형

001 (1) 10 (2) 35 (3) 1 (4) 8 **002** (1) 7 (2) 3 또는 4 (3) 10 (4) 7 **003** ④ **004** 8 **005** 11
006 (1) 15 (2) 120 (3) 5 **007** 60 **008** ③ **009** 14
010 ③ **011** (1) 4 (2) 4 (3) 3 **012** (1) 15 (2) 4
013 ③ **014** 35 **015** ③ **016** (1) 195 (2) 185
017 1440 **018** ⑤ **019** 144 **020** ④ **021** 21
022 ③ **023** 36 **024** ① **025** ④ **026** ③
027 30 **028** 18 **029** (1) 60 (2) 20 (3) 40 **030** ③
031 (1) 252 (2) 40 **032** ③ **033** 6 **034** 38

실력을 높이는 연습 문제

01 ③ **02** (가): $n-r-1$ (나): n (다): $n-r$ **03** ⑤
04 ④ **05** 80 **06** ③ **07** 864 **08** 46
09 64 **10** ④ **11** 240

대표 유형 중심의
실력을 높이는 **유형 연습서**

지학사

풍산자
라이트 유형

정답과 풀이

수학(하)

풍산자

라이트 유형

수학(하)

정답과 풀이

01 집합

기본을 다지는 유형

본문 010쪽

001

(1) '잘하다'의 기준이 명확하지 않으므로 집합이 아니다.
(2) 집합이고, 원소는 6, 12, 18, 24, 30이다.
(3) 집합이고, 원소는 -8, 8이다.
(4) '가깝다'의 기준이 명확하지 않으므로 집합이 아니다.

답 (2) 6, 12, 18, 24, 30 (3) -8, 8

002

④ '높다'의 기준이 명확하지 않으므로 집합이 아니다.

답 ④

003

$x^2-x-2\le 0$에서
$(x+1)(x-2)\le 0$ $\quad\therefore -1\le x\le 2$
즉, 집합 A의 원소는 -1, 0, 1, 2이므로
ㄱ. $-2\notin A$ (거짓) ㄴ. $-1\in A$ (거짓)
ㄷ. $1\in A$ (참) ㄹ. $2\in A$ (참)
따라서 옳은 것은 ㄷ, ㄹ이다.

답 ⑤

004

① $\frac{1}{3}$은 정수가 아니므로 $\frac{1}{3}\notin Z$
② $\sqrt{25}=5$에서 $\sqrt{25}$는 유리수이므로 $\sqrt{25}\in Q$
③, ④ $\frac{1}{\sqrt{3}}$, $\sqrt{5}-1$은 모두 무리수이므로 $\frac{1}{\sqrt{3}}\in R$, $\sqrt{5}-1\notin Q$
⑤ $i^2=-1$에서 i^2은 실수이므로 $i^2\in R$

답 ⑤

005

① $2000=4\times 500$이므로 $2000\notin A$
② $2023=4\times 505+3$이므로 $2023\in A$
③ $2043=4\times 510+3$이므로 $2043\in A$
④ $2069=4\times 517+1$이므로 $2069\notin A$
⑤ $2091=4\times 522+3$이므로 $2091\in A$

답 ②

006

⑤ $\{21, 22, 23, \cdots\}$ ➡ $\{x|x$는 20보다 큰 정수$\}$
$\{x|x$는 20 이상의 정수$\}$ ➡ $\{20, 21, 22, \cdots\}$

답 ⑤

007

ㄱ. 8의 양의 약수는 1, 2, 4, 8이므로
$A=\{2, 4, 8\}$ (참)
ㄴ. $(x-2)(x-4)(x-8)=0$에서
$x=2$ 또는 $x=4$ 또는 $x=8$ $\quad\therefore A=\{2, 4, 8\}$ (참)
ㄷ. 10보다 작은 짝수는 2, 4, 6, 8이므로
$A=\{2, 4, 6, 8\}$ (거짓)
ㄹ. $A=\{x|x=2k, k=1, 2, 3\}=\{2, 4, 6\}$ (거짓)
따라서 옳은 것은 ㄱ, ㄴ이다.

답 ㄱ, ㄴ

008

오른쪽 표를 이용하여 $a+b$의 값을 모두 구하면
0, 1, 2, 3, 4
$\therefore X=\{0, 1, 2, 3, 4\}$

a \ b	0	1	2
0	0	1	2
1	1	2	3
2	2	3	4

답 ③

009

$a\in A$이므로 $2^a=2, 4$
$b\in A$이므로 $3^b=3, 9$ ❶
오른쪽 표를 이용하여 $2^a\times 3^b$의 값을 모두 구하면
6, 12, 18, 36

2^a \ 3^b	3	9
2	6	18
4	12	36

$\therefore X=\{6, 12, 18, 36\}$ ❷
따라서 집합 X의 모든 원소의 합은
$6+12+18+36=72$ ❸

답 72

채점 기준	비율
❶ 2^a, 3^b의 값을 모두 구할 수 있다.	40%
❷ 집합 X를 원소나열법으로 나타낼 수 있다.	40%
❸ 집합 X의 모든 원소의 합을 구할 수 있다.	20%

010

$i^1=i$, $i^2=-1$, $i^3=-i$, $i^4=1$, $i^5=i$, $\cdots$이므로 i^n (n은 자연수)은 i, -1, $-i$, 1이 이 순서로 반복되어 나타난다.
$\therefore A=\{i, -1, -i, 1\}$
$i^2=-1$, $(-1)^2=1$, $(-i)^2=-1$, $1^2=1$이므로
$z_1^{\,2}=-1$, 1이고 $z_2^{\,2}=-1$, 1이다.
오른쪽 표를 이용하여 $z_1^{\,2}+z_2^{\,2}$의 값을 모두 구하면 -2, 0, 2
$\therefore B=\{-2, 0, 2\}$
따라서 집합 B의 원소의 개수는 3이다.

$z_1^{\,2}$ \ $z_2^{\,2}$	-1	1
-1	-2	0
1	0	2

답 3

011

① 5보다 작은 7의 양의 배수는 없으므로 공집합이다.
② -1과 0 사이에는 무수히 많은 유리수가 있으므로 무한집합이다.
③ 1보다 작은 자연수는 없으므로 공집합이다.
④ 이차방정식 $x^2-2x+5=0$의 판별식을 D라고 하면
$\frac{D}{4}=(-1)^2-1\times 5=-4<0$

즉, 이차방정식 $x^2-2x+5=0$은 실근을 갖지 않으므로 주어진 집합은 공집합이다.

⑤ 2보다 크고 4보다 작은 짝수는 없으므로 공집합이다.

답 ②

풍쌤 개념 CHECK

이차방정식의 근의 판별_高 수학

계수가 실수인 이차방정식 $ax^2+bx+c=0$에서 판별식을 $D=b^2-4ac$라고 할 때,

(1) $D>0$이면 서로 다른 두 실근을 갖는다.
(2) $D=0$이면 중근(서로 같은 두 실근)을 갖는다.
} 실근을 갖는다.
(3) $D<0$이면 서로 다른 두 허근을 갖는다.

012

$A=\{1, 3, 5, 15\}$, $B=\{5, 10, 15, \cdots, 100\}$이므로

$n(A)=4$, $n(B)=20$

$\therefore n(A)+n(B)=4+20=24$

답 ③

013

ㄱ. $n(\{0\})=1$ (거짓)

ㄴ. $n(\{3, 4\})=2$, $n(\{4\})=1$이므로
$n(\{3, 4\})-n(\{4\})=2-1=1$ (거짓)

ㄷ. $20=2^2\times5$이므로 $A=\{2, 5\}$ $\quad\therefore n(A)=2$ (참)

따라서 옳은 것은 ㄷ이다.

답 ③

014

$x^2=9$에서 $x^2-9=0$, $(x+3)(x-3)=0$

즉, $x=-3$ 또는 $x=3$이므로 $A=\{-3, 3\}$

$|x|\leq3$에서 $-3\leq x\leq3$이므로

$B=\{-3, -2, -1, 0, 1, 2, 3\}$

$x^3-9x=0$에서 $x(x+3)(x-3)=0$

즉, $x=-3$ 또는 $x=0$ 또는 $x=3$이므로

$C=\{-3, 0, 3\}$

$\therefore A\subset C\subset B$

답 ②

015

$(x-5)(x-a)=0$에서 $x=5$ 또는 $x=a$

(i) $a=5$일 때
$A=\{5\}$이므로 $A\subset B$를 만족시킨다.

(ii) $a\neq5$일 때
$A=\{5, a\}$이므로 $A\subset B$를 만족시키는 양수 a의 값은 존재하지 않는다.

(i), (ii)에 의하여 $a=5$

답 5

016

$B=\{5, 10, 15, \cdots\}$이고 주어진 벤다이어그램에서 $A\subset B$이므로 k는 5의 양의 배수이어야 한다. ❶

이때 k는 $5<k<50$인 자연수이므로 자연수 k의 값이 될 수 있는 수는 10, 15, 20, 25, 30, 35, 40, 45이다. ❷

따라서 주어진 조건을 만족시키는 자연수 k의 개수는 8이다. ❸

답 8

채점 기준	비율
❶ k의 조건을 구할 수 있다.	40%
❷ k의 값을 구할 수 있다.	40%
❸ k의 개수를 구할 수 있다.	20%

017

$C\subset B$에서 $6\in B$이어야 하므로 $a=6$

또, $B\subset A$에서 $3\in A$이어야 하므로 $b=3$

$\therefore a-b=6-3=3$

답 ⑤

참고

$A=\{1, 3, 5, 6\}$, $B=\{1, 3, 6\}$, $C=\{1, 6\}$

018

$A\subset B$에서 $-1\in B$이어야 하므로

$a^2-1=-1$ 또는 $2a-3=-1$

(i) $a^2-1=-1$일 때
$a^2=0$ $\quad\therefore a=0$
이때 $A=\{-1, 3\}$, $B=\{-3, -1, 4\}$이므로 $A\subset B$를 만족시키지 않는다.

(ii) $2a-3=-1$일 때
$2a=2$ $\quad\therefore a=1$
이때 $A=\{-1, 4\}$, $B=\{-1, 0, 4\}$이므로 $A\subset B$를 만족시킨다.

(i), (ii)에 의하여 $a=1$

답 ④

019

① $\varnothing$은 집합 A의 원소이므로 $\{\varnothing\}\subset A$

② 1, $\{1\}$은 집합 A의 원소이므로
$\{1\}\subset A$, $\{1\}\in A$

③ 3은 집합 A의 원소이므로 $\{3\}\subset A$

④ 1, 3은 집합 A의 원소이므로 $\{1, 3\}\subset A$

⑤ 1, $\{1\}$은 집합 A의 원소이므로 $\{1, \{1\}\}\subset A$

답 ②

020

ㄱ. 1은 집합 A의 원소이므로 $1\in A$ (참)

ㄴ. 2는 집합 A의 원소가 아니고 $\{2\}$는 집합 A의 원소이므로
$2\notin A$, $\{2\}\in A$ (거짓)

ㄷ. $\{1, 2\}$는 집합 A의 원소이므로
$\{1, 2\}\in A$ (참)

ㄹ. 2는 집합 A의 원소가 아니고 $\{1\}$은 집합 A의 원소이므로
$\{2, \{1\}\}\not\subset A$ (거짓)

따라서 옳은 것은 ㄱ, ㄷ이다.

답 ②

021

$A=B$이므로 두 집합 A, B의 원소가 같아야 한다.
즉, $a=4$, $b=2$이므로
$a\times b=4\times 2=8$

답 ②

022

$A\subset B$, $B\subset A$이므로 $A=B$
따라서 두 집합 A, B의 원소가 같아야 하고,
$x-1<x+1<x+3$이므로
$x-1=1$, $x+1=3$, $x+3=5$
$\therefore x=2$

답 ③

023

$A=B$이므로 $6\in A$
즉, $a^2-a=6$이므로
$a^2-a-6=0$, $(a+2)(a-3)=0$
$\therefore a=-2$ 또는 $a=3$ ……… ❶
(i) $a=-2$일 때
$A=\{-3, 2, 6\}$, $B=\{-3, 2, 6\}$이므로 $A=B$를 만족시킨다.
(ii) $a=3$일 때
$A=\{-3, 2, 6\}$, $B=\{-3, 6, 7\}$이므로 $A=B$를 만족시키지 않는다. ……… ❷
(i), (ii)에 의하여 $a=-2$ ……… ❸

답 -2

채점 기준	비율
❶ $6\in A$임을 이용하여 a의 값을 구할 수 있다.	40%
❷ $a=-2$, $a=3$일 때 $A=B$인지 아닌지 확인할 수 있다.	40%
❸ a의 값을 구할 수 있다.	20%

|다른 풀이|
$A=B$이므로 $-3\in B$, $2\in B$
$\therefore 2a+1=-3$, $-a=2$ 또는 $2a+1=2$, $-a=-3$
(i) $2a+1=-3$, $-a=2$일 때
$a=-2$이므로
$A=\{-3, 2, 6\}$, $B=\{-3, 2, 6\}$
따라서 $A=B$를 만족시킨다.
(ii) $2a+1=2$, $-a=-3$일 때
두 식을 모두 만족시키는 a의 값이 존재하지 않는다.
(i), (ii)에 의하여 $a=-2$

024

보기의 각 집합을 구하면 다음과 같다.
ㄱ. $\{1, 3\}$　　ㄴ. $\{1, 3\}$
ㄷ. $\{1, 3\}$　　ㄹ. $\{1, 3, 5\}$
따라서 집합 A와 같은 것은 ㄱ, ㄴ, ㄷ이다.

답 ④

025

$A=\{1, 3, 5, 15\}$이고 $A=B$이므로
$2a-1=3$, $2b+1=5$ 또는 $2a-1=5$, $2b+1=3$
$\therefore a=2$, $b=2$ 또는 $a=3$, $b=1$
이때 $a>b$이므로 $a=3$, $b=1$
$\therefore a-b=3-1=2$

답 ②

026

집합 A의 원소의 개수를 n이라고 하면
$2^n=16=2^4$　　$\therefore n=4$
따라서 집합 A의 원소의 개수는 4이다.

답 4

027

$A=\{1, 2, 3, 4, 5, 6, 10, 12, 15, 20, 30, 60\}$이므로 집합 A의 원소 중 홀수는
1, 3, 5, 15
따라서 집합 A의 부분집합 중 홀수로만 이루어진 집합은 집합 $\{1, 3, 5, 15\}$의 부분집합 중에서 공집합을 제외한 것이므로 구하는 집합의 개수는
$2^4-1=16-1=15$

답 ④

028

$A=\{1, 2, 3, 4, 5, 6, 7, 8, 9, 10\}$
집합 A의 부분집합 중에서 소수 2, 3, 5, 7을 원소로 갖지 않는 집합의 개수는
$2^{10-4}=2^6=64$

답 ⑤

029

$A=\{3, 6, 9, 12, 15, 18, 21, 24\}$
집합 A의 부분집합 중에서 3, 12는 반드시 원소로 갖고, 15, 18은 원소로 갖지 않는 집합의 개수는
$2^{8-2-2}=2^4=16$

답 16

030

집합 X는 U의 부분집합이고 1, 2를 반드시 원소로 가져야 하므로 집합 X의 개수는
($\{1, 2\}\subset X$이므로 집합 X는 1, 2를 반드시 원소로 가져야 한다.)
$2^{5-2}=2^3=8$

답 ④

031

$-4\le 3x-1<14$에서
$-3\le 3x<15$　　$\therefore -1\le x<5$
$\therefore A=\{-1, 0, 1, 2, 3, 4\}$
집합 A의 부분집합 중에서 1, 4를 반드시 원소로 갖는 집합의 개수는
$2^{6-2}=2^4=16$　　$\therefore a=16$
집합 A의 부분집합 중에서 2를 원소로 갖지 않는 집합의 개수는
$2^{6-1}=2^5=32$　　$\therefore b=32$

$\therefore a+b=16+32=48$

답 48

032

$A=\{2, 3, 5, 7, 11, 13\}$ ❶

$2\notin X$, $5\in X$, $11\in X$이므로 집합 X는 5, 11은 반드시 원소로 갖고 2는 원소로 갖지 않는다. ❷

따라서 집합 A의 부분집합 중에서 5, 11은 반드시 원소로 갖고, 2는 원소로 갖지 않는 집합 X의 개수는

$2^{6-2-1}=2^3=8$ ❸

답 8

채점 기준	비율
❶ 집합 A를 원소나열법으로 나타낼 수 있다.	20%
❷ $2\notin X$, $5\in X$, $11\in X$의 의미를 알 수 있다.	30%
❸ 집합 X의 개수를 구할 수 있다.	50%

033

$A=\{1, 5\}$, $B=\{1, 2, 3, 5, 7, 8\}$이므로 $A\subset X\subset B$를 만족시키는 집합 X는 1, 5를 반드시 원소로 갖는 집합 B의 부분집합이어야 한다.

따라서 집합 X의 개수는

$2^{6-2}=2^4=16$

답 ④

034

$B\subset X\subset A$를 만족시키는 집합 X는 1, 2를 반드시 원소로 갖는 집합 A의 부분집합이므로 집합 X의 개수는

$2^{5-2}=2^3=8$

답 8

035

$x^2-6x+8=0$에서

$(x-2)(x-4)=0$ $\quad\therefore x=2$ 또는 $x=4$

$\therefore A=\{2, 4\}$

한편 $B=\{1, 2, 3, 4, 6, 9, 12, 18, 36\}$이므로 $A\subset X\subset B$, $X\neq A$, $X\neq B$를 만족시키는 집합 X의 개수는 2, 4를 반드시 원소로 갖는 집합 B의 부분집합의 개수에서 집합 A, B를 제외해야 한다.

따라서 집합 X의 개수는

$2^{9-2}-2=2^7-2=128-2=126$

답 ④

036

$A=\{1, 2, 4, 8\}$ ❶

$A\subset X\subset B$를 만족시키는 집합 X는 1, 2, 4, 8을 반드시 원소로 갖는 집합 B의 부분집합이다.

이때 집합 X의 개수는 32이므로

$2^{n-4}=32$, $2^{n-4}=2^5$ ❷

따라서 $n-4=5$이므로

$n=9$ ❸

답 9

채점 기준	비율
❶ 집합 A를 원소나열법으로 나타낼 수 있다.	20%
❷ n에 대한 식을 세울 수 있다.	50%
❸ n의 값을 구할 수 있다.	30%

037

$A=\{1, 2, 3, 4, 6, 12\}$, $B=\{2, 4, 6, 8, 10\}$,

$C=\{3, 6, 9, 12\}$

(1) $A\cup B=\{1, 2, 3, 4, 6, 8, 10, 12\}$

(2) $B\cap C=\{6\}$

(3) $(A\cup B)\cap C=\{3, 6, 12\}$

(4) $A\cup(B\cap C)=\{1, 2, 3, 4, 6, 12\}$

답 풀이 참조

038

$C=\{1, 2, 4\}$

③ $A\cap B=\{1, 3, 5\}$이므로

$(A\cap B)\cap C=\{1\}$

④ $B\cup C=\{1, 2, 3, 4, 5, 6\}$이므로

$A\cap(B\cup C)=\{1, 3, 5\}$ → $C\subset B$이므로 $B\cup C=B$

⑤ $B\cap C=\{1, 2, 4\}$이므로 → $C\subset B$이므로 $B\cap C=C$

$A\cup(B\cap C)=\{1, 2, 3, 4, 5, 7, 9\}$

답 ③

039

$A=\{1, 2, 4, 8\}$, $B=\{1, 2, 4, 5, 10, 20\}$이고 주어진 그림에서 색칠한 부분이 나타내는 집합은 $A\cap B$이다.

따라서 구하는 집합은 $\{1, 2, 4\}$

답 ③

040

$A\cap B=\{15, 30, 45, \cdots\}=\{x\,|\,x$는 15의 양의 배수$\}$

$\therefore a=15$

답 ②

참고

집합 A는 3의 양의 배수의 집합이고 집합 B는 5의 양의 배수의 집합이므로 $A\cap B$는 3과 5의 공배수, 즉 15의 양의 배수의 집합이다.

→ 3과 5의 최소공배수

041

주어진 집합을 벤다이어그램으로 나타내면 오른쪽 그림과 같으므로

$B=\{2, 4, 6, 7\}$

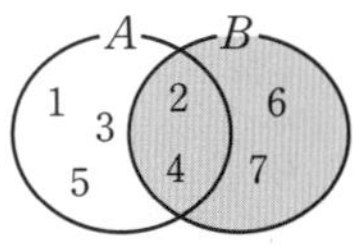

답 $\{2, 4, 6, 7\}$

042

주어진 조건을 벤다이어그램으로 나타내면 오른쪽 그림과 같으므로

$A\cap B=\{1, 6\}$

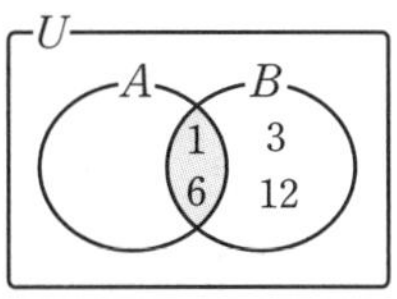

답 $\{1, 6\}$

|다른 풀이|

$A\cap B=B-(B-A)$

$=\{1, 3, 6, 12\}-\{3, 12\}$

$=\{1, 6\}$

043

$U=\{2, 4, 6, 8, 10, 12, 14, 16, 18, 20\}$이므로

$B^C=\{2, 6, 10, 14, 18\}$

$\therefore A\cup B^C=\{2, 4, 6, 10, 12, 14, 18\}$

따라서 집합 $A\cup B^C$의 원소의 개수는 7이다.

답 ⑤

044

$B-C=\{c, d\}$이므로

$A-(B-C)=\{a, b\}$

$\therefore n(A-(B-C))=2$

답 2

045

$(A-B)\cap(B-A)=\varnothing$이고

$(A-B)\cup(B-A)=\{1, 3, 4, 6, 10\}$에서 1, 4가 집합 A의 원소이므로 3, 6, 10은 $B-A$의 원소이다.

따라서 주어진 집합을 벤다이어그램으로 나타내면 오른쪽 그림과 같다. ❶

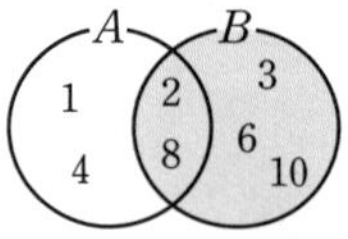

즉, $B=\{2, 3, 6, 8, 10\}$이므로 집합 B의 모든 원소의 합은

$2+3+6+8+10=29$ ❷

답 29

채점 기준	비율
❶ 주어진 집합을 벤다이어그램으로 나타낼 수 있다.	50%
❷ 집합 B의 모든 원소의 합을 구할 수 있다.	50%

046

$B=(B-A)\cup(A\cap B)$, $(B-A)\cap(A\cap B)=\varnothing$이고

$B-A=\{5, 6\}$이므로

$A\cap B=\{1\}$ ← 집합 B의 모든 원소의 합이 12이고 $5+6=11$이므로 $A\cap B=\{1\}$이어야 한다.

$\therefore A-B=A-(A\cap B)=\{2, 3, 4\}$

따라서 집합 $A-B$의 모든 원소의 합은

$2+3+4=9$

답 ⑤

047

① $A\cap B=\{4\}$이므로 두 집합 A, B는 서로소가 아니다.

② $A\cap B=\{x|1<x<2\}$이므로 두 집합 A, B는 서로소가 아니다.

③ $x^2=1$에서 $x=-1$ 또는 $x=1$

$x^2-3x+2=0$에서 $(x-1)(x-2)=0$

$\therefore x=1$ 또는 $x=2$

즉, $A=\{-1, 1\}$, $B=\{1, 2\}$이므로 $A\cap B=\{1\}$

따라서 두 집합 A, B는 서로소가 아니다.

④ $A=\{2, 3, 5, 7, \cdots\}$, $B=\{1, 2, 4\}$이므로

$A\cap B=\{2\}$

따라서 두 집합 A, B는 서로소가 아니다.

⑤ $A=\{1, 7\}$, $B=\{2, 4, 6, \cdots\}$이므로 $A\cap B=\varnothing$

따라서 두 집합 A, B는 서로소이다.

답 ⑤

048

구하는 집합의 개수는 집합 A의 부분집합 중에서 10, 15를 원소로 갖지 않는 집합의 개수와 같으므로 구하는 집합의 개수는

$2^{5-2}=2^3=8$

답 8

049

$A=\{1, 2\}$, $A\cup B=\{1, 2, 4, 8, 16\}$

두 집합 A, B가 서로소이므로 $A\cap B=\varnothing$

따라서 $B=\{4, 8, 16\}$이므로 집합 B의 모든 원소의 합은

$4+8+16=28$

답 ⑤

050

$A=\{1, 2, 4, 7, 14, 28\}$이므로 집합 B의 원소의 개수를 n이라고 하면

$2^{6-n}=16=2^4$

즉, $6-n=4$이므로 $n=2$

따라서 집합 B의 원소의 개수는 2이다.

답 ②

051

두 집합 A, B가 서로소이려면 오른쪽 그림과 같아야 하므로

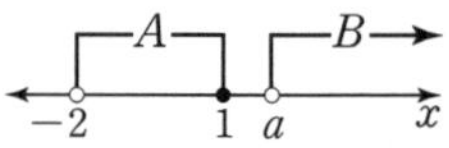

$a\geq 1$ ❶

따라서 a의 최솟값은 1이다. ❷

답 1

채점 기준	비율
❶ a의 값의 범위를 구할 수 있다.	70%
❷ a의 최솟값을 구할 수 있다.	30%

052

$A\cap B=\{2, 4\}$이므로 $4\in A$, $2\in B$

따라서 $a=4$, $b+2=2$이므로 $a=4$, $b=0$

$\therefore a+b=4+0=4$

답 4

053

$A-B=\{6\}$이므로 집합 A의 원소 중 6을 제외한 나머지 원소인 3, 5, $a-b$는 모두 집합 B의 원소이어야 한다.

즉, $5\in B$, $a-b\in B$이므로 $a-b=8$, $2a-1=5$

$\therefore a=3$, $b=-5$

$\therefore ab=3\times(-5)=-15$

답 ②

054

$A\cup B=\{1, 2, 5, 8\}$이므로 $5\in A$ 또는 $8\in A$

$5\in A$에서 $a-3=5$ $\quad\therefore a=8$

$8\in A$에서 $a-3=8$ $\quad\therefore a=11$

(i) $a=8$일 때

$A=\{1, 2, 5\}$, $B=\{5, 8\}$이므로

$A\cup B=\{1, 2, 5, 8\}$

따라서 주어진 조건을 만족시킨다.

(ii) $a=11$일 때

$A=\{1, 2, 8\}$, $B=\{5, 11\}$이므로

$A\cup B=\{1, 2, 5, 8, 11\}$

따라서 주어진 조건을 만족시키지 않는다.

(i), (ii)에 의하여 $a=8$이고

$A=\{1, 2, 5\}$, $B=\{5, 8\}$

이므로 집합 B의 모든 원소의 합은

$5+8=13$

답 13

055

$A\cap B=\{4\}$이므로 $4\in A$, $4\in B$

$4\in A$에서 $4^2-3\times4+a=0$

$\therefore a=-4$

$4\in B$에서 $4^2+4b+12=0$, $4b=-28$

$\therefore b=-7$

$x^2-3x-4=0$에서 $(x+1)(x-4)=0$

$\therefore x=-1$ 또는 $x=4$ $\quad\therefore A=\{-1, 4\}$

$x^2-7x+12=0$에서 $(x-3)(x-4)=0$

$\therefore x=3$ 또는 $x=4$ $\quad\therefore B=\{3, 4\}$

ㄱ. $A-B=\{-1\}$ (거짓)

ㄴ. $B-A=\{3\}$ (거짓)

ㄷ. $A\cup B=\{-1, 3, 4\}$ (참)

따라서 옳은 것은 ㄷ이다.

답 ③

056

$(A-B)\cup(B-A)=\{1, 3, 6\}$이므로

1, 3, 6을 제외한 A, B의 나머지 원소 2, 4는 $A\cap B$에 속한다.

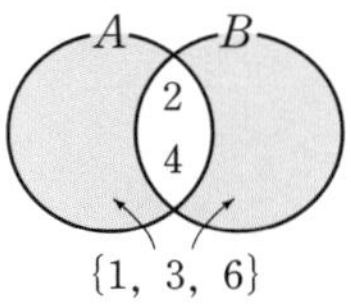

즉, $2\in A$이므로

$a^2-2=2$, $a^2=4$

$\therefore a=-2$ 또는 $a=2$

(i) $a=-2$일 때

$A=\{1, 2, 4\}$, $B=\{-6, -5, 0, 2\}$이므로

$A-B=\{1, 4\}$, $B-A=\{-6, -5, 0\}$

$\therefore (A-B)\cup(B-A)=\{-6, -5, 0, 1, 4\}$

따라서 주어진 조건을 만족시키지 않는다.

(ii) $a=2$일 때

$A=\{1, 2, 4\}$, $B=\{2, 3, 4, 6\}$이므로

$A-B=\{1\}$, $B-A=\{3, 6\}$

$\therefore (A-B)\cup(B-A)=\{1, 3, 6\}$

따라서 주어진 조건을 만족시킨다.

(i), (ii)에 의하여 $a=2$

답 ⑤

057

$B-A^C=B\cap(A^C)^C=B\cap A=A\cap B$

답 ③

058

$(A\cap U)-B^C=A-B^C=A\cap(B^C)^C$

$=A\cap B=\{1, 5\}$

따라서 구하는 집합의 모든 원소의 합은

$1+5=6$

답 6

|다른 풀이|

$U=\{1, 2, 5, 10, 25, 50\}$이므로

$B^C=\{25, 50\}$

$\therefore (A\cap U)-B^C=A-B^C=\{1, 5\}$

059

$A\subset B$이므로

① $A\cap B=A$

② $(A\cup B)\cap A=B\cap A=A$

③ $(A\cap B)\cup A=A\cup A=A$

④ $(A-B)\cup A=\varnothing\cup A=A$

⑤ $(A\cap B)\cup(A\cup B)=A\cup B=B$

답 ⑤

060

$B\subset A$이므로 두 집합 A, B를 벤다이어그램으로 나타내면 오른쪽 그림과 같다.

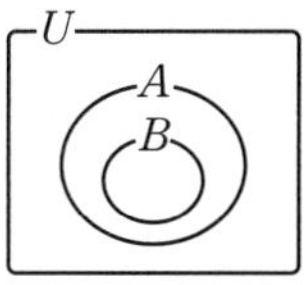

① $B-A=\varnothing$

② $A\cap B=B$이고 모든 집합은 자기 자신의 부분집합이므로

$B\subset(A\cap B)$

③ $A\cup B^C=U$

④ $A^C\subset B^C$이므로 $A^C\cap B^C=A^C$

⑤ $A^C\cup B\neq U$

답 ⑤

061

① $A-B=A$이므로 $A\cap B=\varnothing$

따라서 두 집합 A, B를 벤다이어그램으로 나타내면 오른쪽 그림과 같다.

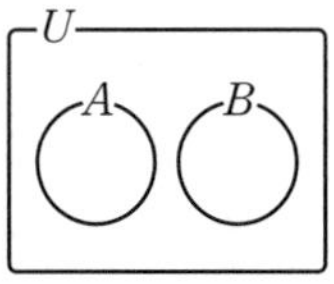

② $A\not\subset B$, $B\not\subset A$

③ $B-A=B$

④, ⑤ $A\subset B^C$, $B\subset A^C$

답 ②

062

$A=\{1, 3, 5, 6, 9, 10\}$, $A-B=\{3, 9, 10\}$이므로

$A\cap B=A-(A-B)=\{1, 5, 6\}$ ❶

$\therefore A^C \cup B^C = (A \cap B)^C$

$= \{2, 3, 4, 7, 8, 9, 10\}$ ······ ❷

답 $\{2, 3, 4, 7, 8, 9, 10\}$

채점 기준	비율
❶ $A \cap B$를 구할 수 있다.	70%
❷ $A^C \cup B^C$를 구할 수 있다.	30%

063

$(A-B)^C \cap A = A \cap (A-B)^C = A-(A-B)$

이때 $A-(A-B)$를 벤다이어그램으로 나타내면 다음 그림과 같으므로

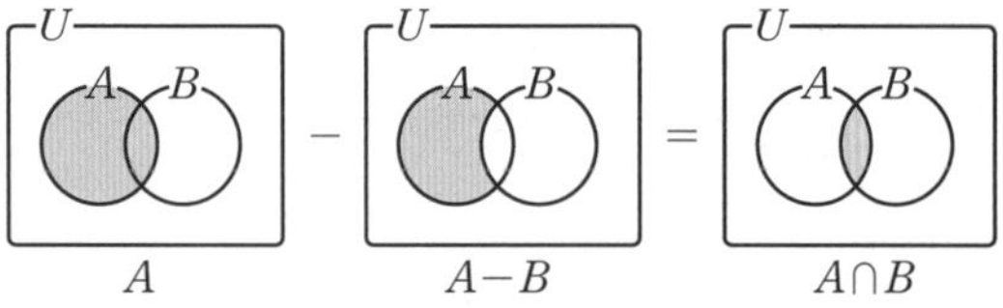

즉, $A-(A-B) = A \cap B$이므로

$(A-B)^C \cap A = A \cap B = \{12\}$

답 ②

참고

$A-(A-B) = A \cap B$인 것은 위 풀이에서와 같이 벤다이어그램을 이용하여 확인할 수도 있지만, 다음과 같이 연산 법칙을 이용하여 확인할 수도 있다.

$A-(A-B) = A \cap (A \cap B^C)^C = A \cap (A^C \cup B)$

$= (A \cap A^C) \cup (A \cap B) = \varnothing \cup (A \cap B) = A \cap B$

064

$(A-B)-(A \cap C^C)$

$= (A \cap B^C) \cap (A \cap C^C)^C$

$= (A \cap B^C) \cap (A^C \cup C)$

$= \{(A \cap B^C) \cap A^C\} \cup \{(A \cap B^C) \cap C\}$

→ $A \cap A^C = \varnothing$이므로 $(A \cap B^C) \cap A^C = \varnothing$

$= \varnothing \cup \{(A \cap C) \cap B^C\} = (A \cap C) - B$

답 ④

065

$(A-B)^C \cap B = (A \cap B^C)^C \cap B$

$= (A^C \cup B) \cap B$

$= (A^C \cap B) \cup (B \cap B)$

$= (B-A) \cup B = B$

따라서 벤다이어그램으로 바르게 나타낸 것은 ⑤이다.

답 ⑤

066

$A \cap \{(B-A) \cup (A \cap B)\}$

$= \{A \cap (B \cap A^C)\} \cup \{A \cap (A \cap B)\}$

$= \varnothing \cup (A \cap B) = A \cap B$

따라서 $A \cap B = B$이므로 항상 성립하는 것은 ②이다.

답 ②

067

(1) $n(A \cap B) = n(A) + n(B) - n(A \cup B) = 16 + 8 - 20 = 4$

(2) $n(A^C) = n(U) - n(A) = 25 - 16 = 9$

(3) $n(B^C) = n(U) - n(B) = 25 - 8 = 17$

(4) $n(A-B) = n(A) - n(A \cap B) = 16 - 4 = 12$

(5) $n((A \cup B)^C) = n(U) - n(A \cup B) = 25 - 20 = 5$

(6) $n((A \cap B)^C) = n(U) - n(A \cap B) = 25 - 4 = 21$

답 (1) 4 (2) 9 (3) 17 (4) 12 (5) 5 (6) 21

068

$B \cup (A-B) = A \cup B$, $B \cap (A-B) = \varnothing$이므로

$n(A \cup B) = n(B) + n(A-B) = 35 + 15 = 50$

$\therefore n(A^C \cap B^C) = n((A \cup B)^C)$

$= n(U) - n(A \cup B)$

$= 60 - 50 = 10$

답 ③

069

$n(A \cap B^C) = n(A-B) = n(A) - n(A \cap B)$

한편, $n(B-A) = n(B) - n(A \cap B)$이므로

$n(A \cap B) = n(B) - n(B-A) = 12 - 8 = 4$

$\therefore n(A \cap B^C) = n(A) - n(A \cap B)$

$= 16 - 4 = 12$

답 ⑤

070

$(A-B) \cup (B-A)$를 벤다이그램으로 나타내면 오른쪽 그림과 같으므로

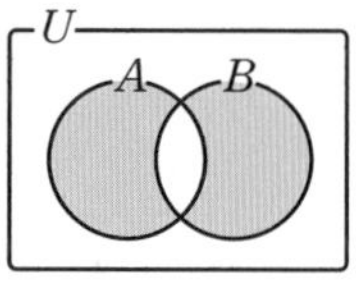

$n((A-B) \cup (B-A))$

$= n(A \cup B) - n(A \cap B)$

이때

$n(A \cup B) = n(U) - n((A \cup B)^C)$

$= n(U) - n(A^C \cap B^C)$

$= 50 - 5 = 45$

이므로

$n((A-B) \cup (B-A)) = n(A \cup B) - n(A \cap B)$

$= 45 - 12 = 33$

답 ④

071

$B \subset A$일 때 $n(A \cap B)$는 최댓값을 가지므로

$M = n(B) = 15$ ······ ❶

$A \cup B = U$일 때 $n(A \cap B)$는 최솟값을 갖는다.

$n(A \cap B) = n(A) + n(B) - n(A \cup B)$이므로

$m = 22 + 15 - 30 = 7$ ······ ❷

$\therefore M + m = 15 + 7 = 22$ ······ ❸

답 22

채점 기준	비율
❶ M의 값을 구할 수 있다.	40%
❷ m의 값을 구할 수 있다.	40%
❸ $M+m$의 값을 구할 수 있다.	20%

|다른 풀이|

$n(A\cap B)=n(A)+n(B)-n(A\cup B)$

$=22+15-n(A\cup B)$

$=37-n(A\cup B)$

이때 $A\subset(A\cup B)\subset U$이므로

$n(A)\le n(A\cup B)\le n(U)$

즉, $22\le n(A\cup B)\le 30$이므로

$7\le 37-n(A\cup B)\le 15$

$\therefore 7\le n(A\cap B)\le 15$

따라서 $M=15$, $m=7$이므로

$M+m=22$

072

제주도를 여행해 본 회원의 집합을 A, 부산을 여행해 본 회원의 집합을 B라고 하면

$n(A)=34$, $n(B)=26$, $n(A\cup B)=50$

이때 제주도만 여행해 본 회원의 수는

$n(A-B)=n(A)-n(A\cap B)$

이고

$n(A\cap B)=n(A)+n(B)-n(A\cup B)$

$=34+26-50=10$

이므로 제주도만 여행해 본 회원의 수는

$n(A-B)=n(A)-n(A\cap B)$

$=34-10=24$

답 24

073

A영화를 본 학생의 집합을 A, B영화를 본 학생의 집합을 B라고 하면

$n(U)=35$, $n(A)=22$, $n(B)=10$, $n(A\cap B)=5$

이때 A영화 또는 B영화를 본 학생 수는

$n(A\cup B)=n(A)+n(B)-n(A\cap B)$

$=22+10-5=27$

따라서 A영화와 B영화 중 어느 것도 보지 않은 학생 수는

$n((A\cup B)^C)=n(U)-n(A\cup B)$

$=35-27=8$

답 8

실력을 높이는 연습 문제

본문 025쪽

01

① 무리수는 실수이므로 $\sqrt{3}\in R$

② $i^2=-1$이므로 $i^2\in R$

③ $\sqrt{2}$는 무리수이므로 $\sqrt{2}\notin Q$

④ $\frac{1}{2}$은 유리수이므로 $\frac{1}{2}\in Q$

⑤ -1은 정수이므로 $-1\in Z$

답 ②

02

③ $\{2, 4, 6, 8, 10\}$

답 ③

03

문제 접근하기

$\frac{12}{8-n}$가 자연수이므로 $8-n$은 12의 양의 약수이어야 함을 이용한다.

$\frac{12}{8-n}$가 자연수이므로 $8-n$은 12의 양의 약수이어야 한다.

즉, $8-n=1, 2, 3, 4, 6, 12$이므로

$n=7, 6, 5, 4, 2$ ($\because$ n은 자연수)

→ $8-n=12$이면 $n=-4$이다. 이것은 n이 자연수라는 조건을 만족시키지 않는다.

(i) $n=2$일 때

$x=\frac{12}{8-2}=\frac{12}{6}=2$

(ii) $n=4$일 때

$x=\frac{12}{8-4}=\frac{12}{4}=3$

(iii) $n=5$일 때

$x=\frac{12}{8-5}=\frac{12}{3}=4$

(iv) $n=6$일 때

$x=\frac{12}{8-6}=\frac{12}{2}=6$

(v) $n=7$일 때

$x=\frac{12}{8-7}=\frac{12}{1}=12$

(i)~(v)에 의하여

$A=\{2, 3, 4, 6, 12\}$

따라서 집합 A의 모든 원소의 합은

$2+3+4+6+12=27$

답 27

04

$x+y$의 값을 오른쪽 표를 이용하여 모두 구하면

x \ y	1	3	5
1	2	4	6
2	3	5	7
3	4	6	8
4	5	7	9
a	$a+1$	$a+3$	$a+5$

2, 3, 4, 5, 6, 7, 8, 9,

$a+1$, $a+3$, $a+5$

이때 $n(X)=10$이므로

$a+1=8$ 또는 $a+1=9$

이어야 한다.

즉, $a=7$ 또는 $a=8$이므로 자연수 a의 최댓값은 8이다.

답 8

참고

$2 \le a+1 \le 7$이면

$4 \le a+3 \le 9$, $6 \le a+5 \le 11$

이 되므로 2, 3, 4, 5, 6, 7, 8, 9 중에서 $a+1$, $a+3$, $a+5$와 같은 수가 2개 이상 존재하게 되어 $n(X)=10$을 만족시키지 않는다.

따라서 $a+1=8$ 또는 $a+1=9$이어야 한다.

05

$B=\{1, 3, 9, 27\}$이므로 $A \subset B$이려면

$3a=3$ 또는 $3a=9$ 또는 $3a=27$

이어야 한다.

즉, $a=1$ 또는 $a=3$ 또는 $a=9$이므로 $A \subset B$를 만족시키는 모든 자연수 a의 값의 합은

$1+3+9=13$

답 13

06

① $\varnothing$은 집합 A의 원소이므로

$\varnothing \in A$, $\{\varnothing\} \subset A$

② c는 집합 A의 원소가 아니므로

$c \notin A$

③, ④ a, b는 집합 A의 원소이므로

$a \in A$, $b \in A$, $\{a\} \subset A$, $\{b\} \subset A$, $\{a, b\} \subset A$

⑤ $\{b, c\}$는 집합 A의 원소이므로

$\{b, c\} \in A$, $\{\{b, c\}\} \subset A$

답 ①

07

$A \subset B$이고 $B \subset A$이므로 $A=B$이어야 한다.

즉, 두 집합의 모든 원소가 같아야 하므로

$a=10$, $a+b=24$

$\therefore a=10$, $b=14$

답 ④

08

집합 A의 부분집합 중 원소 4, 8, 16을 반드시 포함하는 진부분집합의 개수는

$2^{6-3}-1=2^3-1=8-1=7$

답 7

09

문제 접근하기

원소의 합이 16 이상인 부분집합은 원소가 2개 이상임을 이용하여 원소가 2개, 3개, 4개인 경우로 나누어 생각한다.

집합 A의 부분집합 중에서 원소의 합이 16 이상이 되려면 원소가 2개 이상이어야 한다.

(i) 원소가 2개일 때

$\{7, 9\}$의 1개

(ii) 원소가 3개일 때

$\{3, 5, 9\}$, $\{3, 7, 9\}$, $\{5, 7, 9\}$의 3개

(iii) 원소가 4개일 때

$\{3, 5, 7, 9\}$의 1개

(i)~(iii)에 의하여 구하는 집합의 개수는

$1+3+1=5$

답 ③

10

$A=\{a, b, c, d, e, f\}$, $B=\{a, b\}$이므로 $B \subset X \subset A$를 만족시키는 집합 X 중에서 e를 반드시 원소로 갖는 집합은 집합 A의 부분집합 중에서 a, b, e를 반드시 원소로 갖는 집합이다.

따라서 구하는 집합의 개수는

$2^{6-3}=2^3=8$

답 8

11

$\{3, 4, 5\} \cap A=\varnothing$이므로 집합 A는 전체집합 U의 부분집합 중 3, 4, 5를 원소로 갖지 않는 집합이어야 한다.

따라서 집합 A의 개수는

$2^{5-3}=2^2=4$

답 ②

12

$U=\{1, 2, 4, 5, 8, 10, 20, 40\}$, $A=\{1, 2, 4, 8\}$,

$B=\{4, 5, 10\}$이므로

① $A \cap B=\{4\}$

② $A^C=\{5, 10, 20, 40\}$

④ $B^C=\{1, 2, 8, 20, 40\}$이므로 $B^C-A=\{20, 40\}$

⑤ $A \cup B=\{1, 2, 4, 5, 8, 10\}$

답 ③

13

$x^2-6x+5<0$에서

$(x-1)(x-5)<0 \qquad \therefore 1<x<5$

$A \cap B$의 정수인 원소의 개수가 2이려면 오른쪽 그림에서

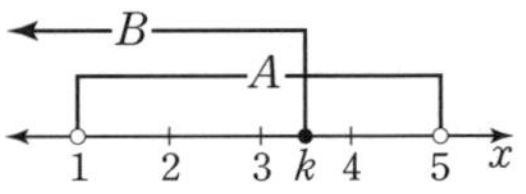

$3 \le k<4$

따라서 정수 k의 값은 3이다.

답 ③

14

$A-B=\{3, 5\}$이므로 $5 \in A \qquad \therefore x=5$

따라서 $A=\{2, 3, 5\}$, $B=\{-2, 2, 7\}$이므로

$B-A=\{-2, 7\}$

답 $\{-2, 7\}$

15

두 집합 A, B가 서로소이므로 벤다이어그램으로 나타내면 오른쪽 그림과 같다.

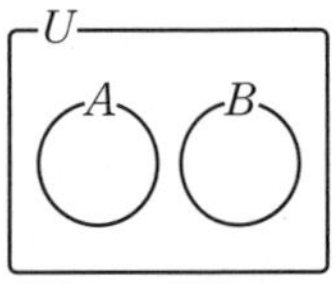

ㄱ. $A \subset B^C$ (참)

ㄴ. $A \cap B^C=A$ (거짓)

ㄷ. $A \cup B \ne U$ (거짓)

ㄹ. $A\cup B^C=B^C$ (참)

따라서 옳은 것은 ㄱ, ㄹ이다.

답 ②

16

$A\cup B=\{1, 3, 4, 5\}$이고 $B=\{1, 4, 2a-3\}$이므로

$2a-3=3$ 또는 $2a-3=5$

$\therefore a=3$ 또는 $a=4$

(i) $a=3$일 때

$A=\{1, 2, 3\}$, $B=\{1, 3, 4\}$이므로

$A\cup B=\{1, 2, 3, 4\}$

따라서 주어진 조건을 만족시키지 않는다.

(ii) $a=4$일 때

$A=\{1, 3, 4\}$, $B=\{1, 4, 5\}$이므로

$A\cup B=\{1, 3, 4, 5\}$

따라서 주어진 조건을 만족시킨다.

(i), (ii)에 의하여 $A=\{1, 3, 4\}$, $B=\{1, 4, 5\}$이므로 집합 A의 모든 원소의 합은

$1+3+4=8$

답 ⑤

17

문제 접근하기

$(A\cap B^C)\cup(A^C\cap B)=\varnothing$에서 좌변을 정리하여 두 집합 A, B 사이의 포함 관계를 파악한다.

$(A\cap B^C)\cup(A^C\cap B)=\varnothing$에서

$A\cap B^C=A-B$,

$A^C\cap B=B\cap A^C=B-A$

이므로

$(A-B)\cup(B-A)=\varnothing$

즉, $A-B=\varnothing$, $B-A=\varnothing$이므로

$A\subset B$, $B\subset A$ $\quad\therefore A=B$

따라서 $B=\{x|x$는 8의 약수$\}=\{1, 2, 4, 8\}$이므로

$n(B)=4$

답 4

18

$|x|<4$에서 $-4<x<4$

$\therefore U=\{-3, -2, -1, 0, 1, 2, 3\}$

$(A-B)\cup X=X$이므로 $(A-B)\subset X$

이때 $A-B=\{-1\}$이므로 $\{-1\}\subset X$

또, $B\cup X=X$이므로 $B\subset X$

$\therefore \{0, 1, 2\}\subset X$

따라서 집합 X는 $\{-3, -2, -1, 0, 1, 2, 3\}$의 부분집합이면서 $-1, 0, 1, 2$를 반드시 원소로 갖는 집합이므로 집합 X의 개수는

$2^{7-4}=2^3=8$

답 ③

19

$U=\{1, 2, 3, 4, 5, 6, 7, 8, 9\}$

$A\cup X=X$이므로 $A\subset X$

$B-A=\{1, 2, 6, 8\}$이고 $(B-A)\cap X=\{2\}$이므로

$1\notin X$, $2\in X$, $6\notin X$, $8\notin X$

따라서 집합 X는 $\{1, 2, 3, 4, 5, 6, 7, 8, 9\}$의 부분집합이면서 2, 3, 5, 7은 반드시 원소로 갖고 1, 6, 8은 원소로 갖지 않는 집합이므로 집합 X의 개수는

$2^{9-4-3}=2^2=4$

답 4

20

$A\subset(A\cup B)$이므로 $A\cap(A\cup B)=A$

① $(B-A)\subset B$이므로 $(B-A)\cup B=B$

② $A\cap(A-B)^C=A\cap(A\cap B^C)^C$
$=A\cap(A^C\cup B)$
$=(A\cap A^C)\cup(A\cap B)$
$=\varnothing\cup(A\cap B)=A\cap B$

③ $A\cap(B-A)=\varnothing$이므로 $A-(B-A)=A$

④ $B-(A\cap B)=B\cap(A\cap B)^C$
$=B\cap(A^C\cup B^C)$
$=(B\cap A^C)\cup(B\cap B^C)$
$=(B\cap A^C)\cup\varnothing$
$=B\cap A^C=B-A$

⑤ $(A-B)\cup B=(A\cap B^C)\cup B$
$=(A\cup B)\cap(B^C\cup B)$
$=(A\cup B)\cap U$
$=A\cup B$

답 ③

21

$U=\{1, 2, 3, \cdots, 20\}$, $A=\{4, 8, 12, 16, 20\}$,

$B=\{1, 2, 4, 5, 10, 20\}$

$\therefore (A^C\cup B)^C=A\cap B^C=A-B=\{8, 12, 16\}$

따라서 집합 $(A^C\cup B)^C$의 모든 원소의 합은

$8+12+16=36$

답 36

22

문제 접근하기

부등식 $x^2-4x-12\leq0$을 풀어 집합 A를 수직선 위에 나타낸 후 주어진 조건을 만족시키도록 집합 B를 수직선 위에 나타내어 본다.

$x^2-4x-12\leq0$에서

$(x+2)(x-6)\leq0$

$\therefore -2\leq x\leq6$

$\therefore A=\{x|-2\leq x\leq6\}$

$A\cap B=\{x|1<x\leq6\}$,

$A\cup B=\{x|-2\leq x<8\}$이므로

오른쪽 그림에서

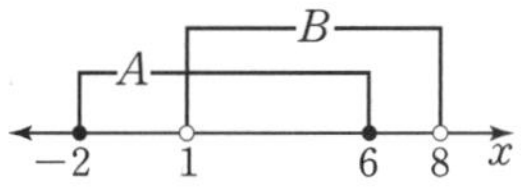

$B=\{x|1<x<8\}$

$=\{x|(x-1)(x-8)<0\}$

$=\{x|x^2-9x+8<0\}$

따라서 $a=-9$, $b=8$이므로

$a+b=-1$

답 ②

23

① $n(A^C)=n(U)-n(A)$

$=40-18=22$

② $n(A-B)=n(A)-n(A\cap B)$이므로

$n(A\cap B)=n(A)-n(A-B)$

$=18-14=4$

③ $n(A\cup B)=n(A)+n(B)-n(A\cap B)$

$=18+22-4=36$

④ $n(B-A)=n(B)-n(A\cap B)$

$=22-4=18$

⑤ $n(B^C)=n(U)-n(B)=40-22=18$이므로

$n(A\cup B^C)=n(A)+n(B^C)-n(A\cap B^C)$

$=n(A)+n(B^C)-n(A-B)$

$=18+18-14=22$

답 ④

24

등 번호가 2의 배수인 선수의 집합을 A, 등 번호가 3의 배수인 선수의 집합을 B라고 하면 등 번호가 6의 배수인 선수의 집합은 $A\cap B$이다.

등 번호가 3의 배수인 선수의 수를 a라고 하면 등 번호가 2의 배수인 선수의 수는 $a+3$이므로

$n(A)=a+3$, $n(B)=a$, $n(A\cap B)=5$, $n(A\cup B)=30$

이때 $n(A\cup B)=n(A)+n(B)-n(A\cap B)$이므로

$30=(a+3)+a-5$, $2a=32$

$\therefore a=16$

따라서 등 번호가 3의 배수인 선수의 수는 16이다.

답 16

02 명제

기본을 다지는 유형

본문 031쪽

001

ㄱ. x의 값에 따라 참, 거짓이 달라지므로 명제가 아니다.

ㄴ, ㄷ. 참인 명제이다.

ㄹ. 2는 짝수이지만 소수이므로 거짓인 명제이다.

ㅁ. '좋다'의 기준이 명확하지 않으므로 명제가 아니다.

따라서 명제인 것은 ㄴ, ㄷ, ㄹ이다.

답 ④

002

①~④ x의 값에 따라 참, 거짓이 달라지므로 조건이다.

⑤ 모든 실수 x에 대하여 $x^2\geq 0$이므로 참인 명제이다.

답 ⑤

003

조건 '$x<2$ 그리고 $y\geq -1$'의 부정은

$x\geq 2$ 또는 $y<-1$

답 ⑤

004

각 명제의 부정을 구하여 그 참, 거짓을 판별하면 다음과 같다.

① 5는 소수가 아니다. (거짓)

② 정사각형은 직사각형이 아니다. (거짓)

③ 6은 24의 약수가 아니다. (거짓)

④ $3\notin\{4, 5, 6\}$ (참)

⑤ 8의 배수는 4의 배수가 아니다. (거짓)

답 ④

|다른 풀이|

명제가 거짓이면 그 부정은 참이므로 명제가 거짓인 것을 찾는다.

①, ②, ③, ⑤는 참인 명제이고 ④는 거짓인 명제이므로 부정이 참인 것은 ④이다.

005

$U=\{1, 2, 3, 4, 5, 6, 7, 8, 9\}$

두 조건 p, q의 진리집합을 각각 P, Q라고 하면

$P=\{2, 4, 6, 8\}$

$x^2-8x+12=0$에서 $(x-2)(x-6)=0$

$\therefore x=2$ 또는 $x=6$ $\quad\therefore Q=\{2, 6\}$

(1) $\sim p$의 진리집합은 $P^C=\{1, 3, 5, 7, 9\}$

(2) $\sim q$의 진리집합은 $Q^C=\{1, 3, 4, 5, 7, 8, 9\}$

(3) p 그리고 q의 진리집합은 $P\cap Q=\{2, 6\}$

(4) $\sim p$ 또는 q의 진리집합은 $P^C\cup Q=\{1, 2, 3, 5, 6, 7, 9\}$

답 (1) $\{1, 3, 5, 7, 9\}$ (2) $\{1, 3, 4, 5, 7, 8, 9\}$
(3) $\{2, 6\}$ (4) $\{1, 2, 3, 5, 6, 7, 9\}$

006

두 조건 p, q의 진리집합을 각각 P, Q라고 하면

$P=\{7, 14, 21, 28, 35, 42, 49\}$

$Q=\{3, 6, 9, 12, 15, \cdots, 48\}$

따라서 조건 'p 그리고 q'의 진리집합은

$P\cap Q=\{21, 42\}$

→ 3과 7의 공배수, 즉 21의 배수의 집합이다.

답 $\{21, 42\}$

007

조건 '$-3<x\le 1$'은 '$x>-3$ 그리고 $x\le 1$'이므로

($x>-3$ → $\sim q$, $x\le 1$ → $\sim p$)

$\sim p$ 그리고 $\sim q$

따라서 그 진리집합은 $P^C\cap Q^C$

답 ⑤

008

$\sim p$는 'x는 짝수가 아니고 6의 약수가 아니다.', 즉 'x는 홀수이고 6의 약수가 아니다.'이므로 $\sim p$의 진리집합의 원소는 6의 약수가 아닌 홀수이다.

따라서 $\sim p$의 진리집합은 $\{5, 7\}$이므로 구하는 모든 원소의 합은

$5+7=12$

답 ②

|다른 풀이|

조건 p의 진리집합을 P라고 하면

$P=\{x|x\text{는 짝수}\}\cup\{x|x\text{는 6의 약수}\}$

$=\{2, 4, 6, 8\}\cup\{1, 2, 3, 6\}=\{1, 2, 3, 4, 6, 8\}$

따라서 조건 $\sim p$의 진리집합은 $P^C=\{5, 7\}$이므로 구하는 모든 원소의 합은 $5+7=12$

009

두 조건 p, q의 진리집합을 각각 P, Q라고 하자.

$x^3-4x=0$에서 $x(x^2-4)=0$, $x(x+2)(x-2)=0$

$\therefore x=-2$ 또는 $x=0$ 또는 $x=2$

$\therefore P=\{-2, 0, 2\}$ ········· ❶

q: $|x+3|>1$에서 $\sim q$: $|x+3|\le 1$이므로

$-1\le x+3\le 1$ $\quad\therefore -4\le x\le -2$

$\therefore Q^C=\{-4, -3, -2\}$ ········· ❷

따라서 조건 'p 또는 $\sim q$'의 진리집합은

$P\cup Q^C=\{-4, -3, -2, 0, 2\}$

이므로 구하는 원소의 개수는 5이다. ········· ❸

답 5

채점 기준	비율
❶ 조건 p의 진리집합을 구할 수 있다.	35%
❷ 조건 $\sim q$의 진리집합을 구할 수 있다.	35%
❸ 조건 'p 또는 $\sim q$'의 진리집합의 원소의 개수를 구할 수 있다.	30%

010

④ [반례] $n=2$이면 n은 소수이지만 짝수이다. 따라서 주어진 명제는 거짓이다.

답 ④

011

ㄱ. $x^2+y^2=0$이면 $x=0$, $y=0$이므로 $x+y=0$이다. (참)

ㄴ. [반례] $x=1$, $y=-1$, $z=0$이면 $xz=yz$이지만 $x\ne y$이다. (거짓)

ㄷ. [반례] $x=\sqrt{2}$이면 x^2은 유리수이지만 x는 무리수이다. (거짓)

ㄹ. [반례] $x=-1$, $y=1$이면 $x+y=0$이지만 $x\ne 0$, $y\ne 0$이다. (거짓)

따라서 참인 명제는 ㄱ이다.

답 ㄱ

012

명제 $p\longrightarrow q$가 참이면 $P\subset Q$이고 명제 $p\longrightarrow q$가 거짓이면 $P\not\subset Q$이다.

따라서 명제 $p\longrightarrow q$가 거짓임을 보이는 원소는 집합 P의 원소이면서 집합 Q의 원소가 아니어야 한다. 즉, 구하는 원소는 2이다.

→ 집합 $P-Q$의 원소이어야 한다.

답 ②

013

① $P\not\subset Q$이므로 $p\longrightarrow q$는 거짓인 명제이다.

② $Q\not\subset P$이므로 $q\longrightarrow p$는 거짓인 명제이다.

③ $R\not\subset Q$이므로 $r\longrightarrow q$는 거짓인 명제이다.

④ $Q^C\not\subset P$이므로 $\sim q\longrightarrow p$는 거짓인 명제이다.

⑤ $Q\subset R^C$이므로 $q\longrightarrow \sim r$는 참인 명제이다.

답 ⑤

014

명제 $p\longrightarrow \sim q$가 참이므로

$P\subset Q^C$

따라서 두 집합 P, Q는 오른쪽 그림과 같으므로

$P\cup Q\ne U$

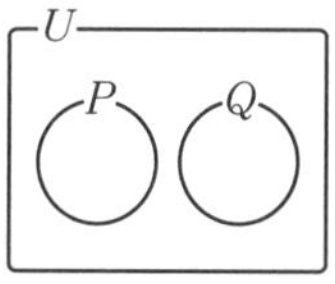

답 ③

015

$P\subset(Q\cap R)$이므로 세 집합 P, Q, R는 오른쪽 그림과 같다.

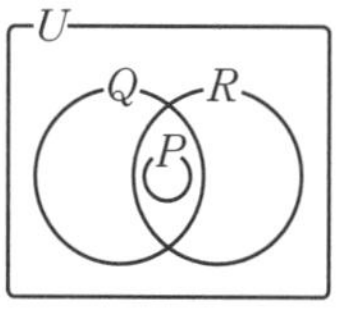

ㄱ. $P\subset Q$이므로 명제 $p\longrightarrow q$는 참이다.

ㄴ. $Q^C\subset P^C$이므로 명제 $\sim q\longrightarrow \sim p$는 참이다.

ㄷ. $R\not\subset Q^C$이므로 명제 $r\longrightarrow \sim q$는 거짓이다.

ㄹ. $R^C\not\subset P$이므로 명제 $\sim r\longrightarrow p$는 거짓이다.

따라서 참인 명제인 것은 ㄱ, ㄴ이다.

답 ①

016

$U=\{1, 2, 3, 4, 5, 6, 7, 8, 9, 10\}$, $P=\{2, 3, 5, 7\}$이므로

$P^C=\{1, 4, 6, 8, 9, 10\}$

명제 $\sim p\longrightarrow q$가 참이 되려면 $P^C\subset Q$이어야 한다.

즉, 집합 Q는 전체집합 U의 부분집합 중 1, 4, 6, 8, 9, 10을 반드시 원소로 갖는 집합이어야 하므로 집합 Q의 개수는

$2^{10-6}=2^4=16$

답 16

017

명제 '$x=-2$이면 $x^2=a$이다.'가 참이 되려면 $x^2=a$에 $x=-2$를 대입했을 때 등식이 성립해야 한다.

$\therefore a=(-2)^2=4$

답 ④

018

명제 '$x=k$이면 $x^2-6x-16=0$이다.'가 참이 되려면 $x=k$가 방정식 $x^2-6x-16=0$의 근이어야 한다. ❶

즉, $k^2-6k-16=0$이므로

$(k+2)(k-8)=0$ $\quad \therefore k=-2$ 또는 $k=8$

이때 k는 양수이므로 $k=8$ ❷

답 8

채점 기준	비율
❶ 주어진 명제가 참이 되기 위한 조건을 구할 수 있다.	40%
❷ 양수 k의 값을 구할 수 있다.	60%

019

명제 $p \longrightarrow q$가 거짓이므로 $P \not\subset Q$

즉, $3 \notin Q$이므로 $a \neq 3$

명제 $q \longrightarrow r$가 참이므로 $Q \subset R$

즉, $5 \in R$이므로 $b=5$

또, $a \in R$이고 $a \neq 3$, $a \neq b$이므로 $a=7$

$\therefore a-b=7-5=2$

답 ④

020

$P=\{x \mid -1 \le x \le 4\}$, $Q=\{x \mid a-4<x<a+4\}$라고 하자.

이때 명제 '$-1 \le x \le 4$이면 $a-4<x<a+4$이다.'가 참이 되려면 $P \subset Q$이어야 한다.

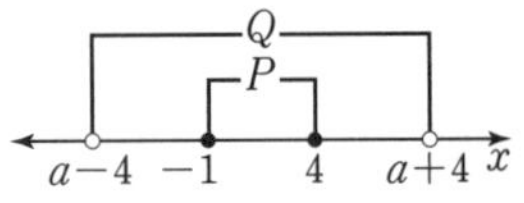

오른쪽 그림에서

$a-4<-1$, $a+4>4$

$a<3$, $a>0$

$\therefore 0<a<3$

답 $0<a<3$

021

$|x-2|<2$에서 $-2<x-2<2$

$\therefore 0<x<4$

두 조건 p, q의 진리집합을 각각 P, Q라고 하면

$P=\{x \mid 0<x<4\}$, $Q=\{x \mid 5-k<x<k\}$

명제 $p \longrightarrow q$가 참이 되려면 $P \subset Q$이어야 하므로 오른쪽 그림에서

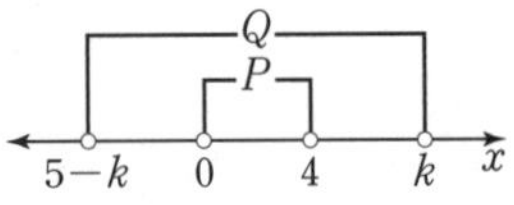

$5-k \le 0$, $k \ge 4$

$k \ge 5$, $k \ge 4$ $\quad \therefore k \ge 5$

따라서 실수 k의 최솟값은 5이다.

답 ②

022

① $x=2$일 때 $x^2-2x=2^2-2\times2=0$이므로 참이다.

② [반례] $x=1$이면 $\sqrt{x}=\sqrt{1}=1$은 유리수이므로 거짓이다.

③ $x=1$이면 $x^2=1^2=1$이므로 $x^2 \le x$이다. 즉, 주어진 명제는 참이다.

④ $6\times1=6$, $6\times2=12$, $6\times3=18$, $6\times4=24$, $6\times5=30$이므로 모든 x에 대하여 $6x \le 30$이다. 즉, 주어진 명제는 참이다.

⑤ $x=5$이면 $x^2=5^2=25>20$이므로 참이다.

답 ②

참고

(1) 모든 x에 대하여 p이다.
- ➡ 전체집합의 모든 원소 x가 p를 만족시키면 참이다.
- ➡ 전체집합의 원소 중 p를 만족시키지 않는 x가 하나라도 존재하면 거짓이다.

(2) 어떤 x에 대하여 p이다.
- ➡ 전체집합의 원소 중 p를 만족시키는 원소 x가 하나라도 존재하면 참이다.
- ➡ 전체집합의 모든 원소 x가 p를 만족시키지 않으면 거짓이다.

023

주어진 명제의 부정은

모든 실수 x에 대하여 $x^2-4x+9-k \ge 0$이다. ❶

이 명제가 참이 되려면 이차방정식 $x^2-4x+9-k=0$의 판별식을 D라고 할 때, $D \le 0$이어야 한다. ❷

$\frac{D}{4}=(-2)^2-9+k \le 0$에서 $k \le 5$

따라서 실수 k의 최댓값은 5이다. ❸

답 5

채점 기준	비율
❶ 주어진 명제의 부정을 구할 수 있다.	30%
❷ 주어진 명제의 부정이 참이 되기 위한 조건을 구할 수 있다.	40%
❸ 실수 k의 최댓값을 구할 수 있다.	30%

풍쌤 개념 CHECK

이차부등식이 항상 성립할 조건_高 수학

이차방정식 $ax^2+bx+c=0$의 판별식을 $D=b^2-4ac$라고 할 때

(1) 모든 실수 x에 대하여 $ax^2+bx+c>0$이 성립하려면
$a>0$, $D<0$

(2) 모든 실수 x에 대하여 $ax^2+bx+c \ge 0$이 성립하려면
$a>0$, $D \le 0$

(3) 모든 실수 x에 대하여 $ax^2+bx+c<0$이 성립하려면
$a<0$, $D<0$

(4) 모든 실수 x에 대하여 $ax^2+bx+c \le 0$이 성립하려면
$a<0$, $D \le 0$

024

명제 $p \longrightarrow q$의 대우는 $\sim q \longrightarrow \sim p$이므로 주어진 명제의 대우는 $x \neq 0$이고 $y \neq 0$이면 $xy \neq 0$이다.

답 ④

025

주어진 명제가 참이므로 그 대우도 참이다.

주어진 명제의 대우는

$x=3$이면 $x^2-ax+9=0$이다.

이 명제가 참이므로 $x=3$은 방정식 $x^2-ax+9=0$의 근이다.
즉, $3^2-3a+9=0$이므로 $3a=18$ $\quad\therefore a=6$

답 ②

026

각 명제의 역을 구하여 그 참, 거짓을 판별하면 다음과 같다.
ㄱ. $x=2$이면 $x^3=8$이다. (참)
ㄴ. $x^2+y^2=0$이면 $x=0$, $y=0$이다. (참)
ㄷ. x가 무리수이면 x는 무한소수이다. (참) → 무리수는 순환하지 않는 무한소수이다.
ㄹ. $x>0$이면 $x>2$이다. (거짓)
[반례] $x=1$이면 $x>0$이지만 $x<2$이다.
따라서 역이 참인 명제는 ㄱ, ㄴ, ㄷ이다.

답 ④

풍쌤 개념 CHECK

소수 { 유한소수 ─ 유리수
무한소수 { 순환소수 ─ 유리수
순환하지 않는 무한소수 ─ 무리수

027

주어진 명제가 참이므로 그 대우
$x\le a$이고 $y\le 5$이면 $x+y\le 9$이다. ······ ㉠
도 참이다. (조건 p, 조건 q)
$x\le a$, $y\le 5$이면 $x+y\le a+5$이므로 ㉠이 참이 되려면 (조건 p, $p \longrightarrow q$)
$a+5\le 9$ $\quad\therefore a\le 4$
따라서 실수 a의 최댓값은 4이다.
$p \longrightarrow q$이므로 $a+5\le 9$이다.

답 4

028

주어진 명제가 참이므로 그 대우
$|x-2|<1$이면 $|x-k|<5$이다.
도 참이다.
이때 두 조건 p: $|x-2|<1$, q: $|x-k|<5$의 진리집합을 각각 P, Q라고 하면 명제 $p \longrightarrow q$가 참이므로 $P\subset Q$이어야 한다. ······ ❶
$|x-2|<1$에서 $-1<x-2<1$
$\therefore 1<x<3$
$|x-k|<5$에서 $-5<x-k<5$
$\therefore k-5<x<k+5$
즉, $P=\{x|1<x<3\}$,
$Q=\{x|k-5<x<k+5\}$이므로
오른쪽 그림에서

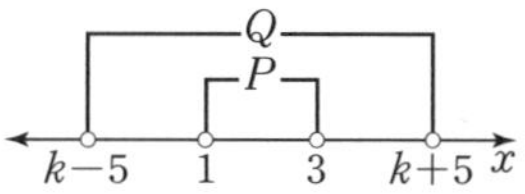

$k-5\le 1$, $k+5\ge 3$
$k\le 6$, $k\ge -2$ $\quad\therefore -2\le k\le 6$ ······ ❷
따라서 정수 k는 $-2, -1, 0, 1, \cdots, 6$의 9개이다. ······ ❸

답 9

채점 기준	비율
❶ 주어진 명제의 대우를 구하고 그 대우가 참이 되기 위한 조건을 구할 수 있다.	30%
❷ k의 값의 범위를 구할 수 있다.	50%
❸ 정수 k의 개수를 구할 수 있다.	20%

029

두 명제 $p \longrightarrow \sim r$, $q \longrightarrow r$가 참이므로 그 대우 $r \longrightarrow \sim p$, $\sim r \longrightarrow \sim q$도 참이다.
이때 두 명제 $p \longrightarrow \sim r$, $\sim r \longrightarrow \sim q$가 모두 참이므로 $p \longrightarrow \sim q$도 참이고, 두 명제 $q \longrightarrow r$, $r \longrightarrow \sim p$가 모두 참이므로 $q \longrightarrow \sim p$도 참이다.
따라서 항상 참인 명제는 ㄱ, ㄷ이다.

답 ㄱ, ㄷ

030

명제 $p \longrightarrow \sim q$가 참일 때 명제 $p \longrightarrow \sim r$가 참이 되려면 명제 $\sim q \longrightarrow \sim r$도 참이어야 한다.
또, 명제 $\sim q \longrightarrow \sim r$가 참이면 그 대우 $r \longrightarrow q$도 참이므로 (가)에 알맞은 명제는 ④이다.

답 ④

031

세 조건 p, q, r를
p: 노래를 좋아한다.
q: 영화를 좋아한다.
r: 자연을 좋아한다.
라고 하면 명제 (가), (나)는 각각 $p \longrightarrow q$, $\sim p \longrightarrow \sim r$이다.
이때 각 보기의 문장을 조건 p, q, r를 이용하여 나타내면 다음과 같다.
① $p \longrightarrow r$ ② $q \longrightarrow r$ ③ $r \longrightarrow q$
④ $\sim p \longrightarrow \sim q$ ⑤ $\sim r \longrightarrow \sim p$
두 명제 $p \longrightarrow q$, $\sim p \longrightarrow \sim r$가 모두 참이므로 그 대우 $\sim q \longrightarrow \sim p$, $r \longrightarrow p$도 참이다.
또, $r \longrightarrow p$, $p \longrightarrow q$가 참이므로 $r \longrightarrow q$와 그 대우 $\sim q \longrightarrow \sim r$도 참이다.
따라서 항상 참인 명제는 ③이다.

답 ③

참고
031과 같이 문장으로 주어진 명제는 주어진 문장에서 조건 p, q를 찾아 $p \longrightarrow q$ 꼴로 나타낸 후 명제가 참일 때 그 대우도 참임과 삼단논법을 이용하면 참인 명제를 쉽게 찾을 수 있다.

032

네 조건 p, q, r, s를
p: 10대, 20대에게 선호도가 높다.
q: 판매량이 많다.
r: 가격이 싸다.
s: 기능이 많다.
라고 하면 명제 (가), (나), (다)는 각각
$p \longrightarrow q$, $r \longrightarrow q$, $s \longrightarrow p$
이다.
이때 각 보기의 문장을 조건 p, q, r, s를 이용하여 나타내면 다음과 같다.
① $s \longrightarrow \sim r$ ② $\sim r \longrightarrow \sim q$ ③ $\sim q \longrightarrow \sim s$
④ $p \longrightarrow s$ ⑤ $p \longrightarrow \sim r$
세 명제 $p \longrightarrow q$, $r \longrightarrow q$, $s \longrightarrow p$가 모두 참이므로 그 대우 $\sim q \longrightarrow \sim p$, $\sim q \longrightarrow \sim r$, $\sim p \longrightarrow \sim s$도 참이다.

또, 두 명제 $s \longrightarrow p$, $p \longrightarrow q$가 모두 참이므로 $s \longrightarrow q$와 그 대우 $\sim q \longrightarrow \sim s$도 참이다.
따라서 항상 참인 명제는 ③이다.

답 ③

033

(1) $p \longrightarrow q$: $|x|<1$, 즉 $-1<x<1$이면 $x<1$ (참)
$q \longrightarrow p$: [반례] $x=-2$이면 $x<1$이지만 $|x|>1$ (거짓)
따라서 $p \Longrightarrow q$이므로 p는 q이기 위한 충분조건이다.
(2) $p \longrightarrow q$: [반례] $x=-2$, $y=-1$이면 $x^2>y^2$이지만 $x<y<0$ (거짓)
$q \longrightarrow p$: $x>y>0$이면 $x^2>y^2$ (참)
따라서 $q \Longrightarrow p$이므로 p는 q이기 위한 필요조건이다.
(3) $p \Longrightarrow q$이고 $q \Longrightarrow p$, 즉 $p \Longleftrightarrow q$이므로 p는 q이기 위한 필요충분조건이다.

답 (1) **충분조건** (2) **필요조건** (3) **필요충분조건**

034

p는 q이기 위한 충분조건이므로
$p \Longrightarrow q$ $\quad \therefore P \subset Q$
q는 r이기 위한 충분조건이므로
$q \Longrightarrow r$ $\quad \therefore Q \subset R$
$\therefore P \subset Q \subset R$

답 ①

035

p가 q이기 위한 필요조건이므로
$Q \subset P$
③ $P-Q \neq \varnothing$

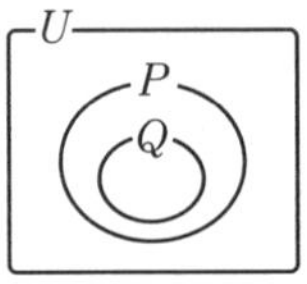

답 ③

036

$A \cap (B-A)^C = A \cap (B \cap A^C)^C$
$= A \cap (B^C \cup A)$
$= (A \cap B^C) \cup (A \cap A)$
$= (A-B) \cup A$
$= A$ ($\because (A-B) \subset A$)
따라서 $A \cap (B-A)^C = A \cap B$, 즉 $A = A \cap B$가 성립하기 위한 필요충분조건은 $A \subset B$이다.

답 ①

037

p는 $\sim q$이기 위한 충분조건이므로 $p \Longrightarrow \sim q$
q는 r이기 위한 필요조건이므로 $r \Longrightarrow q$
각 명제가 참이면 그 대우도 참이므로
$q \Longrightarrow \sim p$, $\sim q \Longrightarrow \sim r$
$p \Longrightarrow \sim q$, $\sim q \Longrightarrow \sim r$이므로 $p \Longrightarrow \sim r$
$r \Longrightarrow q$, $q \Longrightarrow \sim p$이므로 $r \Longrightarrow \sim p$
따라서 옳은 것은 ㄱ, ㄴ이다.

답 ④

038

p는 $\sim r$이기 위한 충분조건이므로 $p \Longrightarrow \sim r$
p는 q이기 위한 필요조건이므로 $q \Longrightarrow p$
즉, $q \Longrightarrow p$, $p \Longrightarrow \sim r$이므로 $q \Longrightarrow \sim r$
또, 각 명제가 참이면 그 대우도 참이므로
$r \Longrightarrow \sim p$, $\sim p \Longrightarrow \sim q$, $r \Longrightarrow \sim q$
따라서 참인 명제는 ㄴ, ㄷ이다.

답 ③

039

p는 r이기 위한 필요조건이므로 $r \Longrightarrow p$
q는 r이기 위한 충분조건이므로 $q \Longrightarrow r$
즉, $q \Longrightarrow r$, $r \Longrightarrow p$이므로 $q \Longrightarrow p$
또, 각 명제가 참이면 그 대우도 참이므로
$\sim p \Longrightarrow \sim r$, $\sim r \Longrightarrow \sim q$, $\sim p \Longrightarrow \sim q$
따라서 참인 명제는 ㄴ, ㄹ이다.

답 ④

040

$x=-1$이 $x^2+ax+b=0$이기 위한 필요충분조건이려면 $x=-1$은 $x^2+ax+b=0$의 중근이어야 한다.
즉, $(x+1)^2=x^2+ax+b$이므로
$x^2+2x+1=x^2+ax+b$
따라서 $a=2$, $b=1$이므로 $ab=2\times1=2$

답 2

041

p는 q이기 위한 충분조건이므로 $p \Longrightarrow q$
이때 그 대우도 참이므로 $\sim q \Longrightarrow \sim p$
즉, $x=-4$이면 $x^2-ax+4=0$이므로
$(-4)^2-a\times(-4)+4=0$
$4a=-20$ $\quad \therefore a=-5$

답 ①

042

두 조건 p, q의 진리집합을 각각 P, Q라고 하면 p가 q이기 위한 충분조건이므로
$P \subset Q$
$P=\{x | k \le x \le k+2\}$,
$Q=\{x | 6<x<12\}$
이므로 오른쪽 그림에서

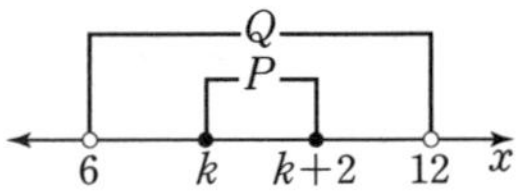

$k>6$, $k+2<12$
$k>6$, $k<10$ $\quad \therefore 6<k<10$
따라서 모든 정수 k의 값의 합은
$7+8+9=24$

답 24

043

두 조건 p, q의 진리집합을 각각 P, Q라고 하면 p가 q이기 위한 필요조건이므로
$P \supset Q$

$P=\{x|-1\le x\le 2$ 또는 $x\ge 7\}$, $Q=\{x|x\ge k\}$이므로 다음 그림에서

$k\ge 7$

따라서 k의 최솟값은 7이다.

답 ④

044

세 조건 p, q, r의 진리집합을 각각 P, Q, R라고 하면 p가 q이기 위한 충분조건이고 r이기 위한 필요조건이므로

$P\subset Q$, $P\supset R$ $\quad\therefore R\subset P\subset Q$ ········· ❶

$P=\{x|a\le x\le b\}$, $Q=\{x|x\ge -5\}$, $R=\{x|-3<x<3\}$이므로 다음 그림에서

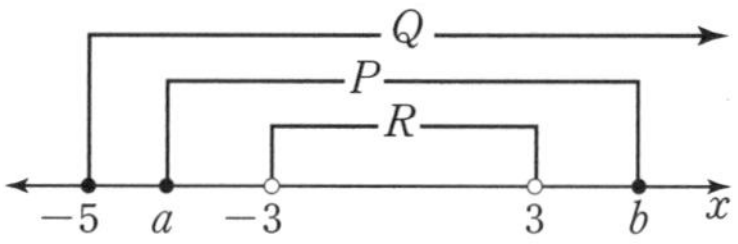

$-5\le a\le -3$, $b\ge 3$ ········· ❷

따라서 a의 최댓값은 -3, b의 최솟값은 3이므로 구하는 합은

$-3+3=0$ ········· ❸

답 0

채점 기준	비율
❶ 세 조건 p, q, r의 진리집합 사이의 포함 관계를 구할 수 있다.	40%
❷ a, b의 값의 범위를 구할 수 있다.	40%
❸ a의 최댓값과 b의 최솟값의 합을 구할 수 있다.	20%

045

(1) 주어진 명제의 대우는

'n이 3의 배수가 아니면 n^2도 3의 배수가 아니다.'

(2) n이 3의 배수가 아니므로

$n=3k-1$ 또는 $n=3k-2$ (k는 자연수)

로 나타낼 수 있다.

(i) $n=3k-1$일 때

$n^2=(3k-1)^2=9k^2-6k+1=3(3k^2-2k)+1$

즉, n^2은 3의 배수가 아니다.

(ii) $n=3k-2$일 때

$n^2=(3k-2)^2=9k^2-12k+4=3(3k^2-4k+1)+1$

즉, n^2은 3의 배수가 아니다.

(i), (ii)에 의하여 n^2은 3의 배수가 아니다.

따라서 주어진 명제의 대우가 참이므로 주어진 명제도 참이다.

답 풀이 참조

046

$\sqrt{2}$를 [(가) 유리수]라고 가정하면

$\sqrt{2}=\dfrac{n}{m}$ (m, n은 서로소인 자연수) ········· ㉠

으로 놓을 수 있다.

㉠의 양변을 제곱하면

$2=\dfrac{n^2}{m^2}$ $\quad\therefore n^2=2m^2$ ········· ㉡

이때 n^2이 [(나) 짝수]이므로 n도 [(나) 짝수]이다.

↳ (짝수)^2=(짝수), (홀수)^2=(홀수)이므로 n^2이 짝수이면 n도 짝수이다.

$n=2k$ (k는 자연수)로 놓고 ㉡에 대입하면

$4k^2=2m^2$ $\quad\therefore m^2=2k^2$

이때 m^2이 [(나) 짝수]이므로 m도 [(나) 짝수]이다.

즉, m, n이 모두 [(나) 짝수]이므로 m, n이 [(다) 서로소]라는 가정에 모순이다.

따라서 $\sqrt{2}$는 무리수이다.

답 (가): 유리수 (나): 짝수 (다): 서로소

047

주어진 명제의 결론을 부정하여 a, b, c가 모두 [(가) 홀수]라고 가정하면 홀수의 제곱은 홀수이므로 a^2, b^2, c^2도 모두 [(가) 홀수]이다.

이때 (홀수)+(홀수)=(짝수)이므로 a^2+b^2은 [(나) 짝수]이고, c^2은 [(다) 홀수]이므로 $a^2+b^2\ne c^2$이 되어 모순이다.

따라서 $a^2+b^2=c^2$이면 a, b, c 중 적어도 하나는 짝수이다.

답 ③

048

$(a^2+b^2)(x^2+y^2)-(ax+by)^2$

$=a^2x^2+a^2y^2+b^2x^2+b^2y^2-(a^2x^2+2abxy+b^2y^2)$

$=a^2y^2-2abxy+b^2x^2$

$=$ [(가) $(ay-bx)^2$] ≥ 0

$\therefore (a^2+b^2)(x^2+y^2)\ge(ax+by)^2$

이때 등호는 $ay-bx=0$, 즉 [(나) $ay=bx$]일 때 성립한다.

답 (가): $(ay-bx)^2$ (나): $ay=bx$

049

$|a|+|b|\ge 0$, $|a-b|\ge 0$이므로

[(가) $(|a|+|b|)^2\ge|a-b|^2$]

이 성립함을 증명하면 된다. 이때

$(|a|+|b|)^2-|a-b|^2=|a|^2+2|a||b|+|b|^2-(a-b)^2$

$=a^2+2|ab|+b^2-(a^2-2ab+b^2)$

$=$ [(나) $2(|ab|+ab)$] ≥ 0

↳ $|ab|\ge -ab$이므로 $2(|ab|+ab)\ge 0$

이므로

$(|a|+|b|)^2\ge|a-b|^2$

$\therefore |a|+|b|\ge|a-b|$

여기서 등호는 $|ab|=-ab$, 즉 [(다) $ab\le 0$]일 때 성립한다.

답 (가): $(|a|+|b|)^2\ge|a-b|^2$ (나): $2(|ab|+ab)$ (다): $ab\le 0$

050

$a^2+b^2+c^2-(ab+bc+ca)$

$=a^2+b^2+c^2-ab-bc-ca$

$=\dfrac{1}{2}(2a^2+2b^2+2c^2-2ab-2bc-2ca)$

$=\dfrac{1}{2}\{(a^2-2ab+b^2)+(b^2-2bc+c^2)+(c^2-2ca+a^2)\}$

$=\dfrac{1}{2}\{$[(가) $(a-b)^2+(b-c)^2+(c-a)^2$]$\}$

이때 $(a-b)^2\ge 0$, ([(나) $b-c$])$^2\ge 0$, $(c-a)^2\ge 0$이므로

$a^2+b^2+c^2-(ab+bc+ca)\ge 0$

$\therefore a^2+b^2+c^2\ge ab+bc+ca$

여기서 등호는 $a-b=0$, $b-c=0$, $c-a=0$, 즉 (다) $a=b=c$ 일 때 성립한다.

답 (가): $(a-b)^2+(b-c)^2+(c-a)^2$ (나): $b-c$ (다): $a=b=c$

051

$x>0$, $\dfrac{9}{x}>0$이므로 산술평균과 기하평균의 관계에 의하여

$x+\dfrac{9}{x}\ge 2\sqrt{x\times\dfrac{9}{x}}=2\sqrt{9}=6$ (단, 등호는 $x=3$일 때 성립한다.)

→ $x=\dfrac{9}{x}$에서 $x^2=9$ $\therefore x=3\ (\because x>0)$

따라서 $x+\dfrac{9}{x}$의 최솟값은 6이다.

답 ①

052

$4a>0$, $5b>0$이므로 산술평균과 기하평균의 관계에 의하여

$4a+5b\ge 2\sqrt{4a\times 5b}=2\sqrt{20ab}$

$=2\times 20=40\ (\because ab=20)$

이때 등호는 $4a=5b$, 즉 $a=5$, $b=4$일 때 성립한다.

따라서 $4a+5b$의 최솟값은 40이다.

답 40

053

$3x>0$, $2y>0$이므로 산술평균과 기하평균의 관계에 의하여

$3x+2y\ge 2\sqrt{3x\times 2y}=2\sqrt{6xy}$

(단, 등호는 $3x=2y$일 때 성립한다.) ❶

이때 $3x+2y=18$이므로

$2\sqrt{6xy}\le 18$, $\sqrt{6xy}\le 9$

양변을 제곱하면 $6xy\le 81$

$\therefore xy\le\dfrac{27}{2}$ ❷

따라서 xy의 최댓값은 $\dfrac{27}{2}$이다. ❸

답 $\dfrac{27}{2}$

채점 기준	비율
❶ 산술평균과 기하평균의 관계를 이용하여 부등식을 세울 수 있다.	40%
❷ xy의 값의 범위를 구할 수 있다.	40%
❸ xy의 최댓값을 구할 수 있다.	20%

참고

$3x+2y\ge 2\sqrt{6xy}$에서 등호는 $3x=2y$일 때 성립한다.

이때 $3x+2y=18$이므로 등호는 $x=3$, $y=\dfrac{9}{2}$일 때 성립한다.

054

$x>0$, $y>0$이므로 산술평균과 기하평균의 관계에 의하여

$2x+5y+\dfrac{2}{x}+\dfrac{5}{y}=2x+\dfrac{2}{x}+5y+\dfrac{5}{y}$

$\ge 2\sqrt{2x\times\dfrac{2}{x}}+2\sqrt{5y\times\dfrac{5}{y}}$

$=2\times 2+2\times 5=14$

(단, 등호는 $x=1$, $y=1$일 때 성립한다.)

따라서 $2x+5y+\dfrac{2}{x}+\dfrac{5}{y}$의 최솟값은 14이다.

답 ⑤

055

$(2a+b)\left(\dfrac{2}{a}+\dfrac{1}{b}\right)=4+\dfrac{2a}{b}+\dfrac{2b}{a}+1$

$=2\left(\dfrac{a}{b}+\dfrac{b}{a}\right)+5$

이때 $\dfrac{a}{b}>0$, $\dfrac{b}{a}>0$이므로 산술평균과 기하평균의 관계에 의하여

$2\left(\dfrac{a}{b}+\dfrac{b}{a}\right)+5\ge 2\times 2\sqrt{\dfrac{a}{b}\times\dfrac{b}{a}}+5$

$=4+5=9$

$\left(\text{단, 등호는 }\dfrac{a}{b}=\dfrac{b}{a}\text{, 즉 }a=b\text{일 때 성립한다.}\right)$

따라서 $(2a+b)\left(\dfrac{2}{a}+\dfrac{1}{b}\right)$의 최솟값은 9이다.

답 ③

056

$(\sqrt{5x}+\sqrt{3y})^2=5x+2\sqrt{5x}\times\sqrt{3y}+3y$

$=5x+3y+2\sqrt{15xy}$

$=15+2\sqrt{15xy}\ (\because 5x+3y=15)$ ······ ㉠

$5x>0$, $3y>0$이므로 산술평균과 기하평균의 관계에 의하여

$5x+3y\ge 2\sqrt{15xy}$ (단, 등호는 $5x=3y$일 때 성립한다.)

이때 $5x+3y=15$이므로

$2\sqrt{15xy}\le 15$ $\quad\therefore \sqrt{15xy}\le\dfrac{15}{2}$

따라서 ㉠에서

$(\sqrt{5x}+\sqrt{3y})^2=15+2\sqrt{15xy}$

$\le 15+2\times\dfrac{15}{2}=30$

$\left(\text{단, 등호는 }x=\dfrac{3}{2},\ y=\dfrac{5}{2}\text{일 때 성립한다.}\right)$

$\therefore 0\le\sqrt{5x}+\sqrt{3y}\le\sqrt{30}$

즉, 구하는 최댓값은 $\sqrt{30}$이다.

답 ③

057

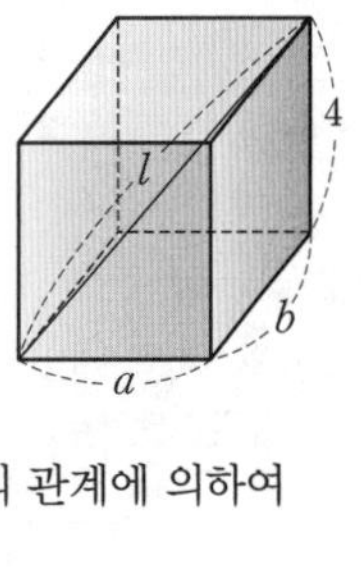

오른쪽 그림과 같이 직육면체의 밑면의 가로, 세로의 길이를 각각 a, b라 하고 높이를 4라고 하면 부피가 96이므로

$4ab=96$ $\quad\therefore ab=24$

이 직육면체의 대각선의 길이를 l이라고 하면

$l=\sqrt{a^2+b^2+4^2}$ $\quad\therefore l^2=a^2+b^2+16$

이때 $a^2>0$, $b^2>0$이므로 산술평균과 기하평균의 관계에 의하여

$a^2+b^2+16\ge 2\sqrt{a^2\times b^2}+16$

$=2ab+16\ (\because a>0,\ b>0)$

$=2\times 24+16=64\ (\because ab=24)$

(단, 등호는 $a=b=2\sqrt{6}$일 때 성립한다.)

따라서 $l=\sqrt{a^2+b^2+16}\ge\sqrt{64}=8$이므로 구하는 대각선의 길이의 최솟값은 8이다.

답 8

참고

산술평균과 기하평균의 관계를 도형에 활용할 때는 변하는 값을 각각 a, b로 놓고 주어진 값 또는 구하는 값을 $a+b$, ab로 나타낸다. 이때 a, b가 양수 조건을 만족하는지 확인한다.

058

$y=mx+2m+3$에서

$y=0$이면

$mx+2m+3=0$, $mx=-2m-3$

$\therefore x=-\dfrac{2m+3}{m}$ $\quad\therefore \mathrm{A}\left(-\dfrac{2m+3}{m}, 0\right)$

$x=0$이면

$y=2m+3$ $\quad\therefore \mathrm{B}(0, 2m+3)$

이때 m이 양수이므로

$-\dfrac{2m+3}{m}<0$, $2m+3>0$

따라서 삼각형 OAB의 넓이는

$$\frac{1}{2}\times\frac{2m+3}{m}\times(2m+3)=\frac{1}{2}\times\frac{(2m+3)^2}{m}$$
$$=\frac{1}{2}\times\frac{4m^2+12m+9}{m}$$
$$=\frac{1}{2}\left(4m+\frac{9}{m}+12\right)$$

이때 $4m>0$, $\dfrac{9}{m}>0$이므로 산술평균과 기하평균의 관계에 의하여

$$\frac{1}{2}\left(4m+\frac{9}{m}+12\right)\ge\frac{1}{2}\left(2\sqrt{4m\times\frac{9}{m}}+12\right)$$
$$=\frac{1}{2}(2\times6+12)=12$$

$\left(\text{단, 등호는 } 4m=\dfrac{9}{m}\text{, 즉 } m=\dfrac{3}{2}\text{일 때 성립한다.}\right)$

따라서 삼각형 OAB의 넓이의 최솟값은 12이다.

답 ⑤

059

$x^2+y^2=4$이므로

$x^2+4x+y^2+2y=4x+2y+4$ ······ ㉠

x, y가 실수이므로 코시-슈바르츠 부등식에 의하여

$(4^2+2^2)(x^2+y^2)\ge(4x+2y)^2$

$(4x+2y)^2\le(4^2+2^2)(x^2+y^2)=20\times4=80$ ($\because$ $x^2+y^2=4$)

$\left(\text{단, 등호는 } \dfrac{x}{4}=\dfrac{y}{2}\text{일 때 성립한다.}\right)$

$\therefore -4\sqrt{5}\le4x+2y\le4\sqrt{5}$

이때 $4-4\sqrt{5}\le4x+2y+4\le4+4\sqrt{5}$이므로 ㉠에 의하여

$4-4\sqrt{5}\le x^2+4x+y^2+2y\le4+4\sqrt{5}$

따라서 x^2+4x+y^2+2y의 최댓값은 $4+4\sqrt{5}$, 최솟값은 $4-4\sqrt{5}$이므로 구하는 곱은

$(4+4\sqrt{5})(4-4\sqrt{5})=4^2-(4\sqrt{5})^2=16-80=-64$

답 ②

060

x, y가 실수이므로 코시-슈바르츠 부등식에 의하여

$(1^2+2^2)(x^2+y^2)\ge(x+2y)^2$ $\left(\text{단, 등호는 } x=\dfrac{y}{2}\text{일 때 성립한다.}\right)$

······ ❶

$x^2+y^2=a$이므로

$(x+2y)^2\le(1^2+2^2)(x^2+y^2)=5a$

$\therefore -\sqrt{5a}\le x+2y\le\sqrt{5a}$ ······ ❷

따라서 $x+2y$의 최댓값은 $\sqrt{5a}$, 최솟값은 $-\sqrt{5a}$이고 최댓값과 최솟값의 차가 10이므로

$\sqrt{5a}-(-\sqrt{5a})=10$, $2\sqrt{5a}=10$, $\sqrt{5a}=5$

양변을 제곱하면

$5a=25$ $\quad\therefore a=5$ ······ ❸

답 5

채점 기준	비율
❶ 코시-슈바르츠 부등식을 이용하여 부등식을 세울 수 있다.	30%
❷ $x+2y$의 값의 범위를 구할 수 있다.	30%
❸ a의 값을 구할 수 있다.	40%

061

x, y가 실수이므로 코시-슈바르츠 부등식에 의하여

$(4^2+3^2)(x^2+y^2)\ge(4x+3y)^2$

$\left(\text{단, 등호는 } \dfrac{x}{4}=\dfrac{y}{3}\text{일 때 성립한다.}\right)$

이때 $4x+3y=10$이므로

$25(x^2+y^2)\ge10^2$ $\quad\therefore x^2+y^2\ge4$

따라서 x^2+y^2의 최솟값은 4이다.

답 ④

062

x, y, z가 실수이므로 코시-슈바르츠 부등식에 의하여

$(2^2+3^2+5^2)(x^2+y^2+z^2)\ge(2x+3y+5z)^2$

$\left(\text{단, 등호는 } \dfrac{x}{2}=\dfrac{y}{3}=\dfrac{z}{5}\text{일 때 성립한다.}\right)$

이때 $x^2+y^2+z^2=38$이므로

$(2x+3y+5z)^2\le(2^2+3^2+5^2)(x^2+y^2+z^2)$
$=38\times38=38^2$

$\therefore -38\le2x+3y+5z\le38$

따라서 $M=38$, $m=-38$이므로

$M-m=38-(-38)=76$

답 ③

실력을 높이는 연습 문제

본문 045쪽

01

① x의 값에 따라 참, 거짓이 달라지므로 조건이다. 즉, 명제가 아니다.

② 오각형의 대각선의 개수는 $\frac{5\times(5-3)}{2}=5$이므로 참인 명제이다.

③ 2는 소수이지만 짝수이다. 즉, 거짓인 명제이다.

④ 직사각형의 두 대변은 각각 평행하므로 평행사변형이다. 즉, 참인 명제이다.

⑤ 등변사다리꼴은 두 대각선의 길이가 같지만 직사각형이 아니다. 즉, 거짓인 명제이다.

답 ①

풍쌤 개념 CHECK

(1) n각형의 대각선의 개수

$\frac{n(n-3)}{2}$

(2) 여러 가지 사각형의 대각선의 성질

① 평행사변형: 서로를 이등분한다.
② 직사각형: 길이가 같고 서로를 이등분한다.
③ 마름모: 서로를 수직이등분한다.
④ 정사각형: 길이가 같고 서로를 수직이등분한다.
⑤ 등변사다리꼴: 길이가 같다.

02

조건 '$x\in A$ 또는 $x\in B$'의 부정은

$x\notin A$ 그리고 $x\notin B$

답 ③

03

문제 접근하기

$xyz=0$이면 $x=0$ 또는 $y=0$ 또는 $z=0$임을 이용하여 주어진 조건을 변형한 후 그 부정을 구한다.

$(a-b)(b-c)(c-a)=0$이면

$a-b=0$ 또는 $b-c=0$ 또는 $c-a=0$

$\therefore a=b$ 또는 $b=c$ 또는 $c=a$

따라서 주어진 조건의 부정은

$a\neq b$이고 $b\neq c$이고 $c\neq a$

답 $a\neq b$이고 $b\neq c$이고 $c\neq a$

04

조건 p의 진리집합은 $\{1, 2, 3, 4, 6\}$, 조건 q의 진리집합은 $\{1, 2, 3, 6, 9\}$이므로 조건 'p 그리고 q'의 진리집합은

$\{1, 2, 3, 6\}$

→ 12와 18의 공약수, 즉 6의 약수의 집합이다.

답 $\{1, 2, 3, 6\}$

05

조건 '$\sim(p$ 또는 $\sim q)$'는

$\sim p$ 그리고 q

조건 $\sim p$: $x\leq 10$의 진리집합은

$\{1, 2, 3, \cdots, 10\}$

조건 q의 진리집합은

$\{4, 8, 12, 16, 20\}$

따라서 조건 '$\sim(p$ 또는 $\sim q)$'의 진리집합은

$\{4, 8\}$

이므로 구하는 모든 원소의 합은

$4+8=12$

답 ②

06

명제 'p이면 $\sim q$이다.'가 거짓임을 보이는 원소는 집합 P에는 속하고 Q^C에는 속하지 않으므로 구하는 집합은

$P\cap(Q^C)^C=P\cap Q$

답 ①

07

① $P\not\subset Q$이므로 $p \longrightarrow q$는 거짓이다.

② $R\not\subset P^C$이므로 $r \longrightarrow \sim p$는 거짓이다.

③ $P\not\subset Q^C$이므로 $p \longrightarrow \sim q$는 거짓이다.

④ $R\subset(P\cup Q)$이므로 $r \longrightarrow (p$ 또는 $q)$는 참이다.

⑤ $(P\cap R)\not\subset Q$이므로 $(p$이고 $r) \longrightarrow q$는 거짓이다.

답 ④

08

$P\cap Q=Q$이므로 $Q\subset P$

$P-R=\varnothing$이므로 $P\subset R$

$\therefore Q\subset P\subset R$

따라서 $q \longrightarrow p$, $q \longrightarrow r$, $p \longrightarrow r$가 참이고 그 대우 $\sim p \longrightarrow \sim q$, $\sim r \longrightarrow \sim q$, $\sim r \longrightarrow \sim p$도 참이므로 항상 참인 명제는 ㄴ, ㄷ이다.

답 ③

09

문제 접근하기

명제 $\sim p \longrightarrow q$가 참이 되려면 $P^C\subset Q$이어야 하므로 P^C과 Q를 구하여 조건을 만족시키도록 수직선 위에 나타낸다.

명제 $\sim p \longrightarrow q$가 참이 되려면 $P^C\subset Q$이어야 한다.

$P=\{x\,|\,(x+3)(x-6)\leq 0\}$에서

$P^C=\{x\,|\,(x+3)(x-6)>0\}$

$\quad=\{x\,|\,x<-3$ 또는 $x>6\}$

$Q=\{x\,|\,|x|>k\}=\{x\,|\,x<-k$ 또는 $x>k\}$

$P^C\subset Q$이어야 하므로 오른쪽 그림에서

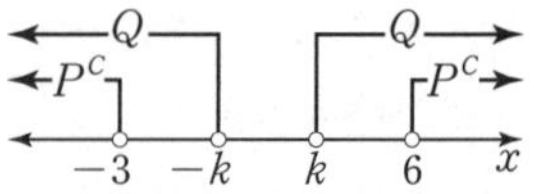

$-k\geq -3$, $k\leq 6$

$k\leq 3$, $k\leq 6$

$\therefore k\leq 3$

따라서 자연수 k는 1, 2, 3의 3개이다.

답 3

10

① [반례] $x=1$이면 $3x=3$ (거짓)

② U의 모든 원소 x에 대하여 $x^2>0$ (거짓)

③ [반례] $x=10$이면 $4x^2=400>200$ (거짓)
④ $x=1,\ 2,\ 4,\ 5,\ 10$은 20의 약수이다. (참)
⑤ [반례] $x=1$이면 $x=\frac{1}{x}$ (거짓)

답 ④

11

주어진 명제가 거짓이면 그 부정은 참이어야 한다.
즉, 명제 '모든 실수 x에 대하여 $x^2+6x+3k-6>0$이다.'가 참이어야 한다.
이차방정식 $x^2+6x+3k-6=0$의 판별식을 D라고 하면
$\frac{D}{4}=3^2-3k+6<0$
$3k>15 \qquad \therefore k>5$
따라서 정수 k의 최솟값은 6이다.

답 6

12

ㄱ. $a=b$이면 $a+c=b+c$이다. (참)
역: $a+c=b+c$이면 $a=b$이다. (참)
ㄴ. $a^2=b^2$이면 $a=b$이다. (거짓)
[반례] $a=-b$이면 $a^2=b^2$이지만 $a\neq b$이다.
역: $a=b$이면 $a^2=b^2$이다. (참)
ㄷ. $x=0$ 또는 $y=0$이면 $xy=0$이다. (참)
역: $xy=0$이면 $x=0$ 또는 $y=0$이다. (참)
따라서 명제와 그 역이 모두 참인 것은 ㄱ, ㄷ이다.

답 ④

13

주어진 명제가 참이므로 그 대우
'$x-a=0$이면 $x^2-6x+5=0$이다.'
도 참이다. 즉, $x=a$가 방정식 $x^2-6x+5=0$의 근이므로
$a^2-6a+5=0,\ (a-1)(a-5)=0$
$\therefore a=1$ 또는 $a=5$
따라서 모든 상수 a의 값의 합은 $1+5=6$

답 ①

14

각 명제의 대우를 구하여 그 참, 거짓을 판별하면 다음과 같다.
ㄱ. $x\leq 3$이면 $x^2\leq 9$이다. (거짓)
[반례] $x=-4$이면 $x\leq 3$이지만 $x^2>9$이다.
ㄴ. $x\leq 0$ 또는 $y\leq 2$이면 $x+y\leq 2$이다. (거짓)
[반례] $x=-1,\ y=4$이면 $x\leq 0$ 또는 $y\leq 2$를 만족시키지만 $x+y>2$이다.
ㄷ. $x\neq -1$이고 $y\neq 2$이면 $(x+1)(y-2)\neq 0$이다. (참)
따라서 대우가 참인 것은 ㄷ이다.

답 ③

|다른 풀이|
대우가 참이면 그 명제도 참이므로 명제가 참인 것을 찾는다.
ㄱ. [반례] $x=-4$이면 $x^2>9$이지만 $x<3$이다. (거짓)
ㄴ. [반례] $x=-1,\ y=4$이면 $x+y>2$이지만 $x<0$이다. (거짓)
ㄷ. 참인 명제이다.

15

명제 $\sim p \longrightarrow \sim q$의 역 $\sim q \longrightarrow \sim p$가 참이므로
그 대우 $p \longrightarrow q$도 참이다.
즉, $P\subset Q$이므로
$P-Q=\varnothing,\ Q^C\subset P^C$
따라서 옳은 것은 ㄴ, ㄹ이다.

답 ④

16

두 명제 $p \longrightarrow \sim q,\ \sim p \longrightarrow r$가 모두 참이므로
그 대우 $q \longrightarrow \sim p,\ \sim r \longrightarrow p$도 참이다.
두 명제 $q \longrightarrow \sim p,\ \sim p \longrightarrow r$가 모두 참이므로
$q \longrightarrow r$와 그 대우 $\sim r \longrightarrow \sim q$도 참이다.
따라서 반드시 참이라고 할 수 없는 것은 ④이다.

답 ④

17

문제 접근하기
세 사람 중 한 사람의 말만이 참이므로 현진, 영수, 진희가 각각 참말을 했을 경우로 나누어 p가 참이면 $\sim p$는 거짓이고, p가 거짓이면 $\sim p$는 참이 됨을 이용하여 항상 참인 문장을 찾는다.

(i) 현진이의 말만 참인 경우
영수와 진희의 말은 거짓이므로 다음은 참이다.
영수는 등산을 갔었다.
진희는 등산을 가지 않았다.
(ii) 영수의 말만 참인 경우
현진이와 진희의 말은 거짓이므로 다음은 참이다.
영수는 등산을 가지 않았다.
진희는 등산을 가지 않았다.
(iii) 진희의 말만 참인 경우
현진이와 영수의 말은 거짓이므로 다음은 참이다.
영수는 등산을 가지 않았다.
영수는 등산을 갔었다.
그런데 위의 두 문장은 서로 모순이므로 진희의 말은 참이 될 수 없다.
따라서 참인 말을 한 사람은 현진 또는 영수이고, 이때 항상 참인 문장은 '진희는 등산을 가지 않았다.'이다.

답 ⑤

18

ㄱ. 명제 $\sim p \longrightarrow r$가 참이므로 $P^C\subset R$ (참)
ㄴ. $R\subset Q^C,\ R^C\subset Q$에서 $R=Q^C,\ Q=R^C$
$P^C\subset R$에서 $R^C\subset P$
$\therefore Q\subset P$ (거짓)
ㄷ. $Q\subset P$에서 $P\cap Q=Q=R^C$ (참)
따라서 옳은 것은 ㄱ, ㄷ이다.

답 ③

참고

세 집합 P, Q, R 사이의 관계를 벤다이어그램으로 나타내면 오른쪽 그림과 같다.

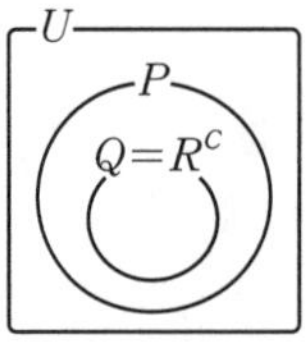

19

① $p \longrightarrow q$: $xy\neq0$이면 $x\neq0$, $y\neq0$이므로 $x^2+y^2\neq0$ (참)

$q \longrightarrow p$: [반례] $x=0$, $y=1$이면 $x^2+y^2\neq0$이지만 $xy=0$ (거짓)

따라서 $p \Longrightarrow q$이므로 p는 q이기 위한 충분조건이다.

② $p \Longrightarrow q$이고 $q \Longrightarrow p$, 즉 $p \Longleftrightarrow q$이므로 p는 q이기 위한 필요충분조건이다.

③ $p \longrightarrow q$: [반례] $x=-2$, $y=-1$이면 $x^2+y^2>0$이지만 $x<0$, $y<0$ (거짓)

$q \longrightarrow p$: $x>0$, $y>0$이면 $x^2+y^2>0$ (참)

따라서 $q \Longrightarrow p$이므로 p는 q이기 위한 필요조건이다.

④ $p \longrightarrow q$: $x^2+y^2=0$이면 $x=0$, $y=0$이므로 $x+y=0$ (참)

$q \longrightarrow p$: [반례] $x=-1$, $y=1$이면 $x+y=0$이지만 $x^2+y^2\neq0$ (거짓)

따라서 $p \Longrightarrow q$이므로 p는 q이기 위한 충분조건이다.

⑤ $p \longrightarrow q$: $x=y=0$이면 $x^2-2xy+y^2=0$ (참)

$q \longrightarrow p$: [반례] $x=y=1$이면 $x^2-2xy+y^2=0$이지만 $x\neq0$, $y\neq0$ (거짓)

따라서 $p \Longrightarrow q$이므로 p는 q이기 위한 충분조건이다.

답 ②

20

문제 접근하기

세 조건 p, q, r의 진리집합을 각각 P, Q, R로 놓으면 r가 'p이고 q'이기 위한 충분조건이므로 $R\subset(P\cap Q)$이어야 함을 이용한다.

세 조건 p, q, r의 진리집합을 각각 P, Q, R라고 하자.

$|x|\leq7$에서 $-7\leq x\leq7$

$|x-a|\leq3$에서 $-3\leq x-a\leq3$

$\therefore a-3\leq x\leq a+3$

$\therefore P=\{x|-7\leq x\leq7\}$, $Q=\{x|x\geq-1\}$,

$R=\{x|a-3\leq x\leq a+3\}$

r가 'p이고 q'이기 위한 충분조건이므로

$R\subset(P\cap Q)$

이때

$P\cap Q=\{x|-1\leq x\leq7\}$

이므로 오른쪽 그림에서

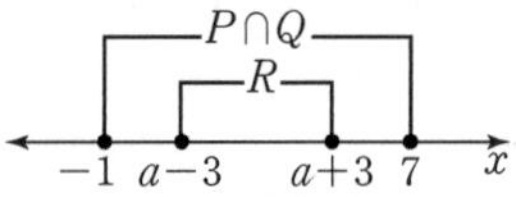

$a-3\geq-1$, $a+3\leq7$

$a\geq2$, $a\leq4$ $\quad\therefore 2\leq a\leq4$

따라서 a의 최댓값은 4, 최솟값은 2이므로 구하는 합은

$4+2=6$

답 6

21

주어진 명제의 대우는

'a, b가 모두 (가) 홀수 이면 ab는 (나) 홀수 이다.'

a, b가 모두 (가) 홀수 이므로

$a=2m-1$, $b=2n-1$ (m, n은 자연수)

로 나타낼 수 있다. 즉,

$ab=(2m-1)(2n-1)$

$=4mn-2m-2n+1$

$=2($(다) $2mn-m-n$ $)+1$

이므로 ab는 (나) 홀수 이다.

따라서 주어진 명제의 대우가 참이므로 주어진 명제도 참이다.

답 (가): 홀수 (나): 홀수 (다): $2mn-m-n$

22

$a>b>0$이므로 $X>0$, $Y>0$

$\therefore X^2-Y^2=(\sqrt{a-b})^2-(\sqrt{a}-\sqrt{b})^2$

$=a-b-(a-2\sqrt{ab}+b)$

$=2\sqrt{ab}-2b$

$=2\sqrt{b}(\sqrt{a}-\sqrt{b})>0$ ← $\sqrt{b}>0$, $\sqrt{a}-\sqrt{b}>0$

즉, $X^2>Y^2$이고 $X>0$, $Y>0$이므로

$X>Y$

답 ①

23

$\left(4x+\frac{1}{y}\right)\left(\frac{1}{x}+16y\right)=4+64xy+\frac{1}{xy}+16$

$=64xy+\frac{1}{xy}+20$

이때 $x>0$, $y>0$에서 $64xy>0$, $\frac{1}{xy}>0$이므로 산술평균과 기하평균의 관계에 의하여

$64xy+\frac{1}{xy}+20\geq2\sqrt{64xy\times\frac{1}{xy}}+20$

$=2\times8+20=36$

$\left(\text{단, 등호는 } 64xy=\frac{1}{xy}\text{, 즉 } xy=\frac{1}{8}\text{일 때 성립한다.}\right)$

즉, $\left(4x+\frac{1}{y}\right)\left(\frac{1}{x}+16y\right)\geq36$이므로 구하는 최솟값은 36이다.

답 ②

24

직사각형의 가로의 길이를 $2a$, 세로의 길이를 b라고 하면 반지름의 길이가 $4\sqrt{2}$이므로 오른쪽 그림의 직각삼각형에서 피타고라스 정리에 의하여

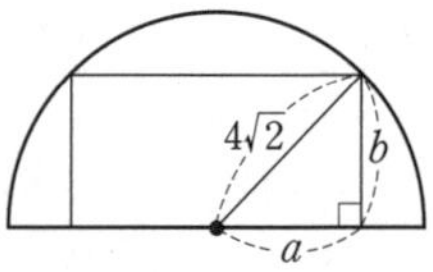

$a^2+b^2=(4\sqrt{2})^2=32$

이때 직사각형의 넓이는 $2ab$이고, $a^2>0$, $b^2>0$이므로 산술평균과 기하평균의 관계에 의하여

$a^2+b^2\geq2\sqrt{a^2b^2}=2ab$ ← $a>0$, $b>0$이므로 $\sqrt{a^2b^2}=ab$

즉, $2ab\leq32$이므로 넓이의 최댓값은 32이다.

이때 등호가 성립하는 경우는 $a^2=b^2$일 때이므로

$a^2+b^2=32$에서 $a=b=4$ ($\because a>0$, $b>0$)

따라서 구하는 직사각형의 둘레의 길이는

$2(2a+b)=2(2\times4+4)=24$

답 24

03 함수

기본을 다지는 유형

본문 052쪽

001

ㄱ. X의 원소 -1에 대응하는 Y의 원소가 2, 4로 2개이므로 함수가 아니다.

ㄴ. X의 각 원소에 Y의 원소가 오직 하나씩만 대응하므로 함수이다.

ㄷ. X의 원소 1에 대응하는 Y의 원소가 없으므로 함수가 아니다.

ㄹ. X의 각 원소에 Y의 원소가 오직 하나씩만 대응하므로 함수이다.

따라서 함수인 것은 ㄴ, ㄹ이다.

답 ④

002

④ 오른쪽 그림과 같이 실수 a에 대하여 직선 $x=a$와 주어진 그래프가 여러 점에서 만나는 경우가 생기므로 함수의 그래프가 아니다.

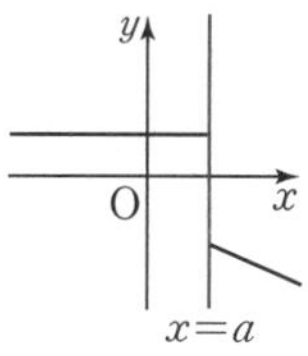

답 ④

003

① $-1\le x\le 2$에서 $1\le x+2\le 4$

$\therefore 1\le y\le 4$

② $-1\le x\le 2$에서 $0\le x^2\le 4$, $-4\le -x^2\le 0$

$-1\le -x^2+3\le 3$　　$\therefore -1\le y\le 3$

③ $-1\le x\le 2$에서 $-2\le x-1\le 1$, $0\le |x-1|\le 2$

$4\le |x-1|+4\le 6$　　$\therefore 4\le y\le 6$

④ $-1\le x\le 2$에서 $-3\le x-2\le 0$, $0\le (x-2)^2\le 9$

$-5\le (x-2)^2-5\le 4$　　$\therefore -5\le y\le 4$

⑤ $-1\le x\le 2$에서 $-1\le x^3\le 8$, $-3\le x^3-2\le 6$

$\therefore -3\le y\le 6$

따라서 치역이 집합 Y의 부분집합인 것은 ②뿐이므로 X에서 Y로의 함수인 것은 ②이다.

답 ②

004

$f(-2)=2$이므로 $-3\times(-2)+k=2$　　$\therefore k=-4$

따라서 $f(x)=-3x-4$이므로

$f(2)=-3\times 2-4=-10$

답 ①

005

$\frac{3-x}{2}=-3$에서 $3-x=-6$　　$\therefore x=9$ ……… ❶

$x=9$를 $f\left(\frac{3-x}{2}\right)=4x-3$에 대입하면

$f(-3)=4\times 9-3=33$ ……… ❷

답 33

채점 기준	비율
❶ $\frac{3-x}{2}=-3$을 만족시키는 x의 값을 구할 수 있다.	50%
❷ $f(-3)$의 값을 구할 수 있다.	50%

|다른 풀이|

$\frac{3-x}{2}=t$로 놓으면 $3-x=2t$　　$\therefore x=3-2t$

$x=3-2t$를 $f\left(\frac{3-x}{2}\right)=4x-3$에 대입하면

$f(t)=4(3-2t)-3=9-8t$

$\therefore f(-3)=9-8\times(-3)=33$

006

$f(1)=4$, $f(2)=4$, $f(3)=6$이므로 함수 f의 치역은 $\{4, 6\}$

따라서 치역의 모든 원소의 합은

$4+6=10$

답 10

007

$y=-5$일 때 $3x-2=-5$, $3x=-3$　　$\therefore x=-1$

$y=1$일 때 $3x-2=1$, $3x=3$　　$\therefore x=1$

$y=4$일 때 $3x-2=4$, $3x=6$　　$\therefore x=2$

따라서 구하는 정의역은 $\{-1, 1, 2\}$

답 ③

008

$f(1)=6-1=5$, $f(2)=\frac{2}{2}-1=0$, $f(3)=6-3=3$,

$f(4)=\frac{4}{2}-1=1$, $f(5)=6-5=1$, $f(6)=\frac{6}{2}-1=2$,

$f(7)=6-7=-1$, $f(8)=\frac{8}{2}-1=3$, $f(9)=6-9=-3$,

$f(10)=\frac{10}{2}-1=4$

따라서 구하는 치역은 $\{-3, -1, 0, 1, 2, 3, 4, 5\}$

답 $\{-3, -1, 0, 1, 2, 3, 4, 5\}$

009

$-\frac{1}{2}x^2+2x=-6$에서 $x^2-4x=12$, $x^2-4x-12=0$

$(x+2)(x-6)=0$　　$\therefore x=-2$ 또는 $x=6$

$-\frac{1}{2}x^2+2x=0$에서 $x^2-4x=0$, $x(x-4)=0$

$\therefore x=0$ 또는 $x=4$

$-\frac{1}{2}x^2+2x=2$에서 $x^2-4x=-4$, $x^2-4x+4=0$

$(x-2)^2=0$　　$\therefore x=2$

따라서 정의역이 $\{-2, 0, 2, 4, 6\}$이므로

$a=4$, $b=6$ ($\because a<b$)

$\therefore b-a=6-4=2$

답 ②

010

$a<0$이므로 일차함수 $f(x)=ax+b$는 x의 값이 증가하면 y의 값은 감소한다.

$\therefore f(1)=6,\ f(4)=-3$ ❶

즉, $a+b=6,\ 4a+b=-3$이므로 두 식을 연립하여 풀면

$a=-3,\ b=9$ ❷

$\therefore ab=-3\times 9=-27$ ❸

답 -27

채점 기준	비율
❶ $f(1),\ f(4)$의 값을 구할 수 있다.	50%
❷ $a,\ b$의 값을 구할 수 있다.	40%
❸ ab의 값을 구할 수 있다.	10%

011

ㄱ. $f(-1)=g(-1)=0,\ f(0)=g(0)=1,\ f(1)=g(1)=0$
$\therefore f=g$

ㄴ. $f(-1)=g(-1)=-1,\ f(0)=g(0)=0,\ f(1)=g(1)=1$
$\therefore f=g$

ㄷ. $f(-1)=g(-1)=-3,\ f(0)=g(0)=-1,\ f(1)=g(1)=1$
$\therefore f=g$

따라서 $f=g$인 것은 ㄱ, ㄴ, ㄷ이다.

답 ⑤

012

$f(-1)=g(-1)$에서

$1-a+2=-1+b \qquad \therefore a+b=4$ ㉠

$f(1)=g(1)$에서

$1+a+2=1+b \qquad \therefore a-b=-2$ ㉡

㉠, ㉡을 연립하여 풀면 $a=1,\ b=3$

따라서 $f(x)=x^2+x+2$이므로

$f(-1)=(-1)^2-1+2=2$

$f(1)=1^2+1+2=4$

즉, 함수 f의 치역은 $\{2,\ 4\}$

답 $\{2,\ 4\}$

013

함수 f가 일대일함수가 되려면 $y=f(x)$의 그래프가 오른쪽 그림과 같아야 한다.

즉, $x\geq 0$에서 $y=ax-1$의 그래프는 x의 값이 증가할 때 y의 값도 증가해야 하므로

$a>0$

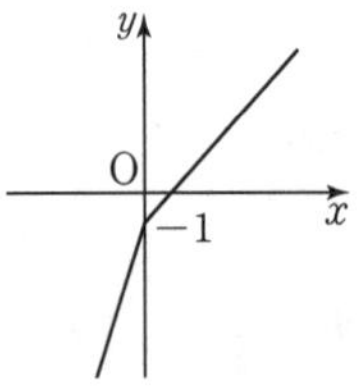

답 $a>0$

014

함수 f가 일대일함수이고 $f(1)=1$이므로 $f(2),\ f(3)$의 값은 0, 2, 3 중 하나이어야 하고 $f(2)\neq f(3)$이어야 한다.

따라서 $f(2)+f(3)$의 값은

$f(2)=0,\ f(3)=2$ 또는 $f(2)=2,\ f(3)=0$

일 때 최솟값 2를 갖는다.

답 ②

참고

$f(2)+f(3)$은 $f(2)=2,\ f(3)=3$ 또는 $f(2)=3,\ f(3)=2$일 때 최댓값 5를 갖는다.

015

ㄱ. 치역과 공역이 실수 전체의 집합으로 같고, 실수 a에 대하여 직선 $y=a$와 그래프가 오직 한 점에서 만나므로 일대일대응의 그래프이다.

ㄴ. 치역이 $\{y|y>0\}$으로 공역과 다르므로 일대일대응의 그래프가 아니다.

ㄷ. 치역과 공역이 실수 전체의 집합으로 같고, 실수 a에 대하여 직선 $y=a$와 그래프가 오직 한 점에서 만나므로 일대일대응의 그래프이다.

ㄹ. 실수 a에 대하여 직선 $y=a$와 그래프가 2개 또는 3개의 점에서 만나기도 하므로 일대일대응의 그래프가 아니다.

따라서 일대일대응을 나타내는 그래프인 것은 ㄱ, ㄷ이다.

답 ④

016

$f(x)=x^2-2x+k=(x-1)^2+k-1$이므로 $x\geq 1$에서 함수 f는 x의 값이 증가하면 y의 값도 증가한다. ❶

따라서 함수 f가 일대일대응이 되려면

$f(1)=2$

이어야 한다. ❷

즉, $f(1)=1-2+k=2$이므로 $k=3$ ❸

답 3

채점 기준	비율
❶ $x\geq 1$에서 함수 f가 x의 값이 증가할 때 y의 값도 증가하는 함수임을 알 수 있다.	40%
❷ 함수 f가 일대일대응이 될 조건을 구할 수 있다.	40%
❸ k의 값을 구할 수 있다.	20%

017

함수 f가 일대일대응이고 $f(1)=7,\ f(2)-f(3)=3$이므로

$f(2)=8,\ f(3)=5$ (→ Y의 원소에서 7을 제외한 5, 6, 8 중에서 차가 3인 두 수를 찾는다.)

따라서 $f(4)=6$이므로

$f(3)+f(4)=5+6=11$

답 ①

018

함수 f가 상수함수이고 $f(10)=2$이므로

$f(1)=f(3)=f(5)=\cdots=f(11)=2$

$\therefore f(1)+f(3)+f(5)+\cdots+f(11)=6\times 2=12$

답 12

019

함수 f가 항등함수이므로 $f(2)=2,\ f(5)=5$

$\therefore g(2)=f(2)=2$

이때 함수 g가 상수함수이므로 $g(7)=g(2)=2$

$\therefore f(5)+g(7)=5+2=7$

답 ③

020

함수 f가 항등함수이므로

$f(-3)=-3$, $f(1)=1$

즉, $2\times(-3)+a=-3$, $1-2+b=1$이므로 $a=3$, $b=2$

$\therefore ab=3\times2=6$

답 ②

021

함수 g가 항등함수이므로

$g(1)=1$, $g(2)=2$, $g(3)=3$, $g(6)=6$

$\therefore f(3)=h(6)=g(2)=2$

함수 h는 상수함수이므로

$h(1)=h(2)=h(3)=h(6)=2$ ❶

$f(2)f(3)=f(6)$에서

$2f(2)=f(6)$ → X의 원소에서 2를 제외한 1, 3, 6 중에서 $2f(2)=f(6)$을 만족시키는 것을 찾는다.

함수 f가 일대일대응이므로

$f(2)=3$, $f(6)=6$

$\therefore f(1)=1$ ❷ → $f(2)=3, f(3)=2, f(6)=6$이므로 $f(1)=1$

$\therefore f(1)+g(3)+h(2)=1+3+2=6$ ❸

답 6

채점 기준	비율
❶ 함수 g, h의 모든 함숫값과 $f(3)$의 값을 구할 수 있다.	40%
❷ $f(1)$, $f(2)$, $f(6)$의 값을 구할 수 있다.	40%
❸ $f(1)+g(3)+h(2)$의 값을 구할 수 있다.	20%

022

함수 f가 항등함수이므로 $f(x)=x$이어야 한다.

즉, $x^3-3x=x$이어야 하므로

$x^3-4x=0$, $x(x^2-4)=0$, $x(x+2)(x-2)=0$

$\therefore x=-2$ 또는 $x=0$ 또는 $x=2$

따라서 집합 $\{-2, 0, 2\}$의 부분집합 중 공집합을 제외한 집합을 X로 정하면 함수 f는 항등함수가 되므로 집합 X의 개수는

$2^3-1=8-1=7$

답 ④

023

X에서 X로의 함수의 개수는

$3^3=27$

X에서 X로의 일대일대응의 개수는

$3\times2\times1=6$

X에서 X로의 상수함수의 개수는 3

따라서 $p=27$, $q=6$, $r=3$이므로

$p+q-r=27+6-3=30$

답 ④

024

주어진 조건을 만족시키는 함수 f는 일대일함수이므로 구하는 함수 f의 개수는 $5\times4\times3=60$

답 60

025

$f(2)=c$이고 함수 f는 일대일대응이므로 조건을 만족시키는 함수 f의 개수는 집합 $\{1, 4, 8\}$에서 $\{a, b, d\}$로의 일대일대응의 개수와 같다.

따라서 구하는 함수 f의 개수는

$3\times2\times1=6$

답 ④

026

$f(0)f(2)\neq0$이므로 $f(0)\neq0$, $f(2)\neq0$

$f(-2)$의 값이 될 수 있는 것은 -2, 0, 2의 3개

$f(0)$의 값이 될 수 있는 것은 -2, 2의 2개

$f(2)$의 값이 될 수 있는 것은 -2, 2의 2개

따라서 구하는 함수 f의 개수는

$3\times2\times2=12$

답 12

027

$f(-2)$의 값이 될 수 있는 것은 -2, -1, 0, 1, 2의 5개

$f(-2)=f(2)$이므로 $f(2)$의 값이 될 수 있는 것은 $f(-2)$의 값과 같으므로 1개

$f(-1)$의 값이 될 수 있는 것은 -2, -1, 0, 1, 2의 5개

$f(-1)=f(1)$이므로 $f(1)$의 값이 될 수 있는 것은 $f(-1)$의 값과 같으므로 1개

$f(0)$의 값이 될 수 있는 것은 -2, -1, 0, 1, 2의 5개

따라서 주어진 조건을 만족시키는 함수 f의 개수는

$5\times1\times5\times1\times5=125$

답 ⑤

028

조건 ㈎에 의하여 함수 f는 일대일함수이다.

조건 ㈏에 의하여 함숫값 $f(x)$는 $-3\le f(x)\le1$이다. ❶

따라서 함수 f는 집합 $\{1, 2, 3\}$에서 집합 $\{-3, -2, -1, 0, 1\}$로의 일대일함수이다. ❷

즉, 구하는 함수 f의 개수는

$5\times4\times3=60$ ❸

답 60

채점 기준	비율
❶ 조건 ㈎, ㈏의 의미를 이해할 수 있다.	30%
❷ 함수 f가 어떤 함수인지 알 수 있다.	40%
❸ 함수 f의 개수를 구할 수 있다.	30%

029

집합 Y의 원소의 개수를 n이라고 하면 X에서 Y로의 일대일함수 f의 개수가 120이므로

$n(n-1)(n-2)=120=6\times5\times4$

$\therefore n=6$

따라서 집합 Y의 원소의 개수는 6이다.

답 ④

030

$x+f(x)\geq 4$이므로

(i) $x=1$일 때

$1+f(1)\geq 4$에서 $f(1)\geq 3$

즉, $f(1)$의 값이 될 수 있는 것은 3, 4의 2개이다.

(ii) $x=2$일 때

$2+f(2)\geq 4$에서 $f(2)\geq 2$

즉, $f(2)$의 값이 될 수 있는 것은 2, 3, 4의 3개이다.

(iii) $x=3$일 때

$3+f(3)\geq 4$에서 $f(3)\geq 1$

즉, $f(3)$의 값이 될 수 있는 것은 1, 2, 3, 4의 4개이다.

(iv) $x=4$일 때

$4+f(4)\geq 4$에서 $f(4)\geq 0$

즉, $f(4)$의 값이 될 수 있는 것은 1, 2, 3, 4의 4개이다.

(i)~(iv)에 의하여 함수 f의 개수는

$2\times 3\times 4\times 4=96$

답 96

031

$(g\circ f)(1)=g(f(1))=g(2)=1$

$(f\circ g)(3)=f(g(3))=f(2)=1$

$\therefore (g\circ f)(1)+(f\circ g)(3)=1+1=2$

답 2

032

$(f\circ g)(-1)=f(g(-1))=f(-2)=-8$

$(g\circ f)(2)=g(f(2))=g(4)=13$

$\therefore (f\circ g)(-1)+(g\circ f)(2)=-8+13=5$

답 ⑤

033

$(f\circ f)(1)=f(f(1))=f(4)=16$

$(f\circ f)(\sqrt{3})=f(f(\sqrt{3}))=f(2)=8$

$\therefore (f\circ f)(1)-(f\circ f)(\sqrt{3})=16-8=8$

답 ⑤

034

$f\left(\frac{2}{3}\right)=5\times\frac{2}{3}-3=\frac{1}{3}$이고 함수의 합성에서 결합법칙이 성립하므로

$(h\circ(g\circ f))\left(\frac{2}{3}\right)=((h\circ g)\circ f)\left(\frac{2}{3}\right)=(h\circ g)\left(f\left(\frac{2}{3}\right)\right)$

$=(h\circ g)\left(\frac{1}{3}\right)=6\times\frac{1}{3}+5=7$

답 ③

035

$f(1)=2$, $(g\circ f)(1)=3$이므로

$(g\circ f)(1)=g(f(1))=g(2)=3$

$g(3)=2$, $(f\circ g)(3)=3$이므로

$(f\circ g)(3)=f(g(3))=f(2)=3$ ······ ❶

함수 f가 일대일대응이고 $f(1)=2$, $f(2)=3$이므로

$f(3)=1$

함수 g가 일대일대응이고 $g(2)=3$, $g(3)=2$이므로

$g(1)=1$ ······ ❷

$\therefore f(3)+g(1)=1+1=2$ ······ ❸

답 2

채점 기준	비율
❶ $f(2)$, $g(2)$의 값을 구할 수 있다.	40%
❷ $f(3)$, $g(1)$의 값을 구할 수 있다.	50%
❸ $f(3)+g(1)$의 값을 구할 수 있다.	10%

036

$(g\circ f)(1)=g(f(1))=g(3)=3a+2$

즉, $3a+2=8$이므로 $3a=6$ $\quad\therefore a=2$

따라서 $g(x)=2x+2$이므로

$g(5)=2\times 5+2=12$

답 ④

037

$(f\circ f\circ f)(x)=f(f(f(x)))=f(f(2x+1))$

$=f(2(2x+1)+1)=f(4x+3)$

$=2(4x+3)+1=8x+7$

$(f\circ f\circ f)(k)=47$에서

$8k+7=47$, $8k=40$ $\quad\therefore k=5$

답 5

038

$(f\circ(g\circ h))(a)=((f\circ g)\circ h)(a)=(f\circ g)(h(a))$

$=(f\circ g)(-2a+1)=3(-2a+1)-1$

$=-6a+2$

즉, $-6a+2=14$이므로

$6a=-12$ $\quad\therefore a=-2$

답 ①

039

$(f\circ g)(x)=f(g(x))=f\left(\frac{1}{2}x+b\right)$

$=a\left(\frac{1}{2}x+b\right)-6=\frac{1}{2}ax+ab-6$

모든 실수 x에 대하여 $(f\circ g)(x)=x$, 즉 $\frac{1}{2}ax+ab-6=x$가 성립하므로

→ $\frac{1}{2}ax+ab-6=x$는 x에 대한 항등식

$\frac{1}{2}a=1$, $ab-6=0$ $\quad\therefore a=2$, $b=3$

$\therefore 100(a+b)=100(2+3)=500$

답 500

풍쌤 개념 CHECK

항등식의 성질_高 수학

(1) $ax^2+bx+c=0$이 x에 대한 항등식이면 $a=b=c=0$이다.

(2) $ax^2+bx+c=a'x^2+b'x+c'$이 x에 대한 항등식이면 $a=a'$, $b=b'$, $c=c'$이다.

(3) $ax+by+c=0$이 x, y에 대한 항등식이면 $a=b=c=0$이다.

040

$f(3)=7$이므로 $3a-2=7$, $3a=9$ $\quad\therefore a=3$

$f(x)=3x-2$, $g(x)=bx+3$이므로

$(f\circ g)(x)=f(g(x))=f(bx+3)$

$=3(bx+3)-2=3bx+7$

$(g\circ f)(x)=g(f(x))=g(3x-2)$

$=b(3x-2)+3=3bx-2b+3$

$(f\circ g)(x)=(g\circ f)(x)$이므로

$3bx+7=3bx-2b+3$

$7=-2b+3$, $2b=-4$ $\quad\therefore b=-2$

$\therefore a-b=3-(-2)=5$

답 ⑤

041

$(f\circ f)(x)=f(f(x))=f(ax+b)$

$=a(ax+b)+b=a^2x+ab+b$

즉, $a^2x+ab+b=9x+8$이므로

$a^2=9$, $ab+b=8$

$a^2=9$에서 $a=3$ ($\because a>0$)

$ab+b=8$에서 $3b+b=8$, $4b=8$ $\quad\therefore b=2$

따라서 $f(x)=3x+2$이므로

$f(-2)=3\times(-2)+2=-4$

답 -4

042

$(f\circ f)(x)=f(f(x))=f(2x+a)$

$=2(2x+a)+a=4x+3a$

$(f\circ f)(x)$가 $x-3$으로 나누어떨어지므로

$(f\circ f)(3)=0$

즉, $4\times3+3a=0$이므로

$3a=-12$ $\quad\therefore a=-4$

따라서 $f(x)=2x-4$, $(f\circ f)(x)=4x-12$이므로

$f(1)+(f\circ f)(2)=-2+(-4)=-6$

답 ③

풍쌤 개념 CHECK

인수정리_高 수학

다항식 $P(x)$에 대하여

(1) $P(\alpha)=0$이면 $P(x)$는 일차식 $x-\alpha$로 나누어떨어진다.

(2) $P(x)$가 일차식 $x-\alpha$로 나누어떨어지면 $P(\alpha)=0$이다.

043

$(f\circ g)(x)=f(g(x))=f(x-3)$

$=(x-3)^2-6(x-3)+a$

$=x^2-12x+27+a$

$=(x-6)^2+a-9$

모든 실수 x에 대하여 $(f\circ g)(x)\geq0$, 즉 $(x-6)^2+a-9\geq0$이어야 하므로

$a-9\geq0$ $\quad\therefore a\geq9$

따라서 실수 a의 최솟값은 9이다.

답 9

044

$f(x)=-x+2$이므로

$f^2(x)=f(f(x))=f(-x+2)=-(-x+2)+2=x$

$f^3(x)=f(f^2(x))=f(x)=-x+2$

$\vdots$

$\therefore f^n(x)=\begin{cases}-x+2 & (n\text{은 홀수})\\ x & (n\text{은 짝수})\end{cases}$

$\therefore f^{20}(3)+f^{21}(5)=3+(-5+2)=0$

답 ③

045

$f(x)=2x$이므로

$f^2(x)=f(f(x))=f(2x)=2\times2x=2^2x$

$f^3(x)=f(f^2(x))=f(2^2x)=2\times2^2x=2^3x$

$\vdots$

$\therefore f^{10}(x)=2^{10}x$ ······ ❶

$f^{10}(a)=2048$에서

$2^{10}a=2048$, $2^{10}a=2^{11}$

$\therefore a=2$ ······ ❷

답 2

채점 기준	비율
❶ $f^{10}(x)$를 구할 수 있다.	50%
❷ a의 값을 구할 수 있다.	50%

046

주어진 그래프에서 $f(0)=-1$, $f(-1)=3$이므로

$(f\circ f)(0)=f(f(0))=f(-1)=3$

답 ⑤

047

직선 $y=x$를 이용하여 y축과 점선이 만나는 점의 y좌표를 나타내면 오른쪽 그림과 같으므로

$(f\circ f\circ f)(b)=f(f(f(b)))$

$=f(f(c))$

$=f(d)$

$=e$

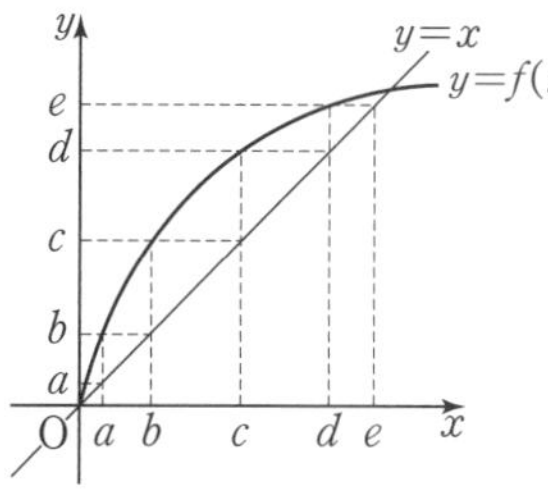

답 ⑤

참고

직선 $y=x$ 위의 점은 x좌표와 y좌표가 같음을 이용하여 y축과 점선이 만나는 점의 y좌표를 구할 수 있다.

048

$(f\circ f)(a)=6$에서

$f(f(a))=6$

주어진 그래프에서 $f(2)=6$이므로

$f(a)=2$

또, 주어진 그래프에서 $f(4)=2$이므로

$a=4$

답 ④

049

주어진 그림에서 $f(6)=4$

$f^{-1}(8)=k$라고 하면 $f(k)=8$

주어진 그림에서 $f(2)=8$이므로 $k=2$

$\therefore f^{-1}(8)=2$

$\therefore f(6)+f^{-1}(8)=4+2=6$

답 ①

050

$f^{-1}(7)=2$이므로 $f(2)=7$

즉, $5\times2+a=7$이므로 $a=-3$

따라서 $f(x)=5x-3$이므로 $f(5)=5\times5-3=22$

답 ③

051

$g^{-1}(3)=-1$이므로 $g(-1)=3$

즉, $-4+k=3$이므로 $k=7$

$\therefore f(x)=7x-3,\ g(x)=4x+7$

$f^{-1}(4)=a$라고 하면 $f(a)=4$이므로

$7a-3=4,\ 7a=7 \qquad \therefore a=1$

$\therefore f^{-1}(4)=1$

$\therefore f^{-1}(4)+g(-2)=1+(-1)=0$

답 0

052

$\dfrac{3x-1}{4}=t$로 놓으면

$3x-1=4t \qquad \therefore x=\dfrac{4t+1}{3}$

$\therefore f(t)=12\times\dfrac{4t+1}{3}-3=16t+1$

$f^{-1}(33)=k$라고 하면 $f(k)=33$이므로

$16k+1=33,\ 16k=32 \qquad \therefore k=2$

$\therefore f^{-1}(33)=2$

답 ⑤

053

$x\geq0$일 때 $f(x)=-2x+1\leq1$

$x<0$일 때 $f(x)=x^2+1>1$ ········· ❶

$f^{-1}(10)=a$라고 하면 $f(a)=10>1$이므로 $a<0$

즉, $a^2+1=10$이므로

$a^2=9 \qquad \therefore a=-3\ (\because a<0)$

$f^{-1}(-3)=b$라고 하면 $f(b)=-3<1$이므로 $b\geq0$

즉, $-2b+1=-3$이므로

$2b=4 \qquad \therefore b=2$ ········· ❷

$\therefore f^{-1}(10)+f^{-1}(-3)=-3+2=-1$ ········· ❸

답 -1

채점 기준	비율
❶ $x\geq0$, $x<0$일 때 $f(x)$의 값의 범위를 구할 수 있다.	30%
❷ $f^{-1}(10)$, $f^{-1}(-3)$의 값을 구할 수 있다.	50%
❸ $f^{-1}(10)+f^{-1}(-3)$의 값을 구할 수 있다.	20%

054

역함수가 존재하려면 그 함수는 일대일대응이어야 한다.

보기의 각 함수의 그래프를 그리면 다음과 같다.

ㄱ.

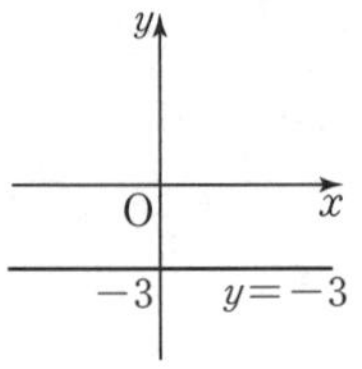

ㄴ.

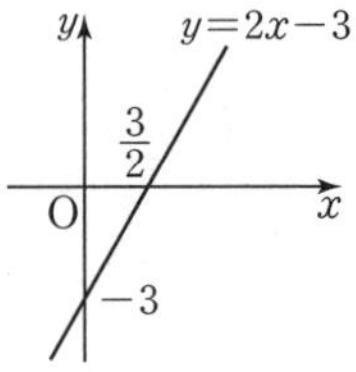

ㄷ.

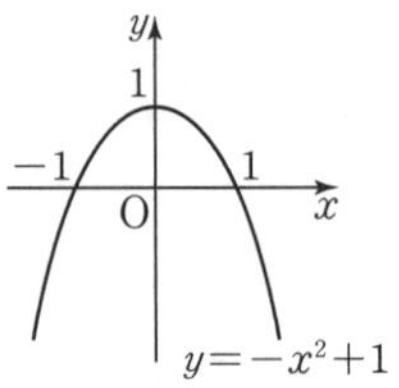

ㄹ.

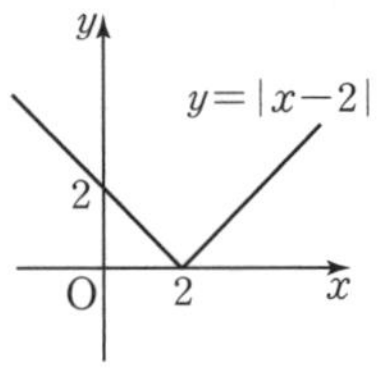

따라서 일대일대응인 함수의 그래프는 ㄴ이므로 역함수가 존재하는 것은 ㄴ이다.

답 ②

055

$f(x)=x^2-4x+4=(x-2)^2$

함수 f의 역함수가 존재하려면 f가 일대일대응이어야 하므로

$a\geq2,\ f(a)=a$

이어야 한다.

$f(a)=a$에서 $a^2-4a+4=a$

$a^2-5a+4=0,\ (a-1)(a-4)=0$

$\therefore a=4\ (\because a\geq2)$

답 4

056

(1) $y=-2x+5$에서

$2x=-y+5 \qquad \therefore x=-\dfrac{1}{2}y+\dfrac{5}{2}$

x와 y를 서로 바꾸면 구하는 역함수는

$y=-\dfrac{1}{2}x+\dfrac{5}{2}$

(2) $y=\dfrac{1}{3}x-4$에서

$\dfrac{1}{3}x=y+4 \qquad \therefore x=3y+12$

x와 y를 서로 바꾸면 구하는 역함수는

$y=3x+12$

(3) 함수 $y=x+2$의 정의역이 $\{x|x\geq1\}$이므로 치역은 $\{y|y\geq3\}$이다.
→ 역함수의 정의역은 $\{x|x\geq3\}$, 치역은 $\{y|y\geq1\}$이다.

$y=x+2$에서 $x=y-2$

x와 y를 서로 바꾸면 구하는 역함수는

$y=x-2\ (x\geq3)$

(4) 함수 $y=-x-3$의 정의역이 $\{x|x\leq2\}$이므로 치역은 $\{y|y\geq-5\}$이다.
→ 역함수의 정의역은 $\{x|x\geq-5\}$, 치역은 $\{y|y\leq2\}$이다.

$y=-x-3$에서 $x=-y-3$

x와 y를 서로 바꾸면 구하는 역함수는

$y=-x-3\ (x\geq-5)$

답 (1) $y=-\dfrac{1}{2}x+\dfrac{5}{2}$ (2) $y=3x+12$
(3) $y=x-2\ (x\geq3)$ (4) $y=-x-3\ (x\geq-5)$

참고

앞의 (1), (2)와 같이 역함수의 정의역이 실수 전체의 집합이면 별도로 언급하지 않아도 된다. 그러나 (3), (4)와 같이 역함수의 정의역이 실수 전체의 집합이 아닐 경우에는 반드시 정의역을 써주어야 한다.

057

$y=ax+b$로 놓으면

$ax=y-b \quad \therefore x=\frac{1}{a}y-\frac{b}{a}$

x와 y를 서로 바꾸면

$y=\frac{1}{a}x-\frac{b}{a}$

따라서 $f^{-1}(x)=\frac{1}{a}x-\frac{b}{a}$이므로

$\frac{1}{a}=\frac{2}{3},\ -\frac{b}{a}=-1 \quad \therefore a=\frac{3}{2},\ b=\frac{3}{2}$

$\therefore ab=\frac{3}{2}\times\frac{3}{2}=\frac{9}{4}$

답 ③

058

$y=-3x+6$으로 놓으면

$3x=-y+6 \quad \therefore x=-\frac{1}{3}y+2$

x와 y를 서로 바꾸면 $y=-\frac{1}{3}x+2$

$\therefore f^{-1}(x)=-\frac{1}{3}x+2$ ····· ❶

직선 $y=-\frac{1}{3}x+2$의 x절편은 6, y절편은 2이므로

$a=6,\ b=2$ ····· ❷

$\therefore a+b=6+2=8$ ····· ❸

답 8

채점 기준	비율
❶ $f^{-1}(x)$를 구할 수 있다.	40%
❷ a, b의 값을 구할 수 있다.	40%
❸ $a+b$의 값을 구할 수 있다.	20%

|다른 풀이|

$y=f^{-1}(x)$의 그래프의 x절편이 a, y절편이 b이므로 $y=f(x)$의 그래프의 x절편은 b, y절편은 a이다.

직선 $y=-3x+6$의 x절편이 2, y절편이 6이므로

$a=6,\ b=2$

059

$h(x)=(g\circ f)(x)=g(f(x))=g(2x+1)$

$\quad =-3(2x+1)+2=-6x-1$

$y=-6x-1$로 놓으면

$6x=-y-1 \quad \therefore x=-\frac{1}{6}y-\frac{1}{6}$

x와 y를 서로 바꾸면

$y=-\frac{1}{6}x-\frac{1}{6}$

$\therefore h^{-1}(x)=-\frac{1}{6}x-\frac{1}{6}$

답 ③

060

ㄱ. $y=x-2$로 놓으면 $x=y+2$

x와 y를 서로 바꾸면 $y=x+2$

즉, $f^{-1}(x)=x+2$이므로 $f\neq f^{-1}$

ㄴ. $y=-x+5$로 놓으면 $x=-y+5$

x와 y를 서로 바꾸면 $y=-x+5$

즉, $f^{-1}(x)=-x+5$이므로 $f=f^{-1}$

ㄷ. $y=2x$로 놓으면 $x=\frac{1}{2}y$

x와 y를 서로 바꾸면 $y=\frac{1}{2}x$

즉, $f^{-1}(x)=\frac{1}{2}x$이므로 $f\neq f^{-1}$

ㄹ. $y=\frac{1}{x}$로 놓으면 $x=\frac{1}{y}$

x와 y를 서로 바꾸면 $y=\frac{1}{x}$

즉, $f^{-1}(x)=\frac{1}{x}$이므로 $f=f^{-1}$

따라서 $f=f^{-1}$를 만족시키는 함수인 것은 ㄴ, ㄹ이다.

답 ④

|다른 풀이|

$f=f^{-1}$이므로 $(f\circ f)(x)=x$

각 보기의 함수에 대하여 $(f\circ f)(x)$를 구하면 다음과 같다.

ㄱ. $(f\circ f)(x)=f(f(x))=f(x-2)=(x-2)-2=x-4$

ㄴ. $(f\circ f)(x)=f(f(x))=f(-x+5)=-(-x+5)+5=x$

ㄷ. $(f\circ f)(x)=f(f(x))=f(2x)=2(2x)=4x$

ㄹ. $(f\circ f)(x)=f(f(x))=f\left(\frac{1}{x}\right)=\frac{1}{\frac{1}{x}}=x$

따라서 $(f\circ f)(x)=x$, 즉 $f=f^{-1}$를 만족시키는 함수인 것은 ㄴ, ㄹ이다.

061

조건 (가)에서 $2x+5=t$로 놓으면

$2x=t-5 \quad \therefore x=\frac{1}{2}t-\frac{5}{2}$

$\therefore f(t)=6\left(\frac{1}{2}t-\frac{5}{2}\right)+3=3t-12$

$\therefore f(x)=3x-12$

$y=3x-12$로 놓으면

$3x=y+12 \quad \therefore x=\frac{1}{3}y+4$

x와 y를 서로 바꾸면 $y=\frac{1}{3}x+4$

따라서 $f^{-1}(x)=\frac{1}{3}x+4$이므로 조건 (나)에서

$a=\frac{1}{3},\ b=4$

$\therefore 3ab=3\times\frac{1}{3}\times4=4$

답 4

062

$y=\frac{1}{2}x+1$로 놓으면

$\frac{1}{2}x=y-1 \quad \therefore x=2y-2$

x와 y를 서로 바꾸면 $y=2x-2$

$\therefore f^{-1}(x)=2x-2$

$(g \circ f^{-1})(x)=4x+3$에서 $g(f^{-1}(x))=4x+3$

$\therefore g(2x-2)=4x+3$

$2x-2=t$로 놓으면

$2x=t+2 \quad \therefore x=\frac{1}{2}t+1$

$\therefore g(t)=4\left(\frac{1}{2}t+1\right)+3=2t+7$

$\therefore g(x)=2x+7$

답 $g(x)=2x+7$

063

주어진 그림에서 $g(4)=6$이므로

$(f^{-1} \circ g)(4)=f^{-1}(g(4))=f^{-1}(6)$

$f^{-1}(6)=a$라고 하면 $f(a)=6$

주어진 그림에서 $f(2)=6$이므로 $a=2$

$\therefore (f^{-1} \circ g)(4)=2$

답 ②

064

$(f^{-1} \circ g)(-4)=f^{-1}(g(-4))=f^{-1}(-2)$

$f^{-1}(-2)=a$라고 하면 $f(a)=-2$

즉, $2a-3=-2$이므로

$2a=1 \quad \therefore a=\frac{1}{2}$

$\therefore (f^{-1} \circ g)(-4)=\frac{1}{2}$

답 $\frac{1}{2}$

|다른 풀이|

$y=2x-3$으로 놓으면

$2x=y+3 \quad \therefore x=\frac{1}{2}y+\frac{3}{2}$

x와 y를 서로 바꾸면

$y=\frac{1}{2}x+\frac{3}{2}$

$\therefore f^{-1}(x)=\frac{1}{2}x+\frac{3}{2}$

$\therefore (f^{-1} \circ g)(-4)=f^{-1}(g(-4))=f^{-1}(-2)$

$=-1+\frac{3}{2}=\frac{1}{2}$

065

$(f \circ g)(x)=f(g(x))=f\left(\frac{1}{4}x-1\right)$

$=8\left(\frac{1}{4}x-1\right)+a=2x+a-8$

이때 $(f \circ g)(x)=2x+3$이므로

$a-8=3 \quad \therefore a=11$

따라서 $f(x)=8x+11$이므로 $f^{-1}(-5)=k$라고 하면

$f(k)=-5$

즉, $8k+11=-5$이므로

$8k=-16 \quad \therefore k=-2$

$\therefore f^{-1}(-5)=-2$

$\therefore (g \circ f^{-1})(-5)=g(f^{-1}(-5))=g(-2)$

$=-\frac{1}{2}-1=-\frac{3}{2}$

답 ②

066

$f^{-1}(4)=1$이므로 $f(1)=4$

즉, $a+1=4$이므로 $a=3 \quad \therefore f(x)=3x+1$

$(g \circ f)(x)=g(f(x))=g(3x+1)$

$=b(3x+1)+3=3bx+b+3$

이때 $(g \circ f)(x)=3x+c$이므로

$3b=3,\ b+3=c \quad \therefore b=1,\ c=4$

$\therefore g(x)=x+3,\ (g \circ f)(x)=3x+4$

$g^{-1}(f(-2))=k$라고 하면

$g(k)=f(-2)=-6+1=-5$

즉, $k+3=-5$이므로 $k=-8$

$\therefore g^{-1}(f(-2))=-8$

답 ②

067

$g^{-1}(48)=a$라고 하면 $g(a)=48$

$a<20$일 때 $g(a)=3a=48 \quad \therefore a=16$

$a\ge20$일 때 $g(a)=2a+20=48$을 만족시키는 a의 값은 존재하지 않는다. ($a\ge20$일 때 $g(a)\ge60$)

$\therefore g^{-1}(48)=16$

$\therefore f(g^{-1}(48))=f(16)=64+16=80$ ……… ❶

$f^{-1}(g(48))=b$라고 하면

$f(b)=g(48)=96+20=116$

즉, $4b+16=116$이므로 $4b=100 \quad \therefore b=25$

$\therefore f^{-1}(g(48))=25$ ……… ❷

$\therefore f(g^{-1}(48))+f^{-1}(g(48))=80+25=105$ ……… ❸

답 105

채점 기준	비율
❶ $f(g^{-1}(48))$의 값을 구할 수 있다.	40%
❷ $f^{-1}(g(48))$의 값을 구할 수 있다.	40%
❸ $f(g^{-1}(48))+f^{-1}(g(48))$의 값을 구할 수 있다.	20%

068

$(f^{-1} \circ f \circ f^{-1})(a)=f^{-1}((f \circ f^{-1})(a))=f^{-1}(a)$이므로

$(f^{-1} \circ f \circ f^{-1})(a)=3$에서 $f^{-1}(a)=3$

따라서 $f(3)=a$이므로

$a=3^3+1=28$

답 28

069

$(f \circ (f \circ g)^{-1} \circ f)(14)=(f \circ g^{-1} \circ f^{-1} \circ f)(14)$

$=(f \circ g^{-1})(14)$

$=f(g^{-1}(14))$

$g^{-1}(14)=k$라고 하면 $g(k)=14$

즉, $3k+5=14$이므로 $3k=9 \quad \therefore k=3$

$\therefore g^{-1}(14)=3$

$\therefore (f \circ (f \circ g)^{-1} \circ f)(14)=f(g^{-1}(14))$
$=f(3)=3+4=7$

답 ③

070

함수 $f \circ g^{-1}$의 역함수는 $(f \circ g^{-1})^{-1}=g \circ f^{-1}$

$y=4x-1$로 놓으면

$4x=y+1 \qquad \therefore x=\frac{1}{4}y+\frac{1}{4}$

x와 y를 서로 바꾸면 $y=\frac{1}{4}x+\frac{1}{4}$

$\therefore f^{-1}(x)=\frac{1}{4}x+\frac{1}{4}$

$\therefore h(x)=(g \circ f^{-1})(x)=g(f^{-1}(x))$
$=g\left(\frac{1}{4}x+\frac{1}{4}\right)=8\left(\frac{1}{4}x+\frac{1}{4}\right)+4$
$=2x+6$

답 ②

| 다른 풀이 |

$y=8x+4$로 놓으면

$8x=y-4 \qquad \therefore x=\frac{1}{8}y-\frac{1}{2}$

x와 y를 서로 바꾸면 $y=\frac{1}{8}x-\frac{1}{2}$

$\therefore g^{-1}(x)=\frac{1}{8}x-\frac{1}{2}$

$\therefore (f \circ g^{-1})(x)=f(g^{-1}(x))=f\left(\frac{1}{8}x-\frac{1}{2}\right)$
$=4\left(\frac{1}{8}x-\frac{1}{2}\right)-1=\frac{1}{2}x-3$

$y=\frac{1}{2}x-3$으로 놓으면

$\frac{1}{2}x=y+3 \qquad \therefore x=2y+6$

x와 y를 서로 바꾸면 $y=2x+6$

$\therefore h(x)=2x+6$

071

$(f \circ (f \circ g)^{-1} \circ f)(-3)=(f \circ g^{-1} \circ f^{-1} \circ f)(-3)$
$=(f \circ g^{-1})(-3)$
$=f(g^{-1}(-3))$

$g^{-1}(-3)=k$라고 하면 $g(k)=-3$

즉, $k-2=-3$이므로 $k=-1$

$\therefore (f \circ (f \circ g)^{-1} \circ f)(-3)=f(g^{-1}(-3))$
$=f(-1)=-1+1=0$

$-1<0$이므로 $f(x)=x+1$에 $x=-1$ 대입

답 0

072

$(h \circ f \circ g)(x)=h((f \circ g)(x))=h(x)$이므로

$(f \circ g)(x)=x$

이때 함수 $f(x)$는 일대일대응이므로 함수 $g(x)$는 $f(x)$의 역함수이다.

따라서 $g(6)=k$라고 하면 $f(k)=6$

즉, $5k+1=6$이므로 $5k=5 \qquad \therefore k=1$

$\therefore g(6)=1$

답 ④

073

함수 $y=f(x)$의 그래프와 그 역함수 $y=f^{-1}(x)$의 그래프는 직선 $y=x$에 대하여 대칭이므로 두 그래프의 교점의 좌표는 함수 $y=f(x)$의 그래프와 직선 $y=x$의 교점의 좌표와 같다.

교점의 x좌표가 -2이므로 교점의 좌표는

$(-2, -2)$

따라서 함수 $f(x)=4x+k$의 그래프가 점 $(-2, -2)$를 지나므로

$-8+k=-2 \qquad \therefore k=6$

답 6

074

함수 $f(x)=ax+b$의 그래프가 점 $(3, -6)$을 지나므로

$3a+b=-6$ ········ ㉠

역함수 $y=f^{-1}(x)$의 그래프도 점 $(3, -6)$을 지나므로 함수 $f(x)=ax+b$의 그래프는 점 $(-6, 3)$을 지난다.

$\therefore -6a+b=3$ ········ ㉡

㉠, ㉡을 연립하여 풀면 $a=-1$, $b=-3$

따라서 $f(x)=-x-3$이므로

$f(-1)=1-3=-2$

답 ②

075

함수 $f(x)=ax+b$의 그래프가 점 $(-2, 3)$을 지나므로

$-2a+b=3$ ········ ㉠

역함수 $y=f^{-1}(x)$의 그래프가 점 $(4, -1)$을 지나므로 함수 $f(x)=ax+b$의 그래프는 점 $(-1, 4)$를 지난다.

$\therefore -a+b=4$ ········ ㉡

㉠, ㉡을 연립하여 풀면 $a=1$, $b=5$

$\therefore a+b=1+5=6$

답 ③

076

함수 $y=f(x)$의 그래프와 그 역함수 $y=f^{-1}(x)$의 그래프는 직선 $y=x$에 대하여 대칭이므로 두 그래프의 교점의 좌표는 함수 $y=f(x)$의 그래프와 직선 $y=x$의 교점의 좌표와 같다.

$x^2-6x=x$에서

$x^2-7x=0$, $x(x-7)=0$

$\therefore x=7$ ($\because x\geq3$)

따라서 교점의 좌표는 $(7, 7)$이므로

$a=7$, $b=7$

$\therefore 10ab=10\times7\times7=490$

답 490

077

함수 $y=f(x)$의 그래프와 그 역함수 $y=f^{-1}(x)$의 그래프는 직선 $y=x$에 대하여 대칭이므로 두 그래프의 교점의 좌표는 함수 $y=f(x)$의 그래프와 직선 $y=x$의 교점의 좌표와 같다.

$2x-6=x$에서 $x=6$

$\therefore$ P(6, 6), H(6, 0)

따라서 삼각형 OPH의 넓이는

$\frac{1}{2}\times6\times6=18$

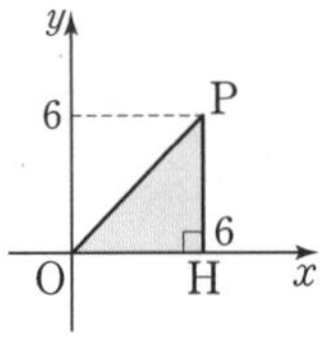

답 ③

078

$f(x)=ax+b$ (a, b는 상수)라고 하면

$f(2)=6$이므로 $2a+b=6$ ······ ㉠

$f^{-1}(4)=1$에서 $f(1)=4$이므로 $a+b=4$ ······ ㉡

㉠, ㉡을 연립하여 풀면

$a=2$, $b=2$

$\therefore f(x)=2x+2$

따라서 함수 $y=f(x)$의 그래프는 오른쪽 그림과 같으므로 구하는 넓이는

$\frac{1}{2}\times1\times2=1$

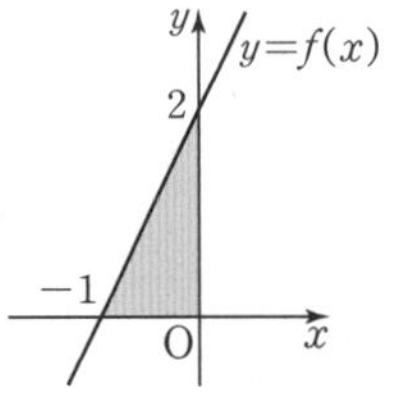

답 1

079

함수 $y=f(x)$의 그래프가 점 $(-1, 3)$을 지나므로 함수 $y=f^{-1}(x)$의 그래프는 점 $(3, -1)$을 지난다.

이때 함수 $y=f(x)$의 그래프와 그 역함수 $y=f^{-1}(x)$의 그래프가 일치하므로 함수 $y=f(x)$의 그래프는 두 점 $(-1, 3)$, $(3, -1)$을 지난다. ······ ❶

$f(x)=ax+b$ (a, b는 상수)라고 하면

$-a+b=3$, $3a+b=-1$

두 식을 연립하여 풀면

$a=-1$, $b=2$ ······ ❷

따라서 $f(x)=-x+2$이므로

$f(5)=-5+2=-3$ ······ ❸

답 -3

채점 기준	비율
❶ 함수 $y=f(x)$의 그래프가 두 점 $(-1, 3)$, $(3, -1)$을 지남을 알 수 있다.	40%
❷ a, b의 값을 구할 수 있다.	40%
❸ $f(5)$의 값을 구할 수 있다.	20%

080

$f(x)=x^2+4x+2=(x+2)^2-2$이므로 함수 $y=f(x)$의 그래프와 그 역함수 $y=f^{-1}(x)$의 그래프의 두 교점 P, Q는 오른쪽 그림과 같이 직선 $y=x$ 위에 있다.

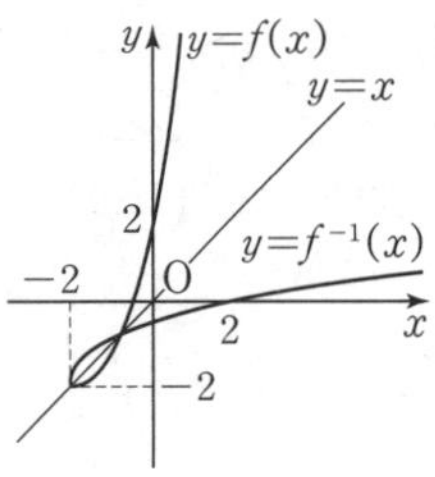

$x^2+4x+2=x$에서

$x^2+3x+2=0$, $(x+1)(x+2)=0$

$\therefore x=-1$ 또는 $x=-2$

따라서 두 점 P, Q의 좌표는 $(-1, -1)$, $(-2, -2)$이므로

$\overline{PQ}=\sqrt{\{-2-(-1)\}^2+\{-2-(-1)\}^2}=\sqrt{2}$

P$(-1, -1)$, Q$(-2, -2)$ 또는 P$(-2, -2)$, Q$(-1, -1)$

답 ②

081

직선 $y=x$를 이용하여 y축과 점선이 만나는 점의 y좌표를 나타내면 오른쪽 그림과 같다.

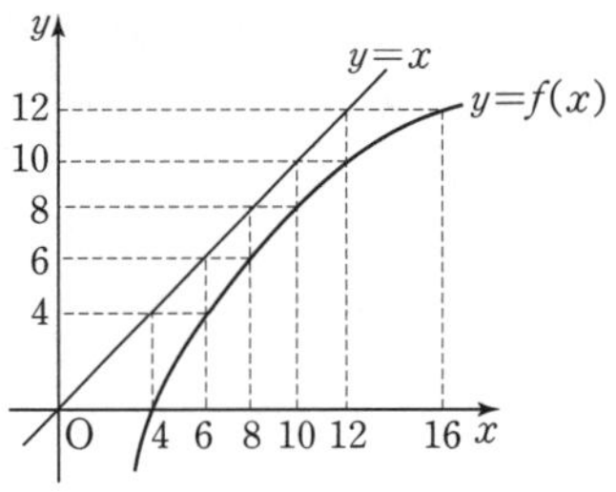

$f^{-1}(8)=a$라고 하면

$f(a)=8$

오른쪽 그래프에서

$f(10)=8$이므로 $a=10$

$\therefore f^{-1}(8)=10$

$(f^{-1}\circ f^{-1})(10)=f^{-1}(f^{-1}(10))$에서 $f^{-1}(10)=b$라고 하면

$f(b)=10$

위의 그래프에서 $f(12)=10$이므로 $b=12$

$\therefore f^{-1}(10)=12$

$f^{-1}(12)=c$라고 하면 $f(c)=12$

위의 그래프에서 $f(16)=12$이므로 $c=16$

$\therefore f^{-1}(12)=16$

즉, $(f^{-1}\circ f^{-1})(10)=f^{-1}(f^{-1}(10))=f^{-1}(12)=16$이므로

$f^{-1}(8)+(f^{-1}\circ f^{-1})(10)=10+16=26$

답 ⑤

082

직선 $y=x$를 이용하여 y축과 점선이 만나는 점의 y좌표를 나타내면 오른쪽 그림과 같다.

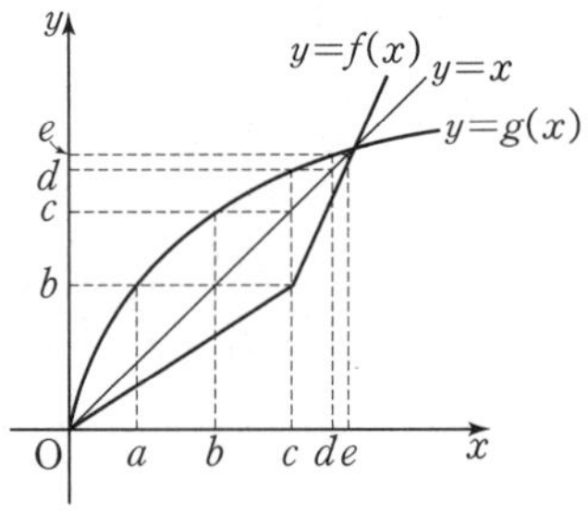

오른쪽 그래프에서

$f(c)=b$이므로

$g^{-1}(f(c))=g^{-1}(b)$

$g^{-1}(b)=k$라고 하면

$g(k)=b$

위의 그래프에서 $g(a)=b$이므로 $k=a$

$\therefore g^{-1}(b)=a$

$\therefore g^{-1}(f(c))=g^{-1}(b)=a$

답 ①

실력을 높이는 연습 문제

본문 070쪽

01

각 대응을 그림으로 나타내면 다음과 같다.

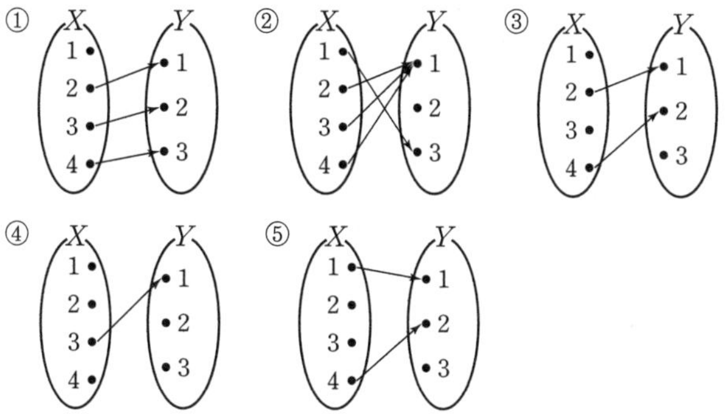

따라서 함수인 것은 ②이다.

답 ②

02

$2n-1=2021$에서

$2n=2022 \quad \therefore n=1011$

$\therefore f(2021)=\dfrac{1011+1}{2}=506$

$2024=2\times1012=2\times(2\times506)=2\times\{2\times(2\times253)\}$이고

$2n-1=253$에서

$2n=254 \quad \therefore n=127$

$\therefore f(2024)=f(1012)=f(506)$

$=f(253)=\dfrac{127+1}{2}=64$

$\therefore f(2021)+f(2024)=506+64=570$

답 570

| 다른 풀이 |

$f(2n-1)=\dfrac{n+1}{2}$에서 $2n-1=t$라고 하면

$2n=t+1 \quad \therefore n=\dfrac{t+1}{2}$

$\therefore f(t)=\dfrac{1}{2}\times\dfrac{t+1}{2}+\dfrac{1}{2}=\dfrac{t+3}{4}$ (t는 홀수)

$\to 2024=2\times\{2\times(2\times253)\}$

$\therefore f(2021)+f(2024)=\dfrac{2021+3}{4}+f(253)$

$=506+\dfrac{253+3}{4}$

$=506+64=570$

03

문제 접근하기

치역이 공역의 부분집합이어야 함을 이용하여 $a>0$일 때와 $a<0$일 때로 나누어 a의 값의 범위를 구한다.

(i) $a>0$일 때

함수 $f(x)$의 치역은 $\{y\,|\,f(1)\le y\le f(3)\}$, 즉 $\{y\,|\,a+1\le y\le 3a+1\}$이므로

$a+1\ge2,\ 3a+1\le5 \quad \therefore 1\le a\le\dfrac{4}{3}$

(ii) $a<0$일 때

함수 $f(x)$의 치역은 $\{y\,|\,f(3)\le y\le f(1)\}$, 즉 $\{y\,|\,3a+1\le y\le a+1\}$이므로

$3a+1\ge2,\ a+1\le5 \quad \therefore \dfrac{1}{3}\le a\le4$

그런데 $a<0$이어야 하므로 성립하지 않는다.

(i), (ii)에 의하여 $1\le a\le\dfrac{4}{3}$

답 ②

04

$f(x+y)=f(x)f(y)$ ········· ㉠

㉠의 양변에 $x=1,\ y=1$을 대입하면

$f(2)=f(1)f(1)=3\times3=9$

㉠의 양변에 $x=2,\ y=2$를 대입하면

$f(4)=f(2)f(2)=9\times9=81$

㉠의 양변에 $x=2,\ y=4$를 대입하면

$f(6)=f(2)f(4)=9\times81=729$

답 729

| 다른 풀이 |

㉠의 양변에 $x=1,\ y=1$을 대입하면

$f(2)=f(1)f(1)=3\times3=9$

㉠의 양변에 $x=1,\ y=2$를 대입하면

$f(3)=f(1)f(2)=3\times9=27$

㉠의 양변에 $x=1,\ y=3$을 대입하면

$f(4)=f(1)f(3)=3\times27=81$

㉠의 양변에 $x=1,\ y=4$를 대입하면

$f(5)=f(1)f(4)=3\times81=243$

㉠의 양변에 $x=1,\ y=5$를 대입하면

$f(6)=f(1)f(5)=3\times243=729$

05

문제 접근하기

함수 f가 조건 ㈎를 만족시키려면 정의역의 어떤 두 원소는 함숫값이 같아야 하고, 공역의 원소 중 함숫값으로 사용되지 않는 원소가 한 개 존재해야 한다. 이를 이용하여 집합 X의 원소 중 함숫값으로 중복 사용되는 원소를 n, 함숫값으로 사용되지 않는 원소를 m으로 놓고 조건 ㈏를 이용하여 식을 세운다.

함수 f의 공역은 집합 X이므로 공역의 원소의 개수는 8이다.
그런데 조건 ㈎에 의하여 함수 f의 치역의 원소의 개수가 7이므로 함수 f의 정의역의 서로 다른 두 원소 $a,\ b$에 대하여

$f(a)=f(b)=n$

을 만족시키는 자연수 n ($n\in X$)이 존재해야 한다.
또, 집합 X의 원소 중 함숫값으로 사용되지 않는 원소도 한 개 존재해야 하므로 그 원소를 m ($m\in X$)이라고 하자.
조건 ㈏에 의하여

$f(1)+f(2)+f(3)+f(4)+f(5)+f(6)+f(7)+f(8)$

$=1+2+3+4+5+6+7+8+n-m$

$=36+n-m=42$

$\therefore n-m=6$

집합 X의 원소 $m,\ n$에 대하여 $n-m=6$인 경우는 다음의 두 가지가 있다.

(i) $n=8$, $m=2$일 때

함수 f의 치역은 $\{1, 3, 4, 5, 6, 7, 8\}$

이때 함수 f의 치역의 원소 중 최댓값은 8, 최솟값은 1이므로 그 차는 7이다. 이것은 조건 (다)를 만족시키지 않는다.

(ii) $n=7$, $m=1$일 때

함수 f의 치역은 $\{2, 3, 4, 5, 6, 7, 8\}$

이때 함수 f의 치역의 원소 중 최댓값은 8, 최솟값은 2이므로 그 차는 6이다. 이것은 조건 (다)를 만족시킨다.

(i), (ii)에 의하여 $n=7$

답 7

06

두 함수 f와 g가 서로 같으므로

$f(1)=g(1)$, $f(2)=g(2)$, $f(3)=g(3)$

$f(1)=g(1)$에서 $a+b=2$

$f(2)=g(2)$에서 $b=1$

$f(3)=g(3)$에서 $a+b=2$

$\therefore a=1, b=1$

$\therefore 4a-b=4\times1-1=3$

답 3

07

문제 접근하기

절댓값 기호 안의 식의 값이 0이 되는 x의 값을 기준으로 범위를 나누어 함수 $f(x)$를 구한 후 일대일대응이 되려면 실수 전체의 집합에서 함수 f가 x의 값이 증가할 때 y의 값이 증가하거나 x의 값이 증가할 때 y의 값이 감소해야 함을 이용한다.

$f(x)=a|x+3|-6x$에서

(i) $x<-3$일 때

$f(x)=a(-x-3)-6x=-(a+6)x-3a$

(ii) $x\geq-3$일 때

$f(x)=a(x+3)-6x=(a-6)x+3a$

(i), (ii)에 의하여

$$f(x)=\begin{cases}-(a+6)x-3a & (x<-3)\\(a-6)x+3a & (x\geq-3)\end{cases}$$

함수 f가 일대일대응이므로 함수 f는 실수 전체의 집합에서 x의 값이 증가할 때 y의 값이 증가하거나 x의 값이 증가할 때 y의 값이 감소해야 한다.

즉, 직선 $y=-(a+6)x-3a$와 $y=(a-6)x+3a$의 기울기의 부호가 같아야 하므로

$-(a+6)(a-6)>0$, $(a+6)(a-6)<0$

$\therefore -6<a<6$

따라서 함수 f가 일대일대응이 되도록 하는 정수 a는 -5, -4, -3, -2, -1, 0, 1, 2, 3, 4, 5의 11개이다.

답 ①

08

$3\leq n\leq5$인 모든 자연수 n에 대하여 $f(n)f(n+2)$의 값이 짝수이므로 $f(3)f(5)$, $f(4)f(6)$, $f(5)f(7)$의 값은 모두 짝수이다.

집합 X의 원소 중 짝수는 4, 6의 두 개이고 함수 f가 일대일대응이므로 함숫값이 짝수인 것도 두 개이어야 한다.

이때 $f(4)f(6)$의 값이 짝수이므로 $f(4)$와 $f(6)$의 값 중 적어도 하나는 짝수이어야 한다.

또, $f(3)f(5)$, $f(5)f(7)$의 값이 모두 짝수이려면 $f(5)$의 값이 짝수이어야 한다.

따라서 $f(3)$, $f(7)$의 값은 모두 홀수이므로 $f(3)+f(7)$의 최댓값은

($f(3)=5$, $f(7)=7$ 또는 $f(3)=7$, $f(7)=5$일 때 최대이다.)

$5+7=12$

답 12

09

함수 $f(x)$가 항등함수이므로 정의역의 모든 원소 x에 대하여 $f(x)=x$가 성립해야 한다.

즉, $f(-2)=-2$, $f(-1)=-1$, $f(1)=1$, $f(2)=2$이어야 한다.

($x\geq1$이면 $f(x)=x$이므로 $f(1)=1$, $f(2)=2$는 항상 성립한다.)

$f(-2)=-2$에서

$4a-2b+2=-2$

$\therefore 2a-b=-2$ ······ ㉠

$f(-1)=-1$에서

$a-b+2=-1$

$\therefore a-b=-3$ ······ ㉡

㉠, ㉡을 연립하여 풀면 $a=1$, $b=4$

$\therefore a+b=1+4=5$

답 ③

10

$X=\{1, 3, 5, 15\}$이므로 X에서 X로의 함수 중

일대일대응의 개수는 $4\times3\times2\times1=24$

항등함수의 개수는 1

상수함수의 개수는 4

따라서 $a=24$, $b=1$, $c=4$이므로

$a+b+c=29$

답 ④

11

$f(x+4)=f(x)$이므로

$f(18)=f(14)=f(10)=f(6)=f(2)$

$=-2^2+6\times2-4=4$

$\therefore (f\circ f)(18)=f(f(18))=f(4)$

$=-2\times4+11=3$

답 ③

12

$(f\circ g)(a)=f(g(a))=f(3a-4)$

$=(3a-4)^2+1$

이므로

$(3a-4)^2+1=65$, $(3a-4)^2=64$

$3a-4=\pm8$

$3a-4=-8$에서 $a=-\frac{4}{3}$

$3a-4=8$에서 $a=4$

이때 a는 양수이므로 $a=4$

답 4

13

$(f\circ g)(x)=f(g(x))=f(ax+b)$
$=2(ax+b)+5=2ax+2b+5$
$(g\circ f)(x)=g(f(x))=g(2x+5)$
$=a(2x+5)+b=2ax+5a+b$
$(f\circ g)(x)=(g\circ f)(x)$이므로
$2ax+2b+5=2ax+5a+b$
$2b+5=5a+b \quad \therefore b=5a-5$
$g(x)=ax+b$에 $b=5a-5$를 대입하면
$g(x)=ax+5a-5=a(x+5)-5$
따라서 함수 $y=g(x)$의 그래프는 a의 값에 관계없이 점 $(-5, -5)$를 지난다.

답 ⑤

14

$f^1(160)=f(160)=\frac{160}{2}=80$
$f^2(160)=(f\circ f)(160)=f(f(160))$
$=f(80)=\frac{80}{2}=40$
$f^3(160)=(f\circ f^2)(160)=f(f^2(160))$
$=f(40)=\frac{40}{2}=20$
$f^4(160)=(f\circ f^3)(160)=f(f^3(160))$
$=f(20)=\frac{20}{2}=10$
$f^5(160)=(f\circ f^4)(160)=f(f^4(160))$
$=f(10)=\frac{10}{2}=5$
$f^6(160)=(f\circ f^5)(160)=f(f^5(160))$
$=f(5)=\frac{5+3}{2}=4$
$f^7(160)=(f\circ f^6)(160)=f(f^6(160))$
$=f(4)=\frac{4}{2}=2$
$f^8(160)=(f\circ f^7)(160)=f(f^7(160))$
$=f(2)=\frac{2}{2}=1$
따라서 자연수 n의 최솟값은 8이다.

답 8

15

$g^{-1}(3)=a$라고 하면 $g(a)=3$
주어진 그림에서 $g(5)=3$이므로 $a=5$
$\therefore g^{-1}(3)=5$
한편 $(g\circ f)(4)=g(f(4))=g(7)=2$이므로
$g^{-1}(3)+(g\circ f)(4)=5+2=7$

답 ②

16

$f(-2)=4$이므로 $-2a+b=4$ .... ㉠
$f^{-1}(14)=3$에서 $f(3)=14$이므로
$3a+b=14$ .... ㉡
㉠, ㉡을 연립하여 풀면 $a=2$, $b=8$
$\therefore a+b=2+8=10$

답 10

17

$(f\circ g^{-1})(a)=f(g^{-1}(a))=5g^{-1}(a)-4$
이때 $(f\circ g^{-1})(a)=6$이므로
$5g^{-1}(a)-4=6$
$\therefore g^{-1}(a)=2$
따라서 $g(2)=a$이므로
$a=g(2)=-6+4=-2$

답 ①

|다른 풀이|
$y=-3x+4$로 놓으면
$3x=-y+4 \quad \therefore x=-\frac{1}{3}y+\frac{4}{3}$
x와 y를 서로 바꾸면 $y=-\frac{1}{3}x+\frac{4}{3}$
$\therefore g^{-1}(x)=-\frac{1}{3}x+\frac{4}{3}$
$\therefore (f\circ g^{-1})(a)=f(g^{-1}(a))=f\left(-\frac{1}{3}a+\frac{4}{3}\right)$
$=5\left(-\frac{1}{3}a+\frac{4}{3}\right)-4=-\frac{5}{3}a+\frac{8}{3}$
$(f\circ g^{-1})(a)=6$에서 $-\frac{5}{3}a+\frac{8}{3}=6$
$\therefore a=-2$

18

함수 $f(x)$의 역함수가 존재하므로 함수 $f(x)$는 일대일대응이다.
따라서 경계인 $x=5$에서의 함숫값이 같아야 하므로
$5+7=3\times5-a \quad \therefore a=3$
$\therefore f(x)=\begin{cases} x+7 & (x\ge5) \\ 3x-3 & (x<5) \end{cases}$
$x\ge5$일 때 $f(x)=x+7\ge12$
$x<5$일 때 $f(x)=3x-3<12$
$f^{-1}(16)=p$라고 하면 $f(p)=16$
$16>12$이므로
$p+7=16 \quad \therefore p=9$
$f^{-1}(9)=q$라고 하면 $f(q)=9$
$9<12$이므로
$3q-3=9 \quad \therefore q=4$
따라서 $f^{-1}(16)=9$, $f^{-1}(9)=4$이므로
$(f\circ f)^{-1}(16)=(f^{-1}\circ f^{-1})(16)$
$=f^{-1}(f^{-1}(16))$
$=f^{-1}(9)=4$

답 4

|다른 풀이|
함수 $f(x)$의 역함수가 존재하므로 함수 $f(x)$는 일대일대응이다.
따라서 경계인 $x=5$에서의 함숫값이 같아야 하므로
$5+7=3\times5-a \quad \therefore a=3$
$\therefore f(x)=\begin{cases} x+7 & (x\ge5) \\ 3x-3 & (x<5) \end{cases}$

함수 $y=f(x)$의 그래프가 오른쪽 그림과 같으므로 $f^{-1}(16)=a$라고 하면

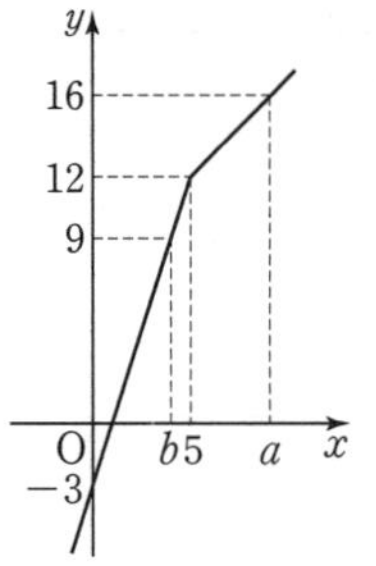

$f(a)=a+7=16 \quad \therefore a=9$

$f^{-1}(9)=b$라고 하면

$f(b)=3b-3=9 \quad \therefore b=4$

$\therefore (f\circ f)^{-1}(16)=f^{-1}(f^{-1}(16))$

$=f^{-1}(a)=f^{-1}(9)$

$=b=4$

19

함수 f의 역함수가 존재하므로 함수 f는 일대일대응이다.

$x\geq 2$에서 함수 $f(x)$는 감소하므로 $x<2$에서도 함수 $f(x)$는 감소해야 한다.

따라서 $y=a(x-2)^2+b$의 그래프는 아래로 볼록해야 하므로

$a>0$

또, 경계인 $x=2$에서의 함숫값이 같아야 하므로

$b=6$

b의 값은 6으로 고정되어 있고, $a>0$이므로 $a+b$는 $a=1$일 때 최솟값 $1+6=7$을 갖는다.

답 ④

20

주어진 함수 $y=f(x)$의 그래프에서

$f(1)=3,\ f(2)=1,\ f(3)=2,\ f(4)=5,\ f(5)=4$

주어진 함수 $y=(f\circ g)(x)$의 그래프에서

$(f\circ g)(1)=1$이므로 $f(g(1))=1$

$\therefore g(1)=2\ (\because f(2)=1)$

$(f\circ g)(2)=5$이므로 $f(g(2))=5$

$\therefore g(2)=4\ (\because f(4)=5)$

$(f\circ g)(3)=2$이므로 $f(g(3))=2$

$\therefore g(3)=3\ (\because f(3)=2)$

$(f\circ g)(4)=4$이므로 $f(g(4))=4$

$\therefore g(4)=5\ (\because f(5)=4)$

$(f\circ g)(5)=3$이므로 $f(g(5))=3$

$\therefore g(5)=1\ (\because f(1)=3)$

$(g\circ f)^{-1}(2)=(f^{-1}\circ g^{-1})(2)=f^{-1}(g^{-1}(2))$이므로

$g^{-1}(2)=a$라고 하면

$g(a)=2 \quad \therefore a=1\ (\because g(1)=2)$

$f^{-1}(1)=b$라고 하면

$f(b)=1 \quad \therefore b=2\ (\because f(2)=1)$

$\therefore g(3)+(g\circ f)^{-1}(2)=g(3)+f^{-1}(g^{-1}(2))$

$=3+f^{-1}(1)$

$=3+2=5$

답 5

21

$f(x)=ax+b$ (a, b는 상수)로 놓으면

$f(4)=9$이므로 $4a+b=9$ ········· ㉠

$f^{-1}(7)=2$에서 $f(2)=7$이므로

$2a+b=7$ ········· ㉡

㉠, ㉡을 연립하여 풀면 $a=1,\ b=5$

$\therefore f(x)=x+5$

따라서 함수 $y=f(x)$의 그래프는 오른쪽 그림과 같으므로 구하는 넓이는

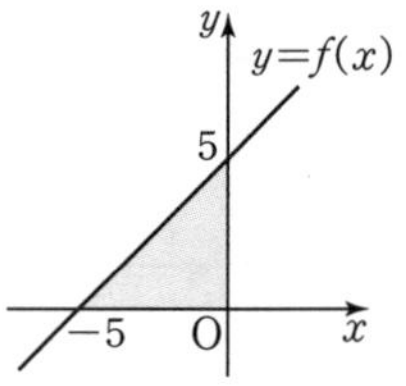

$\frac{1}{2}\times 5\times 5=\frac{25}{2}$

답 ②

22

함수 $y=f(x)$의 그래프는 오른쪽 그림과 같고, 두 함수 $y=f(x)$와 그 역함수 $y=g(x)$의 그래프는 직선 $y=x$에 대하여 대칭이므로 두 그래프로 둘러싸인 부분의 넓이는 오른쪽 그림의 색칠한 부분의 넓이의 2배이다.

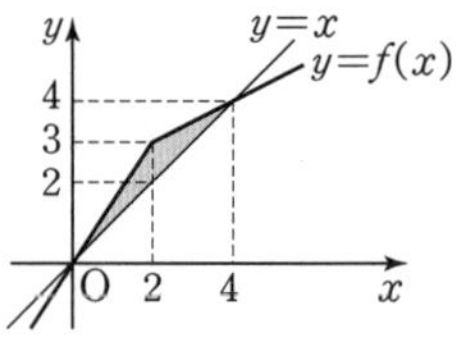

따라서 구하는 넓이는

$2\left(\frac{1}{2}\times 1\times 2+\frac{1}{2}\times 1\times 2\right)=2(1+1)=4$

답 4

참고

함수 $y=f(x)$의 그래프와 직선 $y=x$의 교점의 좌표를 구하면 다음과 같다.

(i) $x<2$일 때

$\frac{3}{2}x=x$에서 $x=0$

(ii) $x\geq 2$일 때

$\frac{1}{2}x+2=x$에서 $\frac{1}{2}x=2$

$\therefore x=4$

(i), (ii)에 의하여 두 교점의 좌표는

$(0,\ 0),\ (4,\ 4)$

23

문제 접근하기

$h(x)=g(2x)$, $k(x)=2x$로 놓고 $h(x)$를 $g(x)$와 $k(x)$의 합성함수로 나타낸 후 역함수의 성질을 이용하여 함수 $g(2x)$의 역함수를 구한다.

$g(x)=f^{-1}(x)$이므로

$h(x)=g(2x)$, $k(x)=2x$로 놓으면

$h(x)=g(2x)=g(k(x))$

$=(g\circ k)(x)=(f^{-1}\circ k)(x)$

따라서 함수 $g(2x)$의 역함수는

$h^{-1}(x)=(f^{-1}\circ k)^{-1}(x)$

$=(k^{-1}\circ f)(x)=k^{-1}(f(x))$

$y=2x$로 놓으면 $x=\frac{1}{2}y$

x와 y를 서로 바꾸면 $y=\frac{1}{2}x$

$\therefore k^{-1}(x)=\frac{1}{2}x$

따라서 함수 $g(2x)$의 역함수는

$h^{-1}(x)=k^{-1}(f(x))=\frac{1}{2}f(x)$

답 ⑤

24

직선 $y=x$를 이용하여 y축과 점선이 만나는 점의 y좌표를 나타내면 오른쪽 그림과 같다.

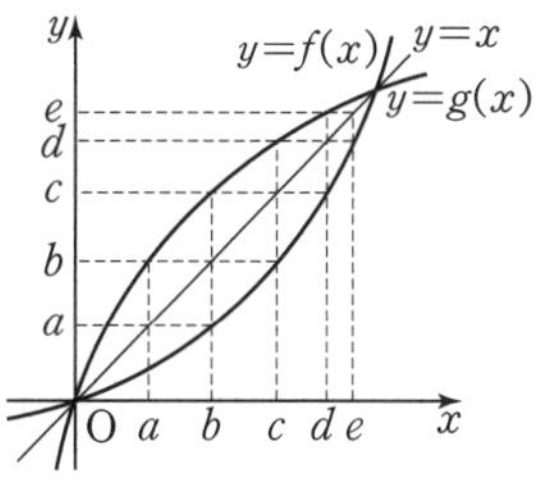

$f^{-1}(d)=p$라고 하면

$f(p)=d$

오른쪽 그래프에서

$f(e)=d$이므로 $p=e$

$\therefore f^{-1}(d)=e$

$g^{-1}(e)=q$라고 하면 $g(q)=e$

위의 그래프에서 $g(d)=e$이므로 $q=d$

$\therefore g^{-1}(e)=d$

$\therefore (f\circ g^{-1}\circ f^{-1})(d)=f(g^{-1}(f^{-1}(d)))$

$=f(g^{-1}(e))=f(d)=c$

답 c

04 유리식과 유리함수

기본을 다지는 유형

본문 076쪽

001

(1) $\dfrac{3}{x+1}+\dfrac{2}{x-4}=\dfrac{3(x-4)+2(x+1)}{(x+1)(x-4)}=\dfrac{5x-10}{(x+1)(x-4)}$

(2) $\dfrac{x-1}{x+3}-\dfrac{x^2-2x}{x^2+2x-3}=\dfrac{x-1}{x+3}-\dfrac{x^2-2x}{(x-1)(x+3)}$

$=\dfrac{(x-1)^2-(x^2-2x)}{(x-1)(x+3)}$

$=\dfrac{x^2-2x+1-x^2+2x}{(x-1)(x+3)}$

$=\dfrac{1}{(x-1)(x+3)}$

(3) $\dfrac{3x-6}{x^2+x}\times\dfrac{x+1}{x^2-4}=\dfrac{3(x-2)}{x(x+1)}\times\dfrac{x+1}{(x+2)(x-2)}=\dfrac{3}{x(x+2)}$

(4) $\dfrac{x+4}{x^2-5x+4}\div\dfrac{x^2+2x-8}{x-4}$

$=\dfrac{x+4}{(x-1)(x-4)}\times\dfrac{x-4}{(x-2)(x+4)}$

$=\dfrac{1}{(x-1)(x-2)}$

답 (1) $\dfrac{5x-10}{(x+1)(x-4)}$ (2) $\dfrac{1}{(x-1)(x+3)}$

(3) $\dfrac{3}{x(x+2)}$ (4) $\dfrac{1}{(x-1)(x-2)}$

002

$\dfrac{1}{(x-y)(x-z)}+\dfrac{1}{(y-z)(y-x)}+\dfrac{1}{(z-x)(z-y)}$

$=\dfrac{-1}{(x-y)(z-x)}+\dfrac{-1}{(y-z)(x-y)}+\dfrac{-1}{(z-x)(y-z)}$

$=\dfrac{-(y-z)-(z-x)-(x-y)}{(x-y)(y-z)(z-x)}$

$=\dfrac{-y+z-z+x-x+y}{(x-y)(y-z)(z-x)}$

$=0$

답 ③

003

$\dfrac{1}{x+1}+\dfrac{1}{x+2}-\dfrac{1}{x-1}-\dfrac{1}{x-2}$

$=\dfrac{x-1-(x+1)}{(x+1)(x-1)}+\dfrac{x-2-(x+2)}{(x+2)(x-2)}$

$=\dfrac{-2}{x^2-1}+\dfrac{-4}{x^2-4}$

$=\dfrac{-2(x^2-4)-4(x^2-1)}{(x^2-1)(x^2-4)}$

$=\dfrac{-2x^2+8-4x^2+4}{(x+1)(x-1)(x+2)(x-2)}$

$=\dfrac{-6x^2+12}{(x+1)(x+2)(x-1)(x-2)}$ ······ ❶

따라서 $a=-6$, $b=12$이므로

$a+b=-6+12=6$ ············ ❷

답 6

채점 기준	비율
❶ 주어진 식을 간단히 할 수 있다.	80%
❷ $a+b$의 값을 구할 수 있다.	20%

004

$$\frac{3x^2-5x-2}{x^2-1}\times\frac{x^2+2x-3}{3x^2+x}\div\frac{x^2+x-6}{2x^2+2x}$$
$$=\frac{(3x+1)(x-2)}{(x+1)(x-1)}\times\frac{(x-1)(x+3)}{x(3x+1)}\times\frac{2x(x+1)}{(x-2)(x+3)}$$
$$=2$$

답 ②

005

주어진 등식의 우변을 계산하면

$$\frac{a}{x+1}+\frac{bx+1}{x^2-x+1}=\frac{a(x^2-x+1)+(bx+1)(x+1)}{(x+1)(x^2-x+1)}$$
$$=\frac{(a+b)x^2+(-a+b+1)x+a+1}{x^3+1}$$

따라서 $\frac{5x^2+4}{x^3+1}=\frac{(a+b)x^2+(-a+b+1)x+a+1}{x^3+1}$이 x에 대한 항등식이므로

$a+b=5$, $-a+b+1=0$, $a+1=4$

$\therefore a=3,\ b=2$

$\therefore a^2-2b=9-4=5$

답 ③

006

주어진 등식의 우변을 계산하면

$$\frac{a}{x}+\frac{b}{x-1}+\frac{c}{(x-1)^2}=\frac{a(x-1)^2+bx(x-1)+cx}{x(x-1)^2}$$
$$=\frac{ax^2-2ax+a+bx^2-bx+cx}{x(x-1)^2}$$
$$=\frac{(a+b)x^2-(2a+b-c)x+a}{x(x-1)^2}$$

따라서 $\frac{x+4}{x(x-1)^2}=\frac{(a+b)x^2-(2a+b-c)x+a}{x(x-1)^2}$가 x에 대한 항등식이므로

$a+b=0$, $2a+b-c=-1$, $a=4$

$\therefore a=4,\ b=-4,\ c=5$

$\therefore ab+c=-16+5=-11$

답 -11

007

(1) $\frac{1}{x(x+1)}+\frac{1}{(x+1)(x+2)}+\frac{1}{(x+2)(x+3)}$

$=\left(\frac{1}{x}-\frac{1}{x+1}\right)+\left(\frac{1}{x+1}-\frac{1}{x+2}\right)+\left(\frac{1}{x+2}-\frac{1}{x+3}\right)$

$=\frac{1}{x}-\frac{1}{x+3}=\frac{3}{x(x+3)}$

(2) $\frac{2}{(x-1)(x+1)}+\frac{1}{(x+1)(x+2)}+\frac{3}{(x+2)(x+5)}$

$=\left(\frac{1}{x-1}-\frac{1}{x+1}\right)+\left(\frac{1}{x+1}-\frac{1}{x+2}\right)+\left(\frac{1}{x+2}-\frac{1}{x+5}\right)$

$=\frac{1}{x-1}-\frac{1}{x+5}$

$=\frac{6}{(x-1)(x+5)}$

(3) $\frac{1}{x(x+2)}+\frac{1}{(x+2)(x+4)}+\frac{1}{(x+4)(x+6)}$

$=\frac{1}{2}\left(\frac{1}{x}-\frac{1}{x+2}\right)+\frac{1}{2}\left(\frac{1}{x+2}-\frac{1}{x+4}\right)+\frac{1}{2}\left(\frac{1}{x+4}-\frac{1}{x+6}\right)$

$=\frac{1}{2}\left(\frac{1}{x}-\frac{1}{x+6}\right)$

$=\frac{3}{x(x+6)}$

답 (1) $\frac{3}{x(x+3)}$ (2) $\frac{6}{(x-1)(x+5)}$ (3) $\frac{3}{x(x+6)}$

008

주어진 등식의 좌변을 계산하면

$\frac{1}{x^2-4}+\frac{1}{x^2+8x+12}+\frac{1}{x^2+16x+60}$

$=\frac{1}{(x-2)(x+2)}+\frac{1}{(x+2)(x+6)}+\frac{1}{(x+6)(x+10)}$

$=\frac{1}{4}\left(\frac{1}{x-2}-\frac{1}{x+2}\right)+\frac{1}{4}\left(\frac{1}{x+2}-\frac{1}{x+6}\right)$
$\quad+\frac{1}{4}\left(\frac{1}{x+6}-\frac{1}{x+10}\right)$

$=\frac{1}{4}\left(\frac{1}{x-2}-\frac{1}{x+10}\right)$

$=\frac{3}{(x-2)(x+10)}$

따라서 $\frac{3}{(x-2)(x+10)}=\frac{b}{(x-2)(x+a)}$가 x에 대한 항등식이므로

$a=10$, $b=3$ $\quad\therefore ab=30$

답 ③

009

$\frac{1}{2\times4}+\frac{1}{4\times6}+\frac{1}{6\times8}+\cdots+\frac{1}{24\times26}$

$=\frac{1}{2}\left(\frac{1}{2}-\frac{1}{4}\right)+\frac{1}{2}\left(\frac{1}{4}-\frac{1}{6}\right)+\frac{1}{2}\left(\frac{1}{6}-\frac{1}{8}\right)+\cdots+\frac{1}{2}\left(\frac{1}{24}-\frac{1}{26}\right)$

$=\frac{1}{2}\left(\frac{1}{2}-\frac{1}{26}\right)=\frac{3}{13}$

답 $\frac{3}{13}$

010

$f(n)=n^2+n=n(n+1)$이므로

$\frac{1}{f(n)}=\frac{1}{n(n+1)}=\frac{1}{n}-\frac{1}{n+1}$ ············ ❶

$\therefore \frac{1}{f(1)}+\frac{1}{f(2)}+\frac{1}{f(3)}+\cdots+\frac{1}{f(20)}$

$=\left(1-\frac{1}{2}\right)+\left(\frac{1}{2}-\frac{1}{3}\right)+\left(\frac{1}{3}-\frac{1}{4}\right)+\cdots+\left(\frac{1}{20}-\frac{1}{21}\right)$

$=1-\frac{1}{21}=\frac{20}{21}$ ············ ❷

따라서 $a=21$, $b=20$이므로

$a+b=41$ ········· ❸

답 41

채점 기준	비율
❶ $\frac{1}{f(n)}$을 부분분수로 변형할 수 있다.	20%
❷ $\frac{1}{f(1)}+\frac{1}{f(2)}+\frac{1}{f(3)}+\cdots+\frac{1}{f(20)}$의 값을 구할 수 있다.	60%
❸ $a+b$의 값을 구할 수 있다.	20%

011

(1) $x^2+\frac{1}{x^2}=\left(x+\frac{1}{x}\right)^2-2\times x\times\frac{1}{x}$

$=3^2-2=7$

(2) $x^3+\frac{1}{x^3}=\left(x+\frac{1}{x}\right)^3-3\times x\times\frac{1}{x}\times\left(x+\frac{1}{x}\right)$

$=3^3-3\times3=18$

(3) $x^4+\frac{1}{x^4}=\left(x^2+\frac{1}{x^2}\right)^2-2\times x^2\times\frac{1}{x^2}$

$=7^2-2=47$

(4) $x^5+\frac{1}{x^5}=\left(x^2+\frac{1}{x^2}\right)\left(x^3+\frac{1}{x^3}\right)-\left(x+\frac{1}{x}\right)$

$=7\times18-3=123$

답 (1) 7 (2) 18 (3) 47 (4) 123

012

$x^2-\frac{1}{x^2}=\left(x+\frac{1}{x}\right)\left(x-\frac{1}{x}\right)$이므로

$\frac{15}{4}=\left(x+\frac{1}{x}\right)\times\frac{3}{2}$ $\quad\therefore x+\frac{1}{x}=\frac{5}{2}$

$\therefore x^3+\frac{1}{x^3}=\left(x+\frac{1}{x}\right)^3-3\times x\times\frac{1}{x}\times\left(x+\frac{1}{x}\right)$

$=\left(\frac{5}{2}\right)^3-3\times\frac{5}{2}=\frac{65}{8}$

답 ⑤

013

$x\neq0$이므로 $x^2-2x-1=0$의 양변을 x로 나누면

→ $x=0$을 $x^2-2x-1=0$에 대입하면 $-1\neq0$이므로 $x\neq0$

$x-2-\frac{1}{x}=0$ $\quad\therefore x-\frac{1}{x}=2$

위의 식의 양변을 제곱하면

$x^2-2+\frac{1}{x^2}=4$ $\quad\therefore x^2+\frac{1}{x^2}=6$

$\therefore 2x^2+3x-1-\frac{3}{x}+\frac{2}{x^2}=2\left(x^2+\frac{1}{x^2}\right)+3\left(x-\frac{1}{x}\right)-1$

$=2\times6+3\times2-1=17$

답 ③

014

$x^2+\frac{1}{x^2}=7$이므로

$\left(x+\frac{1}{x}\right)^2=x^2+2+\frac{1}{x^2}=7+2=9$

이때 $x>0$이므로 $x+\frac{1}{x}=3$

$\therefore x^3+\frac{1}{x^3}=\left(x+\frac{1}{x}\right)^3-3\times x\times\frac{1}{x}\times\left(x+\frac{1}{x}\right)$

$=3^3-3\times3=18$

답 18

015

$a+b+c=0$이므로

$b+c=-a$, $c+a=-b$, $a+b=-c$

$\therefore \frac{a}{2}\left(\frac{1}{b}+\frac{1}{c}\right)+\frac{b}{2}\left(\frac{1}{c}+\frac{1}{a}\right)+\frac{c}{2}\left(\frac{1}{a}+\frac{1}{b}\right)$

$=\frac{a}{2}\times\frac{b+c}{bc}+\frac{b}{2}\times\frac{c+a}{ca}+\frac{c}{2}\times\frac{a+b}{ab}$

$=\frac{a}{2}\times\frac{-a}{bc}+\frac{b}{2}\times\frac{-b}{ca}+\frac{c}{2}\times\frac{-c}{ab}$

$=-\frac{1}{2}\left(\frac{a^2}{bc}+\frac{b^2}{ca}+\frac{c^2}{ab}\right)$

$=-\frac{a^3+b^3+c^3}{2abc}$ ········· ❶

한편

$a^3+b^3+c^3=(a+b+c)(a^2+b^2+c^2-ab-bc-ca)+3abc$

$=3abc$ ($\because a+b+c=0$) ········· ❷

이므로

$\frac{a}{2}\left(\frac{1}{b}+\frac{1}{c}\right)+\frac{b}{2}\left(\frac{1}{c}+\frac{1}{a}\right)+\frac{c}{2}\left(\frac{1}{a}+\frac{1}{b}\right)$

$=-\frac{a^3+b^3+c^3}{2abc}$

$=-\frac{3abc}{2abc}$

$=-\frac{3}{2}$ ········· ❸

답 $-\frac{3}{2}$

채점 기준	비율
❶ $a+b+c=0$을 이용하여 주어진 식을 $-\frac{a^3+b^3+c^3}{2abc}$으로 정리할 수 있다.	40%
❷ $a^3+b^3+c^3=3abc$임을 알 수 있다.	30%
❸ 주어진 식의 값을 구할 수 있다.	30%

| 다른 풀이 |

$\frac{a}{2}\left(\frac{1}{b}+\frac{1}{c}\right)+\frac{b}{2}\left(\frac{1}{c}+\frac{1}{a}\right)+\frac{c}{2}\left(\frac{1}{a}+\frac{1}{b}\right)$

$=\frac{1}{2}\left(\frac{a}{b}+\frac{a}{c}\right)+\frac{1}{2}\left(\frac{b}{c}+\frac{b}{a}\right)+\frac{1}{2}\left(\frac{c}{a}+\frac{c}{b}\right)$

$=\frac{c+a}{2b}+\frac{a+b}{2c}+\frac{b+c}{2a}$

$=\frac{-b}{2b}+\frac{-c}{2c}+\frac{-a}{2a}$ ($\because b+c=-a$, $c+a=-b$, $a+b=-c$)

$=-\frac{1}{2}-\frac{1}{2}-\frac{1}{2}=-\frac{3}{2}$

016

$\frac{1}{x}+\frac{1}{y}+\frac{1}{z}=0$에서 $\frac{xy+yz+zx}{xyz}=0$

$\therefore xy+yz+zx=0$ ($\because xyz\neq0$)

$$\therefore \frac{2x}{(x+y)(x+z)}+\frac{2y}{(y+z)(y+x)}+\frac{2z}{(z+x)(z+y)}$$
$$=\frac{2x(y+z)+2y(z+x)+2z(x+y)}{(x+y)(y+z)(z+x)}$$
$$=\frac{4(xy+yz+zx)}{(x+y)(y+z)(z+x)}=0$$

답 0

017

$a:b:c=2:3:4$이므로

$a=2k,\ b=3k,\ c=4k\ (k\neq0)$

로 놓으면

$$\frac{-3a+2b-c}{a-b+c}=\frac{-3\times2k+2\times3k-4k}{2k-3k+4k}=\frac{-4k}{3k}=-\frac{4}{3}$$

답 ②

018

$\dfrac{x+2y}{4x+5y}=\dfrac{1}{3}$에서

$3x+6y=4x+5y\qquad\therefore x=y$

$$\therefore \frac{x^2-3xy+3y^2}{x^2+y^2}=\frac{y^2-3\times y\times y+3y^2}{y^2+y^2}=\frac{y^2}{2y^2}=\frac{1}{2}$$

답 ③

019

$3a=2b,\ 3b=4c$에서

$a=\dfrac{2}{3}b,\ c=\dfrac{3}{4}b$

$$\therefore \frac{2a-b-2c}{a+b+c}=\frac{2\times\frac{2}{3}b-b-2\times\frac{3}{4}b}{\frac{2}{3}b+b+\frac{3}{4}b}$$
$$=\frac{-\frac{7}{6}b}{\frac{29}{12}b}=-\frac{14}{29}$$

답 $-\dfrac{14}{29}$

020

$(x+y):(y+z):(z+x)=4:3:5$이므로

$x+y=4k,\ y+z=3k,\ z+x=5k\ (k\neq0)$ ······ ㉠

로 놓고 세 식을 변끼리 더하면

$2(x+y+z)=12k\qquad\therefore x+y+z=6k$ ······ ㉡

㉠, ㉡에서

$x=3k,\ y=k,\ z=2k$ ······ ❶

$$\therefore \frac{xy-yz+zx}{x^2+y^2+z^2}=\frac{3k\times k-k\times2k+2k\times3k}{(3k)^2+k^2+(2k)^2}$$
$$=\frac{7k^2}{14k^2}=\frac{1}{2}$$ ······ ❷

답 $\dfrac{1}{2}$

채점 기준	비율
❶ $x,\ y,\ z$를 한 문자로 나타낼 수 있다.	50%
❷ $\dfrac{xy-yz+zx}{x^2+y^2+z^2}$의 값을 구할 수 있다.	50%

021

$$\begin{cases}3x+y-2z=0 & \cdots\cdots ㉠\\ x-2y+z=0 & \cdots\cdots ㉡\end{cases}$$

㉠$+2\times$㉡을 하면

$5x-3y=0\qquad\therefore y=\dfrac{5}{3}x$

$2\times$㉠$+$㉡을 하면

$7x-3z=0\qquad\therefore z=\dfrac{7}{3}x$

$$\therefore \frac{x+y}{x+z}=\frac{x+\frac{5}{3}x}{x+\frac{7}{3}x}=\frac{\frac{8}{3}x}{\frac{10}{3}x}=\frac{4}{5}$$

답 ④

022

$$\begin{cases}x+2y-z=0 & \cdots\cdots ㉠\\ 2x+y-3z=0 & \cdots\cdots ㉡\end{cases}$$

㉠$-2\times$㉡을 하면

$-3x+5z=0\qquad\therefore x=\dfrac{5}{3}z$

$2\times$㉠$-$㉡을 하면

$3y+z=0\qquad\therefore y=-\dfrac{1}{3}z$

$$\therefore \frac{x^2+y^2+z^2}{xy+yz+zx}=\frac{\left(\frac{5}{3}z\right)^2+\left(-\frac{1}{3}z\right)^2+z^2}{\frac{5}{3}z\times\left(-\frac{1}{3}z\right)+\left(-\frac{1}{3}z\right)\times z+z\times\frac{5}{3}z}$$
$$=\frac{\frac{35}{9}z^2}{\frac{7}{9}z^2}=5$$

답 5

023

$\dfrac{x+y}{2z}=\dfrac{y+2z}{x}=\dfrac{2z+x}{y}=k\ (k\neq0)$로 놓으면

$x+y=2kz,\ y+2z=kx,\ 2z+x=ky$ ······ ㉠

위의 세 식을 변끼리 더하면

$2(x+y+2z)=k(x+y+2z)$

이때 $x+y+2z\neq0$이므로 위의 식의 양변을 $x+y+2z$로 나누면

$k=2$

$k=2$를 ㉠에 대입하면

$x+y=4z$ ······ ㉡

$y+2z=2x$ ······ ㉢

$2z+x=2y$ ······ ㉣

㉡$-$㉢을 하면

$x-2z=4z-2x,\ 3x=6z\qquad\therefore x=2z$

㉡$-$㉣을 하면

$y-2z=4z-2y,\ 3y=6z\qquad\therefore y=2z$

$$\therefore \frac{x^3+y^3+z^3}{xyz}=\frac{(2z)^3+(2z)^3+z^3}{2z\times2z\times z}=\frac{17z^3}{4z^3}=\frac{17}{4}$$

답 ①

024

(1) 가비의 리에 의하여

$\frac{x}{3}=\frac{y}{4}=\frac{z}{5}=\frac{x+y+z}{3+4+5}=\frac{x+y+z}{12}$

$\therefore k=12$

(2) 가비의 리에 의하여

$\frac{x}{4}=\frac{y}{2}=\frac{z}{3}=\frac{3x-2y+z}{3\times4-2\times2+3}=\frac{3x-2y+z}{11}$

$\therefore k=11$

(3) 가비의 리에 의하여

$\frac{x}{2}=\frac{y}{5}=\frac{z}{4}=\frac{2x+y-3z}{2\times2+5-3\times4}=\frac{2x+y-3z}{-3}$

$\therefore k=-3$

(4) 가비의 리에 의하여

$\frac{x+y}{3}=\frac{y+z}{2}=\frac{z-x}{4}=\frac{2(x+y)+(y+z)+(z-x)}{2\times3+2+4}$

$=\frac{x+3y+2z}{12}$

$\therefore k=12$

답 (1) 12 (2) 11 (3) -3 (4) 12

025

가비의 리에 의하여

$\frac{3a}{4}=\frac{b+2c}{3}=\frac{3c}{2}=\frac{2\times3a+3(b+2c)-2\times3c}{2\times4+3\times3-2\times2}=\frac{6a+3b}{13}$

$\therefore k=13$

답 ⑤

026

가비의 리에 의하여

$\frac{5x-y}{2}=\frac{2y-z}{3}=\frac{3z-x}{5}$

$=\frac{2(5x-y)+3(2y-z)+(3z-x)}{2\times2+3\times3+5}=\frac{9x+4y}{18}$

$\therefore a=18$

답 ④

|다른 풀이|

$\frac{5x-y}{2}=\frac{2y-z}{3}=\frac{3z-x}{5}=k\ (k\neq0)$로 놓으면

$5x-y=2k$ ········ ㉠

$2y-z=3k$ ········ ㉡

$3z-x=5k$ ········ ㉢

$2\times$㉠$+3\times$㉡$+$㉢을 하면

$2(5x-y)+3(2y-z)+(3z-x)=2\times2k+3\times3k+5k$

$\therefore 9x+4y=18k$

이때 $\frac{9x+4y}{a}=k$이므로 $a=\frac{9x+4y}{k}=\frac{18k}{k}=18$

027

(i) $3a+b+2c\neq0$일 때

가비의 리에 의하여

$\frac{b+2c}{3a}=\frac{3a+2c}{b}=\frac{3a+b}{2c}$

$=\frac{(b+2c)+(3a+2c)+(3a+b)}{3a+b+2c}$

$=\frac{2(3a+b+2c)}{3a+b+2c}=2$

$\therefore k=2$ ········ ❶

(ii) $3a+b+2c=0$일 때

$b+2c=-3a$이므로

$\frac{b+2c}{3a}=\frac{-3a}{3a}=-1$

$\therefore k=-1$ ········ ❷

(i), (ii)에 의하여 $k=-1$ 또는 $k=2$

따라서 구하는 합은

$-1+2=1$ ········ ❸

답 1

채점 기준	비율
❶ $3a+b+2c\neq0$일 때, k의 값을 구할 수 있다.	40%
❷ $3a+b+2c=0$일 때, k의 값을 구할 수 있다.	40%
❸ 모든 k의 값의 합을 구할 수 있다.	20%

028

$\frac{\frac{1}{x-2}-\frac{1}{x+2}}{\frac{1}{x-2}+\frac{1}{x+2}}=\frac{\frac{(x+2)-(x-2)}{(x-2)(x+2)}}{\frac{(x+2)+(x-2)}{(x-2)(x+2)}}=\frac{4}{2x}=\frac{2}{x}$

답 $\frac{2}{x}$

029

먼저 주어진 식을 간단히 한 후 $x=2020$을 대입하면

$\frac{1+\frac{2}{x}}{1-\frac{4}{x^2}}=\frac{\frac{x+2}{x}}{\frac{x^2-4}{x^2}}=\frac{\frac{x+2}{x}}{\frac{(x+2)(x-2)}{x^2}}=\frac{x}{x-2}$

$=\frac{2020}{2020-2}=\frac{1010}{1009}$

답 ①

030

$\frac{1+\frac{1}{1+\frac{1}{x-1}}}{1-\frac{1}{1-\frac{1}{x+1}}}=\frac{1+\frac{1}{\frac{(x-1)+1}{x-1}}}{1-\frac{1}{\frac{(x+1)-1}{x+1}}}=\frac{1+\frac{x-1}{x}}{1-\frac{x+1}{x}}$

$=\frac{\frac{x+(x-1)}{x}}{\frac{x-(x+1)}{x}}=\frac{\frac{2x-1}{x}}{-\frac{1}{x}}$

$=1-2x$

답 ②

031

$\frac{47}{21}=\frac{2\times21+5}{21}=2+\frac{5}{21}$

$=2+\frac{1}{\frac{21}{5}}=2+\frac{1}{\frac{4\times5+1}{5}}$

$=2+\frac{1}{4+\frac{1}{5}}$

따라서 $a=2$, $b=4$, $c=5$이므로

$a+b+c=2+4+5=11$

답 ④

032

$\frac{50}{23}=\frac{2\times23+4}{23}=2+\frac{4}{23}$

$=2+\cfrac{1}{\frac{23}{4}}=2+\cfrac{1}{\frac{5\times4+3}{4}}$

$=2+\cfrac{1}{5+\frac{3}{4}}=2+\cfrac{1}{5+\cfrac{1}{\frac{4}{3}}}$

$=2+\cfrac{1}{5+\cfrac{1}{1+\frac{1}{3}}}$ ❶

따라서 $a=2$, $b=5$, $c=1$, $d=3$이므로

$ab-cd=2\times5-1\times3=7$ ❷

답 7

채점 기준	비율
❶ $\frac{50}{23}$을 번분수식으로 나타낼 수 있다.	60%
❷ $ab-cd$의 값을 구할 수 있다.	40%

033

ㄱ. $y=\frac{2x+1}{5}$은 다항함수이다.

ㄴ. $y=\frac{1}{3x+5}$은 다항함수가 아닌 유리함수이다.

ㄷ. $y=3x^2-1$은 다항함수이다.

ㄹ. $y=\frac{x-1}{x^2-1}$은 다항함수가 아닌 유리함수이다.

(1) 다항함수는 ㄱ, ㄷ이다.

(2) 다항함수가 아닌 유리함수는 ㄴ, ㄹ이다.

답 (1) ㄱ, ㄷ (2) ㄴ, ㄹ

034

(1) $3x-2=0$에서 $x=\frac{2}{3}$

따라서 주어진 유리함수의 정의역은

$\left\{x \middle| x\neq\frac{2}{3}\text{인 실수}\right\}$

(2) $x^2-1=0$에서 $x=\pm1$

따라서 주어진 유리함수의 정의역은

$\{x|x\neq\pm1\text{인 실수}\}$

(3) 모든 실수 x에 대하여 $x^2+3>0$이므로 주어진 유리함수의 정의역은 $\{x|x\text{는 실수}\}$

답 (1) $\left\{x \middle| x\neq\frac{2}{3}\text{인 실수}\right\}$ (2) $\{x|x\neq\pm1\text{인 실수}\}$ (3) $\{x|x\text{는 실수}\}$

035

(1) 함수 $y=-\frac{1}{x}$의 그래프는 오른쪽 그림과 같으므로

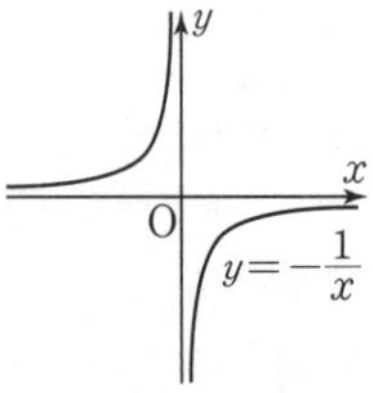

정의역은 $\{x|x\neq0\text{인 실수}\}$

치역은 $\{y|y\neq0\text{인 실수}\}$

점근선의 방정식은 $x=0$, $y=0$

(2) 함수 $y=\frac{2}{x-2}+1$의 그래프는 함수 $y=\frac{2}{x}$의 그래프를 x축의 방향으로 2만큼, y축의 방향으로 1만큼 평행이동한 것이므로 그 그래프는 오른쪽 그림과 같다.

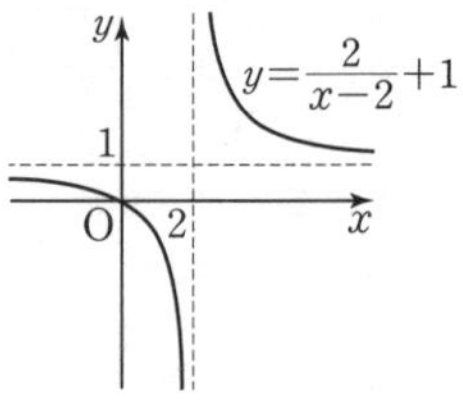

따라서 정의역은 $\{x|x\neq2\text{인 실수}\}$

치역은 $\{y|y\neq1\text{인 실수}\}$

점근선의 방정식은 $x=2$, $y=1$

(3) 함수 $y=-\frac{3}{x-1}-2$의 그래프는 함수 $y=-\frac{3}{x}$의 그래프를 x축의 방향으로 1만큼, y축의 방향으로 -2만큼 평행이동한 것이므로 그 그래프는 오른쪽 그림과 같다.

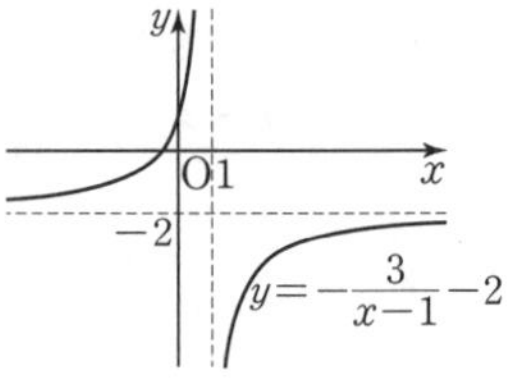

따라서 정의역은 $\{x|x\neq1\text{인 실수}\}$

치역은 $\{y|y\neq-2\text{인 실수}\}$

점근선의 방정식은 $x=1$, $y=-2$

답 풀이 참조

036

(1) $y=\frac{3x+4}{x+1}=\frac{3(x+1)+1}{x+1}=\frac{1}{x+1}+3$

이므로 함수 $y=\frac{3x+4}{x+1}$의 그래프는 $y=\frac{1}{x}$의 그래프를 x축의 방향으로 -1만큼, y축의 방향으로 3만큼 평행이동한 것이다.

따라서 함수 $y=\frac{3x+4}{x+1}$의 그래프는 오른쪽 그림과 같고 점근선의 방정식은 $x=-1$, $y=3$이다.

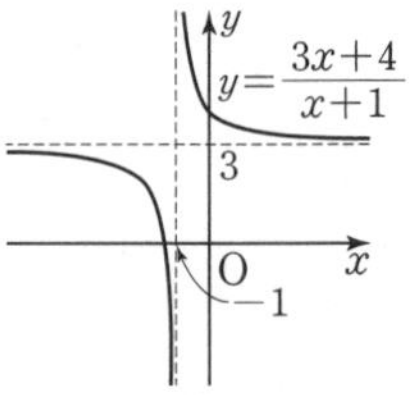

(2) $y=\frac{4-2x}{x-4}=\frac{-2(x-4)-4}{x-4}=-\frac{4}{x-4}-2$

이므로 함수 $y=\frac{4-2x}{x-4}$의 그래프는 $y=-\frac{4}{x}$의 그래프를 x축의 방향으로 4만큼, y축의 방향으로 -2만큼 평행이동한 것이다.

따라서 함수 $y=\frac{4-2x}{x-4}$의 그래프는 오른쪽 그림과 같고 점근선의 방정식은 $x=4$, $y=-2$이다.

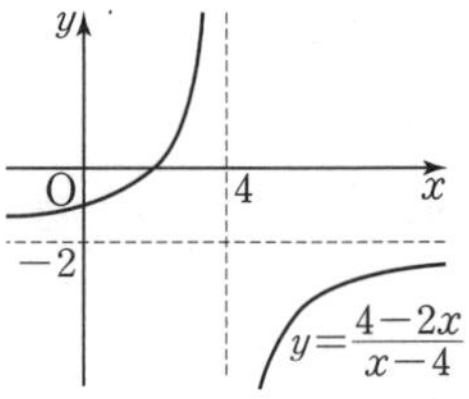

답 풀이 참조

037

$y=\frac{-3x+2}{x-1}=\frac{-3(x-1)-1}{x-1}=-\frac{1}{x-1}-3$

이므로 함수 $y=\frac{-3x+2}{x-1}$의 그래프는 $y=-\frac{1}{x}$의 그래프를 x축의 방향으로 1만큼, y축의 방향으로 -3만큼 평행이동한 것이다.

따라서 주어진 정의역에서 함수 $y=\frac{-3x+2}{x-1}$의 그래프는 오른쪽 그림과 같으므로 구하는 치역은
$\{y|y\leq-4$ 또는 $y\geq-2\}$

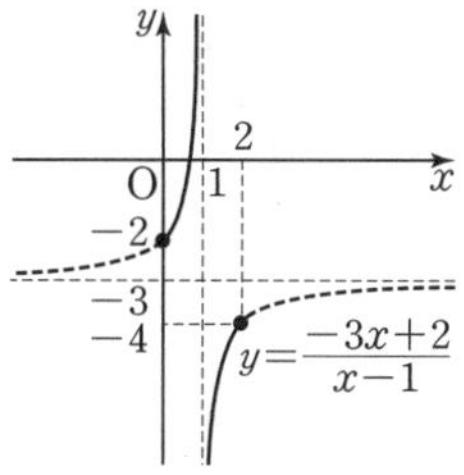

답 ⑤

038

함수 $y=\frac{3}{x-1}-2$의 그래프는 $y=\frac{3}{x}$의 그래프를 x축의 방향으로 1만큼, y축의 방향으로 -2만큼 평행이동한 것이다.

따라서 함수 $y=\frac{3}{x-1}-2$는 x의 값이 증가하면 y의 값은 감소하므로 오른쪽 그림과 같이 $x=2$일 때 $y=b$이고 $x=a$일 때 $y=-1$이어야 한다.

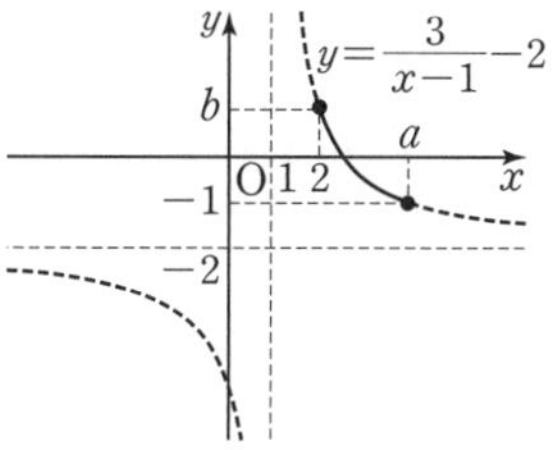

즉, $\frac{3}{2-1}-2=b$, $\frac{3}{a-1}-2=-1$
이므로
$a=4$, $b=1$
$\therefore a+b=4+1=5$

답 ①

039

함수 $y=\frac{2}{x}$의 그래프를 x축의 방향으로 a만큼, y축의 방향으로 b만큼 평행이동한 그래프의 식은

$y=\frac{2}{x-a}+b=\frac{2+b(x-a)}{x-a}=\frac{bx-ab+2}{x-a}$

이것이 $y=\frac{3x-1}{x-1}$과 일치해야 하므로
$a=1$, $b=3$
$\therefore a+b=4$

답 ②

| 다른 풀이 |

$y=\frac{3x-1}{x-1}=\frac{3(x-1)+2}{x-1}=\frac{2}{x-1}+3$

따라서 함수 $y=\frac{3x-1}{x-1}$의 그래프는 $y=\frac{2}{x}$의 그래프를 x축의 방향으로 1만큼, y축의 방향으로 3만큼 평행이동한 것이다.
$\therefore a=1$, $b=3$

풍쌤 개념 CHECK

평행이동_高 수학

함수 $y=f(x)$의 그래프를 x축의 방향으로 p만큼, y축의 방향으로 q만큼 평행이동한 그래프의 식은
$y-q=f(x-p)$
→ x 대신 $x-p$ 대입, y 대신 $y-q$ 대입

040

함수 $y=\frac{k}{x}$의 그래프를 x축의 방향으로 -1만큼, y축의 방향으로 4만큼 평행이동한 그래프의 식은

$y=\frac{k}{x+1}+4$

이 함수의 그래프가 점 $(-2, 6)$을 지나므로

$6=\frac{k}{-2+1}+4$

$\therefore k=-2$

답 -2

041

① $y=\frac{3x-5}{x-1}=\frac{3(x-1)-2}{x-1}=-\frac{2}{x-1}+3$

즉, $y=\frac{3x-5}{x-1}$의 그래프는 $y=-\frac{2}{x}$의 그래프를 x축의 방향으로 1만큼, y축의 방향으로 3만큼 평행이동한 것이다.

② $y=\frac{5-x}{x-2}=\frac{-(x-2)+3}{x-2}=\frac{3}{x-2}-1$

즉, $y=\frac{5-x}{x-2}$의 그래프는 $y=\frac{3}{x}$의 그래프를 x축의 방향으로 2만큼, y축의 방향으로 -1만큼 평행이동한 것이다.

③ $y=\frac{10-3x}{x-3}=\frac{-3(x-3)+1}{x-3}=\frac{1}{x-3}-3$

즉, $y=\frac{10-3x}{x-3}$의 그래프는 $y=\frac{1}{x}$의 그래프를 x축의 방향으로 3만큼, y축의 방향으로 -3만큼 평행이동한 것이다.

④ $y=\frac{x+6}{x+4}=\frac{(x+4)+2}{x+4}=\frac{2}{x+4}+1$

즉, $y=\frac{x+6}{x+4}$의 그래프는 $y=\frac{2}{x}$의 그래프를 x축의 방향으로 -4만큼, y축의 방향으로 1만큼 평행이동한 것이다.

⑤ $y=-\frac{x+4}{x+5}=\frac{-(x+5)+1}{x+5}=\frac{1}{x+5}-1$

즉, $y=-\frac{x+4}{x+5}$의 그래프는 $y=\frac{1}{x}$의 그래프를 x축의 방향으로 -5만큼, y축의 방향으로 -1만큼 평행이동한 것이다.

따라서 평행이동에 의하여 함수 $y=\frac{3}{x}$의 그래프와 겹쳐지는 것은 ②이다.

답 ②

참고

두 함수 $y=\frac{a}{x-p}+q$, $y=\frac{b}{x-m}+n$의 그래프가 평행이동에 의하여 겹쳐지려면 $a=b$이어야 한다.

042

함수 $y=\frac{5}{x+2}-1$의 그래프를 x축의 방향으로 a만큼, y축의 방향으로 b만큼 평행이동한 그래프의 식은

$y=\frac{5}{x-a+2}+b-1$ ······ ㉠

한편

$y=\frac{5x-25}{x-6}=\frac{5(x-6)+5}{x-6}=\frac{5}{x-6}+5$

이고 이것이 ㉠과 일치해야 하므로
$-a+2=-6$, $b-1=5$
$\therefore a=8$, $b=6$

$\therefore a+b=8+6=14$

답 14

043

함수 $y=\frac{bx+3}{x+a}=\frac{b(x+a)-ab+3}{x+a}=\frac{3-ab}{x+a}+b$의 그래프를 x축의 방향으로 5만큼, y축의 방향으로 -2만큼 평행이동한 그래프의 식은

$y=\frac{3-ab}{x-5+a}+b-2$

이것이 $y=-\frac{7}{x}$과 일치해야 하므로

$3-ab=-7$, $-5+a=0$, $b-2=0$

$\therefore a=5$, $b=2$

$\therefore a+b=5+2=7$

답 ③

044

$y=\frac{1}{2x-6}+m=\frac{1}{2(x-3)}+m$이므로 이 함수의 그래프의 점근선의 방정식은

$x=3$, $y=m$

따라서 $m=-4$, $n=3$이므로

$mn=-4\times3=-12$

답 ③

045

$y=\frac{x+b}{x-a}=\frac{(x-a)+a+b}{x-a}=\frac{a+b}{x-a}+1$이므로 이 함수의 그래프의 점근선의 방정식은

$x=a$, $y=1$

이때 주어진 함수의 한 점근선이 $x=4$이므로

$a=4$ ········· ❶

또, 함수 $y=\frac{x+b}{x-a}$, 즉 $y=\frac{x+b}{x-4}$의 그래프가 점 $(3, 5)$를 지나므로

$\frac{3+b}{3-4}=5$ $\therefore b=-8$ ········· ❷

$\therefore a+b=4+(-8)=-4$ ········· ❸

답 -4

채점 기준	비율
❶ a의 값을 구할 수 있다.	40%
❷ b의 값을 구할 수 있다.	40%
❸ $a+b$의 값을 구할 수 있다.	20%

046

$f(x)=\frac{ax-1}{x+b}=\frac{a(x+b)-ab-1}{x+b}=-\frac{ab+1}{x+b}+a$이므로 이 함수의 그래프의 점근선의 방정식은

$x=-b$, $y=a$

따라서 $a=3$, $b=-1$이므로 ($-b=1$, $a=3$이므로 $a=3$, $b=-1$)

$f(x)=\frac{3x-1}{x-1}$

$\therefore f(3)=\frac{3\times3-1}{3-1}=4$

답 4

047

$y=\frac{ax}{2x-1}=\frac{\frac{a}{2}x}{x-\frac{1}{2}}=\frac{\frac{a}{2}\left(x-\frac{1}{2}\right)+\frac{a}{4}}{x-\frac{1}{2}}=\frac{\frac{a}{4}}{x-\frac{1}{2}}+\frac{a}{2}$이므로

이 함수의 그래프의 점근선의 방정식은

$x=\frac{1}{2}$, $y=\frac{a}{2}$

따라서 두 점근선의 교점의 좌표는 $\left(\frac{1}{2}, \frac{a}{2}\right)$이므로

$\frac{1}{2}=b$, $\frac{a}{2}=\frac{1}{2}$

$\therefore a=1$, $b=\frac{1}{2}$

$\therefore a+b=1+\frac{1}{2}=\frac{3}{2}$

답 ③

048

유리함수 $f(x)=\frac{3}{x-2a}+a+2$의 그래프의 점근선의 방정식은

$x=2a$, $y=a+2$

따라서 두 점근선의 교점의 좌표는 $(2a, a+2)$이고, 직선 $y=x$가 이 점을 지나므로

$a+2=2a$

$\therefore a=2$

답 ⑤

049

$y=\frac{6-3x}{x+3}=\frac{-3(x+3)+15}{x+3}=\frac{15}{x+3}-3$이므로 이 함수의 그래프의 점근선의 방정식은

$x=-3$, $y=-3$ ········· ㉠

$y=\frac{bx-2}{3x+a}=\frac{\frac{b}{3}x-\frac{2}{3}}{x+\frac{a}{3}}$

$=\frac{\frac{b}{3}\left(x+\frac{a}{3}\right)-\frac{ab}{9}-\frac{2}{3}}{x+\frac{a}{3}}$

$=-\frac{\frac{ab}{9}+\frac{2}{3}}{x+\frac{a}{3}}+\frac{b}{3}$

이므로 이 함수의 그래프의 점근선의 방정식은

$x=-\frac{a}{3}$, $y=\frac{b}{3}$ ········· ㉡

㉠, ㉡이 서로 같아야 하므로

$-\frac{a}{3}=-3$, $\frac{b}{3}=-3$

$\therefore a=9$, $b=-9$

$\therefore a-b=9-(-9)=18$

답 18

050

주어진 함수의 그래프의 점근선의 방정식이 $x=4$, $y=-2$이므로 함수의 식을

$y=\frac{k}{x-4}-2$ (k는 상수)

로 놓을 수 있다.

이때 이 함수의 그래프가 점 $(1,\ -3)$을 지나므로

$-3=\frac{k}{1-4}-2$, $\frac{k}{-3}=-1$

$\therefore k=3$

즉, 주어진 함수의 식은

$y=\frac{3}{x-4}-2=\frac{3-2(x-4)}{x-4}=\frac{-2x+11}{x-4}$

이므로 $a=-4$, $b=-2$, $c=11$

$\therefore a+b+c=-4+(-2)+11=5$

답 ⑤

|다른 풀이|

$y=\frac{bx+c}{x+a}=\frac{b(x+a)-ab+c}{x+a}=\frac{c-ab}{x+a}+b$이므로 이 함수의 그래프의 점근선의 방정식은

$x=-a$, $y=b$ $\quad\therefore a=-4$, $b=-2$

이때 함수 $y=\frac{bx+c}{x+a}$, 즉 $y=\frac{-2x+c}{x-4}$의 그래프가 점 $(1,\ -3)$을 지나므로

$-3=\frac{-2+c}{1-4}$, $-2+c=9$

$\therefore c=11$

051

주어진 함수의 그래프의 점근선의 방정식이 $x=\frac{3}{2}$, $y=\frac{1}{2}$이므로 함수의 식을

$y=\frac{k}{x-\frac{3}{2}}+\frac{1}{2}=\frac{2k}{2x-3}+\frac{1}{2}$ (k는 상수)

로 놓을 수 있다.

이때 이 함수의 그래프가 점 $(0,\ -2)$를 지나므로

$-2=\frac{2k}{2\times0-3}+\frac{1}{2}$, $-\frac{2k}{3}=-\frac{5}{2}$

$\therefore k=\frac{15}{4}$

즉, 주어진 함수의 식은

$y=\frac{2\times\frac{15}{4}}{2x-3}+\frac{1}{2}=\frac{\frac{15}{2}+\frac{1}{2}(2x-3)}{2x-3}=\frac{x+6}{2x-3}$

이므로

$a=2$, $b=-3$, $c=6$

$\therefore a+b+c=2+(-3)+6=5$

답 5

052

$y=\frac{3x-2}{-x+2}=\frac{-3x+2}{x-2}=\frac{-3(x-2)-4}{x-2}=-\frac{4}{x-2}-3$이므로

이 함수의 그래프의 점근선의 방정식은

$x=2$, $y=-3$

따라서 함수 $y=\frac{3x-2}{-x+2}$의 그래프는 점 $(2,\ -3)$에 대하여 대칭이다.

즉, $a=2$, $b=-3$이므로

$ab=2\times(-3)=-6$

답 -6

053

$y=\frac{4x+3}{x-1}=\frac{4(x-1)+7}{x-1}=\frac{7}{x-1}+4$이므로 이 함수의 그래프의 점근선의 방정식은

$x=1$, $y=4$

이때 주어진 함수의 그래프가 직선 $y=x+k$에 대하여 대칭이므로 직선 $y=x+k$는 두 점근선의 교점 $(1,\ 4)$를 지난다.

즉, $4=1+k$이므로 $k=3$

답 ③

054

점 $(1,\ 3)$에 대하여 대칭인 유리함수의 식은

$y=\frac{k}{x-1}+3$ (k는 상수)

으로 놓을 수 있다. ❶

이 함수의 그래프가 점 $(0,\ -1)$을 지나므로

$-1=\frac{k}{0-1}+3$, $-k=-4$

$\therefore k=4$ ❷

즉, 주어진 함수의 식은

$y=\frac{4}{x-1}+3=\frac{4+3(x-1)}{x-1}=\frac{3x+1}{x-1}$

이므로

$a=-1$, $b=3$, $c=1$ ❸

$\therefore a+b+c=-1+3+1=3$ ❹

답 3

채점 기준	비율
❶ 주어진 함수의 식을 $y=\frac{k}{x-1}+3$으로 놓을 수 있다.	20%
❷ k의 값을 구할 수 있다.	30%
❸ a, b, c의 값을 구할 수 있다.	30%
❹ $a+b+c$의 값을 구할 수 있다.	20%

|다른 풀이|

$y=\frac{bx+c}{x+a}=\frac{b(x+a)-ab+c}{x+a}=\frac{c-ab}{x+a}+b$이므로 이 함수의 그래프의 점근선의 방정식은

$x=-a$, $y=b$

이때 이 함수의 그래프가 점 $(1,\ 3)$에 대하여 대칭이므로

$-a=1$, $b=3$

$\therefore a=-1$, $b=3$

또, 함수 $y=\frac{bx+c}{x+a}$, 즉 $y=\frac{3x+c}{x-1}$의 그래프가 점 $(0,\ -1)$을 지나므로

$-1=\frac{c}{-1}$

$\therefore c=1$

055

주어진 함수의 그래프가 두 직선 $y=x+3$, $y=-x-1$에 대하여 대칭이므로 이 두 직선의 교점은 주어진 함수의 그래프의 두 점근선의 교점과 같다.

두 식 $y=x+3$, $y=-x-1$을 연립하여 풀면

$x=-2$, $y=1$

따라서 주어진 함수의 그래프의 두 점근선의 방정식은

$x=-2$, $y=1$

$y=\frac{bx+3}{x-a}=\frac{b(x-a)+ab+3}{x-a}=\frac{ab+3}{x-a}+b$이므로 이 함수의 그래프의 점근선의 방정식은

$x=a$, $y=b$

따라서 $a=-2$, $b=1$이므로

$a+b=-2+1=-1$

답 ②

056

함수 $y=f(x)$의 그래프는 곡선 $y=-\frac{2}{x}$를 평행이동한 것이므로

$f(x)=-\frac{2}{x-a}+b$ (a, b는 상수)

로 놓을 수 있다.

함수 $y=f(x)$의 그래프의 점근선의 방정식이

$x=a$, $y=b$

이고 함수 $y=f(x)$의 그래프가 직선 $y=x$에 대하여 대칭이므로 이 직선은 두 점근선의 교점 (a, b)를 지난다.

$\therefore b=a$

한편 함수 $f(x)$의 정의역이 $\{x|x\neq-2$인 모든 실수$\}$이므로

$a=-2$

즉, $a=b=-2$이므로

$f(x)=-\frac{2}{x+2}-2$

$\therefore f(4)=-\frac{2}{4+2}-2=-\frac{1}{3}-2=-\frac{7}{3}$

답 ②

057

주어진 그래프에서 점근선의 방정식은

$x=2$, $y=3$

함수 $y=\frac{k}{x+a}+b$의 그래프의 점근선의 방정식은

$x=-a$, $y=b$

$\therefore a=-2$, $b=3$

함수 $y=\frac{k}{x+a}+b$, 즉 $y=\frac{k}{x-2}+3$의 그래프가 점 $(0, 2)$를 지나므로

$2=\frac{k}{0-2}+3$, $-\frac{k}{2}=-1$

$\therefore k=2$

$\therefore ab+k=-2\times3+2=-4$

답 ②

058

주어진 함수의 그래프에서 점근선의 방정식이

$x=-3$, $y=-1$

이므로

$f(x)=\frac{k}{x+3}-1$ (k는 상수)

로 놓을 수 있다. ❶

이 함수의 그래프가 점 $(-2, 0)$을 지나므로

$0=\frac{k}{-2+3}-1$

$\therefore k=1$ ❷

따라서 구하는 함수의 식은

$f(x)=\frac{1}{x+3}-1=\frac{1-(x+3)}{x+3}$

$=\frac{-x-2}{x+3}=-\frac{x+2}{x+3}$ ❸

답 $f(x)=-\frac{x+2}{x+3}$

채점 기준	비율
❶ $f(x)=\frac{k}{x+3}-1$로 놓을 수 있다.	40%
❷ k의 값을 구할 수 있다.	40%
❸ $f(x)$를 구할 수 있다.	20%

059

주어진 함수의 그래프에서 점근선의 방정식은

$x=-1$, $y=1$

이므로 함수의 식을

$y=\frac{k}{x+1}+1$ (k는 상수)

로 놓을 수 있다.

이 함수의 그래프가 점 $(2, 0)$을 지나므로

$0=\frac{k}{2+1}+1$, $\frac{k}{3}=-1$

$\therefore k=-3$

따라서 함수의 식은

$y=\frac{-3}{x+1}+1=\frac{-3+(x+1)}{x+1}=\frac{x-2}{x+1}$

이므로 $a=-1$, $b=1$, $c=2$

$\therefore a+b+c=-1+1+2=2$

답 ⑤

060

$y=\frac{bx+c}{x+a}=\frac{b(x+a)-ab+c}{x+a}=\frac{-ab+c}{x+a}+b$이므로 이 함수의 그래프의 점근선의 방정식은

$x=-a$, $y=b$

이때 주어진 그래프에 의하여

$-a<0$, $b>0$

$\therefore a>0$, $b>0$

주어진 그래프가 y축과 원점 아래에서 만나므로 $x=0$일 때 y좌표가 0보다 작아야 한다.

$y=\frac{bx+c}{x+a}$에 $x=0$을 대입하면 $y=\frac{c}{a}$

즉, $\frac{c}{a}<0$, $a>0$이므로 $c<0$

답 ③

061

함수 $y=\frac{k}{x}$ (k는 상수)의 그래프는

$k>0$이면 제1사분면, 제3사분면 위에 있고,

$k<0$이면 제2사분면, 제4사분면 위에 있다.

따라서 그 그래프가 제1사분면, 제3사분면을 지나는 것은 ㄴ, ㄹ이다.

답 ④

062

② 정의역과 치역은 모두 0을 제외한 실수 전체의 집합이다.

답 ②

063

$y=\frac{2x-8}{x-2}=\frac{2(x-2)-4}{x-2}=-\frac{4}{x-2}+2$

따라서 함수 $y=\frac{2x-8}{x-2}$의 그래프는

함수 $y=-\frac{4}{x}$의 그래프를 x축의 방향으로 2만큼, y축의 방향으로 2만큼 평행이동한 것으로 오른쪽 그림과 같다.

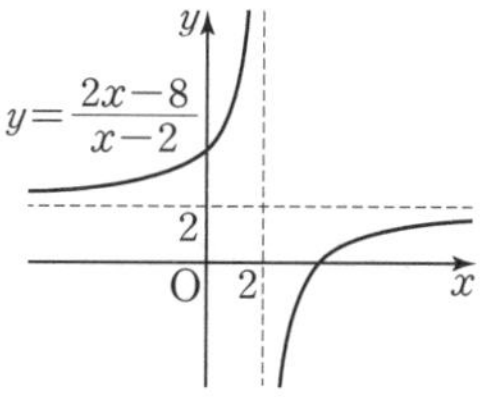

즉, 함수 $y=\frac{2x-8}{x-2}$의 그래프가 지나지 않는 사분면은 제3사분면이다.

답 제3사분면

064

함수 $y=\frac{k}{x-1}+3$의 그래프의 점근선의 방정식은

$x=1$, $y=3$

$k<0$이면 함수 $y=\frac{k}{x-1}+3$의 그래프는 오른쪽 그림과 같이 제3사분면을 지나지 않는다.

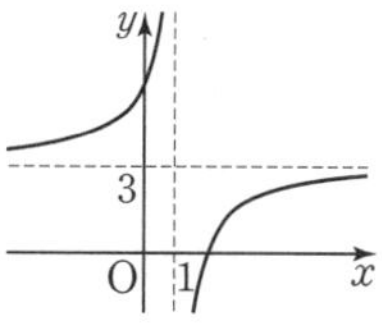

따라서 $k>0$이어야 한다.

이때 함수 $y=\frac{k}{x-1}+3$의 그래프가 모든 사분면을 지나야 하므로 오른쪽 그림과 같이 그래프가 y축과 원점 아래에서 만나야 한다.

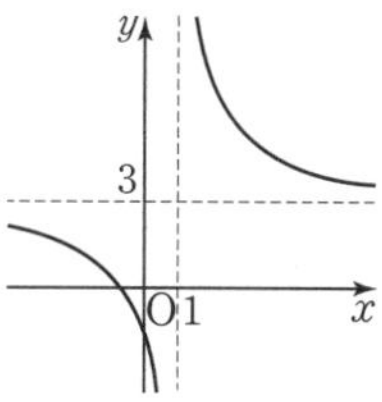

즉, $x=0$일 때의 y의 값이 0보다 작아야 하므로

$\frac{k}{0-1}+3<0$

$\therefore k>3$

답 ⑤

065

ㄱ. 함수 $y=\frac{2}{x-1}-2$의 그래프는 오른쪽 그림과 같이 제1, 3, 4사분면을 지난다. (참)

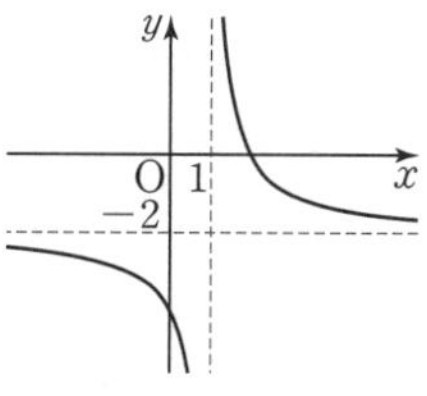

ㄴ. 함수 $y=\frac{2}{x-1}-2$의 그래프의 점근선의 방정식이 $x=1$, $y=-2$이므로

그 그래프는 두 직선 $y=(x-1)-2$, $y=-(x-1)-2$, 즉 $y=x-3$, $y=-x-1$에 대하여 대칭이다. (참)

ㄷ. 정의역은 $\{x|x\neq 1$인 실수$\}$이다. (거짓)

ㄹ. 함수 $y=\frac{2}{x-1}-2$의 그래프는 $y=\frac{2}{x}$의 그래프를 x축의 방향으로 1만큼, y축의 방향으로 -2만큼 평행이동한 것이다. (거짓)

따라서 옳은 것은 ㄱ, ㄴ이다.

답 ①

참고

함수 $y=\frac{2}{x}$의 그래프가 두 직선 $y=x$, $y=-x$에 대하여 대칭이므로 함수 $y=\frac{2}{x-1}-2$의 그래프는 두 직선 $y=x$, $y=-x$를 각각 x축의 방향으로 1만큼, y축의 방향으로 -2만큼 평행이동한 두 직선 $y=x-3$, $y=-x-1$에 대하여 대칭이다.

066

$y=\frac{bx+4}{x+a}=\frac{b(x+a)-ab+4}{x+a}=\frac{4-ab}{x+a}+b$

따라서 주어진 함수의 정의역은 $\{x|x\neq -a$인 실수$\}$,

치역은 $\{y|y\neq b$인 실수$\}$이다.

즉, $-a=3$, $b=-5$이므로 $a=-3$, $b=-5$

$\therefore ab=-3\times(-5)=15$

답 15

067

두 함수 $y=\frac{a}{x}$, $y=\frac{b}{x}$의 그래프가 제1사분면 위에 있으므로

$a>0$, $b>0$

이때 $y=\frac{a}{x}$의 그래프가 $y=\frac{b}{x}$의 그래프보다 원점으로부터 멀리 떨어져 있으므로

$|a|>|b|$

$\therefore a>b>0$ ······ ㉠

두 함수 $y=\frac{c}{x}$, $y=\frac{d}{x}$의 그래프가 제2사분면 위에 있으므로

$c<0$, $d<0$

이때 $y=\frac{c}{x}$의 그래프가 $y=\frac{d}{x}$의 그래프보다 원점으로부터 멀리 떨어져 있으므로

$|c|>|d|$

$\therefore c<d<0$ (음수는 절댓값이 클수록 작아진다.) ······ ㉡

㉠, ㉡에 의하여

$c<d<b<a$

답 $c<d<b<a$

068

$-3\leq x\leq -1$에서 함수 $y=-\frac{4}{3x}$의 그래프는 오른쪽 그림과 같으므로

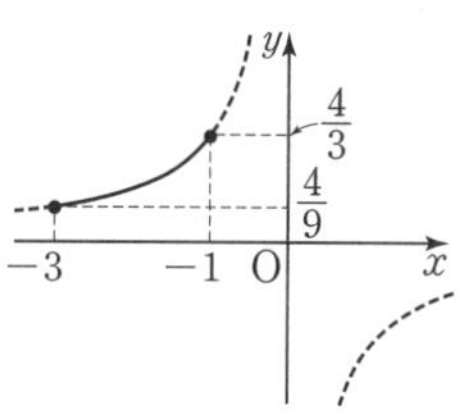

$x=-3$일 때 최솟값 $\frac{4}{9}$,

$x=-1$일 때 최댓값 $\frac{4}{3}$

를 갖는다.

즉, $M=\frac{4}{3}$, $m=\frac{4}{9}$이므로

$$\frac{M}{m}=\frac{\frac{4}{3}}{\frac{4}{9}}=3$$

답 ③

069

$\frac{1}{2}\le x\le a$에서 최댓값이 b, 최솟값이 $\frac{1}{2}$이므로

함수 $y=\frac{3}{2x}$의 그래프는 오른쪽 그림과 같다. 즉,

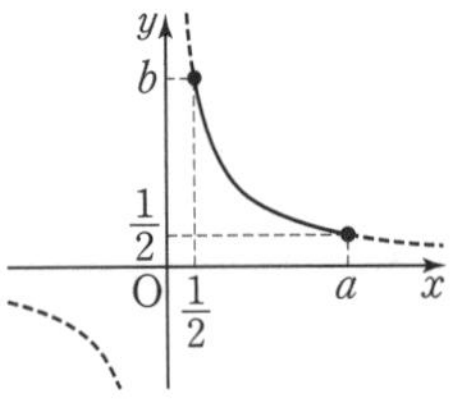

$x=\frac{1}{2}$일 때 최댓값 b,

$x=a$일 때 최솟값 $\frac{1}{2}$

을 갖는다.

따라서 함수 $y=\frac{3}{2x}$의 그래프가 두 점 $\left(\frac{1}{2},\ b\right)$, $\left(a,\ \frac{1}{2}\right)$을 지나므로

$b=\frac{3}{2\times\frac{1}{2}}$, $\frac{1}{2}=\frac{3}{2a}$

$\therefore a=3,\ b=3$

$\therefore a+b=6$

답 ③

070

함수 $y=\frac{3}{x-4}+k$의 그래프는 함수 $y=\frac{3}{x}$의 그래프를 x축의 방향으로 4만큼, y축의 방향으로 k만큼 평행이동한 것이다.

$-1\le x\le 3$에서 함수 $y=\frac{3}{x-4}+k$의 최댓값이 $\frac{7}{5}$이려면 그 그래프는 오른쪽 그림과 같아야 한다.

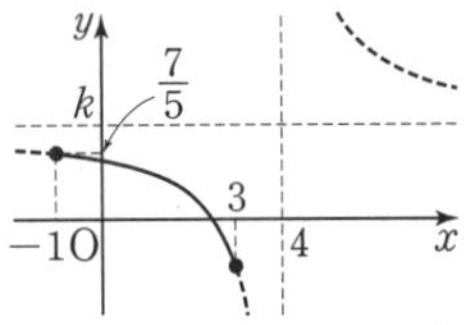

························ ❶

즉, 그래프가 점 $\left(-1,\ \frac{7}{5}\right)$을 지나므로

$\frac{7}{5}=\frac{3}{-1-4}+k$ $\quad\therefore k=2$ ························ ❷

또, 함수 $y=\frac{3}{x-4}+k$, 즉 $y=\frac{3}{x-4}+2$가 $x=3$에서 최솟값을 가지므로 최솟값은

$\frac{3}{3-4}+2=-1$ ························ ❸

답 $k=2$, **최솟값**: -1

채점 기준	비율
❶ 조건을 만족시키는 그래프를 그릴 수 있다.	40%
❷ k의 값을 구할 수 있다.	30%
❸ 최솟값을 구할 수 있다.	30%

071

$y=\frac{-x+1}{x+3}=\frac{-(x+3)+4}{x+3}=\frac{4}{x+3}-1$

따라서 함수 $y=\frac{-x+1}{x+3}$의 그래프는 함수 $y=\frac{4}{x}$의 그래프를 x축의 방향으로 -3만큼, y축의 방향으로 -1만큼 평행이동한 것이다.

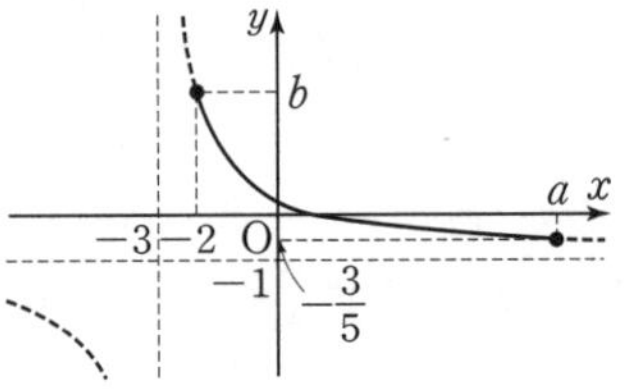

정의역이 $\{x|-2\le x\le a\}$일 때, 함수 $y=\frac{-x+1}{x+3}$의 그래프는 위의 그림과 같으므로

$x=-2$에서 최댓값 b, $x=a$에서 최솟값 $-\frac{3}{5}$

을 갖는다.

즉, $b=\frac{-(-2)+1}{-2+3}$, $-\frac{3}{5}=\frac{-a+1}{a+3}$이므로

$a=7,\ b=3$

$\therefore a-b=7-3=4$

답 ④

072

(1) $y=\frac{x-1}{x+2}$에서

$y(x+2)=x-1,\ (y-1)x=-2y-1$

$\therefore x=\frac{-2y-1}{y-1}$

x와 y를 서로 바꾸면 구하는 역함수는

$y=\frac{-2x-1}{x-1}$

(2) $y=\frac{2x+3}{x-3}$에서

$y(x-3)=2x+3,\ (y-2)x=3y+3$

$\therefore x=\frac{3y+3}{y-2}$

x와 y를 서로 바꾸면 구하는 역함수는

$y=\frac{3x+3}{x-2}$

답 (1) $y=\frac{-2x-1}{x-1}$ (2) $y=\frac{3x+3}{x-2}$

073

$y=\frac{ax-1}{2x+1}$로 놓으면

$y(2x+1)=ax-1,\ (2y-a)x=-y-1$

$\therefore x=\frac{-y-1}{2y-a}$

x와 y를 서로 바꾸면 $y=\frac{-x-1}{2x-a}$

$\therefore f^{-1}(x)=\frac{-x-1}{2x-a}$ ························ ❶

$f=f^{-1}$이므로

$\frac{ax-1}{2x+1}=\frac{-x-1}{2x-a}$

$\therefore a=-1$ ························ ❷

답 -1

채점 기준	비율
❶ 역함수 $f^{-1}(x)$를 구할 수 있다.	70%
❷ a의 값을 구할 수 있다.	30%

|다른 풀이|

$f=f^{-1}$이므로 $(f\circ f)(x)=x$

이때

$$(f\circ f)(x)=f(f(x))=f\left(\frac{ax-1}{2x+1}\right)=\frac{a\times\frac{ax-1}{2x+1}-1}{2\times\frac{ax-1}{2x+1}+1}=\frac{a(ax-1)-(2x+1)}{2(ax-1)+(2x+1)}=\frac{(a^2-2)x-a-1}{(2a+2)x-1}$$

이므로

$$\frac{(a^2-2)x-a-1}{(2a+2)x-1}=x$$

$(a^2-2)x-a-1=(2a+2)x^2-x$

이것이 x에 대한 항등식이므로

$2a+2=0,\ a^2-2=-1,\ -a-1=0$

$\therefore a=-1$

074

함수 $y=f(x)$의 그래프와 그 역함수 $y=f^{-1}(x)$의 그래프가 모두 점 $(-1,\ 3)$을 지나므로 함수 $y=f(x)$의 그래프는 두 점 $(-1,\ 3)$, $(3,\ -1)$을 지난다.

즉, $3=\frac{-a+b}{-1+4}$, $-1=\frac{3a+b}{3+4}$이므로

$-a+b=9,\ 3a+b=-7$

위의 두 식을 연립하여 풀면

$a=-4,\ b=5$

$\therefore a+b=-4+5=1$

답 ④

075

$$f(x)=\frac{2x+5}{x+3}=\frac{2(x+3)-1}{x+3}=-\frac{1}{x+3}+2$$

따라서 함수 $y=f(x)$의 그래프의 점근선의 방정식이 $x=-3$, $y=2$이므로 함수 $y=f(x)$의 그래프는 점 $(-3,\ 2)$에 대하여 대칭이다.

이때 $y=f(x)$의 그래프와 그 역함수 $y=f^{-1}(x)$의 그래프는 직선 $y=x$에 대하여 대칭이므로 $y=f^{-1}(x)$의 그래프는 점 $(2,\ -3)$에 대하여 대칭이다.

즉, $p=2,\ q=-3$이므로

$p-q=2-(-3)=5$

답 ⑤

실력을 높이는 연습 문제

본문 093쪽

01

$$\frac{a^2-9b^2}{a^2-6ab+9b^2}\times\frac{a-3b}{a^2+3ab}=\frac{(a+3b)(a-3b)}{(a-3b)^2}\times\frac{a-3b}{a(a+3b)}=\frac{1}{a}$$

답 $\frac{1}{a}$

02

주어진 식의 양변에 $(x+2)^{11}$을 곱하여 정리하면

$x^{10}+1=a_1(x+2)^{10}+a_2(x+2)^9+\cdots+a_{10}(x+2)$

이 식이 x에 대한 항등식이므로 양변에 $x=-1$을 대입하면

$(-1)^{10}+1=a_1(-1+2)^{10}+a_2(-1+2)^9+\cdots+a_{10}(-1+2)$

$\therefore a_1+a_2+\cdots+a_{10}=2$

답 ②

풍쌤 개념 CHECK

미정계수법_高 수학

항등식의 뜻과 성질을 이용하여 미지의 계수를 구하는 방법을 미정계수법이라고 한다.

(1) 계수비교법: 양변의 계수를 비교하여 미지의 계수를 정하는 방법

(2) 수치대입법: 문자에 특정한 수를 대입하여 미지의 계수를 정하는 방법

03

$$\frac{1}{3}+\frac{1}{15}+\frac{1}{35}+\cdots+\frac{1}{483}$$

$$=\frac{1}{1\times3}+\frac{1}{3\times5}+\frac{1}{5\times7}+\cdots+\frac{1}{21\times23}$$

$$=\frac{1}{2}\left\{\left(1-\frac{1}{3}\right)+\left(\frac{1}{3}-\frac{1}{5}\right)+\left(\frac{1}{5}-\frac{1}{7}\right)+\cdots+\left(\frac{1}{21}-\frac{1}{23}\right)\right\}$$

$$=\frac{1}{2}\left(1-\frac{1}{23}\right)$$

$$=\frac{1}{2}\times\frac{22}{23}=\frac{11}{23}$$

답 ③

04

문제 접근하기

분자의 차수가 분모의 차수와 같으므로 분자를 분모로 나누어 분자의 차수를 분모의 차수보다 작게 한 다음 계산한다.

$$\frac{x-1}{x-2}-\frac{x}{x-1}-\frac{x+1}{x}+\frac{x+2}{x+1}$$

$$=\frac{(x-2)+1}{x-2}-\frac{(x-1)+1}{x-1}-\frac{x+1}{x}+\frac{(x+1)+1}{x+1}$$

$$=\left(1+\frac{1}{x-2}\right)-\left(1+\frac{1}{x-1}\right)-\left(1+\frac{1}{x}\right)+\left(1+\frac{1}{x+1}\right)$$

$$=\frac{1}{x-2}-\frac{1}{x-1}-\frac{1}{x}+\frac{1}{x+1}$$

$$=\left(\frac{1}{x-2}-\frac{1}{x}\right)+\left(\frac{1}{x+1}-\frac{1}{x-1}\right)$$

$$=\frac{2}{x(x-2)}-\frac{2}{(x-1)(x+1)}$$

$=\dfrac{2(x-1)(x+1)-2x(x-2)}{x(x-1)(x-2)(x+1)}$

$=\dfrac{4x-2}{x(x-1)(x-2)(x+1)}$

따라서 $a=4$, $b=-2$이므로

$a+b=2$

답 ①

|다른 풀이|

$\dfrac{x-1}{x-2}-\dfrac{x}{x-1}-\dfrac{x+1}{x}+\dfrac{x+2}{x+1}$

$=\left(\dfrac{x-1}{x-2}-\dfrac{x+1}{x}\right)+\left(\dfrac{x+2}{x+1}-\dfrac{x}{x-1}\right)$

$=\dfrac{x(x-1)-(x+1)(x-2)}{x(x-2)}+\dfrac{(x+2)(x-1)-x(x+1)}{(x+1)(x-1)}$

$=\dfrac{2}{x(x-2)}-\dfrac{2}{(x+1)(x-1)}$

$=\dfrac{2(x-1)(x+1)-2x(x-2)}{x(x-1)(x-2)(x+1)}$

$=\dfrac{4x-2}{x(x-1)(x-2)(x+1)}$

05

$-1<x<0$에서 $x\neq0$이므로 $x^2+4x+1=0$의 양변을 x로 나누면

$x+4+\dfrac{1}{x}=0 \qquad \therefore x+\dfrac{1}{x}=-4$

$\left(x-\dfrac{1}{x}\right)^2=\left(x+\dfrac{1}{x}\right)^2-4$이므로

$\left(x-\dfrac{1}{x}\right)^2=(-4)^2-4=12$

이때 $-1<x<0$이므로 $x-\dfrac{1}{x}=\dfrac{x^2-1}{x}>0$

$\therefore x-\dfrac{1}{x}=2\sqrt{3}$

또, $x^2+\dfrac{1}{x^2}=\left(x+\dfrac{1}{x}\right)^2-2=(-4)^2-2=14$이므로

$x^4-\dfrac{1}{x^4}=\left(x^2+\dfrac{1}{x^2}\right)\left(x^2-\dfrac{1}{x^2}\right)$

$=\left(x^2+\dfrac{1}{x^2}\right)\left(x+\dfrac{1}{x}\right)\left(x-\dfrac{1}{x}\right)$

$=14\times(-4)\times2\sqrt{3}=-112\sqrt{3}$

답 $-112\sqrt{3}$

06

$a+\dfrac{1}{b}=1$에서

$a=1-\dfrac{1}{b}=\dfrac{b-1}{b} \qquad \therefore \dfrac{1}{a}=\dfrac{b}{b-1}$

$b+\dfrac{1}{3c}=1$에서

$\dfrac{1}{3c}=1-b$, $\dfrac{1}{c}=3(1-b) \qquad \therefore c=\dfrac{1}{3(1-b)}$

$\therefore c+\dfrac{1}{3a}=\dfrac{1}{3(1-b)}+\dfrac{b}{3(b-1)}$

$=\dfrac{-1}{3(b-1)}+\dfrac{b}{3(b-1)}$

$=\dfrac{b-1}{3(b-1)}=\dfrac{1}{3}$

답 $\dfrac{1}{3}$

07

$\dfrac{4}{a}+\dfrac{3}{b}+\dfrac{5}{c}=0$이므로 $\dfrac{5ab+4bc+3ca}{abc}=0$

$\therefore 5ab+4bc+3ca=0$ ($\because abc\neq0$)

$\therefore \dfrac{2a}{(a+b)(a+c)}+\dfrac{3b}{(b+c)(b+a)}+\dfrac{c}{(c+a)(c+b)}$

$=\dfrac{2a(b+c)+3b(c+a)+c(a+b)}{(a+b)(b+c)(c+a)}$

$=\dfrac{5ab+4bc+3ca}{(a+b)(b+c)(c+a)}$

$=0$

답 0

08

$a+b+c\neq0$이므로 가비의 리에 의하여

$\dfrac{a-b-2c}{2a}=\dfrac{b-c-2a}{2b}=\dfrac{c-a-2b}{2c}$

$=\dfrac{(a-b-2c)+(b-c-2a)+(c-a-2b)}{2a+2b+2c}$

$=\dfrac{-2(a+b+c)}{2(a+b+c)}$

$=-1$

따라서

$a-b-2c=-2a$, $b-c-2a=-2b$, $c-a-2b=-2c$

이므로

$b+2c=3a$, $c+2a=3b$, $a+2b=3c$

$\therefore \dfrac{a}{b+2c}+\dfrac{b}{c+2a}+\dfrac{c}{a+2b}=\dfrac{a}{3a}+\dfrac{b}{3b}+\dfrac{c}{3c}$

$=\dfrac{1}{3}+\dfrac{1}{3}+\dfrac{1}{3}=1$

답 ⑤

09

$\dfrac{\dfrac{1}{n+1}-\dfrac{1}{n+3}}{\dfrac{1}{n+3}-\dfrac{1}{n+5}}=\dfrac{\dfrac{(n+3)-(n+1)}{(n+1)(n+3)}}{\dfrac{(n+5)-(n+3)}{(n+3)(n+5)}}=\dfrac{n+5}{n+1}$

$\dfrac{n+5}{n+1}=k$ (k는 자연수)로 놓으면

$n+5=k(n+1)$, $(k-1)n=5-k$ ← $k=1$이면 $0\times n=4$이므로 모순이다. $\therefore k\neq1$

$k-1\neq0$이므로 양변을 $k-1$로 나누면

$n=\dfrac{5-k}{k-1}=\dfrac{-(k-1)+4}{k-1}=-1+\dfrac{4}{k-1}$

n이 정수이려면 $k-1$이 4의 양의 약수이어야 하므로

$k-1=1, 2, 4$

$\therefore k=2, 3, 5$

따라서 정수 n은 3, 1, 0의 3개이다.

답 3

10

ㄱ. $3x+2=0$에서 $x=-\dfrac{2}{3}$

따라서 주어진 유리함수의 정의역은

$\left\{x \,\middle|\, x\neq-\dfrac{2}{3}\text{인 실수}\right\}$

ㄴ. $x^2-x+1=\left(x-\frac{1}{2}\right)^2+\frac{3}{4}>0$이므로 주어진 유리함수의 정의역은 실수 전체의 집합이다.

ㄷ. $x^2-9=0$에서 $x=\pm3$
따라서 주어진 유리함수의 정의역은
$\{x|x\neq\pm3$인 실수$\}$

ㄹ. 모든 실수 x에 대하여 $x^2+1>0$이므로 주어진 유리함수의 정의역은 실수 전체의 집합이다.

따라서 정의역이 실수 전체의 집합인 것은 ㄴ, ㄹ이다.

답 ④

11

함수 $y=\frac{5}{x}$의 그래프를 x축의 방향으로 3만큼, y축의 방향으로 2만큼 평행이동한 그래프의 식은

$y=\frac{5}{x-3}+2$

이 함수의 그래프가 점 $(a, 3)$을 지나므로

$3=\frac{5}{a-3}+2$, $\frac{5}{a-3}=1$, $a-3=5$　　$\therefore a=8$

답 ⑤

12

$n=3$일 때

$f(x)=\frac{x+2\times3^2+3}{x-3}=\frac{x+21}{x-3}$

$=\frac{(x-3)+24}{x-3}=\frac{24}{x-3}+1$

따라서 곡선 $y=f(x)$의 점근선의 방정식은 $x=3$, $y=1$이므로

$p=3$, $q=1$

$\therefore p+q=3+1=4$

답 ④

13

$y=-\frac{kx}{x+2}=\frac{-k(x+2)+2k}{x+2}=\frac{2k}{x+2}-k$이므로 이 함수의 그래프의 점근선의 방정식은

$x=-2$, $y=-k$

$y=\frac{x+3}{x-k}=\frac{(x-k)+k+3}{x-k}=\frac{k+3}{x-k}+1$이므로 이 함수의 그래프의 점근선의 방정식은

$x=k$, $y=1$

k가 양수이므로 두 함수의 그래프의 점근선으로 둘러싸인 도형은 오른쪽 그림의 색칠한 부분과 같다.

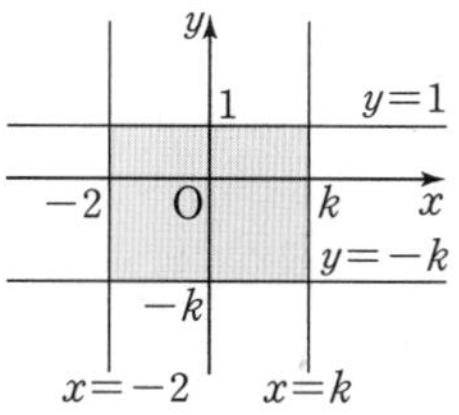

이 도형의 넓이가 12이므로

$\{k-(-2)\}\{1-(-k)\}=12$

$(k+2)(k+1)=12$, $k^2+3k-10=0$

$(k+5)(k-2)=0$

$\therefore k=2\ (\because k>0)$

답 ③

14

곡선 $y=g(x)$가 유리함수 $f(x)=\frac{3x+k}{x+4}$의 그래프를 x축의 방향으로 -2만큼, y축의 방향으로 3만큼 평행이동한 것이므로

$g(x)=\frac{3(x+2)+k}{(x+2)+4}+3$

$=\frac{3(x+6)+k-12}{x+6}+3$

$=\frac{k-12}{x+6}+6$

따라서 곡선 $y=g(x)$의 점근선의 방정식은 $x=-6$, $y=6$이므로 두 점근선의 교점은 $(-6, 6)$이다.

점 $(-6, 6)$이 곡선 $y=f(x)$ 위의 점이므로

$6=\frac{3\times(-6)+k}{-6+4}$, $-18+k=-12$

$\therefore k=6$

답 ⑤

15

함수 $y=\left|f(x-a)+\frac{a}{3}\right|$의 그래프가 y축에 대하여 대칭이므로 함수 $y=f(x-a)+\frac{a}{3}$의 그래프의 점근선의 방정식은 $x=0$, $y=0$이어야 한다.

$f(x)=\frac{a}{x+3}+b$이므로

$f(x-a)+\frac{a}{3}=\frac{a}{x-a+3}+b+\frac{a}{3}$

따라서 $y=f(x-a)+\frac{a}{3}$의 그래프의 점근선의 방정식은

$x=a-3$, $y=b+\frac{a}{3}$

이므로

$a-3=0$, $b+\frac{a}{3}=0$

$\therefore a=3$, $b=-1$

즉, $f(x)=\frac{3}{x+3}-1$이므로

$f(b)=f(-1)=\frac{3}{-1+3}-1=\frac{1}{2}$

답 $\frac{1}{2}$

16

$y=\frac{bx+c}{x+a}=\frac{b(x+a)-ab+c}{x+a}=\frac{c-ab}{x+a}+b$이므로 이 함수의 그래프의 점근선의 방정식은

$x=-a$, $y=b$

주어진 함수의 그래프에서 점근선의 방정식이 $x=3$, $y=2$이므로

$a=-3$, $b=2$

함수 $y=\frac{bx+c}{x+a}$, 즉 $y=\frac{2x+c}{x-3}$의 그래프가 점 $(2, -3)$을 지나므로

$-3=\frac{2\times2+c}{2-3}$, $4+c=3$　　$\therefore c=-1$

$\therefore a+b+c=-3+2+(-1)=-2$

답 -2

17

함수 $y=\frac{a}{x-b}+c$의 그래프의 점근선의 방정식은

$x=b$, $y=c$

주어진 그래프에 의하여

$b<0$, $c<0$

함수 $y=\frac{a}{x-b}+c$의 그래프는 함수 $y=\frac{a}{x}$의 그래프를 평행이동한 것이고 함수 $y=\frac{a}{x-b}+c$의 그래프에서 함수 $y=\frac{a}{x}$의 그래프가 제1사분면과 제3사분면에 그려짐을 알 수 있다.

$\therefore a>0$

$a>0$, $b<0$이므로

$a-b>0$

또, 주어진 그래프가 원점을 지나므로

$0=\frac{a}{0-b}+c$, $\frac{a}{b}=c$

$\therefore a=bc$

따라서 옳지 않은 것은 ④이다.

답 ④

18

문제 접근하기

주어진 함수의 식을 $y=\frac{k}{x-p}+q$의 꼴로 변형하여 그래프의 점근선의 방정식을 구한 후 그래프가 제4사분면을 지나도록 하는 조건을 찾는다.

$y=\frac{2x+n-8}{x+2}=\frac{2(x+2)+n-12}{x+2}=\frac{n-12}{x+2}+2$이므로 이 함수의 그래프의 점근선의 방정식은

$x=-2$, $y=2$

$n-12>0$, 즉 $n>12$이면 함수 $y=\frac{2x+n-8}{x+2}$의 그래프는 오른쪽 그림과 같이 제4사분면을 지나지 않는다.

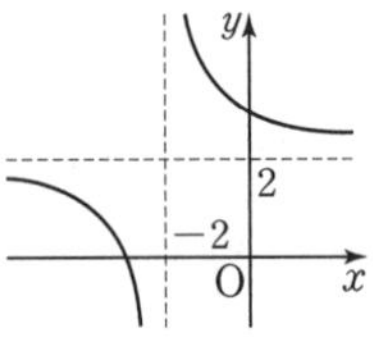

따라서 $n<12$이어야 한다.

이때 함수 $y=\frac{2x+n-8}{x+2}$의 그래프가 제4사분면을 지나야 하므로 오른쪽 그림과 같이 그래프가 y축과 원점 아래에서 만나야 한다.

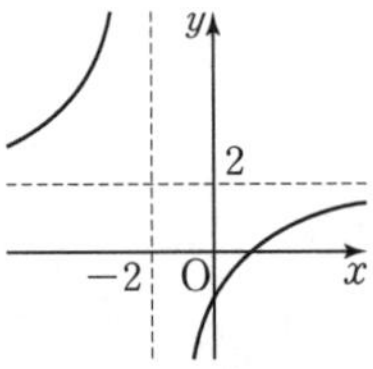

즉, $x=0$일 때의 y의 값이 0보다 작아야 하므로

$\frac{0+n-8}{0+2}<0$

$\therefore n<8$

따라서 조건을 만족시키는 모든 자연수 n의 값의 합은

$1+2+3+4+5+6+7=28$

답 28

19

$$f(x)=\frac{x+c}{ax+b}=\frac{\frac{1}{a}x+\frac{c}{a}}{x+\frac{b}{a}}=\frac{\frac{1}{a}\left(x+\frac{b}{a}\right)-\frac{b}{a^2}+\frac{c}{a}}{x+\frac{b}{a}}$$

$$=\frac{-\frac{b}{a^2}+\frac{c}{a}}{x+\frac{b}{a}}+\frac{1}{a}$$

따라서 함수 $y=f(x)$의 그래프의 점근선의 방정식은

$x=-\frac{b}{a}$, $y=\frac{1}{a}$

이므로 그 그래프는 점 $\left(-\frac{b}{a}, \frac{1}{a}\right)$에 대하여 대칭이다.

즉, $-\frac{b}{a}=-1$, $\frac{1}{a}=1$이므로 $a=1$, $b=1$

함수 $f(x)=\frac{x+c}{ax+b}$, 즉 $f(x)=\frac{x+c}{x+1}$의 그래프가 점 $(0, 2)$를 지나므로

$2=\frac{0+c}{0+1}$ $\quad\therefore c=2$

$\therefore f(x)=\frac{x+2}{x+1}$

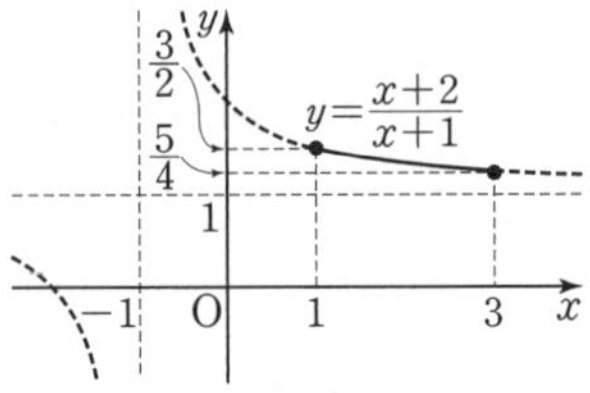

$1\le x\le 3$에서 함수 $y=f(x)$의 그래프는 위의 그림과 같으므로 $f(x)$는

$x=1$에서 최댓값 $\frac{3}{2}$, $x=3$에서 최솟값 $\frac{5}{4}$

를 갖는다.

따라서 구하는 최댓값과 최솟값의 합은

$\frac{3}{2}+\frac{5}{4}=\frac{11}{4}$

답 $\frac{11}{4}$

|다른 풀이|

함수 $y=f(x)$의 그래프가 점 $(-1, 1)$에 대하여 대칭이므로 점근선의 방정식은 $x=-1$, $y=1$이다.

따라서 $f(x)=\frac{k}{a(x+1)}+1$ (k는 상수)로 놓을 수 있다.

이때 함수 $y=f(x)$의 그래프가 점 $(0, 2)$를 지나므로

$2=\frac{k}{a(0+1)}+1$, $\frac{k}{a}=1$ $\quad\therefore k=a$

$\therefore f(x)=\frac{a}{a(x+1)}+1=\frac{1}{x+1}+1=\frac{x+2}{x+1}$

$\therefore a=1$, $b=1$, $c=2$

20

함수 $y=\frac{x-2}{x+2}$의 그래프와 직선 $y=mx+1$이 한 점에서 만나므로 $\frac{x-2}{x+2}=mx+1$에서

$x-2=(mx+1)(x+2)$

$\therefore mx^2+2mx+4=0$

이 이차방정식의 판별식을 D라고 하면

$\frac{D}{4}=m^2-m\times 4=0$

$m(m-4)=0$

$\therefore m=4$ ($\because m>0$)

답 ④

21

$y=\frac{2x}{x+3}=\frac{2(x+3)-6}{x+3}=-\frac{6}{x+3}+2$

따라서 함수 $y=\frac{2x}{x+3}$의 그래프는 함수 $y=-\frac{6}{x}$의 그래프를 x축의 방향으로 -3만큼, y축의 방향으로 2만큼 평행이동한 것이다.
직선 $y=mx+2$는 m의 값에 관계없이 항상 점 $(0,\ 2)$를 지나므로 다음과 같이 나누어 생각해 보자.

(i) $m=0$일 때

직선 $y=mx+2$, 즉 $y=2$는 함수 $y=\frac{2x}{x+3}$의 그래프의 한 점근선이므로 두 그래프는 만나지 않는다.

(ii) $m\neq 0$일 때

$\frac{2x}{x+3}=mx+2$에서

$2x=(mx+2)(x+3)$

$\therefore mx^2+3mx+6=0$

이 이차방정식의 판별식을 D라고 하면

$D=(3m)^2-4\times m\times 6<0$

$9m^2-24m<0,\ 3m(3m-8)<0$

$\therefore 0<m<\frac{8}{3}$

(i), (ii)에 의하여 $0\le m<\frac{8}{3}$

답 ②

참고

$m=0$일 때와 $m=\frac{8}{3}$일 때의 직선 $y=mx+2$는 오른쪽 그림과 같다.
따라서 함수 $y=\frac{2x}{x+3}$의 그래프와 직선 $y=mx+2$가 만나지 않으려면 $0\le m<\frac{8}{3}$이어야 한다.

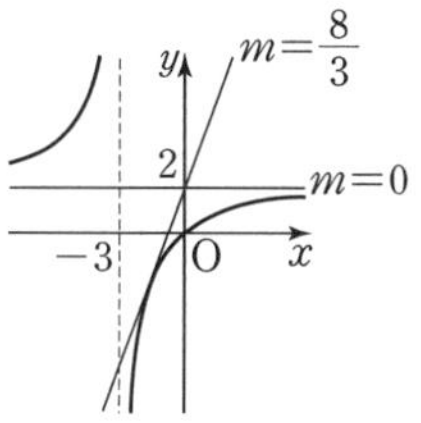

22

문제 접근하기

$f^1(5)$, $f^2(5)$, $f^3(5)$, …의 값을 차례로 구한 후 그 규칙성을 파악하여 $f^{2021}(5)$의 값을 구한다.

$f(x)=\frac{x-1}{x}$이므로

$f^1(5)=\frac{5-1}{5}=\frac{4}{5}$

$f^2(5)=(f\circ f)(5)=f(f(5))=f\left(\frac{4}{5}\right)$

$=\frac{\frac{4}{5}-1}{\frac{4}{5}}=-\frac{1}{4}$

$f^3(5)=(f\circ f^2)(5)=f(f^2(5))=f\left(-\frac{1}{4}\right)$

$=\frac{-\frac{1}{4}-1}{-\frac{1}{4}}=5$

$f^4(5)=(f\circ f^3)(5)=f(f^3(5))=f(5)$

$=\frac{5-1}{5}=\frac{4}{5}$

⋮

즉, $f^n(5)$의 값은 $\frac{4}{5}$, $-\frac{1}{4}$, 5의 값이 이 순서대로 반복되고 $2021=3\times 673+2$이므로

$f^{2021}(5)=f^2(5)=-\frac{1}{4}$

답 ②

| 다른 풀이 |

$f(x)=\frac{x-1}{x}$이므로

$f^2(x)=(f\circ f)(x)=f(f(x))=f\left(\frac{x-1}{x}\right)$

$=\frac{\frac{x-1}{x}-1}{\frac{x-1}{x}}=-\frac{1}{x-1}$

$f^3(x)=(f\circ f^2)(x)=f(f^2(x))=f\left(-\frac{1}{x-1}\right)$

$=\frac{-\frac{1}{x-1}-1}{-\frac{1}{x-1}}=x$

따라서 $f^{3n}(x)$ (n은 자연수)는 항등함수이므로

$f^1(x)=f^4(x)=f^7(x)=\cdots=\frac{x-1}{x}$

$f^2(x)=f^5(x)=f^8(x)=\cdots=-\frac{1}{x-1}$

$f^3(x)=f^6(x)=f^9(x)=\cdots=x$

즉, $f^{2021}(x)=f^{3\times 673+2}(x)=f^2(x)=\cdots=-\frac{1}{x-1}$이므로

$f^{2021}(5)=-\frac{1}{5-1}=-\frac{1}{4}$

23

$y=\frac{x+b}{x-2a}$로 놓으면

$(x-2a)y=x+b,\ (y-1)x=2ay+b$

$\therefore x=\frac{2ay+b}{y-1}$

x와 y를 서로 바꾸면 $y=\frac{2ax+b}{x-1}$

$\therefore f^{-1}(x)=\frac{2ax+b}{x-1}$

$y=f(x)$의 그래프를 x축의 방향으로 -2만큼, y축의 방향으로 2만큼 평행이동한 그래프의 식은

$y=\frac{x+2+b}{x+2-2a}+2=\frac{3x-4a+b+6}{x+2-2a}$

조건 (가)에 의하여

$\frac{2ax+b}{x-1}=\frac{3x-4a+b+6}{x+2-2a}$

즉, $2a=3$, $b=-4a+b+6$, $-1=2-2a$이므로

$a=\frac{3}{2}$

한편 $f(x)=\frac{x+b}{x-2a}=\frac{(x-2a)+2a+b}{x-2a}=\frac{2a+b}{x-2a}+1$이므로

조건 (나)에 의하여

$2a+b=2$

$\therefore b=2-2a=2-2\times\frac{3}{2}=-1$

$\therefore 2a-b=2\times\frac{3}{2}-(-1)=4$

답 ④

24

$(f \circ g^{-1})^{-1}(4)=(g \circ f^{-1})(4)=g(f^{-1}(4))$

$f^{-1}(4)=k$라고 하면 $f(k)=4$이므로

$\frac{k}{k+2}=4$, $k=4k+8$

$\therefore k=-\frac{8}{3}$

따라서 $f^{-1}(4)=-\frac{8}{3}$이므로

$(f \circ g^{-1})^{-1}(4)=g(f^{-1}(4))=g\left(-\frac{8}{3}\right)$

$=\frac{3\times\left(-\frac{8}{3}\right)-2}{-\frac{8}{3}}=\frac{15}{4}$

답 $\frac{15}{4}$

|다른 풀이|

$y=\frac{x}{x+2}$로 놓으면

$(x+2)y=x$, $(y-1)x=-2y$

$\therefore x=-\frac{2y}{y-1}$

x와 y를 서로 바꾸면 $y=-\frac{2x}{x-1}$

$\therefore f^{-1}(x)=-\frac{2x}{x-1}$

$\therefore (f \circ g^{-1})^{-1}(4)=(g \circ f^{-1})(4)=g(f^{-1}(4))$

$=g\left(-\frac{2\times4}{4-1}\right)=g\left(-\frac{8}{3}\right)$

$=\frac{3\times\left(-\frac{8}{3}\right)-2}{-\frac{8}{3}}=\frac{15}{4}$

05 무리식과 무리함수

기본을 다지는 유형

본문 099쪽

001

(1) $x+5\geq0$에서 $x\geq-5$

(2) $x-3\geq0$에서 $x\geq3$ ········· ㉠

$x+2\geq0$에서 $x\geq-2$ ········· ㉡

㉠, ㉡에서 $x\geq3$

(3) $6+3x\geq0$에서 $3x\geq-6$

$\therefore x\geq-2$ ········· ㉠

$4-x\geq0$에서 $x\leq4$ ········· ㉡

㉠, ㉡에서 $-2\leq x\leq4$

(4) $x+3\geq0$에서 $x\geq-3$ ········· ㉠

$6-x>0$에서 $x<6$ ········· ㉡

㉠, ㉡에서 $-3\leq x<6$

답 (1) $x\geq-5$ (2) $x\geq3$ (3) $-2\leq x\leq4$ (4) $-3\leq x<6$

002

$3-x\geq0$에서 $x\leq3$ ········· ㉠

$3x+7>0$에서 $3x>-7$

$\therefore x>-\frac{7}{3}$ ········· ㉡

㉠, ㉡에서

$-\frac{7}{3}<x\leq3$

따라서 모든 정수 x의 값의 합은

$-2+(-1)+0+1+2+3=3$

답 3

003

$8-2x\geq0$에서 $2x\leq8$

$\therefore x\leq4$ ········· ㉠

$x-3\neq0$에서 $x\neq3$ ········· ㉡

㉠, ㉡에서

$x<3$ 또는 $3<x\leq4$

따라서 자연수 x는 1, 2, 4의 3개이다.

답 ③

004

$x+2\geq0$에서 $x\geq-2$ ········· ㉠

$1-x\geq0$에서 $x\leq1$ ········· ㉡

㉠, ㉡에서 $-2\leq x\leq1$ ········· ❶

$-2\leq x\leq1$에서 $x-3<0$, $x+4>0$이므로

$|x-3|+|x+4|=-(x-3)+x+4=7$ ········· ❷

답 7

채점 기준	비율
❶ $\sqrt{x+2}-\sqrt{1-x}$의 값이 실수가 되기 위한 x의 값의 범위를 구할 수 있다.	50%
❷ $\lvert x-3\rvert+\lvert x+4\rvert$를 간단히 할 수 있다.	50%

005

(1) $(\sqrt{2x+1}-1)(\sqrt{2x+1}+1)$
$=(\sqrt{2x+1})^2-1^2$
$=2x+1-1=2x$

(2) $(\sqrt{x+3}+\sqrt{x-3})(\sqrt{x+3}-\sqrt{x-3})$
$=(\sqrt{x+3})^2-(\sqrt{x-3})^2$
$=x+3-(x-3)=6$

답 (1) $2x$ (2) 6

006

(1) $\dfrac{\sqrt{x}-\sqrt{y}}{\sqrt{x}+\sqrt{y}}=\dfrac{(\sqrt{x}-\sqrt{y})^2}{(\sqrt{x}+\sqrt{y})(\sqrt{x}-\sqrt{y})}$
$=\dfrac{x+y-2\sqrt{xy}}{x-y}$

(2) $\dfrac{\sqrt{x+2}+\sqrt{x}}{\sqrt{x+2}-\sqrt{x}}=\dfrac{(\sqrt{x+2}+\sqrt{x})^2}{(\sqrt{x+2}-\sqrt{x})(\sqrt{x+2}+\sqrt{x})}$
$=\dfrac{x+2+x+2\sqrt{x^2+2x}}{(x+2)-x}$
$=\dfrac{2(x+1)+2\sqrt{x^2+2x}}{2}$
$=x+1+\sqrt{x^2+2x}$

답 (1) $\dfrac{x+y-2\sqrt{xy}}{x-y}$ (2) $x+1+\sqrt{x^2+2x}$

007

$-2<a<1$이므로
$a+2>0,\ a-1<0$
$\therefore \sqrt{a^2+4a+4}+\sqrt{a^2-2a+1}=\sqrt{(a+2)^2}+\sqrt{(a-1)^2}$
$=\lvert a+2\rvert+\lvert a-1\rvert$
$=a+2-(a-1)$
$=3$

답 ④

008

$x^2-4=\left(a+\dfrac{1}{a}\right)^2-4=a^2+\dfrac{1}{a^2}-2=\left(a-\dfrac{1}{a}\right)^2$ ❶

이때 $a>1$이므로 $0<\dfrac{1}{a}<1$

$\therefore a-\dfrac{1}{a}>0$ ❷

$\therefore \sqrt{x^2-4}-x=\sqrt{\left(a-\dfrac{1}{a}\right)^2}-\left(a+\dfrac{1}{a}\right)$
$=\left\lvert a-\dfrac{1}{a}\right\rvert-\left(a+\dfrac{1}{a}\right)$
$=a-\dfrac{1}{a}-a-\dfrac{1}{a}$
$=-\dfrac{2}{a}$ ❸

답 $-\dfrac{2}{a}$

채점 기준	비율
❶ x^2-4를 a에 대한 식으로 나타낼 수 있다.	30%
❷ $a-\dfrac{1}{a}$의 부호를 구할 수 있다.	30%
❸ $\sqrt{x^2-4}-x$를 a에 대한 식으로 나타낼 수 있다.	40%

009

$\dfrac{1}{a+\sqrt{ab}}+\dfrac{1}{b+\sqrt{ab}}=\dfrac{1}{\sqrt{a}(\sqrt{a}+\sqrt{b})}+\dfrac{1}{\sqrt{b}(\sqrt{b}+\sqrt{a})}$
$=\dfrac{\sqrt{a}+\sqrt{b}}{\sqrt{a}\sqrt{b}(\sqrt{a}+\sqrt{b})}$
$=\dfrac{1}{\sqrt{a}\sqrt{b}}$
$=\dfrac{1}{\sqrt{ab}}$

답 ④

010

$\sqrt{x+1}\sqrt{4-y}=-\sqrt{(x+1)(4-y)}$이고 $x\neq-1,\ y\neq4$이므로
$x+1<0,\ 4-y<0$
따라서 $x<-1,\ y>4$이므로
$x-y<0$
$\therefore \sqrt{(x+1)^2}+\lvert 4-y\rvert-\sqrt{(x-y)^2}$
$=\lvert x+1\rvert+\lvert 4-y\rvert-\lvert x-y\rvert$
$=-(x+1)-(4-y)+(x-y)$
$=-5$

답 -5

011

$\dfrac{\sqrt{a-3}}{\sqrt{a-7}}=-\sqrt{\dfrac{a-3}{a-7}}$이므로
$a-3\geq0,\ a-7<0$
$\therefore \sqrt{(a-3)^2}+\sqrt{(a-7)^2}=\lvert a-3\rvert+\lvert a-7\rvert$
$=a-3-(a-7)$
$=4$

답 ②

012

$\dfrac{\sqrt{2+x}-\sqrt{2-x}}{\sqrt{2+x}+\sqrt{2-x}}+\dfrac{\sqrt{2+x}+\sqrt{2-x}}{\sqrt{2+x}-\sqrt{2-x}}$
$=\dfrac{(\sqrt{2+x}-\sqrt{2-x})^2}{(\sqrt{2+x}+\sqrt{2-x})(\sqrt{2+x}-\sqrt{2-x})}$
$+\dfrac{(\sqrt{2+x}+\sqrt{2-x})^2}{(\sqrt{2+x}-\sqrt{2-x})(\sqrt{2+x}+\sqrt{2-x})}$
$=\dfrac{(2+x)+(2-x)-2\sqrt{4-x^2}}{(2+x)-(2-x)}+\dfrac{(2+x)+(2-x)+2\sqrt{4-x^2}}{(2+x)-(2-x)}$
$=\dfrac{4-2\sqrt{4-x^2}}{2x}+\dfrac{4+2\sqrt{4-x^2}}{2x}$
$=\dfrac{8}{2x}=\dfrac{4}{x}$
$\therefore k=4$

답 ⑤

013

$$\frac{1}{\sqrt{x}-1}-\frac{1}{\sqrt{x}+1}=\frac{(\sqrt{x}+1)-(\sqrt{x}-1)}{(\sqrt{x}-1)(\sqrt{x}+1)}=\frac{2}{x-1}$$
$$=\frac{2}{\sqrt{5}-1}=\frac{2(\sqrt{5}+1)}{(\sqrt{5}-1)(\sqrt{5}+1)}$$
$$=\frac{\sqrt{5}+1}{2}$$

답 $\frac{\sqrt{5}+1}{2}$

014

$$\frac{1}{\sqrt{x+1}+\sqrt{x}}+\frac{1}{\sqrt{x+1}-\sqrt{x}}=\frac{(\sqrt{x+1}-\sqrt{x})+(\sqrt{x+1}+\sqrt{x})}{(\sqrt{x+1}+\sqrt{x})(\sqrt{x+1}-\sqrt{x})}$$
$$=\frac{2\sqrt{x+1}}{(x+1)-x}=2\sqrt{x+1}$$
$$=2\sqrt{8+1}=2\times3=6$$

답 ②

015

$$f(x)=\frac{1}{\sqrt{x+2}+\sqrt{x+1}}$$
$$=\frac{\sqrt{x+2}-\sqrt{x+1}}{(\sqrt{x+2}+\sqrt{x+1})(\sqrt{x+2}-\sqrt{x+1})}$$
$$=\frac{\sqrt{x+2}-\sqrt{x+1}}{(x+2)-(x+1)}$$
$$=\sqrt{x+2}-\sqrt{x+1}$$ ❶

이므로

$f(1)+f(2)+f(3)+\cdots+f(398)$

$=(\sqrt{3}-\sqrt{2})+(\sqrt{4}-\sqrt{3})+(\sqrt{5}-\sqrt{4})+\cdots+(\sqrt{400}-\sqrt{399})$

$=\sqrt{400}-\sqrt{2}=20-\sqrt{2}$ ❷

따라서 $a=20$, $b=-1$이므로

$a+b=20-1=19$ ❸

답 19

채점 기준	비율
❶ $f(x)$의 분모를 유리화할 수 있다.	40%
❷ $f(1)+f(2)+f(3)+\cdots+f(398)$의 값을 구할 수 있다.	40%
❸ $a+b$의 값을 구할 수 있다.	20%

016

$$x=\frac{1}{\sqrt{5}-2}=\frac{\sqrt{5}+2}{(\sqrt{5}-2)(\sqrt{5}+2)}=\frac{\sqrt{5}+2}{5-4}=\sqrt{5}+2$$
$$\therefore \frac{\sqrt{x}+1}{\sqrt{x}-1}+\frac{\sqrt{x}-1}{\sqrt{x}+1}=\frac{(\sqrt{x}+1)^2+(\sqrt{x}-1)^2}{(\sqrt{x}-1)(\sqrt{x}+1)}$$
$$=\frac{x+2\sqrt{x}+1+(x-2\sqrt{x}+1)}{x-1}$$
$$=\frac{2(x+1)}{x-1}=\frac{2\{(\sqrt{5}+2)+1\}}{(\sqrt{5}+2)-1}$$
$$=\frac{2(\sqrt{5}+3)}{\sqrt{5}+1}=\frac{2(\sqrt{5}+3)(\sqrt{5}-1)}{(\sqrt{5}+1)(\sqrt{5}-1)}$$
$$=\frac{2(2+2\sqrt{5})}{4}=1+\sqrt{5}$$

답 ④

017

$$x=\frac{2-\sqrt{3}}{2+\sqrt{3}}=\frac{(2-\sqrt{3})^2}{(2+\sqrt{3})(2-\sqrt{3})}$$
$$=\frac{4+3-4\sqrt{3}}{4-3}=7-4\sqrt{3}$$
$$y=\frac{2+\sqrt{3}}{2-\sqrt{3}}=\frac{(2+\sqrt{3})^2}{(2-\sqrt{3})(2+\sqrt{3})}$$
$$=\frac{4+3+4\sqrt{3}}{4-3}=7+4\sqrt{3}$$
$$\therefore \frac{\sqrt{x}}{\sqrt{x}-\sqrt{y}}-\frac{\sqrt{y}}{\sqrt{x}+\sqrt{y}}=\frac{\sqrt{x}(\sqrt{x}+\sqrt{y})-\sqrt{y}(\sqrt{x}-\sqrt{y})}{(\sqrt{x}-\sqrt{y})(\sqrt{x}+\sqrt{y})}$$
$$=\frac{x+\sqrt{xy}-\sqrt{xy}+y}{x-y}$$
$$=\frac{x+y}{x-y}=\frac{(7-4\sqrt{3})+(7+4\sqrt{3})}{(7-4\sqrt{3})-(7+4\sqrt{3})}$$
$$=\frac{14}{-8\sqrt{3}}=-\frac{7}{4\sqrt{3}}$$
$$=-\frac{7\sqrt{3}}{12}$$

답 ①

018

ㄷ. $y=\sqrt{2}x-1$은 다항함수이다.

따라서 무리함수는 ㄱ, ㄴ, ㄹ이다.

답 ④

019

(1) $x+3\geq0$에서 $x\geq-3$

따라서 주어진 함수의 정의역은 $\{x|x\geq-3\}$

(2) $5-2x\geq0$에서 $x\leq\frac{5}{2}$

따라서 주어진 함수의 정의역은 $\left\{x\middle|x\leq\frac{5}{2}\right\}$

(3) $4x-3\geq0$에서 $x\geq\frac{3}{4}$

따라서 주어진 함수의 정의역은 $\left\{x\middle|x\geq\frac{3}{4}\right\}$

(4) $-3x+6\geq0$에서 $x\leq2$

따라서 주어진 함수의 정의역은 $\{x|x\leq2\}$

답 (1) $\{x|x\geq-3\}$ (2) $\left\{x\middle|x\leq\frac{5}{2}\right\}$ (3) $\left\{x\middle|x\geq\frac{3}{4}\right\}$ (4) $\{x|x\leq2\}$

020

(1) 함수 $y=\sqrt{-4x}$의 그래프는 오른쪽 그림과 같으므로

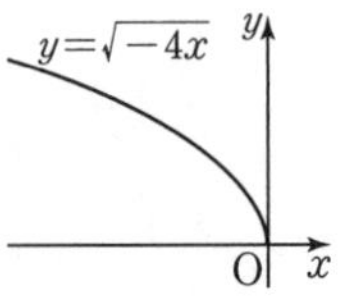

정의역은 $\{x|x\leq0\}$

치역은 $\{y|y\geq0\}$

(2) 함수 $y=\sqrt{2(x-1)}+1$의 그래프는 함수 $y=\sqrt{2x}$의 그래프를 x축의 방향으로 1만큼, y축의 방향으로 1만큼 평행이동한 것이므로 그 그래프는 오른쪽 그림과 같다.

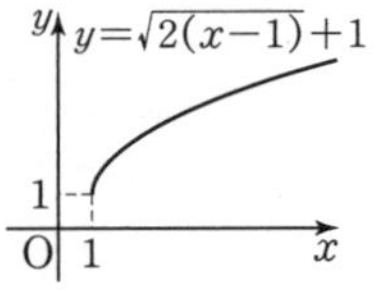

따라서 정의역은 $\{x|x\geq1\}$

치역은 $\{y|y\geq1\}$

(3) 함수 $y=-\sqrt{3(x+1)}+2$의 그래프는 함수 $y=-\sqrt{3x}$의 그래프를 x축의 방향으로 -1만큼, y축의 방향으로 2만큼 평행이동한 것이므로 그 그래프는 오른쪽 그림과 같다.

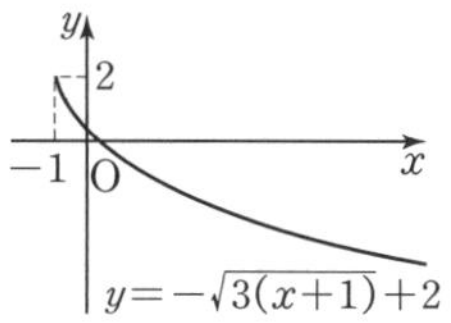

따라서 정의역은 $\{x|x\geq -1\}$
치역은 $\{y|y\leq 2\}$

답 풀이 참조

021

(1) $y=\sqrt{-x+2}-1=\sqrt{-(x-2)}-1$
즉, 함수 $y=\sqrt{-x+2}-1$의 그래프는 함수 $y=\sqrt{-x}$의 그래프를 x축의 방향으로 2만큼, y축의 방향으로 -1만큼 평행이동한 것이므로 그 그래프는 오른쪽 그림과 같다.

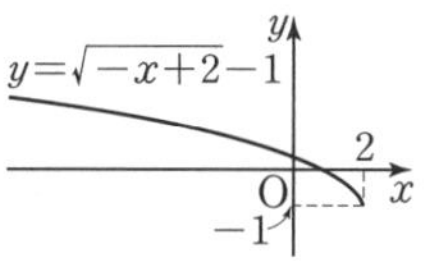

따라서 정의역은 $\{x|x\leq 2\}$
치역은 $\{y|y\geq -1\}$

(2) $y=-\sqrt{4x+8}+2=-\sqrt{4(x+2)}+2$
즉, 함수 $y=-\sqrt{4x+8}+2$의 그래프는 함수 $y=-\sqrt{4x}$의 그래프를 x축의 방향으로 -2만큼, y축의 방향으로 2만큼 평행이동한 것이므로 그 그래프는 오른쪽 그림과 같다.

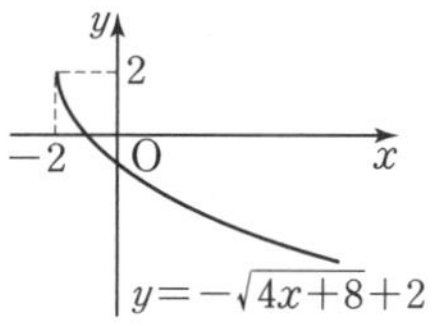

따라서 정의역은 $\{x|x\geq -2\}$
치역은 $\{y|y\leq 2\}$

답 풀이 참조

022

$y=\sqrt{3x+9}-1=\sqrt{3(x+3)}-1$
따라서 함수 $y=\sqrt{3x+9}-1$의 정의역은 $\{x|x\geq -3\}$,
치역은 $\{y|y\geq -1\}$이므로
$p=-3,\ q=-1$
$\therefore \dfrac{p}{q}=\dfrac{-3}{-1}=3$

답 ②

023

함수 $y=\sqrt{x+1}+k$의 그래프가 점 $(3,\ 7)$을 지나므로
$7=\sqrt{3+1}+k$
$\therefore k=5$

답 ⑤

024

$mx+12\geq 0$에서
$mx\geq -12$
이 부등식의 해가 $x\geq -3$이므로 $m>0$
$\therefore x\geq -\dfrac{12}{m}$
즉, $-\dfrac{12}{m}=-3$이므로
$m=4$ ······ ❶

함수 $y=-\sqrt{mx+12}+n$, 즉 $y=-\sqrt{4x+12}+n$의 그래프가 점 $(-2,\ 3)$을 지나므로
$3=-\sqrt{4\times(-2)+12}+n,\ 3=-\sqrt{4}+n$
$\therefore n=5$ ······ ❷
따라서 주어진 함수는 $y=-\sqrt{4x+12}+5$이므로 구하는 치역은
$\{y|y\leq 5\}$ ······ ❸

답 $\{y|y\leq 5\}$

채점 기준	비율
❶ m의 값을 구할 수 있다.	40%
❷ n의 값을 구할 수 있다.	30%
❸ 치역을 구할 수 있다.	30%

025

함수 $y=\sqrt{2x}$의 그래프를 x축의 방향으로 1만큼, y축의 방향으로 3만큼 평행이동한 그래프의 식은
$y=\sqrt{2(x-1)}+3$
이 함수의 그래프가 점 $(9,\ a)$를 지나므로
$a=\sqrt{2(9-1)}+3=4+3=7$

답 ③

026

함수 $y=\sqrt{a-3x}-2$의 그래프를 x축의 방향으로 -2만큼, y축의 방향으로 1만큼 평행이동한 그래프의 식은
$y=\sqrt{a-3(x+2)}-2+1=\sqrt{a-6-3x}-1$
이 함수의 그래프가 점 $(-1,\ 2)$를 지나므로
$2=\sqrt{a-6-3\times(-1)}-1,\ \sqrt{a-3}=3$
$a-3=9$
$\therefore a=12$

답 12

027

함수 $y=-\sqrt{2x-3}+1$의 그래프를 원점에 대하여 대칭이동한 그래프의 식은
$-y=-\sqrt{-2x-3}+1$
$\therefore y=\sqrt{-2x-3}-1$
이 함수의 그래프가 점 $(-2,\ a)$를 지나므로
$a=\sqrt{-2\times(-2)-3}-1=1-1=0$

답 ③

풍쌤 개념 CHECK

대칭이동_高 수학
함수 $y=f(x)$의 그래프를
(1) x축에 대하여 대칭이동한 그래프의 식은 $-y=f(x)$
y 대신 $-y$ 대입
(2) y축에 대하여 대칭이동한 그래프의 식은 $y=f(-x)$
x 대신 $-x$ 대입
(3) 원점에 대하여 대칭이동한 그래프의 식은 $-y=f(-x)$
x 대신 $-x$ 대입, y 대신 $-y$ 대입
(4) 직선 $y=x$에 대하여 대칭이동한 그래프의 식은 $x=f(y)$
x 대신 y 대입, y 대신 x 대입

028

함수 $y=\sqrt{3-x}-2$의 그래프를 x축의 방향으로 k만큼 평행이동한 그래프의 식은

$y=\sqrt{3-(x-k)}-2=\sqrt{3+k-x}-2$

이 함수의 그래프가 y축과 $\sqrt{3+k}-2$에서 만나고 이것이 양수이므로

$\sqrt{3+k}-2>0$, $\sqrt{3+k}>2$

$3+k>4$

$\therefore k>1$

답 $k>1$

029

함수 $y=\sqrt{a(x+2)}-3$의 그래프를 x축의 방향으로 b만큼, y축의 방향으로 c만큼 평행이동한 그래프의 식은

$y=\sqrt{a(x-b+2)}-3+c=\sqrt{ax-ab+2a}-3+c$

이것이 $y=\sqrt{18-6x}+5$와 일치하므로

$a=-6$, $-ab+2a=18$, $-3+c=5$

$\therefore a=-6$, $b=5$, $c=8$

$\therefore a+b+c=-6+5+8=7$

답 ②

030

함수 $y=-\sqrt{2x+1}$의 그래프를 x축에 대하여 대칭이동한 그래프의 식은

$-y=-\sqrt{2x+1}$

$\therefore y=\sqrt{2x+1}$

이 함수의 그래프를 x축의 방향으로 3만큼, y축의 방향으로 -2만큼 평행이동한 그래프의 식은

$y=\sqrt{2(x-3)+1}-2=\sqrt{2x-5}-2$

답 $y=\sqrt{2x-5}-2$

031

① $y=\sqrt{2x-1}=\sqrt{2\left(x-\frac{1}{2}\right)}$의 그래프는 $y=\sqrt{-2x}$의 그래프를 y축에 대하여 대칭이동한 후 x축의 방향으로 $\frac{1}{2}$만큼 평행이동한 것이다.

② $y=\sqrt{-2x}+3$의 그래프는 $y=\sqrt{-2x}$의 그래프를 y축의 방향으로 3만큼 평행이동한 것이다.

③ $y=-\sqrt{4-2x}+1=-\sqrt{-2(x-2)}+1$의 그래프는 $y=\sqrt{-2x}$의 그래프를 x축에 대하여 대칭이동한 후 x축의 방향으로 2만큼, y축의 방향으로 1만큼 평행이동한 것이다.

④ $y=\sqrt{4x-8}+2=\sqrt{4(x-2)}+2$의 그래프는 $y=\sqrt{-4x}$의 그래프를 y축에 대하여 대칭이동한 후 x축의 방향으로 2만큼, y축의 방향으로 2만큼 평행이동한 것이다.

⑤ $y=\sqrt{2x-6}-5=\sqrt{2(x-3)}-5$의 그래프는 $y=\sqrt{-2x}$의 그래프를 y축에 대하여 대칭이동한 후 x축의 방향으로 3만큼, y축의 방향으로 -5만큼 평행이동한 것이다.

따라서 평행이동 또는 대칭이동에 의하여 함수 $y=\sqrt{-2x}$의 그래프와 겹쳐지지 않는 것은 ④이다.

답 ④

032

함수 $y=\sqrt{-x+3}$의 그래프를 x축의 방향으로 -1만큼, y축의 방향으로 3만큼 평행이동한 그래프의 식은

$y=\sqrt{-(x+1)+3}+3$

$=\sqrt{-x+2}+3$ ······ ❶

다시 이 함수의 그래프를 y축에 대하여 대칭이동한 그래프의 식은

$y=\sqrt{-(-x)+2}+3$

$=\sqrt{x+2}+3$ ······ ❷

이것이 $y=\sqrt{ax+b}+c$와 일치하므로

$a=1$, $b=2$, $c=3$

$\therefore a+b+c=1+2+3=6$ ······ ❸

답 6

채점 기준	비율
❶ 평행이동한 그래프의 식을 구할 수 있다.	40%
❷ 대칭이동한 그래프의 식을 구할 수 있다.	30%
❸ $a+b+c$의 값을 구할 수 있다.	30%

033

주어진 그래프는 함수 $y=\sqrt{x}$의 그래프를 x축의 방향으로 -2만큼, y축의 방향으로 -1만큼 평행이동한 것이므로

$f(x)=\sqrt{x+2}-1$

$\therefore f(7)=\sqrt{7+2}-1=3-1=2$

답 ②

034

주어진 함수의 그래프는 함수 $y=a\sqrt{-x}$ $(a<0)$의 그래프를 x축의 방향으로 4만큼, y축의 방향으로 1만큼 평행이동한 것이므로

$y=a\sqrt{-(x-4)}+1$ $(a<0)$

로 놓을 수 있다.

이 함수의 그래프가 점 $(0, -3)$을 지나므로

$-3=a\sqrt{4}+1$, $2a=-4$ $\quad\therefore a=-2$

즉, 주어진 그래프의 식은

$y=-2\sqrt{-(x-4)}+1=-2\sqrt{-x+4}+1$

이므로 $a=-2$, $b=4$, $c=1$

$\therefore a+b+c=-2+4+1=3$

답 3

035

주어진 그래프는 함수 $y=\sqrt{bx}$ $(b<0)$의 그래프를 x축의 방향으로 2만큼, y축의 방향으로 $\frac{1}{2}$만큼 평행이동한 것이므로

$y=\sqrt{b(x-2)}+\frac{1}{2}$ $(b<0)$

로 놓을 수 있다.

이 함수의 그래프가 점 $\left(0, \frac{5}{2}\right)$를 지나므로

$\frac{5}{2}=\sqrt{-2b}+\frac{1}{2}$, $\sqrt{-2b}=2$

$-2b=4$ $\quad\therefore b=-2$

즉, 주어진 그래프의 식은

$y=\sqrt{-2(x-2)}+\frac{1}{2}$

이므로 $a=-2$, $b=-2$, $c=\frac{1}{2}$

$\therefore (a+b)c=\{-2+(-2)\}\times\frac{1}{2}=-2$

답 -2

036

주어진 그래프는 함수 $y=a\sqrt{x}$ $(a<0)$의 그래프를 x축의 방향으로 -1만큼, y축의 방향으로 3만큼 평행이동한 것이므로

$f(x)=a\sqrt{x+1}+3$ $(a<0)$

이 함수의 그래프가 점 $(0, 1)$을 지나므로

$1=a+3$ $\quad\therefore a=-2$

$\therefore f(x)=-2\sqrt{x+1}+3$

$f(k)=-3$에서

$-2\sqrt{k+1}+3=-3$

$2\sqrt{k+1}=6$, $\sqrt{k+1}=3$

$k+1=9$

$\therefore k=8$

답 8

037

$y=\sqrt{ax+b}+c=\sqrt{a\left(x+\frac{b}{a}\right)}+c$의 그래프는 $y=\sqrt{ax}$의 그래프를 x축의 방향으로 $-\frac{b}{a}$만큼, y축의 방향으로 c만큼 평행이동한 것이므로 주어진 그래프에서

$a<0$, $-\frac{b}{a}<0$, $c>0$

$-\frac{b}{a}<0$에서 $\frac{b}{a}>0$

$\therefore b<0$ $(\because a<0)$

답 ⑤

038

ㄱ. $a>0$이면 정의역은 $\{x|x\le 0\}$, 치역은 $\{y|y\ge 0\}$이므로 그래프는 제2사분면을 지난다. (참)

ㄴ. 정의역은 a의 값에 관계없이 항상 $\{x|x\le 0\}$이다. (참)

ㄷ. $a<0$이면 정의역은 $\{x|x\le 0\}$, 치역은 $\{y|y\le 0\}$이다. (거짓)

ㄹ. 그래프는 함수 $y=a\sqrt{x}$의 그래프와 y축에 대하여 대칭이다. (거짓)

따라서 옳은 것은 ㄱ, ㄴ이다.

답 ①

039

$y=\sqrt{4x+2}-1=\sqrt{4\left(x+\frac{1}{2}\right)}-1$의 그래프는 $y=\sqrt{4x}$의 그래프를 x축의 방향으로 $-\frac{1}{2}$만큼, y축의 방향으로 -1만큼 평행이동한 것이다.

$x=0$일 때 y절편은 $\sqrt{2}-1>0$이므로 함수 $y=\sqrt{4x+2}-1$의 그래프는 오른쪽 그림과 같고 제1사분면, 제2사분면, 제3사분면을 지난다.

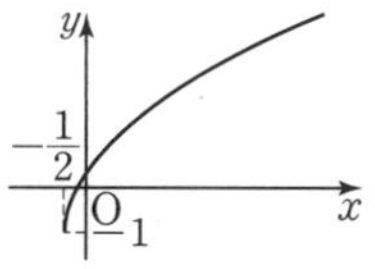

답 **제1사분면, 제2사분면, 제3사분면**

040

① $y=\sqrt{x+4}+2$의 그래프는 $y=\sqrt{x}$의 그래프를 x축의 방향으로 -4만큼, y축의 방향으로 2만큼 평행이동한 것이므로 오른쪽 그림과 같다.

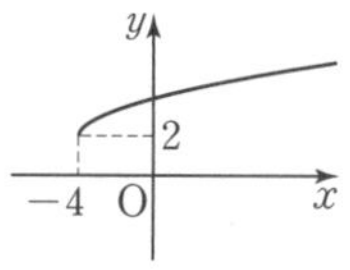

따라서 제2사분면을 지난다.

② $y=\sqrt{2-x}-1=\sqrt{-(x-2)}-1$의 그래프는 $y=\sqrt{-x}$의 그래프를 x축의 방향으로 2만큼, y축의 방향으로 -1만큼 평행이동한 것이므로 오른쪽 그림과 같다.

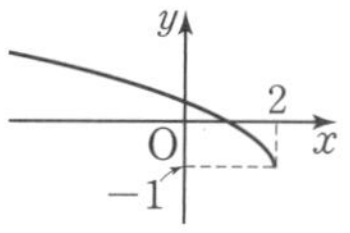

따라서 제2사분면을 지난다.

③ $y=-\sqrt{x+3}+3$의 그래프는 $y=-\sqrt{x}$의 그래프를 x축의 방향으로 -3만큼, y축의 방향으로 3만큼 평행이동한 것이므로 오른쪽 그림과 같다.

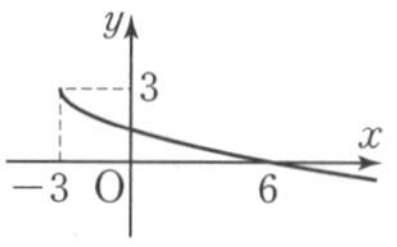

따라서 제2사분면을 지난다.

④ $y=-\sqrt{5-2x}+1=-\sqrt{-2\left(x-\frac{5}{2}\right)}+1$의 그래프는 $y=-\sqrt{-2x}$의 그래프를 x축의 방향으로 $\frac{5}{2}$만큼, y축의 방향으로 1만큼 평행이동한 것이므로 오른쪽 그림과 같다.

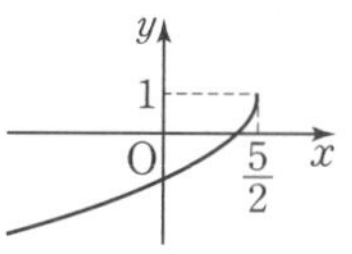

따라서 제2사분면을 지나지 않는다.

⑤ $y=-\sqrt{3x+4}+2=-\sqrt{3\left(x+\frac{4}{3}\right)}+2$의 그래프는 $y=-\sqrt{3x}$의 그래프를 x축의 방향으로 $-\frac{4}{3}$만큼, y축의 방향으로 2만큼 평행이동한 것이므로 오른쪽 그림과 같다.

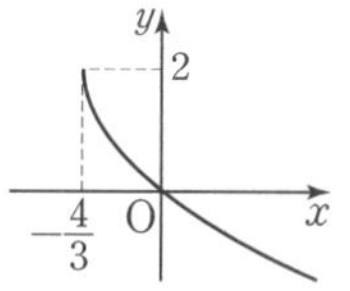

따라서 제2사분면을 지난다.

답 ④

041

$y=\sqrt{-2x+6}+k=\sqrt{-2(x-3)}+k$

함수 $y=\sqrt{-2x+6}+k$의 그래프는 $y=\sqrt{-2x}$의 그래프를 x축의 방향으로 3만큼, y축의 방향으로 k만큼 평행이동한 것이다. ❶

따라서 $y=\sqrt{-2x+6}+k$의 그래프가 제3사분면을 지나려면 오른쪽 그림과 같이 y축과 원점 아래에서 만나야 한다.

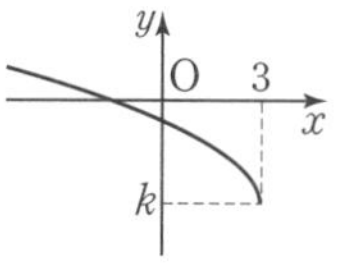

즉, $x=0$일 때의 y의 값이 0보다 작아야 하므로

$\sqrt{6}+k<0$ $\quad\therefore k<-\sqrt{6}$ ❷

이때 $-\sqrt{6}=-2.\cdots$이므로 정수 k의 최댓값은 -3이다. ❸

답 -3

채점 기준	비율
❶ $y=\sqrt{-2x+6}+k$의 그래프가 $y=\sqrt{-2x}$의 그래프를 평행이동한 것임을 알 수 있다.	30%
❷ k의 값의 범위를 구할 수 있다.	50%
❸ 정수 k의 최댓값을 구할 수 있다.	20%

042

주어진 직선은 오른쪽 아래로 향하고 y축과 원점 아래에서 만나므로

$a<0$, $b<0$

$y=\sqrt{x+a}+b$의 그래프는 $y=\sqrt{x}$의 그래프를 x축의 방향으로 $-a$만큼, y축의 방향으로 b만큼 평행이동한 것이다.

이때 $a<0$, $b<0$이므로 그 그래프는 오른쪽 그림과 같이 제1사분면, 제4사분면을 지난다.

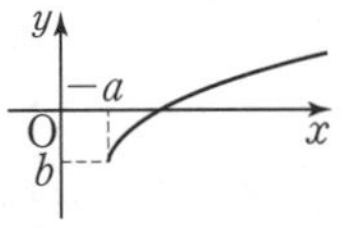

답 제1사분면, 제4사분면

043

두 함수 $y=\sqrt{ax}$, $y=\sqrt{bx}$의 그래프가 제1사분면 위에 있으므로

$a>0$, $b>0$ ········· ㉠

또, $y=\sqrt{bx}$의 그래프가 $y=\sqrt{ax}$의 그래프보다 x축에서 더 멀리 떨어져 있으므로

$|b|>|a|$

$\therefore b>a$ ($\because a>0$, $b>0$) ········· ㉡

두 함수 $y=\sqrt{cx}$, $y=\sqrt{dx}$의 그래프가 제2사분면 위에 있으므로

$c<0$, $d<0$ ········· ㉢

또, $y=\sqrt{dx}$의 그래프가 $y=\sqrt{cx}$의 그래프보다 x축에서 더 멀리 떨어져 있으므로

$|d|>|c|$

$\therefore d<c$ ($\because c<0$, $d<0$) ········· ㉣

㉠, ㉡, ㉢, ㉣에 의하여

$d<c<a<b$

답 ⑤

044

$y=\dfrac{k}{x-4}+5$의 그래프는 $y=\dfrac{k}{x}$의 그래프를 x축의 방향으로 4만큼, y축의 방향으로 5만큼 평행이동한 것이다.

이때 $k<0$이면 제3사분면을 지나지 않으므로 $k>0$이어야 한다.

또, $y=\dfrac{k}{x-4}+5$의 그래프가 모든 사분면을 지나야 하므로 오른쪽 그림과 같이 y축과 원점 아래에서 만나야 한다.

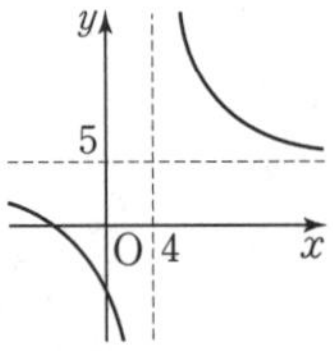

즉, $x=0$일 때 y의 값이 0보다 작아야 하므로

$-\dfrac{k}{4}+5<0$, $\dfrac{k}{4}>5$

$\therefore k>20$ ········· ㉠

$y=-\sqrt{3x+k}+6=-\sqrt{3\left(x+\dfrac{k}{3}\right)}+6$의 그래프는 $y=-\sqrt{3x}$의 그래프를 x축의 방향으로 $-\dfrac{k}{3}$만큼, y축의 방향으로 6만큼 평행이동한 것이다.

이때 $y=-\sqrt{3x+k}+6$의 그래프가 제1사분면, 제2사분면, 제4사분면을 지나야 하므로 오른쪽 그림과 같이 y축과 원점 위에서 만나야 한다.

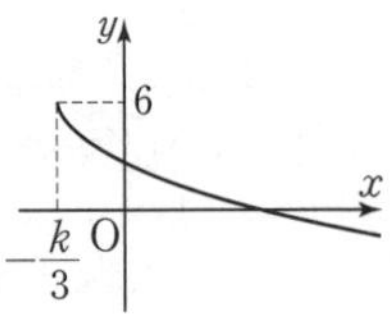

즉, $x=0$일 때의 y의 값이 0보다 커야 하므로

$-\sqrt{k}+6>0$, $\sqrt{k}<6$

$\therefore k<36$ ········· ㉡

㉠, ㉡에서 $20<k<36$

따라서 정수 k는 21, 22, 23, $\cdots$, 35의 15개이다.

답 15

045

$y=\sqrt{-8-4x}+a=\sqrt{-4(x+2)}+a$

함수 $y=\sqrt{-8-4x}+a$의 그래프는 $y=\sqrt{-4x}$의 그래프를 x축의 방향으로 -2만큼, y축의 방향으로 a만큼 평행이동한 것이다.

따라서 $y=\sqrt{-8-4x}+a$는 $x=-2$에서 최솟값 a를 가지므로

$a=-3$, $b=-2$

$\therefore a-b=-3-(-2)=-1$

답 ②

046

$f(x)=-\sqrt{2x+a}+5=-\sqrt{2\left(x+\dfrac{a}{2}\right)}+5$

함수 $y=f(x)$의 그래프는 $y=-\sqrt{2x}$의 그래프를 x축의 방향으로 $-\dfrac{a}{2}$만큼, y축의 방향으로 5만큼 평행이동한 것이다.

따라서 함수 $f(x)$는 $x=-\dfrac{a}{2}$에서 최댓값 5를 가지므로

$-\dfrac{a}{2}=-3$, $b=5$

$\therefore a=6$, $b=5$

$\therefore a+b=11$

답 11

047

$y=\sqrt{x+4}+5$의 그래프는 $y=\sqrt{x}$의 그래프를 x축의 방향으로 -4만큼, y축의 방향으로 5만큼 평행이동한 것이다.

$-3\le x\le 5$에서 함수 $y=\sqrt{x+4}+5$의 그래프는 오른쪽 그림과 같으므로 $x=-3$에서 최솟값 6을 갖는다.

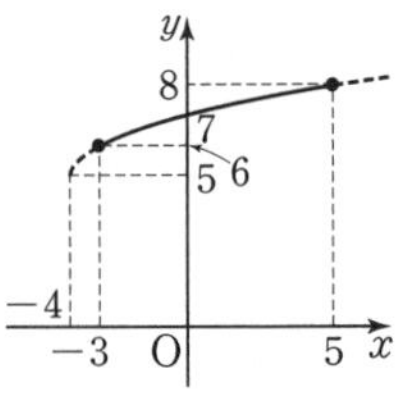

답 ②

048

$y=\sqrt{1-2x}+3=\sqrt{-2\left(x-\dfrac{1}{2}\right)}+3$

함수 $y=\sqrt{1-2x}+3$의 그래프는

$y=\sqrt{-2x}$의 그래프를 x축의 방향으로 $\dfrac{1}{2}$만큼, y축의 방향으로 3만큼 평행이동한 것이다.

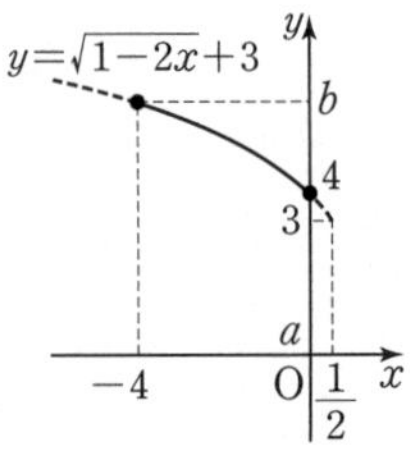

따라서 $-4\le x\le a$에서 $y=\sqrt{1-2x}+3$은 $x=-4$에서 최댓값을 갖고 $x=a$에서 최솟값을 갖는다.

즉, $x=-4$에서 최댓값 b를 가지므로

$b=\sqrt{1-2\times(-4)}+3=\sqrt{9}+3$

$=3+3=6$

또, $x=a$에서 최솟값 4를 가지므로

$4=\sqrt{1-2a}+3$, $\sqrt{1-2a}=1$

$1-2a=1$

$\therefore a=0$

$\therefore a+b=0+6=6$

답 ③

049

$f(x)=\sqrt{k-x}-3=\sqrt{-(x-k)}-3$

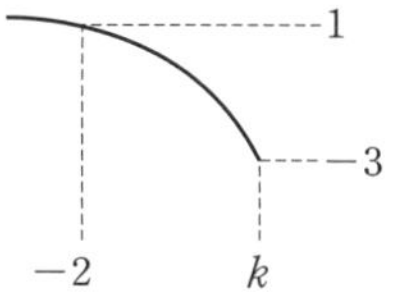

함수 $y=f(x)$의 그래프는 $y=\sqrt{-x}$의 그래프를 x축의 방향으로 k만큼, y축의 방향으로 -3만큼 평행이동한 것으로 그래프의 개형은 오른쪽 그림과 같다.

따라서 $-2\le x\le 5$에서 $f(x)$는 $x=-2$에서 최댓값을 갖고 $x=5$에서 최솟값을 갖는다. ······ ❶

즉, $x=-2$에서 최댓값 1을 가지므로

$1=\sqrt{k-(-2)}-3$, $\sqrt{k+2}=4$

$k+2=16$

$\therefore k=14$ ······ ❷

$\therefore f(x)=\sqrt{14-x}-3$

따라서 구하는 최솟값은

$f(5)=\sqrt{14-5}-3=\sqrt{9}-3$

$=3-3=0$ ······ ❸

답 0

채점 기준	비율
❶ $x=-2$에서 최댓값을 갖고 $x=5$에서 최솟값을 가짐을 알 수 있다.	40%
❷ k의 값을 구할 수 있다.	30%
❸ $f(x)$의 최솟값을 구할 수 있다.	30%

050

(1) 함수 $y=\sqrt{x+1}$의 치역은 $\{y|y\ge 0\}$이므로 역함수의 정의역은 $\{x|x\ge 0\}$이다.

$y=\sqrt{x+1}$에서 $y^2=x+1$

$\therefore x=y^2-1$

x와 y를 서로 바꾸면 주어진 함수의 역함수는

$y=x^2-1\ (x\ge 0)$

(2) 함수 $y=-\sqrt{x-4}+3$의 치역은 $\{y|y\le 3\}$이므로 역함수의 정의역은 $\{x|x\le 3\}$이다.

$y=-\sqrt{x-4}+3$에서 $y-3=-\sqrt{x-4}$

$(y-3)^2=x-4$

$\therefore x=y^2-6y+13$

x와 y를 서로 바꾸면 주어진 함수의 역함수는

$y=x^2-6x+13\ (x\le 3)$

답 (1) $y=x^2-1\ (x\ge 0)$ (2) $y=x^2-6x+13\ (x\le 3)$

051

$f^{-1}(5)=k$라고 하면 $f(k)=5$이므로

$\sqrt{2k-4}+3=5$, $\sqrt{2k-4}=2$

$2k-4=4$, $2k=8$ $\therefore k=4$

$\therefore f^{-1}(5)=4$

답 ④

052

함수 $y=\sqrt{ax+b}$의 그래프와 그 역함수의 그래프가 모두 점 $(3, 2)$를 지나므로 함수 $y=\sqrt{ax+b}$의 그래프는 두 점 $(3, 2)$, $(2, 3)$을 지난다. ······ ❶

따라서 $2=\sqrt{3a+b}$, $3=\sqrt{2a+b}$이므로

$3a+b=4$, $2a+b=9$

위의 두 식을 연립하여 풀면

$a=-5$, $b=19$ ······ ❷

$\therefore a+b=-5+19=14$ ······ ❸

답 14

채점 기준	비율
❶ $y=\sqrt{ax+b}$의 그래프가 두 점 $(3, 2)$, $(2, 3)$을 지남을 알 수 있다.	40%
❷ a, b의 값을 구할 수 있다.	40%
❸ $a+b$의 값을 구할 수 있다.	20%

053

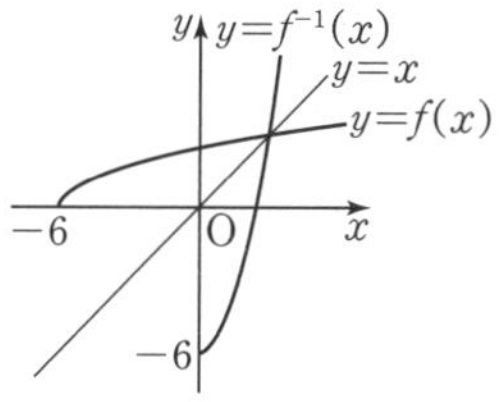

함수 $y=f(x)$의 그래프와 그 역함수 $y=f^{-1}(x)$의 그래프는 오른쪽 그림과 같이 직선 $y=x$에 대하여 대칭이므로 두 함수 $y=f(x)$, $y=f^{-1}(x)$의 그래프의 교점은 함수 $y=f(x)$의 그래프와 직선 $y=x$의 교점과 같다.

$\sqrt{x+6}=x$에서 $x+6=x^2$ → $\sqrt{x+6}\ge 0$이므로 $x\ge 0$

$x^2-x-6=0$, $(x+2)(x-3)=0$

$\therefore x=3\ (\because x\ge 0)$

따라서 두 함수 $y=f(x)$, $y=f^{-1}(x)$의 그래프의 교점은 $(3, 3)$이므로 $a=3$, $b=3$

$\therefore ab=3\times 3=9$

답 ③

실력을 높이는 연습 문제

01

$x^2-x+1=\left(x-\frac{1}{2}\right)^2+\frac{3}{4}>0$이므로 x^2-x+1은 모든 실수 x에 대하여 양수이다. ········ ㉠

$4-2x\geq0$에서

$2x\leq4$

$\therefore\ x\leq2$ ········ ㉡

$3x-4>0$에서

$3x>4$

$\therefore\ x>\frac{4}{3}$ ········ ㉢

㉠, ㉡, ㉢에 의하여

$\frac{4}{3}<x\leq2$

답 ④

02

$x+4\geq0$에서 $x\geq-4$

$5-x\geq0$에서 $x\leq5$

따라서 $\sqrt{x+4}-\sqrt{5-x}$의 값이 실수가 되려면

$-4\leq x\leq5$

이때 $x-5\leq0$, $x+6>0$이므로

$$\begin{aligned}\sqrt{x^2-10x+25}+|x+6|&=\sqrt{(x-5)^2}+|x+6|\\&=|x-5|+|x+6|\\&=-(x-5)+x+6\\&=11\end{aligned}$$

답 11

03

$\sqrt{(k+2)x^2-(k+2)x+3}$의 값이 실수가 되려면

$(k+2)x^2-(k+2)x+3\geq0$ ········ ㉠

이어야 한다.

(i) $k=-2$일 때

$3\geq0$이므로 모든 실수 x에 대하여 ㉠이 성립한다.

(ii) $k\neq-2$일 때

이차방정식 $(k+2)x^2-(k+2)x+3=0$의 판별식을 D라고 할 때, 모든 실수 x에 대하여 ㉠이 성립하려면

$k+2>0$, $D\leq0$

이어야 한다.

$k+2>0$에서

$k>-2$ ········ ㉡

$D=(k+2)^2-4\times(k+2)\times3\leq0$에서

$k^2-8k-20\leq0$, $(k+2)(k-10)\leq0$

$\therefore\ -2\leq k\leq10$ ········ ㉢

㉡, ㉢에서

$-2<k\leq10$

(i), (ii)에 의하여

$-2\leq k\leq10$

따라서 정수 k는 -2, -1, 0, $\cdots$, 10의 13개이다.

답 ③

풍쌤 개념 CHECK

이차부등식이 항상 성립할 조건_高 수학

이차방정식 $ax^2+bx+c=0$의 판별식을 $D=b^2-4ac$라고 할 때

(1) 모든 실수 x에 대하여 $ax^2+bx+c>0$이 성립하려면
$a>0$, $D<0$

(2) 모든 실수 x에 대하여 $ax^2+bx+c\geq0$이 성립하려면
$a>0$, $D\leq0$

(3) 모든 실수 x에 대하여 $ax^2+bx+c<0$이 성립하려면
$a<0$, $D<0$

(4) 모든 실수 x에 대하여 $ax^2+bx+c\leq0$이 성립하려면
$a<0$, $D\leq0$

04

조건 p에서 $x-12<0$, $x+3\geq0$이므로

$x<12$, $x\geq-3$

$\therefore\ -3\leq x<12$

두 조건 p, q의 진리집합을 각각 P, Q라고 하면 p가 q이기 위한 충분조건이므로 $P\subset Q$이어야 한다.

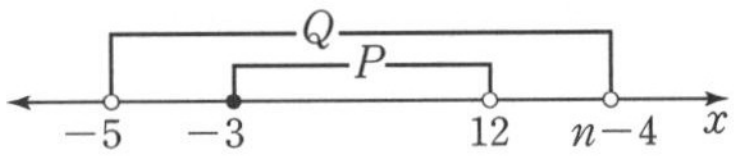

위의 그림에서 $12\leq n-4$이어야 하므로

$n\geq16$

따라서 n의 최솟값은 16이다.

답 16

05

$\frac{\sqrt{y}}{\sqrt{x}}+\frac{\sqrt{x}}{\sqrt{y}}=\frac{(\sqrt{y})^2+(\sqrt{x})^2}{\sqrt{x}\sqrt{y}}=\frac{x+y}{\sqrt{xy}}$

이때

$x+y=(\sqrt{6}+\sqrt{5})+(\sqrt{6}-\sqrt{5})=2\sqrt{6}$

$xy=(\sqrt{6}+\sqrt{5})(\sqrt{6}-\sqrt{5})=(\sqrt{6})^2-(\sqrt{5})^2=1$

이므로

$\frac{\sqrt{y}}{\sqrt{x}}+\frac{\sqrt{x}}{\sqrt{y}}=\frac{x+y}{\sqrt{xy}}=\frac{2\sqrt{6}}{\sqrt{1}}=2\sqrt{6}$

답 ⑤

06

$x=\sqrt{5}-2$에서 $x+2=\sqrt{5}$

이 식의 양변을 제곱하면

$x^2+4x+4=5$ $\quad\therefore\ x^2+4x=1$

$$\begin{aligned}\therefore\ (x-1)(x+5)(x^2+4x+9)&=(x^2+4x-5)(x^2+4x+9)\\&=(1-5)(1+9)=-40\end{aligned}$$

답 -40

07

$y=\frac{bx+4}{x+a}=\frac{b(x+a)-ab+4}{x+a}=\frac{4-ab}{x+a}+b$이므로 이 함수의 그래프의 점근선의 방정식은

$x=-a$, $y=b$

$\therefore\ a=-2$, $b=-3$

따라서 함수 $y=\sqrt{ax+b}$, 즉 $y=\sqrt{-2x-3}$의 정의역은 ($-2x-3\geq0$에서 $x\leq-\frac{3}{2}$)

$\left\{x \middle| x\leq-\frac{3}{2}\right\}$이다.

답 $\left\{x \middle| x\leq-\frac{3}{2}\right\}$

08

$y=\frac{-2x+5}{x-3}=\frac{-2(x-3)-6+5}{x-3}=-\frac{1}{x-3}-2$

함수 $y=\frac{-2x+5}{x-3}$의 그래프는 $y=-\frac{1}{x}$의 그래프를 x축의 방향으로 3만큼, y축의 방향으로 -2만큼 평행이동한 것이다.

$\therefore a=-1,\ b=3,\ c=-2$

따라서 함수 $y=\sqrt{ax+b}+c$, 즉 $y=\sqrt{-x+3}-2$의 치역은 $\{y|y\geq-2\}$이다.

답 ③

| 다른 풀이 |

$y=\frac{a}{x}$의 그래프를 x축의 방향으로 b만큼, y축의 방향으로 c만큼 평행이동한 그래프의 식은

$y=\frac{a}{x-b}+c=\frac{cx+a-bc}{x-b}$

이것이 $y=\frac{-2x+5}{x-3}$와 일치하므로

$c=-2,\ a-bc=5,\ b=3$

$\therefore a=-1,\ b=3,\ c=-2$

09

$y=\frac{-2x+4}{x-1}=\frac{-2(x-1)-2+4}{x-1}=\frac{2}{x-1}-2$

함수 $y=\frac{-2x+4}{x-1}$의 그래프는 $y=\frac{2}{x}$의 그래프를 x축의 방향으로 1만큼, y축의 방향으로 -2만큼 평행이동한 것이다.

따라서 $3\leq x\leq5$에서 함수 $y=\frac{-2x+4}{x-1}$의 그래프는 다음 그림과 같다.

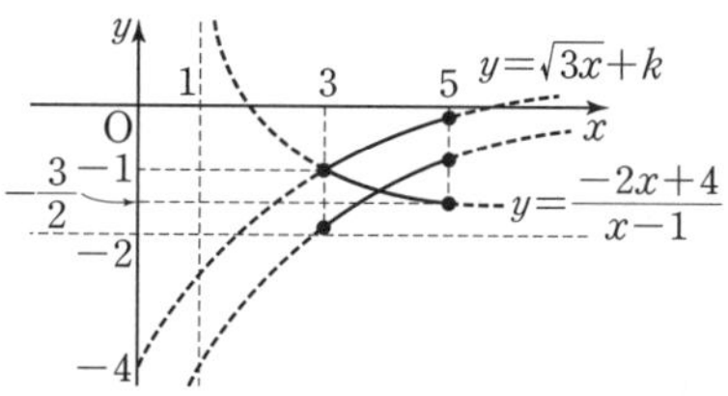

$f(x)=\sqrt{3x}+k$라고 할 때, 두 함수 $y=\frac{-2x+4}{x-1}$, $y=f(x)$의 그래프가 한 점에서 만나려면 위의 그림과 같이

$f(3)\leq-1,\ f(5)\geq-\frac{3}{2}$

이어야 한다.

$f(3)\leq-1$에서 $\sqrt{9}+k\leq-1$

$3+k\leq-1 \qquad \therefore k\leq-4$ ······ ㉠

$f(5)\geq-\frac{3}{2}$에서 $\sqrt{15}+k\geq-\frac{3}{2}$

$\therefore k\geq-\frac{3}{2}-\sqrt{15}$ ······ ㉡

㉠, ㉡에 의하여

$-\frac{3}{2}-\sqrt{15}\leq k\leq-4$

따라서 k의 최댓값은 -4이므로 $M=-4$

$\therefore M^2=(-4)^2=16$

답 16

10

함수 $y=\sqrt{-2x+1}$의 그래프를 x축의 방향으로 p만큼, y축의 방향으로 q만큼 평행이동한 그래프의 식은

$y=\sqrt{-2(x-p)+1}+q=\sqrt{-2x+2p+1}+q$

이 그래프를 y축에 대하여 대칭이동한 그래프의 식은

$y=\sqrt{-2\times(-x)+2p+1}+q=\sqrt{2x+2p+1}+q$

이것이 $y=\sqrt{2x+7}-1$과 일치하므로

$2p+1=7,\ q=-1$

$\therefore p=3,\ q=-1$

$y=\frac{6x+q}{px+6}=\frac{6x-1}{3x+6}=\frac{2(3x+6)-13}{3x+6}=-\frac{13}{3(x+2)}+2$이므로

$y=\frac{6x-1}{3x+6}$의 그래프의 두 점근선은

$x=-2,\ y=2$

즉, $y=\frac{6x-1}{3x+6}$의 그래프는 두 점근선의 교점 $(-2,\ 2)$에 대하여 대칭이므로

$a=-2,\ b=2$

$\therefore pq+ab=3\times(-1)+(-2)\times2=-7$

답 -7

11

문제 접근하기

먼저 주어진 유리함수의 그래프에서 a, b, c의 부호를 구한 후 이를 이용하여 무리함수 $y=\sqrt{ax+b}+c$의 그래프의 개형을 그려 본다.

함수 $y=\frac{b}{x+a}+c$의 그래프는 $y=\frac{b}{x}$의 그래프를 x축의 방향으로 $-a$만큼, y축의 방향으로 c만큼 평행이동한 것이므로 주어진 그래프에서

$-a>0,\ b<0,\ c>0$

$\therefore a<0,\ b<0,\ c>0$

$y=\sqrt{ax+b}+c=\sqrt{a\left(x+\frac{b}{a}\right)}+c$의 그래프는 $y=\sqrt{ax}$의 그래프를 x축의 방향으로 $-\frac{b}{a}$만큼, y축의 방향으로 c만큼 평행이동한 것이다.

이때 $a<0$, $-\frac{b}{a}<0$, $c>0$이므로 함수 $y=\sqrt{ax+b}+c$의 그래프의 개형은 ⑤와 같다.

답 ⑤

12

ㄴ. $y=\sqrt{1-x}=\sqrt{-(x-1)}$의 그래프는 $y=\sqrt{x}$의 그래프를 y축에 대하여 대칭이동한 후 x축의 방향으로 1만큼 평행이동한 것이다.

ㄷ. $y=-\sqrt{4-x}=-\sqrt{-(x-4)}$의 그래프는 $y=\sqrt{x}$의 그래프를 원점에 대하여 대칭이동한 후 x축의 방향으로 4만큼 평행이동한 것이다.

따라서 평행이동 또는 대칭이동에 의하여 $y=\sqrt{x}$의 그래프와 겹쳐지는 것은 ㄴ, ㄷ이다.

답 ③

13

문제 접근하기

함수 $y=f(x)$의 그래프를 원점에 대하여 대칭이동한 그래프의 식은 $y=-f(-x)$임을 이용하여 ㄱ의 참, 거짓을 확인하고, $k<0$일 때 주어진 두 함수의 그래프의 개형을 그려 ㄴ의 참, 거짓을 확인한다.
ㄱ, ㄴ에서 확인한 내용을 바탕으로 두 곡선이 서로 다른 두 점에서 만나도록 하는 k의 최댓값을 구하여 ㄷ의 참, 거짓을 확인한다.

ㄱ. $y=-\sqrt{kx+2k}+4$의 그래프를 원점에 대하여 대칭이동한 그래프의 식은
$-y=-\sqrt{-kx+2k}+4$ $\quad\therefore y=\sqrt{-kx+2k}-4$
따라서 주어진 두 곡선은 서로 원점에 대하여 대칭이다. (참)

ㄴ. $y=-\sqrt{kx+2k}+4=-\sqrt{k(x+2)}+4$의 그래프는 $y=-\sqrt{kx}$의 그래프를 x축의 방향으로 -2만큼, y축의 방향으로 4만큼 평행이동한 것이다.
$y=\sqrt{-kx+2k}-4=\sqrt{-k(x-2)}-4$의 그래프는 $y=\sqrt{-kx}$의 그래프를 x축의 방향으로 2만큼, y축의 방향으로 -4만큼 평행이동한 것이다.
따라서 $k<0$이면 주어진 두 곡선은 다음 그림과 같이 만나지 않는다. (거짓)

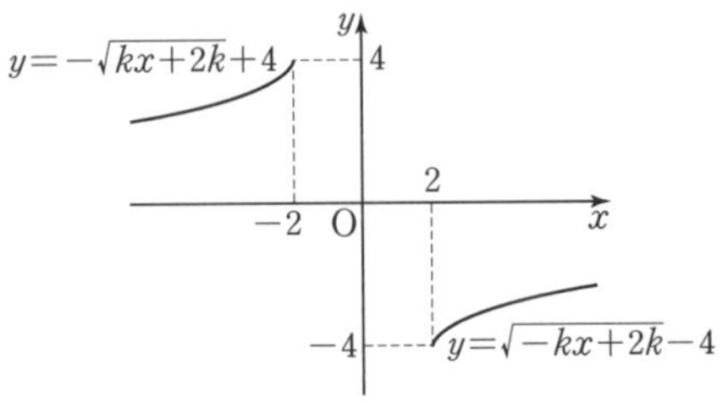

ㄷ. ㄴ에 의하여 $k<0$이면 두 곡선이 만나지 않으므로 두 곡선이 만나려면 $k>0$이어야 한다.
$k>0$일 때 k의 값이 커질수록 $y=-\sqrt{kx+2k}+4$의 그래프는 직선 $y=4$와 멀어지고 $y=\sqrt{-kx+2k}-4$의 그래프는 직선 $y=-4$와 멀어진다.
따라서 두 곡선이 서로 다른 두 점에서 만날 때, k의 값이 최대가 되는 경우는 다음 그림과 같이 $y=-\sqrt{kx+2k}+4$의 그래프가 $y=\sqrt{-kx+2k}-4$의 그래프 위의 점 $(2, -4)$를 지날 때이다.

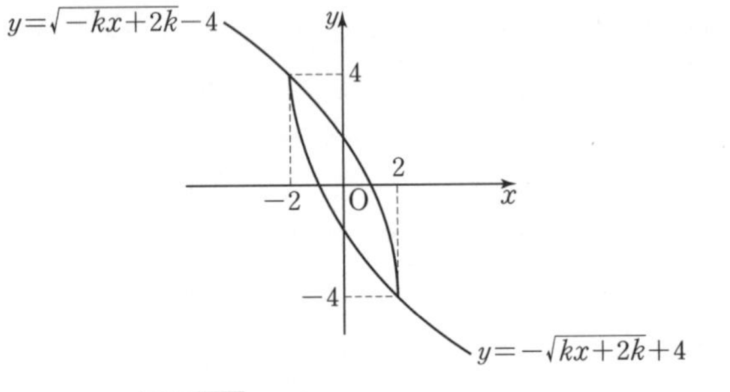

즉, $-4=-\sqrt{2k+2k}+4$이므로
$\sqrt{4k}=8$, $4k=64$ $\quad\therefore k=16$ (참)

따라서 옳은 것은 ㄱ, ㄷ이다.

답 ④

14

(i) $a>0$일 때
$-\frac{9}{2}\le x\le 3$에서 함수 $y=f(x)$의 그래프는 오른쪽 그림과 같으므로 $x=-\frac{9}{2}$일 때 최댓값 11, $x=3$일 때 최솟값 5를 갖는다.

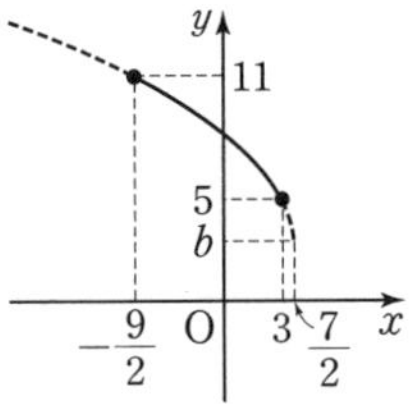

즉, $f\left(-\frac{9}{2}\right)=4a+b=11$,
$f(3)=a+b=5$이므로 두 식을 연립하여 풀면
$a=2$, $b=3$ $\quad\therefore a-b=-1$

(ii) $a<0$일 때
$-\frac{9}{2}\le x\le 3$에서 함수 $y=f(x)$의 그래프는 오른쪽 그림과 같으므로 $x=3$일 때 최댓값 11, $x=-\frac{9}{2}$일 때 최솟값 5를 갖는다.

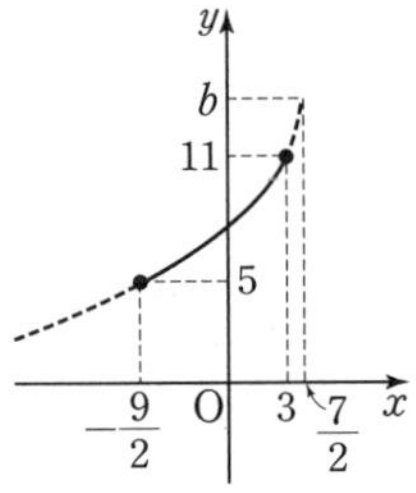

즉, $f(3)=a+b=11$,
$f\left(-\frac{9}{2}\right)=4a+b=5$이므로
두 식을 연립하여 풀면
$a=-2$, $b=13$ $\quad\therefore a-b=-15$

(i), (ii)에 의하여 $a-b$의 최솟값은 -15이다.

답 -15

15

$y=\sqrt{ax}$의 그래프를 x축의 방향으로 2만큼, y축의 방향으로 -3만큼 평행이동한 그래프의 식은
$y=\sqrt{a(x-2)}-3=\sqrt{ax-2a}-3$
이 함수의 그래프가 직선 $y=x-6$에 접하므로
$\sqrt{ax-2a}-3=x-6$, $\sqrt{ax-2a}=x-3$
$ax-2a=x^2-6x+9$ $\quad\therefore x^2-(a+6)x+2a+9=0$
이 이차방정식의 판별식을 D라고 하면
$D=(a+6)^2-4(2a+9)=0$
$a^2+4a=0$, $a(a+4)=0$
$\therefore a=-4$ ($\because a\ne 0$)

답 -4

16

문제 접근하기

함수 $y=f(x)$의 그래프와 그 역함수 $y=f^{-1}(x)$의 그래프의 교점이 직선 $y=x$ 위에 있음을 이용한다.

두 함수 $y=f(x)$, $y=f^{-1}(x)$의 그래프는 직선 $y=x$에 대하여 대칭이므로 두 함수 $y=f(x)$, $y=f^{-1}(x)$의 그래프의 교점은 $y=f(x)$의 그래프와 직선 $y=x$의 교점과 같다.
이때 $y=f(x)$의 그래프와 $y=f^{-1}(x)$의 그래프가 서로 다른 두 점에서 만나야 하므로 오른쪽 그림과 같이 $y=f(x)$의 그래프와 직선 $y=x$도 서로 다른 두 점에서 만나야 한다.

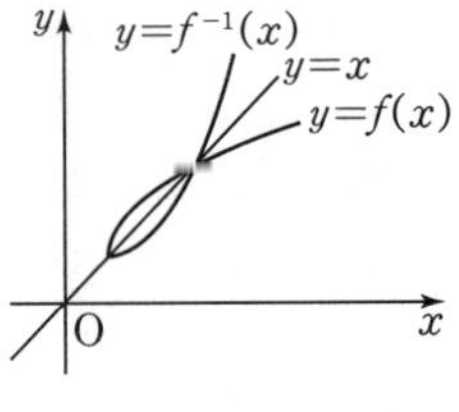

$\sqrt{2x-a}+1=x$에서 $\sqrt{2x-a}=x-1$

$2x-a=x^2-2x+1 \qquad \therefore x^2-4x+a+1=0$

이 이차방정식의 두 근을 α, β라고 하면 이차방정식의 근과 계수의 관계에 의하여

$\alpha+\beta=4$, $\alpha\beta=a+1$

이때 함수 $y=f(x)$의 그래프와 직선 $y=x$의 교점의 좌표는 (α, α), (β, β)이므로 두 교점 사이의 거리는

$$\begin{aligned}\sqrt{(\beta-\alpha)^2+(\beta-\alpha)^2}&=\sqrt{2(\beta-\alpha)^2}\\&=\sqrt{2\{(\alpha+\beta)^2-4\alpha\beta\}}\\&=\sqrt{2\{4^2-4(a+1)\}}\\&=\sqrt{24-8a}\end{aligned}$$

따라서 $\sqrt{24-8a}=2\sqrt{2}$이므로

$24-8a=8$, $8a=16 \qquad \therefore a=2$

답 ②

|다른 풀이|

함수 $f(x)=\sqrt{2x-a}+1$의 그래프가 점 $\left(\frac{a}{2}, 1\right)$을 지나므로 그 역함수 $y=f^{-1}(x)$의 그래프는 점 $\left(1, \frac{a}{2}\right)$를 지난다.

따라서 $y=f(x)$의 그래프가 오른쪽 그림과 같이 점 $(1, 1)$을 지나므로

$1=\sqrt{2-a}+1$

$\therefore a=2$

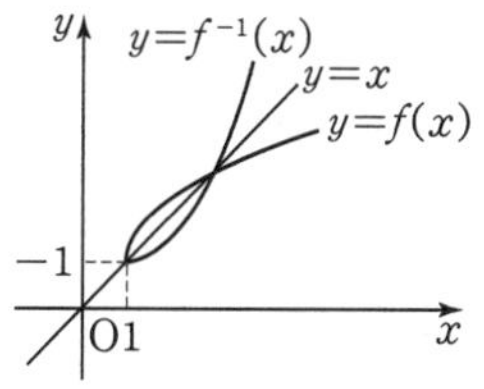

17

$$\begin{aligned}(f\circ(g\circ f)^{-1}\circ f)(4)&=(f\circ f^{-1}\circ g^{-1}\circ f)(4)\\&=(g^{-1}\circ f)(4)=g^{-1}(f(4))\\&=g^{-1}\left(\frac{4+2}{4-2}\right)=g^{-1}(3)\end{aligned}$$

(항등함수: $f\circ f^{-1}$)

$g^{-1}(3)=k$라고 하면 $g(k)=3$이므로

$\sqrt{4k-2}=3$, $4k-2=9$

$4k=11 \qquad \therefore k=\frac{11}{4}$

$\therefore (f\circ(g\circ f)^{-1}\circ f)(4)=g^{-1}(3)=\frac{11}{4}$

답 ④

|다른 풀이|

$y=\sqrt{4x-2}$로 놓으면 $y^2=4x-2$

$4x=y^2+2 \qquad \therefore x=\frac{1}{4}y^2+\frac{1}{2}$

x와 y를 서로 바꾸면 $y=\frac{1}{4}x^2+\frac{1}{2}$

$\therefore g^{-1}(x)=\frac{1}{4}x^2+\frac{1}{2}\ (x\geq 0)$

$$\begin{aligned}\therefore (f\circ(g\circ f)^{-1}\circ f)(4)&=g^{-1}(3)\\&=\frac{1}{4}\times 9+\frac{1}{2}=\frac{11}{4}\end{aligned}$$

06 순열

기본을 다지는 유형

본문 115쪽

001

(1) 6의 약수의 눈이 나오는 경우는

1, 2, 3, 6

의 4가지이다.

(2) 소수가 나오는 경우는

2, 3, 5, 7, 11, 13

의 6가지이다.

(3) 앞면을 H, 뒷면을 T라고 하면 앞면이 두 개 나오는 경우는

(H, H, T), (H, T, H), (T, H, H)

의 3가지이다.

답 (1) 4 (2) 6 (3) 3

002

1, 1, 2를 일렬로 나열하여 만들 수 있는 세 자리의 자연수를 수형도를 이용하여 나타내면 다음과 같다.

```
1 < 1 — 2
    2 — 1
2 — 1 — 1
```

따라서 구하는 자연수의 개수는 3이다.

답 3

참고

경우의 수를 구할 때, 규칙성을 찾기 어려운 경우에는 수형도를 이용하면 편리하다.

003

A, B, C, D의 우산을 각각 a, b, c, d라 하고, 자기 우산이 아닌 다른 학생의 우산을 들고 나오는 경우를 수형도를 이용하여 나타내면 다음과 같다.

```
A   B   C   D
    a — d — c
b < c — d — a
    d — a — c
    a — d — b
c <
    d < a — b
        b — a
    a — b — c
d <
    c < a — b
        b — a
```

따라서 구하는 경우의 수는 9이다.

답 ②

004

조건을 만족시키는 5자리의 자연수를 수형도로 나타내면 다음과 같다.

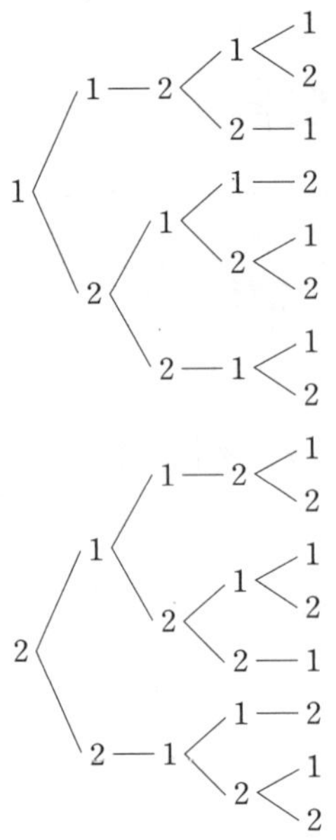

따라서 구하는 자연수의 개수는 16이다.

답 16

005

(1) 5의 배수가 적힌 공이 나오는 경우는
5, 10, 15, 20
의 4가지이다.
6의 배수가 적힌 공이 나오는 경우는
6, 12, 18
의 3가지이다.
따라서 구하는 경우의 수는
$4+3=7$

(2) 4의 배수가 적힌 공이 나오는 경우는
4, 8, 12, 16, 20
의 5가지이다.
7의 배수가 적힌 공이 나오는 경우는
7, 14
의 2가지이다.
따라서 구하는 경우의 수는
$5+2=7$

(3) 12의 약수가 적힌 공이 나오는 경우는
1, 2, 3, 4, 6, 12
의 6가지이다.
20의 약수가 적힌 공이 나오는 경우는
1, 2, 4, 5, 10, 20
의 6가지이다.
12와 20의 최대공약수인 4의 약수가 적힌 공이 나오는 경우는
1, 2, 4
의 3가지이다.
따라서 구하는 경우의 수는
$6+6-3=9$

답 (1) 7 (2) 7 (3) 9

006

두 주사위에서 나오는 눈의 수를 순서쌍으로 나타내면 다음과 같다.

(ⅰ) 눈의 수의 합이 6인 경우는
(1, 5), (2, 4), (3, 3), (4, 2), (5, 1)
의 5가지이다.

(ⅱ) 눈의 수의 합이 9인 경우는
(3, 6), (4, 5), (5, 4), (6, 3)
의 4가지이다.

(ⅰ), (ⅱ)에 의하여 구하는 경우의 수는
$5+4=9$

답 ⑤

007

(ⅰ) 각 자리의 숫자의 합이 4인 자연수는
13, 22, 31, 40
의 4가지이다.

(ⅱ) 각 자리의 숫자의 합이 9인 자연수는
18, 27, 36, 45, 54, 63, 72, 81, 90
의 9가지이다.

(ⅰ), (ⅱ)에 의하여 구하는 자연수의 개수는
$4+9=13$

답 ⑤

008

1부터 100까지의 자연수 중에서
2로 나누어떨어지는 수는
2, 4, 6, ⋯, 100
의 50개이다. ······ ❶
7로 나누어떨어지는 수는
7, 14, 21, ⋯, 98
의 14개이다. ······ ❷
2와 7의 최소공배수 14로 나누어떨어지는 수는
14, 28, 42, ⋯, 98
의 7개이다. ······ ❸
따라서 구하는 자연수의 개수는
$50+14-7=57$ ······ ❹

답 57

채점 기준	비율
❶ 2로 나누어떨어지는 수의 개수를 구할 수 있다.	30%
❷ 7로 나누어떨어지는 수의 개수를 구할 수 있다.	30%
❸ 14로 나누어떨어지는 수의 개수를 구할 수 있다.	30%
❹ 2 또는 7로 나누어떨어지는 수의 개수를 구할 수 있다.	10%

009

(ⅰ) $x=1$일 때
$3+y+z=10 \quad \therefore y+z=7$
따라서 순서쌍 (x, y, z)는
(1, 1, 6), (1, 2, 5), (1, 3, 4), (1, 4, 3), (1, 5, 2), (1, 6, 1)
의 6개이다.

(ⅱ) $x=2$일 때
$6+y+z=10 \quad \therefore y+z=4$

따라서 순서쌍 (x, y, z)는

$(2, 1, 3)$, $(2, 2, 2)$, $(2, 3, 1)$

의 3개이다.

(i), (ii)에 의하여 구하는 순서쌍 (x, y, z)의 개수는

$6+3=9$

답 ④

010

(i) $x=1$일 때

$3+y<8$ $\quad \therefore y<5$

따라서 순서쌍 (x, y)는

$(1, 1)$, $(1, 2)$, $(1, 3)$, $(1, 4)$

의 4개이다.

(ii) $x=2$일 때

$6+y<8$ $\quad \therefore y<2$

따라서 순서쌍 (x, y)는

$(2, 1)$

의 1개이다.

(i), (ii)에 의하여 구하는 순서쌍 (x, y)의 개수는

$4+1=5$

답 ③

| 다른 풀이 |

x, y가 자연수이므로 부등식 $3x+y<8$을 만족시키는 경우는

$3x+y=4$, $3x+y=5$, $3x+y=6$, $3x+y=7$

(i) $3x+y=4$일 때

순서쌍 (x, y)는 $(1, 1)$의 1개이다.

(ii) $3x+y=5$일 때

순서쌍 (x, y)는 $(1, 2)$의 1개이다.

(iii) $3x+y=6$일 때

순서쌍 (x, y)는 $(1, 3)$의 1개이다.

(iv) $3x+y=7$일 때

순서쌍 (x, y)는 $(1, 4)$, $(2, 1)$의 2개이다.

(i)~(iv)에 의하여 구하는 순서쌍 (x, y)의 개수는

$1+1+1+2=5$

011

100원, 200원, 500원짜리 스티커를 각각 x개, y개, z개 산다고 하면

$100x+200y+500z=1600$

$\therefore x+2y+5z=16$ ········· ❶

(i) $z=1$일 때

$x+2y+5=16$ $\quad \therefore x+2y=11$

따라서 순서쌍 (x, y, z)는

$(9, 1, 1)$, $(7, 2, 1)$, $(5, 3, 1)$, $(3, 4, 1)$, $(1, 5, 1)$

의 5개이다. ········· ❷

(ii) $z=2$일 때

$x+2y+10=16$ $\quad \therefore x+2y=6$

따라서 순서쌍 (x, y, z)는

$(4, 1, 2)$, $(2, 2, 2)$

의 2개이다. ········· ❸

(i), (ii)에 의하여 구하는 방법의 수는

$5+2=7$ ········· ❹

답 7

채점 기준	비율
❶ x, y, z에 대한 방정식을 세울 수 있다.	30%
❷ $z=1$일 때, 순서쌍 (x, y, z)의 개수를 구할 수 있다.	30%
❸ $z=2$일 때, 순서쌍 (x, y, z)의 개수를 구할 수 있다.	30%
❹ 세 종류의 스티커를 1600원어치 사는 방법의 수를 구할 수 있다.	10%

012

이차방정식 $x^2+ax+b=0$의 판별식을 D라고 하면

$D=a^2-4b\geq 0$ $\quad \therefore a^2\geq 4b$

(i) $b=0$일 때

$a^2\geq 0$이므로 순서쌍 (a, b)는

$(0, 0)$, $(1, 0)$, $(2, 0)$, $(3, 0)$, $(4, 0)$, $(5, 0)$

의 6개이다.

(ii) $b=1$일 때

$a^2\geq 4$이므로 순서쌍 (a, b)는

$(2, 1)$, $(3, 1)$, $(4, 1)$, $(5, 1)$

의 4개이다.

(iii) $b=2$일 때

$a^2\geq 8$이므로 순서쌍 (a, b)는

$(3, 2)$, $(4, 2)$, $(5, 2)$

의 3개이다.

(iv) $b=3$일 때

$a^2\geq 12$이므로 순서쌍 (a, b)는

$(4, 3)$, $(5, 3)$

의 2개이다.

(v) $b=4$일 때

$a^2\geq 16$이므로 순서쌍 (a, b)는

$(4, 4)$, $(5, 4)$

의 2개이다.

(vi) $b=5$일 때

$a^2\geq 20$이므로 순서쌍 (a, b)는

$(5, 5)$

의 1개이다.

(i)~(vi)에 의하여 구하는 순서쌍 (a, b)의 개수는

$6+4+3+2+2+1=18$

답 ④

풍쌤 개념 CHECK

이차방정식의 근의 판별_高 수학

계수가 실수인 이차방정식 $ax^2+bx+c=0$의 판별식을 $D=b^2-4ac$라고 할 때,

(1) $D>0$이면 서로 다른 두 실근을 갖는다.

(2) $D=0$이면 중근 (서로 같은 두 실근)을 갖는다.

(3) $D<0$이면 서로 다른 두 허근을 갖는다.

013

(1) 첫 번째에 6의 약수의 눈이 나오는 경우는

1, 2, 3, 6의 4가지

두 번째에 소수의 눈이 나오는 경우는
2, 3, 5의 3가지
따라서 구하는 경우의 수는
$4\times3=12$

(2) 남학생 한 명을 뽑는 경우의 수는 6, 여학생 한 명을 뽑는 경우의 수는 5이므로 구하는 경우의 수는
$6\times5=30$

(3) 티셔츠를 택하는 경우의 수는 4, 반바지를 택하는 경우의 수는 3, 양말을 택하는 경우의 수는 5이므로 구하는 경우의 수는
$4\times3\times5=60$

(4) A 지점에서 B 지점으로 가는 방법의 수는 3, B 지점에서 C 지점으로 가는 방법의 수는 2이므로 구하는 방법의 수는
$3\times2=6$

답 (1) 12 (2) 30 (3) 60 (4) 6

014

조건 (가)에 의하여 일의 자리의 숫자가 될 수 있는 것은
0, 2, 4, 6, 8의 5개
조건 (나)에 의하여 십의 자리의 숫자가 될 수 있는 것은
1, 2, 3, 6의 4개
따라서 구하는 수의 개수는
$5\times4=20$

답 ②

015

나오는 눈의 수의 곱이 홀수이려면 두 주사위에서 나오는 눈의 수가 모두 홀수이어야 한다.
주사위에서 홀수의 눈의 수는 1, 3, 5의 3개이므로 구하는 경우의 수는 $3\times3=9$

답 9

참고
(홀수)×(짝수)=(짝수)
(짝수)×(홀수)=(짝수)
(짝수)×(짝수)=(짝수)
(홀수)×(홀수)=(홀수)

016

정의역 X의 원소 0, 1, 2에 각각 대응시킬 수 있는 공역 Y의 원소는 -1, 0, 1, 2의 4개이다.
따라서 X에서 Y로의 함수의 개수는
$4\times4\times4=64$

답 ③

017

(1) x, y, z에 곱해지는 항이 각각 a, b, c의 3개이므로 구하는 항의 개수는
$3\times3=9$

(2) a, b에 곱해지는 항이 각각 x, y, z의 3개이고, 그 각각에 곱해지는 항이 p, q의 2개이므로 구하는 항의 개수는
$2\times3\times2=12$

답 (1) 9 (2) 12

018

(1) $48=2^4\times3$이므로 48의 양의 약수의 개수는
$(4+1)(1+1)=5\times2=10$

(2) $240=2^4\times3\times5$이므로 240의 양의 약수의 개수는
$(4+1)(1+1)(1+1)=5\times2\times2=20$

답 (1) 10 (2) 20

풍쌤 개념 CHECK

자연수 N이 $N=x^ay^bz^c$ (x, y, z는 서로 다른 소수, a, b, c는 자연수) 꼴로 소인수분해될 때
(1) N의 양의 약수의 개수는
$(a+1)(b+1)(c+1)$
(2) N의 양의 약수의 총합은
$(1+x+\cdots+x^a)(1+y+\cdots+y^b)(1+z+\cdots+z^c)$

019

$(a+b)(x+y)$를 전개하면 나오는 항의 개수는
$2\times2=4$
$(a+b)(p+q+r)$를 전개하면 나오는 항의 개수는
$2\times3=6$
이때 두 전개식에서 동류항이 없으므로 구하는 항의 개수는
$4+6=10$

답 ③

|다른 풀이|
$(a+b)(x+y)-(a+b)(p+q+r)=(a+b)(x+y-p-q-r)$
즉, a, b에 곱해지는 항이 각각 x, y, $-p$, $-q$, $-r$의 5개이므로 구하는 항의 개수는 $2\times5=10$

020

$50=2\times5^2$이므로 50의 양의 약수의 개수는
$a=(1+1)(2+1)=2\times3=6$ ······ ❶
$150=2\times3\times5^2$이므로 150의 양의 약수의 개수는
$b=(1+1)(1+1)(2+1)=2\times2\times3=12$ ······ ❷
$\therefore a+b=6+12=18$ ······ ❸

답 18

채점 기준	비율
❶ a의 값을 구할 수 있다.	40%
❷ b의 값을 구할 수 있다.	40%
❸ $a+b$의 값을 구할 수 있다.	20%

021

$2^2\times3^4\times5^a$의 양의 약수의 개수가 60이므로
$(2+1)(4+1)(a+1)=60$
$a+1=4$ $\therefore a=3$

답 ③

022

(i) A와 C에 같은 색을 칠할 경우
A에 칠할 수 있는 색은 4가지, B에 칠할 수 있는 색은 A에 칠

한 색을 제외한 3가지, C에 칠할 수 있는 색은 A에 칠한 1가지, D에 칠할 수 있는 색은 A(C)에 칠한 색을 제외한 3가지이다.
따라서 칠하는 방법의 수는
$4\times3\times1\times3=36$

(ii) A와 C에 다른 색을 칠할 경우
A에 칠할 수 있는 색은 4가지, B에 칠할 수 있는 색은 A에 칠한 색을 제외한 3가지, C에 칠할 수 있는 색은 A와 B에 칠한 색을 제외한 2가지, D에 칠할 수 있는 색은 A와 C에 칠한 색을 제외한 2가지이다.
따라서 칠하는 방법의 수는
$4\times3\times2\times2=48$

(i), (ii)에 의하여 구하는 방법의 수는
$36+48=84$

답 84

023

(i) C와 D에 같은 색을 칠할 경우
A에 칠할 수 있는 색은 4가지, B에 칠할 수 있는 색은 A에 칠한 색을 제외한 3가지, C에 칠할 수 있는 색은 B에 칠한 색을 제외한 3가지, D에 칠할 수 있는 색은 C에 칠한 색과 같으므로 1가지, E에 칠할 수 있는 색은 C(D)에 칠한 색을 제외한 3가지이다.
따라서 칠하는 방법의 수는
$4\times3\times3\times1\times3=108$

(ii) C와 D에 다른 색을 칠할 경우
A에 칠할 수 있는 색은 4가지, B에 칠할 수 있는 색은 A에 칠한 색을 제외한 3가지, C에 칠할 수 있는 색은 B에 칠한 색을 제외한 3가지, D에 칠할 수 있는 색은 B와 C에 칠한 색을 제외한 2가지, E에 칠할 수 있는 색은 C와 D에 칠한 색을 제외한 2가지이다.
따라서 칠하는 방법의 수는
$4\times3\times3\times2\times2=144$

(i), (ii)에 의하여 구하는 방법의 수는
$108+144=252$

답 252

024

(1) ${}_5P_2=5\times4=20$
(3) ${}_4P_4=4\times3\times2\times1=24$
(4) $5!=5\times4\times3\times2\times1=120$

답 (1) 20 (2) 1 (3) 24 (4) 120

025

(1) ${}_nP_3=210$에서
$n(n-1)(n-2)=7\times6\times5$
$\therefore n=7$

(2) ${}_nP_n=120$에서
$n(n-1)(n-2)\times\cdots\times1=5\times4\times3\times2\times1$
$\therefore n=5$

(3) $30=6\times5$이므로 ${}_6P_2=30$
$\therefore r=2$

(4) ${}_8P_r=\dfrac{8!}{5!}$에서 $\dfrac{8!}{(8-r)!}=\dfrac{8!}{5!}$
즉, $8-r=5$이므로 $r=3$

답 (1) 7 (2) 5 (3) 2 (4) 3

026

→ ${}_{2n}P_3$에서 $2n\ge3$, ${}_nP_2$에서 $n\ge2$이므로 $n\ge2$

${}_{2n}P_3=132\times{}_nP_2$에서
$2n(2n-1)(2n-2)=132\times n(n-1)$
$4n(2n-1)(n-1)=132\times n(n-1)$
이때 $n\ge2$이므로 양변을 $4n(n-1)$로 나누면
$2n-1=33$, $2n=34$ $\quad\therefore n=17$

답 ②

027

→ ${}_nP_3$에서 $n\ge3$, ${}_{n+1}P_2$에서 $n+1\ge2$이므로 $n\ge3$

${}_nP_3 : {}_{n+1}P_2=2:1$에서
${}_nP_3=2\times{}_{n+1}P_2$, $n(n-1)(n-2)=2(n+1)n$
이때 $n\ge3$이므로 양변을 n으로 나누면
$(n-1)(n-2)=2(n+1)$, $n^2-3n+2=2n+2$
$n^2-5n=0$, $n(n-5)=0$
$\therefore n=5\ (\because n\ge3)$

답 ⑤

028

${}_nP_2$에서 $n\ge2$, ${}_{n-2}P_1$에서 $n-2\ge1$이므로
$n\ge3$ ······ ❶
${}_nP_2+10\times{}_{n-2}P_1=92$에서
$n(n-1)+10(n-2)=92$ ······ ❷
$n^2+9n-112=0$, $(n+16)(n-7)=0$
$\therefore n=7\ (\because n\ge3)$ ······ ❸

답 7

채점 기준	비율
❶ n의 값의 범위를 구할 수 있다.	20%
❷ n에 대한 이차방정식을 세울 수 있다.	40%
❷ n의 값을 구할 수 있다.	40%

029

(1) $4!=4\times3\times2\times1=24$
(2) ${}_6P_4=6\times5\times4\times3=360$

답 (1) 24 (2) 360

030

${}_nP_2=210$이므로
$n(n-1)=210$, $n^2-n-210=0$
$(n+14)(n-15)=0$
이때 $n\ge2$이므로 $n=15$

답 ⑤

031

(1) A, D를 1개의 문자로 생각하여 4개의 문자를 일렬로 배열하는 경우의 수는

$4!=4\times3\times2\times1=24$

A, D끼리 서로 자리를 바꾸는 경우의 수는

$2!=2\times1=2$

따라서 A, D를 이웃하게 배열하는 경우의 수는

$24\times2=48$

(2) B, C를 이웃하지 않게 배열하려면 이웃해도 되는 A, D, E를 일렬로 배열하고, 그 사이사이와 양 끝 네 자리 중에서 두 자리에 B, C를 놓으면 된다.

A, D, E를 일렬로 배열하는 경우의 수는

$3!=3\times2\times1=6$

A, D, E의 사이사이와 양 끝 네 자리 중에서 두 자리에 B, C를 일렬로 배열하는 경우의 수는

${}_4P_2=4\times3=12$

따라서 구하는 경우의 수는

$6\times12=72$

답 (1) 48 (2) 72

032

여학생 2명을 한 명으로 생각하여 5명을 일렬로 세우는 경우의 수는

$5!=5\times4\times3\times2\times1=120$

여학생 2명이 서로 자리를 바꾸는 경우의 수는

$2!=2\times1=2$

따라서 구하는 경우의 수는

$120\times2=240$

답 ③

033

모음 a, e를 하나로 생각하여 4개의 문자를 일렬로 나열하는 경우의 수는

$4!=4\times3\times2\times1=24$

모음 a, e끼리 서로 자리를 바꾸는 경우의 수는

$2!=2\times1=2$

따라서 구하는 경우의 수는

$24\times2=48$

답 ④

034

소설책 3권, 시집 5권, 사진집 2권을 각각 한 권으로 생각하여 3권을 꽂는 경우의 수는

$3!=3\times2\times1=6$

소설책 3권끼리 서로 자리를 바꾸는 경우의 수는

$3!=3\times2\times1=6$

시집 5권끼리 서로 자리를 바꾸는 경우의 수는

$5!=5\times4\times3\times2\times1=120$

사진집 2권끼리 서로 자리를 바꾸는 경우의 수는

$2!=2\times1=2$

따라서 구하는 경우의 수는

$6\times6\times120\times2=8640$

답 ④

035

어린이 4명을 한 줄로 세우는 경우의 수는

$4!=4\times3\times2\times1=24$ ❶

어린이의 사이사이와 양 끝의 다섯 자리 중 세 자리에 어른 3명을 세우는 경우의 수는

${}_5P_3=5\times4\times3=60$ ❷

따라서 구하는 경우의 수는

$24\times60=1440$ ❸

답 1440

채점 기준	비율
❶ 어린이 4명을 한 줄로 세우는 경우의 수를 구할 수 있다.	30%
❷ 어린이의 사이사이와 양 끝의 다섯 자리 중 세 자리에 어른 3명을 세우는 경우의 수를 구할 수 있다.	40%
❸ 어른끼리 이웃하지 않게 서는 경우의 수를 구할 수 있다.	30%

036

(1) B를 맨 앞에 놓고 나머지 4개의 문자를 일렬로 배열하면 되므로 구하는 경우의 수는

$4!=24$

(2) E와 D의 자리가 정해져 있으므로 이 두 문자를 제외한 나머지 3개의 문자를 일렬로 배열한 후 E를 두 번째, D를 네 번째에 배열하면 된다.

따라서 구하는 경우의 수는

$3!=6$

(3) A와 E를 양 끝에 놓고 가운데 나머지 3개의 문자를 배열하는 경우의 수는

$3!=6$

이때 A와 E가 서로 자리를 바꾸는 경우의 수가

$2!=2$

이므로 구하는 경우의 수는

$6\times2=12$

답 (1) 24 (2) 6 (3) 12

037

여학생 3명을 일렬로 세운 후 그 사이사이에 남학생 2명을 세우면 되므로 구하는 경우의 수는

$3!\times2!=6\times2=12$

답 12

참고

남학생 2명을 일렬로 세운 후 그 사이사이와 양 끝의 세 자리에 여학생 3명을 세운다고 생각해도 같은 결과를 얻는다.

038

남자 3명 중 2명을 뽑아 양 끝에 세우는 경우의 수는

${}_3P_2=3\times2=6$

양 끝에 세운 두 남자를 제외한 나머지 5명을 중간에 세우는 경우의 수는 $5!=120$

따라서 구하는 경우의 수는

$6\times120=720$

답 ④

039

연수와 시연이를 제외한 4명의 학생 중 2명을 뽑아 연수와 시연이 사이에 세우는 경우의 수는

${}_4\mathrm{P}_2=4\times3=12$

연수와 시연이가 자리를 바꾸는 경우의 수는

$2!=2$

연수와 시연이, 이 두 사람 사이에 있는 2명을 포함한 4명을 한 명으로 생각하여 3명을 일렬로 세우는 경우의 수는

$3!=6$

따라서 구하는 경우의 수는

$12\times2\times6=144$

답 ③

040

7개의 깃발을 일렬로 배열하는 경우의 수는

$7!=5040$ ……… ❶

양 끝에 노란색 깃발이 오지 않도록 배열하려면 노란색 깃발을 제외한 5개의 깃발 중 2개를 뽑아 양 끝에 세우고, 나머지 5개의 깃발을 중간에 세우면 되므로 양 끝에 노란색 깃발이 오지 않는 경우의 수는

${}_5\mathrm{P}_2\times5!=(5\times4)\times120=2400$ ……… ❷

따라서 구하는 경우의 수는

$5040-2400=2640$ ……… ❸

답 2640

채점 기준	비율
❶ 7개의 깃발을 일렬로 세우는 경우의 수를 구할 수 있다.	30%
❷ 노란색 깃발이 양 끝에 오지 않는 경우의 수를 구할 수 있다.	50%
❸ 적어도 한쪽 끝에 노란색 깃발이 오는 경우의 수를 구할 수 있다.	20%

041

(1) 백의 자리에 올 수 있는 숫자는 0을 제외한 1, 2, 3, 4, 5의 5개이고, 나머지 두 자리에는 백의 자리에 온 숫자를 제외한 5개의 숫자 중에서 2개를 택하여 일렬로 나열하면 되므로 구하는 자연수의 개수는

$5\times{}_5\mathrm{P}_2=5\times(5\times4)=100$

(2) 짝수가 되려면 일의 자리의 숫자는 0 또는 2 또는 4가 와야 한다.

(i) 일의 자리의 숫자가 0인 경우

0을 제외한 5개의 숫자 중 2개를 택하여 일렬로 나열하면 되므로 경우의 수는

${}_5\mathrm{P}_2=5\times4=20$

(ii) 일의 자리의 숫자가 2 또는 4인 경우

백의 자리에는 0과 일의 자리에 온 숫자를 제외한 4개의 숫자가 올 수 있고 십의 자리에는 백의 자리와 일의 자리에 온 숫자를 제외한 4개의 숫자가 올 수 있으므로 경우의 수는

$2\times4\times4=32$

(i), (ii)에 의하여 구하는 자연수의 개수는

$20+32=52$

답 (1) 100 (2) 52

042

주어진 숫자 중 3의 배수는 3, 6이 있으므로 일의 자리와 백의 자리에 3의 배수가 오는 경우는 다음의 두 가지가 있다.

□□□3□6, □□□6□3

나머지 네 자리에는 3, 6을 제외한 4개의 숫자를 배열하면 되므로 구하는 자연수의 개수는

$2\times4!=2\times24=48$

답 48

043

(1) a로 시작하는 것의 개수는

$3!=6$

b로 시작하는 것의 개수는

$3!=6$

ca로 시작하는 것의 개수는

$2!=2$

따라서 a로 시작하는 것에서 ca로 시작하는 것까지의 개수는

$6+6+2=14$

이때 cbda는 cb로 시작하는 것에서 2번째이므로 cbda는 16번째에 온다.

(→ cbad, cbda)

(2) a로 시작하는 것의 개수는

$3!=6$

b로 시작하는 것의 개수는

$3!=6$

c로 시작하는 것의 개수는

$3!=6$

da로 시작하는 것의 개수는

$2!=2$

따라서 a로 시작하는 것에서 da로 시작하는 것까지의 개수는

$6+6+6+2=20$

즉, 20번째에 오는 문자열은 da로 시작하는 것의 마지막 문자열이다.

da로 시작하는 것은 순서대로 dabc, dacb이므로 20번째에 오는 문자열은 dacb이다.

답 (1) 16번째 (2) dacb

044

1□□□□ 꼴인 자연수의 개수는 $4!=24$

2□□□□ 꼴인 자연수의 개수는 $4!=24$

따라서 10234부터 24310까지의 자연수의 개수는

$24+24=48$

이므로 50번째에 오는 수는 30□□□ 꼴인 자연수 중 2번째로 작은 수이다. ……… ❶

30□□□ 꼴인 자연수를 작은 수부터 차례로 쓰면

30124, 30142, ⋯

이므로 50번째에 오는 수는 30142이다. ……… ❷

답 30142

채점 기준	비율
❶ 50번째에 오는 수가 어떤 꼴인지 알 수 있다.	60%
❷ 50번째에 오는 수를 구할 수 있다.	40%

실력을 높이는 연습 문제

본문 125쪽

01

3의 배수가 적힌 공은

3, 6, 9, ⋯, 33의 11개

8의 배수가 적힌 공은

8, 16, 24, 32의 4개

3과 8의 최소공배수인 24의 배수가 적힌 공은

24의 1개

따라서 구하는 경우의 수는

$11+4-1=14$

답 ⑤

02

제일 먼저 빠져 나올 수 있는 차는 A 또는 B이므로 차량이 모두 빠져 나오는 경우를 수형도로 나타내면 다음과 같다.

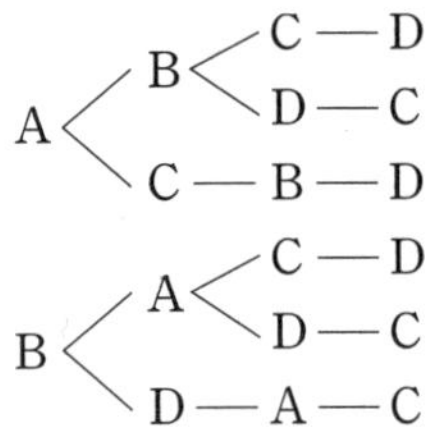

따라서 구하는 경우의 수는 6이다.

답 ②

03

문제 접근하기

a, b는 주사위의 눈의 수이므로 a, b가 될 수 있는 수는 1, 2, 3, 4, 5, 6임을 알고, $|2a-b|\le 1$을 $|2a-b|=0$인 경우와 $|2a-b|=1$인 경우로 나누어 순서쌍 (a, b)를 구한다.

$|2a-b|\le 1$에서 $|2a-b|=0$ 또는 $|2a-b|=1$

(i) $|2a-b|=0$일 때,

$2a-b=0 \qquad \therefore b=2a$

따라서 순서쌍 (a, b)는

$(1, 2)$, $(2, 4)$, $(3, 6)$의 3개

(ii) $|2a-b|=1$일 때,

$2a-b=1$ 또는 $2a-b=-1$

$\therefore b=2a-1$ 또는 $b=2a+1$

따라서 순서쌍 (a, b)는

$(1, 1)$, $(1, 3)$, $(2, 3)$, $(2, 5)$, $(3, 5)$의 5개

(i), (ii)에 의하여 구하는 순서쌍 (a, b)의 개수는

$3+5=8$

답 8

04

(i) A조에서 남학생 1명, B조에서 여학생 1명을 뽑는 방법의 수는

$3\times4=12$

(ii) A조에서 여학생 1명, B조에서 남학생 1명을 뽑는 방법의 수는

$3\times2=6$

(i), (ii)에 의하여 구하는 방법의 수는

$12+6=18$

답 18

05

$360=2^3\times3^2\times5$이므로 360의 양의 약수의 개수는

$(3+1)(2+1)(1+1)=24$

이 중에서 홀수의 개수는 $3^2\times5$의 양의 약수의 개수와 같으므로

$(2+1)(1+1)=6$

따라서 360의 양의 약수 중 짝수의 개수는

$24-6=18$

답 ②

06

A와 F에는 같은 색을 칠하고, 인접한 영역에는 서로 다른 색을 칠하므로

A → F → B → C → E → D

의 순서로 색을 칠해 보자.

A에 칠할 수 있는 색은 5가지

F에는 A에 칠한 색과 같은 색을 칠해야 하므로 F에 칠할 수 있는 색은 1가지

B에 칠할 수 있는 색은 A에 칠한 색을 제외한 4가지

C에 칠할 수 있는 색은 B와 F에 칠한 색을 제외한 3가지

E에 칠할 수 있는 색은 B와 F에 칠한 색을 제외한 3가지

D에 칠할 수 있는 색은 A와 E에 칠한 색을 제외한 3가지

따라서 색을 칠하는 방법의 수는

$5\times1\times4\times3\times3\times3=540$

답 540

07

$$
\begin{aligned}
{}_{n-1}\mathrm{P}_r+r\times{}_{n-1}\mathrm{P}_{r-1}&=\frac{\boxed{\text{(나)}\ (n-1)!}}{(n-1-r)!}+r\times\frac{\boxed{\text{(나)}\ (n-1)!}}{(n-r)!}\\
&=\frac{(n-r)\times(n-1)!}{(n-r)\times(n-1-r)!}+r\times\frac{(n-1)!}{(n-r)!}\\
&=\frac{(n-r)\times(n-1)!}{(n-r)!}+r\times\frac{(n-1)!}{(n-r)!}\\
&=\frac{(n-1)!}{(n-r)!}\{(n-r)+r\}\\
&=\frac{(n-1)!}{(n-r)!}\times\boxed{\text{(다)}\ n}\\
&=\frac{n!}{(n-r)!}\\
&=\boxed{\text{(가)}\ {}_n\mathrm{P}_r}
\end{aligned}
$$

$\therefore {}_{n-1}\mathrm{P}_r+r\times{}_{n-1}\mathrm{P}_{r-1}=\boxed{\text{(가)}\ {}_n\mathrm{P}_r}$

$\therefore$ (가): ${}_n\mathrm{P}_r$, (나): $(n-1)!$, (다): n

답 (가): ${}_n\mathrm{P}_r$ (나): $(n-1)!$ (다): n

08

n개의 영업소 중에서 첫 방문지와 마지막 방문지를 선택하는 방법의 수가 56이므로

${}_n\mathrm{P}_2=56$, $n(n-1)=8\times7 \qquad \therefore n=8$

답 8

09

의자 7개 중 학생 3명이 앉는 의자는 3개이므로 빈 의자는 4개이다.

빈 의자 4개를 일렬로 놓고, 그 사이사이와 양 끝 5자리 중 3자리를 골라 학생 3명이 앉을 의자를 놓으면 되므로 구하는 경우의 수는

${}_5P_3=5\times4\times3=60$

답 ②

10

문제 접근하기

각 지역을 문자로 나타낸 후 인접한 두 지역을 선택하는 경우의 수를 구해 본다.

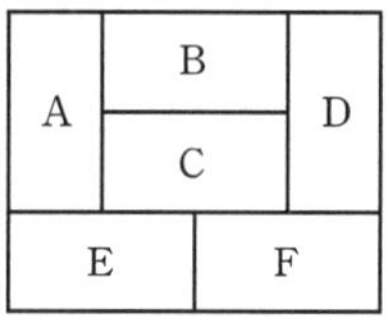

오른쪽 그림과 같이 각 지역을 A, B, C, D, E, F라 하고 인접한 지역들을 짝 지으면

(A, B), (A, C), (A, E), (B, C), (B, D), (C, D), (C, E), (C, F), (D, F), (E, F)

의 10가지가 있다.

인접한 두 지역을 담당하는 조사원을 정하는 경우의 수는

5

나머지 4명의 조사원이 남은 4개의 지역을 담당하는 경우의 수는

$4!=24$

따라서 구하는 경우의 수는

$10\times5\times24=1200$

답 ⑤

11

(i) 4의 배수의 개수

세 자리 자연수가 4의 배수가 되려면 뒤의 두 자리가 4의 배수가 되어야 한다.

5개의 숫자 1, 2, 3, 4, 5에서 서로 다른 2개를 선택했을 때 4의 배수가 되는 경우는

12, 24, 32, 52

의 4가지이고, 이때 각각에 대하여 백의 자리에는 십의 자리와 일의 자리의 숫자를 제외한 3개의 숫자가 올 수 있으므로 4의 배수의 개수는

$a=3\times4=12$

(ii) 5의 배수의 개수

세 자리 자연수가 5의 배수가 되려면 일의 자리에는 5가 와야 한다.

이때 백의 자리와 십의 자리에는 5를 제외한 4개의 숫자 중 서로 다른 2개의 숫자를 골라 배열하면 되므로 5의 배수의 개수는

$b={}_4P_2=4\times3=12$

(i), (ii)에 의하여

$a+b=12+12=24$

답 ⑤

12

25000보다 큰 수는

25□□□, 3□□□□, 4□□□□, 5□□□□

의 꼴이다.

25□□□의 꼴인 자연수의 개수는 $3!=6$

3□□□□의 꼴인 자연수의 개수는 $4!=24$

4□□□□의 꼴인 자연수의 개수는 $4!=24$

5□□□□의 꼴인 자연수의 개수는 $4!=24$

따라서 구하는 자연수의 개수는

$6+24+24+24=78$

답 78

|다른 풀이|

1, 2, 3, 4, 5의 다섯 개의 숫자를 모두 한 번씩 이용하여 만들 수 있는 다섯 자리의 자연수의 개수는

$5!=120$

25000보다 작은 수는

1□□□□, 21□□□, 23□□□, 24□□□

의 꼴이다.

1□□□□의 꼴인 자연수의 개수는 $4!=24$

21□□□의 꼴인 자연수의 개수는 $3!=6$

23□□□의 꼴인 자연수의 개수는 $3!=6$

24□□□의 꼴인 자연수의 개수는 $3!=6$

따라서 25000보다 큰 자연수의 개수는

$120-(24+6+6+6)=78$

07 조합

기본을 다지는 유형

본문 128쪽

001

(1) ${}_5C_2=\frac{5\times4}{2\times1}=10$

(2) ${}_7C_4={}_7C_{7-4}={}_7C_3=\frac{7\times6\times5}{3\times2\times1}=35$

답 (1) 10 (2) 35 (3) 1 (4) 8

002

(1) ${}_nC_2=21$에서

$\frac{n(n-1)}{2\times1}=21$, $n^2-n=42$

$n^2-n-42=0$, $(n+6)(n-7)=0$

$\therefore n=7$ ($\because n\ge2$)

(2) ${}_7C_r=35$에서

$\frac{7!}{r!(7-r)!}=35$ → $6\times4=4\times3\times2\times1=4!$, $3\times2\times1=3!$

$7!=35\times r!(7-r)!$, $6\times4\times3\times2\times1=r!(7-r)!$

$3!4!=r!(7-r)!$ $\therefore r=3$ 또는 $r=4$

(3) ${}_nC_4={}_nC_6$에서 $4=n-6$ $\therefore n=10$

(4) ${}_{n+3}C_n=120$에서

${}_{n+3}C_{(n+3)-n}=120$, ${}_{n+3}C_3=120$

$\frac{(n+3)(n+2)(n+1)}{3\times2\times1}=120$

$(n+3)(n+2)(n+1)=720=10\times9\times8$

즉, $n+1=8$이므로 $n=7$

답 (1) 7 (2) 3 또는 4 (3) 10 (4) 7

003

${}_{10}C_r={}_{10}C_{r-6}$에서

$r=r-6$ 또는 $r=10-(r-6)$

이때 r는 자연수이므로 $r=10-(r-6)$에서

$2r=16$ $\therefore r=8$

답 ④

004

${}_nP_r=60$, ${}_nC_r=10$이고 ${}_nC_r=\frac{{}_nP_r}{r!}$이므로

$\frac{60}{r!}=10$, $r!=6=3\times2\times1=3!$

$\therefore r=3$ ······ ❶

즉, ${}_nC_3=10$이므로

$\frac{n(n-1)(n-2)}{3\times2\times1}=10$, $n(n-1)(n-2)=60=5\times4\times3$

$\therefore n=5$ ······ ❷

$\therefore n+r=5+3=8$ ······ ❸

답 8

채점 기준	비율
❶ r의 값을 구할 수 있다.	40%
❷ n의 값을 구할 수 있다.	40%
❸ $n+r$의 값을 구할 수 있다.	20%

005

$2\times{}_nC_3=3\times{}_nP_2$에서 → ${}_nC_3$에서 $n\ge3$, ${}_nP_2$에서 $n\ge2$이므로 $n\ge3$

$2\times\frac{n(n-1)(n-2)}{3\times2\times1}=3\times n(n-1)$

이때 $n\ge3$이므로 양변을 $n(n-1)$로 나누면

$\frac{n-2}{3}=3$, $n-2=9$ $\therefore n=11$

답 11

006

(1) ${}_6C_2=\frac{6\times5}{2\times1}=15$

(2) ${}_{10}C_7={}_{10}C_{10-7}={}_{10}C_3=\frac{10\times9\times8}{3\times2\times1}=120$

(3) 집합 A의 원소의 개수가 5이므로 원소의 개수가 4인 부분집합의 개수는

${}_5C_4={}_5C_{5-4}={}_5C_1=5$

답 (1) 15 (2) 120 (3) 5

007

1학년 6명 중에서 4명을 뽑는 경우의 수는

${}_6C_4={}_6C_{6-4}={}_6C_2=\frac{6\times5}{2\times1}=15$

2학년 4명 중에서 3명을 뽑는 경우의 수는

${}_4C_3={}_4C_{4-3}={}_4C_1=4$

따라서 구하는 경우의 수는

$15\times4=60$

답 60

008

전체 경기 수는 10명 중에서 서로 다른 2명을 택하는 경우의 수와 같으므로

${}_{10}C_2=\frac{10\times9}{2\times1}=45$

답 ③

009

직업이 같은 3명을 뽑는 경우는 소방관 중에서 3명을 뽑거나 구급 요원 중에서 3명을 뽑는 두 가지 경우가 있다.

소방관 5명 중에서 3명을 뽑는 경우의 수는

${}_5C_3={}_5C_{5-3}={}_5C_2=\frac{5\times4}{2\times1}=10$ ······ ❶

구급 요원 4명 중에서 3명을 뽑는 경우의 수는

${}_4C_3={}_4C_{4-3}={}_4C_1=4$ ······ ❷

따라서 구하는 경우의 수는

$10+4=14$ ······ ❸

답 14

채점 기준	비율
❶ 소방관 중에서 3명을 뽑는 경우의 수를 구할 수 있다.	40%
❷ 구급 요원 중에서 3명을 뽑는 경우의 수를 구할 수 있다.	40%
❸ 직업이 같은 3명을 뽑는 경우의 수를 구할 수 있다.	20%

010

장미 n송이 중에서 3송이를 택하는 경우의 수는

${}_{n}C_{3}$

카네이션 8송이 중에서 5송이를 택하는 경우의 수는

${}_{8}C_{5}={}_{8}C_{8-5}={}_{8}C_{3}=\dfrac{8\times7\times6}{3\times2\times1}=56$

따라서 ${}_{n}C_{3}\times56=6720$이므로

${}_{n}C_{3}=120$, $\dfrac{n(n-1)(n-2)}{3\times2\times1}=120$

$n(n-1)(n-2)=720=10\times9\times8$

$\therefore\ n=10$

답 ③

011

(1) 구하는 경우의 수는 A, C를 제외한 4개의 문자 중에서 1개를 택하는 경우의 수와 같으므로

${}_{4}C_{1}=4$

(2) 구하는 경우의 수는 C, D를 제외한 4개의 문자 중에서 3개를 택하는 경우의 수와 같으므로

${}_{4}C_{3}={}_{4}C_{4-3}={}_{4}C_{1}=4$

(3) 구하는 경우의 수는 B, D, E를 제외한 3개의 문자 중에서 2개를 택하는 경우의 수와 같으므로

${}_{3}C_{2}={}_{3}C_{3-2}={}_{3}C_{1}=3$

답 (1) 4 (2) 4 (3) 3

012

(1) 구하는 부분집합의 개수는 2를 제외한 6개의 원소 중에서 4개를 택하는 경우의 수와 같으므로

${}_{6}C_{4}={}_{6}C_{6-4}={}_{6}C_{2}=\dfrac{6\times5}{2\times1}=15$

(2) 구하는 부분집합의 개수는 0, 2, 3을 제외한 4개의 원소 중에서 3개를 택하는 경우의 수와 같으므로

${}_{4}C_{3}={}_{4}C_{4-3}={}_{4}C_{1}=4$

답 (1) 15 (2) 4

013

A는 뽑고 B는 뽑지 않는 경우의 수는 A, B를 제외한 6명 중에서 3명을 뽑는 경우의 수와 같으므로

${}_{6}C_{3}=\dfrac{6\times5\times4}{3\times2\times1}=20$

A는 뽑지 않고 B는 뽑는 경우의 수도 A, B를 제외한 6명 중에서 3명을 뽑는 경우의 수와 같으므로

${}_{6}C_{3}=20$

따라서 구하는 경우의 수는

$20+20=40$

답 ③

| 다른 풀이 |

A, B 중 한 명만 뽑는 경우는 A, B를 제외한 6명 중에서 3명을 뽑은 후 A, B 중에서 한 명을 뽑으면 되므로 구하는 경우의 수는

${}_{6}C_{3}\times{}_{2}C_{1}=\dfrac{6\times5\times4}{3\times2\times1}\times2=40$

014

$A=\{1, 2, 3, 4, 6, 8, 12, 16, 24, 48\}$이므로 가장 큰 원소가 16인 부분집합은 16을 반드시 원소로 갖고 24, 48은 원소로 갖지 않아야 한다. ❶

따라서 원소의 개수가 4이고 가장 큰 원소가 16인 부분집합의 개수는 16, 24, 48을 제외한 7개의 원소 중에서 3개를 택하는 경우의 수와 같으므로

${}_{7}C_{3}=\dfrac{7\times6\times5}{3\times2\times1}=35$ ❷

답 35

채점 기준	비율
❶ 가장 큰 원소가 16일 조건을 알 수 있다.	50%
❷ 부분집합의 개수를 구할 수 있다.	50%

015

7켤레의 장갑 중에서 짝이 맞는 한 켤레의 장갑을 택하는 경우의 수는

${}_{7}C_{1}=7$

나머지 6켤레의 장갑 12짝 중에서 2짝을 택하는 경우의 수는

${}_{12}C_{2}=\dfrac{12\times11}{2\times1}=66$

이고 이 중에서 짝이 맞는 경우의 수는 6이므로 짝이 맞지 않는 2짝을 택하는 경우의 수는

$66-6=60$

따라서 구하는 경우의 수는

$7\times60=420$

답 ③

016

(1) 10명 중에서 4명을 뽑는 경우의 수는

${}_{10}C_{4}=\dfrac{10\times9\times8\times7}{4\times3\times2\times1}=210$

남자만 4명을 뽑는 경우의 수는

${}_{6}C_{4}={}_{6}C_{6-4}={}_{6}C_{2}=\dfrac{6\times5}{2\times1}=15$

따라서 구하는 경우의 수는

$210-15=195$

(2) 남자 2명이 포함되도록 뽑는 경우의 수는

${}_{6}C_{2}\times{}_{4}C_{2}=\dfrac{6\times5}{2\times1}\times\dfrac{4\times3}{2\times1}=90$

남자 3명이 포함되도록 뽑는 경우의 수는

${}_{6}C_{3}\times{}_{4}C_{1}=\dfrac{6\times5\times4}{3\times2\times1}\times4=80$

남자만 4명을 뽑는 경우의 수는

${}_{6}C_{4}={}_{6}C_{6-4}={}_{6}C_{2}=\dfrac{6\times5}{2\times1}=15$

따라서 구하는 경우의 수는

$90+80+15=185$

답 (1) 195 (2) 185

|다른 풀이|

(2) 10명 중에서 4명을 뽑는 경우의 수는

$_{10}C_4=\frac{10\times9\times8\times7}{4\times3\times2\times1}=210$

여자만 4명을 뽑는 경우의 수는

$_4C_4=1$

남자가 1명만 포함되도록 뽑는 경우의 수는

$_6C_1\times{}_4C_3={}_6C_1\times{}_4C_1=6\times4=24$ → $_4C_3={}_4C_{4-3}={}_4C_1$

따라서 구하는 경우의 수는

$210-(1+24)=185$

017

여학생 2명을 뽑는 경우의 수는

$_4C_2=\frac{4\times3}{2\times1}=6$

남학생 2명을 뽑는 경우의 수는

$_5C_2=\frac{5\times4}{2\times1}=10$

4명을 일렬로 세우는 경우의 수는

$4!=24$

따라서 구하는 경우의 수는

$6\times10\times24=1440$

답 1440

참고

뽑아서 나열하는 방법의 수

n개 중에서 r개, m개 중에서 s개를 뽑아 일렬로 나열하는 방법의 수는

$_nC_r\times{}_mC_s\times(r+s)!$

018

15장 중에서 3장을 뽑는 경우의 수는

$_{15}C_3=\frac{15\times14\times13}{3\times2\times1}=455$

15의 약수가 적힌 카드는 1, 3, 5, 15의 4장이므로 이것을 제외한 11장 중에서 3장을 뽑는 경우의 수는

$_{11}C_3=\frac{11\times10\times9}{3\times2\times1}=165$

따라서 구하는 경우의 수는

$455-165=290$

답 ⑤

019

2, 5, 6을 제외한 4개의 숫자 중에 2개를 택하는 경우의 수는

$_4C_2=\frac{4\times3}{2\times1}=6$

4개의 숫자를 일렬로 나열하는 경우의 수는

$4!=24$

따라서 구하는 자연수의 개수는

$6\times24=144$

답 144

020

5일 중에서 요가를 하는 3일을 선택하는 경우의 수는

$_5C_3={}_5C_{5-3}={}_5C_2=\frac{5\times4}{2\times1}=10$

요가를 하지 않는 2일 중 하루를 선택하여 수영, 줄넘기 중 한 가지를 하는 경우의 수는

$_2C_1\times{}_2C_1=2\times2=4$

남은 하루에 농구, 축구 중 한 가지를 하는 경우의 수는

$_2C_1=2$

따라서 구하는 계획의 가짓수는

$10\times4\times2=80$

답 ④

021

7개의 점 중 어느 세 점도 한 직선 위에 있지 않으므로 구하는 직선의 개수는

$_7C_2=\frac{7\times6}{2\times1}=21$

답 21

022

9개의 점 중에서 2개를 택하여 만들 수 있는 직선의 개수는

$_9C_2=\frac{9\times8}{2\times1}=36$

한 직선 위에 있는 4개의 점 중에서 2개를 택하는 경우의 수는

$_4C_2=\frac{4\times3}{2\times1}=6$

한 직선 위에 있는 5개의 점 중에서 2개를 택하는 경우의 수는

$_5C_2=\frac{5\times4}{2\times1}=10$

그런데 한 직선 위에 있는 점들을 연결하여 만들 수 있는 직선은 1개뿐이므로 구하는 직선의 개수는

$36-6-10+2=22$

답 ③

|다른 풀이|

두 직선 위의 점을 각각 하나씩 택하여 연결하면 한 개의 직선을 만들 수 있으므로

$_4C_1\times{}_5C_1=4\times5=20$

한 직선 위에 있는 점들을 연결하여 만들 수 있는 직선은 1개뿐이므로 한 직선 위의 점들로 만들 수 있는 직선의 개수는

2

따라서 구하는 직선의 개수는

$20+2=22$

023

10개의 점 중에서 2개를 택하여 만들 수 있는 직선의 개수는

$_{10}C_2=\frac{10\times9}{2\times1}=45$ ··· ❶

한 직선 위에 있는 5개의 점 중에서 2개를 택하는 경우의 수는

$_5C_2=\frac{5\times4}{2\times1}=10$ ··· ❷

그런데 한 직선 위에 있는 점들을 연결하여 만들 수 있는 직선은 1개뿐이므로 구하는 직선의 개수는

$45-10+1=36$ ··· ❸

답 36

채점 기준	비율
❶ 10개의 점 중 2개의 점을 택하여 만들 수 있는 직선의 개수를 구할 수 있다.	30%
❷ 한 직선 위의 5개의 점 중 2개를 택하는 경우의 수를 구할 수 있다.	30%
❸ 서로 다른 직선의 개수를 구할 수 있다.	40%

024

7개의 점 중에서 2개를 택하여 만들 수 있는 직선의 개수는

${}_7C_2=\frac{7\times6}{2\times1}=21$

한 직선 위에 있는 3개의 점 중에서 2개를 택하는 경우의 수는

$2\times{}_3C_2=2\times{}_3C_{3-2}=2\times{}_3C_1=2\times3=6$

한 직선 위에 있는 4개의 점 중에서 2개를 택하는 경우의 수는

${}_4C_2=\frac{4\times3}{2\times1}=6$

그런데 한 직선 위에 있는 점들을 연결하여 만들 수 있는 직선은 1개뿐이므로 구하는 직선의 개수는

$21-6-6+3=12$

답 ①

025

12개의 점 중에서 2개를 택하여 만들 수 있는 직선의 개수는

${}_{12}C_2=\frac{12\times11}{2\times1}=66$

한 직선 위에 있는 4개의 점 중에서 2개를 택하는 경우의 수는

$4\times{}_4C_2=4\times\frac{4\times3}{2\times1}=4\times6=24$

그런데 한 직선 위에 있는 점들을 연결하여 만들 수 있는 직선은 1개뿐이므로 구하는 직선의 개수는

$66-24+4=46$

답 ④

026

12개의 점 중에서 3개를 택하는 경우의 수는

${}_{12}C_3=\frac{12\times11\times10}{3\times2\times1}=220$

한 직선 위에 있는 3개의 점 중에서 3개를 택하는 경우의 수는

$6\times{}_3C_3=6\times1=6$

그런데 한 직선 위에 있는 3개의 점으로는 삼각형을 만들 수 없으므로 구하는 삼각형의 개수는

$220-6=214$

답 ③

027

7개의 점 중에서 3개를 택하는 경우의 수는

${}_7C_3=\frac{7\times6\times5}{3\times2\times1}=35$

한 직선 위에 있는 3개의 점 중에서 3개를 택하는 경우의 수는

${}_3C_3=1$

한 직선 위에 있는 4개의 점 중에서 3개를 택하는 경우의 수는

${}_4C_3={}_4C_{4-3}={}_4C_1=4$

그런데 한 직선 위에 있는 3개의 점으로는 삼각형을 만들 수 없으므로 구하는 삼각형의 개수는

$35-1-4=30$

답 30

|다른 풀이|

한 직선 위에 있는 점 중에서 2개를 택하고 다른 한 직선 위에 있는 점 중에서 1개를 택하면 삼각형을 만들 수 있으므로 구하는 삼각형의 개수는

$$\begin{aligned}{}_3C_2\times{}_4C_1+{}_3C_1\times{}_4C_2&={}_3C_1\times{}_4C_1+{}_3C_1\times{}_4C_2\\&=3\times4+3\times\frac{4\times3}{2\times1}\\&=12+3\times6\\&=12+18=30\end{aligned}$$

028

가로 방향의 평행선 중에서 2개, 세로 방향의 평행선 중에서 2개를 택하면 하나의 평행사변형이 만들어지므로 구하는 평행사변형의 개수는

${}_3C_2\times{}_4C_2=\frac{3\times2}{2\times1}\times\frac{4\times3}{2\times1}=18$

답 18

029

(1) 가로 방향의 평행선 중에서 2개, 세로 방향의 평행선 중에서 2개를 택하면 하나의 직사각형이 만들어지므로 구하는 직사각형의 개수는

${}_4C_2\times{}_5C_2=\frac{4\times3}{2\times1}\times\frac{5\times4}{2\times1}$

$=60$ ············ ❶

(2) 한 변의 길이가 1인 정사각형의 개수는 12

한 변의 길이가 2인 정사각형의 개수는 6

한 변의 길이가 3인 정사각형의 개수는 2

따라서 정사각형의 개수는

$12+6+2=20$ ············ ❷

(3) 정사각형이 아닌 직사각형의 개수는

$60-20=40$ ············ ❸

답 (1) 60 (2) 20 (3) 40

채점 기준	비율
❶ 직사각형의 개수를 구할 수 있다.	40%
❷ 정사각형의 개수를 구할 수 있다.	40%
❸ 정사각형이 아닌 직사각형의 개수를 구할 수 있다.	20%

030

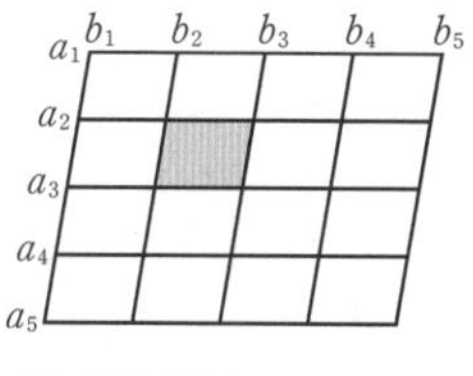

오른쪽 그림과 같이 가로의 평행선을 각각 a_1, a_2, a_3, a_4, a_5라 하고, 세로의 평행선을 각각 b_1, b_2, b_3, b_4, b_5라고 하자.

색칠한 부분을 포함하는 평행사변형을 만들기 위해서는 가로의 평행선은 a_1, a_2 중에서 하나, a_3, a_4, a_5 중에서 하나를 택하고, 세로의 평행선은 b_1, b_2 중에서 하나, b_3, b_4, b_5 중에서 하나를 택해야 하므로 구하는 평행사변형의 개수는

$({}_2C_1\times{}_3C_1)\times({}_2C_1\times{}_3C_1)=(2\times3)\times(2\times3)=36$

답 ③

031

(1) 주어진 조건을 만족시키려면 집합 Y의 10개의 원소 중에서 5개를 택하여 작은 수부터 차례로 정의역의 원소 -2, -1, 0, 1, 2에 대응시키면 된다.
따라서 구하는 함수 f의 개수는
$${}_{10}C_5=\frac{10\times9\times8\times7\times6}{5\times4\times3\times2\times1}=252$$
(2) 주어진 조건을 만족시키려면 집합 Y의 원소 1, 2, 3, 4, 5 중에서 3개를 택하여 작은 수부터 차례로 정의역의 원소 -2, -1, 0에 대응시키고, 집합 Y의 원소 7, 8, 9, 10 중에서 1개를 택하여 정의역의 원소 2에 대응시키면 된다.
따라서 구하는 함수 f의 개수는
$${}_5C_3\times{}_4C_1=\frac{5\times4\times3}{3\times2\times1}\times4=40$$

답 (1) 252 (2) 40

참고

함수의 개수

두 집합 X, Y의 원소의 개수가 각각 m, n $(m\le n)$일 때, 함수 $f: X \longrightarrow Y$ 중에서
(1) 일대일함수인 함수 f의 개수 ➡ ${}_nP_m$
(2) 일대일대응인 함수 f의 개수 ➡ ${}_mP_m=m!$ (단, $m=n$)
(3) $a<b$이면 $f(a)<f(b)$를 만족시키는 함수 f의 개수 ➡ ${}_nC_m$

032

주어진 조건을 만족시키려면 집합 Y의 5개의 원소 중에서 2개를 택하여 작은 수부터 차례로 정의역의 원소 1, 8에 대응시키고, 집합 Y의 5개의 원소 중에서 2개를 택하여 작은 수부터 차례로 정의역의 원소 2, 4에 대응시키면 된다.
따라서 구하는 함수 f의 개수는
$${}_5C_2\times{}_5C_2=\frac{5\times4}{2\times1}\times\frac{5\times4}{2\times1}=100$$

답 ③

033

정의역의 원소가 3개, 공역의 원소가 2개이므로 치역과 공역이 같으려면 정의역의 원소 중 함숫값이 같은 원소가 두 개 존재해야 한다.
집합 X의 3개의 원소 중에서 함숫값이 같은 원소 2개를 택하는 경우의 수는
${}_3C_2={}_3C_{3-2}={}_3C_1=3$
택한 2개의 원소를 한 원소로 생각하여 집합 X의 원소 2개를 집합 Y의 각 원소에 대응시키는 경우의 수는
$2!=2$
따라서 구하는 함수의 개수는
$3\times2=6$

답 6

034

조건 (나)에 의하여 $f(2)+f(3)+f(5)+f(7)$은 짝수이므로 $f(2)$, $f(3)$, $f(5)$, $f(7)$이 모두 짝수 또는 모두 홀수이거나 짝수가 2개, 홀수가 2개이어야 한다. ❶
집합 B의 원소 중 짝수는 2, 4, 6, 8의 4개, 홀수는 1, 3, 5, 7의 4개이므로
(i) $f(2)$, $f(3)$, $f(5)$, $f(7)$ 모두가 짝수인 경우의 수는
${}_4C_4=1$
(ii) $f(2)$, $f(3)$, $f(5)$, $f(7)$ 모두가 홀수인 경우의 수는
${}_4C_4=1$
(iii) $f(2)$, $f(3)$, $f(5)$, $f(7)$ 중 짝수가 2개, 홀수가 2개인 경우의 수는
${}_4C_2\times{}_4C_2=\frac{4\times3}{2\times1}\times\frac{4\times3}{2\times1}=36$ ❷
조건 (가)를 만족시키려면 (i), (ii), (iii)에서 구한 집합 B의 원소 중 크기가 큰 것부터 차례로 정의역의 원소 2, 3, 5, 7에 대응시키면 된다.
따라서 구하는 함수 f의 개수는
$1+1+36=38$ ❸

답 38

채점 기준	비율
❶ 조건 (나)를 만족시키기 위한 조건을 구할 수 있다.	30%
❷ 조건 (나)를 만족시키는 각 경우의 수를 구할 수 있다.	50%
❸ 함수 f의 개수를 구할 수 있다.	20%

참고

(홀수)+(짝수)=(홀수)
(짝수)+(홀수)=(홀수)
(짝수)+(짝수)=(짝수)
(홀수)+(홀수)=(짝수)

실력을 높이는 연습 문제

본문 135쪽

01

주어진 이차방정식의 두 근을 α, β라고 하면 두 근의 합이 14이므로 이차방정식의 근과 계수의 관계에 의하여

$\alpha+\beta=\dfrac{3\times{}_{n}C_{4}}{{}_{n}C_{2}}=14$

$3\times{}_{n}C_{4}=14\times{}_{n}C_{2}$

→ ${}_{n}C_{4}$에서 $n\ge4$, ${}_{n}C_{2}$에서 $n\ge2$이므로 $n\ge4$

$3\times\dfrac{n(n-1)(n-2)(n-3)}{4\times3\times2\times1}=14\times\dfrac{n(n-1)}{2\times1}$

이때 $n\ge4$이므로 양변에 $\dfrac{4\times2\times1}{n(n-1)}$을 곱하면

$(n-2)(n-3)=56$, $n^2-5n-50=0$

$(n+5)(n-10)=0$ $\quad\therefore n=10\ (\because n\ge4)$

따라서 구하는 두 근의 곱은

$\alpha\beta=\dfrac{{}_{10}C_{3}}{{}_{10}C_{2}}=\dfrac{\dfrac{10\times9\times8}{3\times2\times1}}{\dfrac{10\times9}{2\times1}}=\dfrac{8}{3}$

답 ③

풍쌤 개념 CHECK

이차방정식의 근과 계수의 관계_高 수학

이차방정식 $ax^2+bx+c=0$의 두 근을 α, β라고 하면

$\alpha+\beta=-\dfrac{b}{a}$, $\alpha\beta=\dfrac{c}{a}$

02

${}_{n-1}C_{r-1}+{}_{n-1}C_{r}$

$=\dfrac{(n-1)!}{(r-1)!(n-r)!}+\dfrac{(n-1)!}{r!(n-r-1)!}$

$=\dfrac{(n-1)!}{(r-1)!(\boxed{(가)\ n-r-1})!}\left(\dfrac{1}{n-r}+\dfrac{1}{r}\right)$

$=\dfrac{(n-1)!}{(r-1)!(\boxed{(가)\ n-r-1})!}\times\dfrac{\boxed{(나)\ n}}{(n-r)r}$

$=\dfrac{n!}{r!(\boxed{(다)\ n-r})!}$

$={}_{n}C_{r}$

∴ (가): $n-r-1$, (나): n, (다): $n-r$

답 (가): $n-r-1$ (나): n (다): $n-r$

03

문제 접근하기

세 수의 합이 홀수가 되려면 세 수 중 하나만 홀수이거나 세 수 모두가 홀수가 되어야 한다.

1부터 9까지의 자연수 중에서 짝수는 2, 4, 6, 8의 4개, 홀수는 1, 3, 5, 7, 9의 5개이므로 세 수의 합이 홀수가 되는 경우는 다음과 같다.

(i) (홀수)+(짝수)+(짝수)인 경우

5개의 홀수 중 1개, 4개의 짝수 중 2개를 택하면 되므로 경우의 수는

${}_{5}C_{1}\times{}_{4}C_{2}=5\times\dfrac{4\times3}{2\times1}=30$

(ii) (홀수)+(홀수)+(홀수)인 경우

5개의 홀수 중 3개를 택하면 되므로 경우의 수는

${}_{5}C_{3}={}_{5}C_{2}=\dfrac{5\times4}{2\times1}=10$

(i), (ii)에 의하여 구하는 경우의 수는

$30+10=40$

답 ⑤

04

영신이를 항상 포함하는 경우는 영신이를 제외한 5명 중에서 3명을 뽑으면 되므로

$a={}_{5}C_{3}={}_{5}C_{2}=\dfrac{5\times4}{2\times1}=10$

영신이를 포함하지 않는 경우는 영신이를 제외한 5명 중에서 4명을 뽑으면 되므로

$b={}_{5}C_{4}={}_{5}C_{1}=5$

$\therefore a-b=10-5=5$

답 ④

05

12명 중에서 3명을 뽑는 경우의 수는

${}_{12}C_{3}=\dfrac{12\times11\times10}{3\times2\times1}=220$

(i) 탁구 선수가 한 명도 포함되지 않는 경우

탁구 선수를 제외한 7명 중에서 3명을 뽑는 경우의 수는

${}_{7}C_{3}=\dfrac{7\times6\times5}{3\times2\times1}=35$

(ii) 탁구 선수가 한 명 포함되는 경우

탁구 선수 5명 중에서 1명을 뽑고, 탁구 선수를 제외한 7명 중에서 2명을 뽑는 경우의 수는

${}_{5}C_{1}\times{}_{7}C_{2}=5\times\dfrac{7\times6}{2\times1}=105$

(i), (ii)에 의하여 구하는 경우의 수는

$220-(35+105)=80$

답 80

|다른 풀이|

(i) 탁구 선수가 2명 포함되는 경우

탁구 선수 5명 중에서 2명을 뽑고, 탁구 선수를 제외한 7명 중에서 1명을 뽑는 경우의 수는

${}_{5}C_{2}\times{}_{7}C_{1}=\dfrac{5\times4}{2\times1}\times7=70$

(ii) 탁구 선수 3명을 뽑는 경우

탁구 선수 5명 중에서 3명을 뽑는 경우의 수는

${}_{5}C_{3}={}_{5}C_{2}=\dfrac{5\times4}{2\times1}=10$

(i), (ii)에 의하여 구하는 경우의 수는

$70+10=80$

06

1부 공연 순서를 정하는 방법은 노래 3팀 중에서 2팀을 뽑고, 댄스 3팀, 개그 2팀 중에서 각각 1팀씩 뽑고, 노래 2팀은 서로 순서를 바꿀 수 있으므로 경우의 수는

${}_3C_2 \times {}_3C_1 \times {}_2C_1 \times 2! = 3 \times 3 \times 2 \times 2 = 36$

2부 공연 순서에서는 노래 1팀, 개그 1팀은 1부에서 뽑히지 않은 팀으로 자동 결정되고 댄스 2팀은 서로 순서가 바뀔 수 있으므로 경우의 수는

$1 \times 1 \times 2! = 2$

따라서 구하는 경우의 수는

$36 \times 2 = 72$

답 ③

07

사과 4개 중에서 2개를 고르는 경우의 수는

${}_4C_2 = \frac{4 \times 3}{2 \times 1} = 6$

복숭아 2개 중에서 1개를 고르는 경우의 수는

${}_2C_1 = 2$

멜론 3개 중에서 1개를 고르는 경우의 수는

${}_3C_1 = 3$

4명의 학생에게 각각 하나씩 나누어주는 경우의 수는

$4! = 24$

따라서 구하는 경우의 수는

$6 \times 2 \times 3 \times 24 = 864$

답 864

08

200보다 크고 500보다 작은 수의 백의 자리의 수는 2 또는 3 또는 4이므로 다음과 같이 경우를 나누어 생각해 보자.

(i) $a=2$인 경우

$2 < b < c < 10$이므로 3, 4, 5, 6, 7, 8, 9의 7개의 수 중에서 2개를 택하여 작은 수를 b, 큰 수를 c라고 하면 된다.

$\therefore {}_7C_2 = \frac{7 \times 6}{2 \times 1} = 21$

(ii) $a=3$인 경우

$3 < b < c < 10$이므로 4, 5, 6, 7, 8, 9의 6개의 수 중에서 2개를 택하여 작은 수를 b, 큰 수를 c라고 하면 된다.

$\therefore {}_6C_2 = \frac{6 \times 5}{2 \times 1} = 15$

(iii) $a=4$인 경우

$4 < b < c < 10$이므로 5, 6, 7, 8, 9의 5개의 수 중에서 2개를 택하여 작은 수를 b, 큰 수를 c라고 하면 된다.

$\therefore {}_5C_2 = \frac{5 \times 4}{2 \times 1} = 10$

(i)~(iii)에 의하여 구하는 자연수의 개수는

$21 + 15 + 10 = 46$

답 46

09

14개의 점 중에서 2개를 택하는 경우의 수는

${}_{14}C_2 = \frac{14 \times 13}{2 \times 1} = 91$

한 직선 위에 있는 8개의 점 중에서 2개를 택하는 경우의 수는

${}_8C_2 = \frac{8 \times 7}{2 \times 1} = 28$

그런데 한 직선 위에 있는 점들을 연결하여 만들 수 있는 직선은 1개뿐이므로 구하는 직선의 개수는

$91 - 28 + 1 = 64$

답 64

10

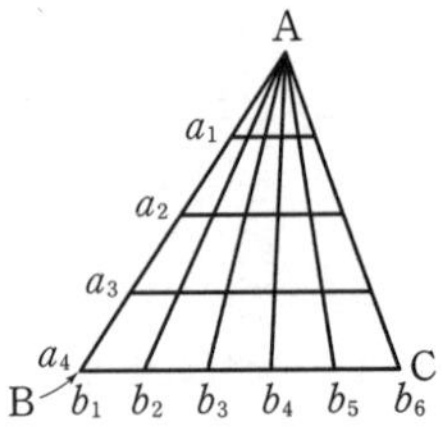

오른쪽 그림과 같이 가로 방향의 직선들을 각각 a_1, a_2, a_3, a_4라 하고, 세로 방향의 직선들을 각각 b_1, b_2, b_3, b_4, b_5, b_6이라고 하자.

이때 직선 a_1, a_2, a_3, a_4 중에서 1개, 직선 b_1, b_2, b_3, b_4, b_5, b_6 중에서 2개를 택하면 삼각형 1개가 만들어지므로 구하는 삼각형의 개수는

${}_4C_1 \times {}_6C_2 = 4 \times \frac{6 \times 5}{2 \times 1} = 60$

답 ④

11

문제 접근하기

조건 (가)에서 함수 f는 일대일함수이므로 정의역의 원소의 개수와 치역의 원소의 개수가 같아야 함을 이해하고, 조건 (나)를 이용하여 치역의 원소를 택하는 경우의 수를 구한다.

조건 (가)에 의하여 함수 f는 일대일함수이므로 치역의 원소의 개수는 정의역의 원소의 개수와 같아야 한다. 즉, 치역의 원소의 개수는 4이다.

조건 (나)에 의하여 치역의 원소 중 가장 큰 값이 8, 가장 작은 값이 2이므로 치역의 나머지 2개의 원소는 3, 4, 5, 6, 7 중에서 택해야 한다.

3, 4, 5, 6, 7의 5개 중에서 2개를 택하는 경우의 수는

${}_5C_2 = \frac{5 \times 4}{2 \times 1} = 10$

정의역의 원소에 치역의 원소를 각각 대응시키는 경우의 수는

$4! = 24$

이므로 구하는 함수의 개수는

$10 \times 24 = 240$

답 240